PRENTICE HALL

PARA NIVELES INTERMEDIOS
MATEMÁTICAS
LAS CLAVES DEL ÉXITO

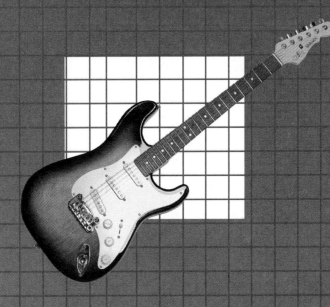

Curso 2

Suzanne H. Chapin

Mark Illingworth

Marsha Landau

Joanna O. Masingila

Leah Mc Cracken

PARA NIVELES INTERMEDIOS
MATEMÁTICAS
LAS CLAVES DEL ÉXITO

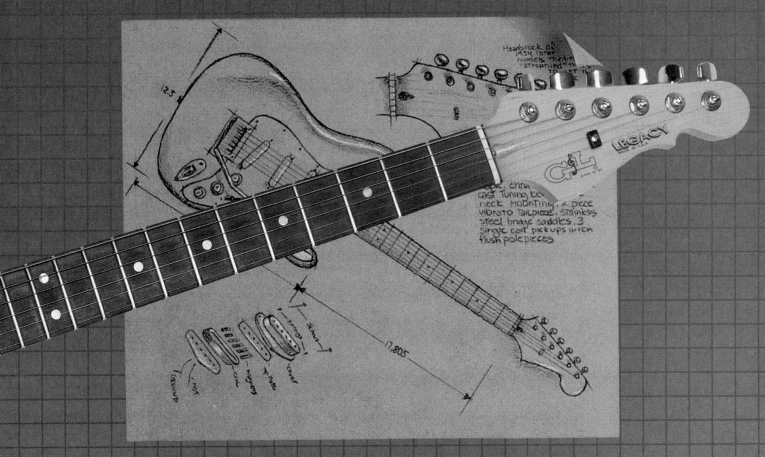

Curso 2

PRENTICE HALL
Simon & Schuster Education Group
A VIACOM COMPANY

The authors and consulting authors on *Prentice Hall Math: Tools for Success* team worked with Prentice Hall to develop an instructional approach that addresses the needs of middle grades students with a variety of ability levels and learning styles. Authors also prepared manuscripts for strands across three levels of Middle Grades Math. Consulting authors worked alongside throughout program planning and all stages of manuscript development offering advice and suggestions for improving the program.

Authors

Suzanne Chapin, Ed. D., Boston University, Boston MA; Proportional Reasoning and Probability strands

Mark Illingworth, Hollis Public Schools, Hollis, NH; Graphing strand

Marsha S. Landau, Ph. D., National Louis University, Evanston, IL; Algebra, Functions, and Computation strands

Joanna Masingila, Ph. D., Syracuse University, Syracuse, NY; Geometry strand

Leah McCracken, Lockwood Junior High, Billings, MT; Data Analysis strand

Consulting Authors

Sadie Bragg, Ed. D., Borough of Manhattan Community College, The City University of New York, New York, NY

Vincent O'Connor, Milwaukee Public Schools, Milwaukee, WI

1997 Printing.

Printed in the United States of America.

ISBN 0-13-839697-3

2 3 4 5 6 7 8 9   02 01 00 99 98 97 96

Reviewers

All Levels

Ann Bouie, Ph. D., Multicultural Reviewer, Oakland, CA

Victoria Delgado, Director of Multicultural/ Bilingual Programs, District 32, Brooklyn, NY (Spanish Edition)

Mary Lester, Dallas Public Schools, Dallas, TX

Dorothy S. Strong, Ph. D., Chicago Public Schools, Chicago, IL

Course 1

Darla Agajanian, Sierra Vista School, Canyon Country, CA

Rhonda Bird, Grand Haven Area Schools, Grand Haven, MI

Leroy Dupee, Bridgeport Public Schools, Bridgeport, CT

Ana Marina Gómez-Gil, Sweetwater Union High School District, Chula Vista, CA (Spanish Edition)

José Lalas, California State University, Dominguez Hills, CA

Richard Lavers, Fitchburg High School, Fitchburg, MA

Jaime Morales, Gage Middle School, Huntington Park, CA (Spanish Edition)

Course 2

Raylene Bryson, Alexander Middle School, Huntersville, NC

Sheila Cunningham, Klein Independent School District, Klein, TX

Eduardo González, Sweetwater High School, National City, CA (Spanish Edition)

Natarsha Mathis, Hart Junior High School, Washington, DC

Marcela Ospina, Washington Middle School, Salinas, CA (Spanish Edition)

Jean Patton, Sharp Middle School, Covington, GA

Judy Trowell, Little Rock School District, Little Rock, AR

Course 3

Frank Acosta, Colton Junior High School, Colton, CA (Spanish Edition)

Michaele F. Chappell, Ph. D., University of South Florida, Tampa, FL

Bettye Hall, Math Consultant, Houston, TX

Joaquín Hernández, Shenandoah Middle School, Miami, FL

Dana Luterman, Lincoln Middle School, Kansas City, MO

Isabel Pereira, Bonita Vista Senior High School, Chula Vista, CA (Spanish Edition)

Loretta Rector, Leonardo da Vinci School, Sacramento, CA

Anthony C. Terceira, Providence School Department, Providence, RI

We are grateful to our reviewers who read manuscript at all stages of development and provided invaluable feedback, ideas, and constructive criticism to help make this program one that meets the needs of middle grades teachers and students.

Staff Credits

Editorial: Judith D. Buice, Kathleen J. Carter, Linda Coffey, Noralie V. Cox, Edward DeLeon, Christine Deliee, Audra Floyd, Mimi Jigarjian, Lynn H. Raisman

Marketing: Bridget A. Hadley, Christina Trinchero

Production: Gabriella Della Corte, David Graham

Electronic Publishing: Joanne Hudson, Pearl Weinstein

Manufacturing: Jackie Bedoya, Vanessa Hunnibell

Design: Alison Anholt-White, Bruce Bond, Russell Lappa, Eve Melnechuk, Stuart Wallace

Prentice Hall dedica este programa a todos los estudiantes de matemáticas de los niveles intermedios para quienes el español es la primera lengua. El uso de este libro facilitará el aprendizaje de las matemáticas y les proporcionará una experiencia dinámica e interactiva.

En este curso se les pedirá trabajar con otros estudiantes para hacer descubrimientos. Se les pedirá hacer observaciones, compartir sus puntos de vista y sacar conclusiones como lo hace la gente en el mundo del trabajo.

Buena suerte al empezar esta experiencia estimulante.

CONTENIDO

Interpretación de datos

Hallarás en todos los capítulos fotos con descripciones que muestran las matemáticas en la vida real.

Según James MacNeal, del departamento de estudios de mercadeo de la universidad Texas A&M, los niños de entre 4 y 12 años originaron en 1990 compras equivalentes a $132,000 millones.

✳ *Hot Page*™ *Lesson*

Geometría

ROTACIÓN

−X

La conquista
DEL ESPACIO

+Y

−Z

centro de gravedad

INCLINACI
DE CABEZA

TAMBALEO

−Y

+Z

+X

Hallarás en todos los capítulos, bajo el título ¡RECUERDA!, repasos relámpago que te darán la información que necesitas justo cuando la necesitas.

¡RECUERDA!

Llamamos perpendiculares a las rectas que se cortan formando ángulos rectos.

Hallarás en todos los capítulos fotos con descripciones que muestran las matemáticas en la vida real.

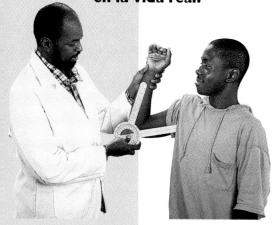

Los fisioterapeutas usan *goniómetros para medir la capacidad de movimiento que tenemos en articulaciones como el codo o la rodilla. El goniómetro tiene un transportador incorporado.*

Fuente: *Scholastic Dynamath*

✳ *Hot Page*™ *Lesson*

Aplicaciones de decimales

Balón Y Canasta

Hallarás en todos los capítulos, bajo los títulos ¿Quién?, ¿Qué?, ¿Por qué?, ¿Cuándo?, ¿Dónde? y ¿Cómo?, miniartículos llenos de datos fascinantes.

¿QUÉ? El corazón de una persona adulta pesa unas 0.656 lb y bombea unos 656.25 gal de sangre por hora. **Halla el número de galones de sangre que bombea el corazón en 1 día.**

Fuente: *Reader's Digest's ABC's of the Human Body*

✳ *Hot Page*™ *Lesson*

Introducción al álgebra

Hallarás en todos los capítulos artículos de periódico que muestran las matemáticas en la vida real.

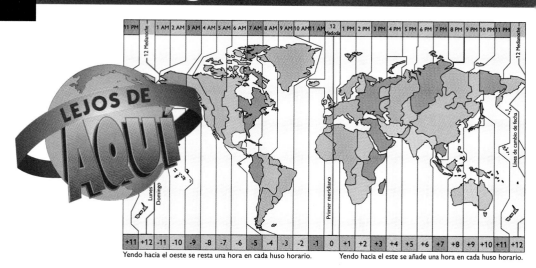

Yendo hacia el oeste se resta una hora en cada huso horario. Yendo hacia el este se añade una hora en cada huso horario.

El planeta rojo

En 1971, la nave espacial no tripulada Mariner 9 transmitió datos y fotografías desde las proximidades de Marte. Los astrónomos descubrieron que la temperatura del planeta más cercano a la Tierra oscilaba entre 68°F bajo cero durante el día y 176°F bajo cero durante la noche. El planeta tiene una superficie rojiza, rocosa y desértica muy similar a la imaginada por los científicos y escritores de ciencia ficción.

✳ *Hot Page*™ *Lesson*

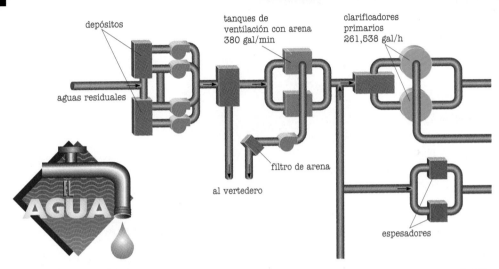

depósitos

aguas residuales

tanques de
ventilación con arena
380 gal/min

filtro de arena

al vertedero

clarificadores
primarios
261,538 gal/h

espesadores

EL AGUA

▶ **H**allarás en todos
los capítulos uso
frecuente de
datos reales.

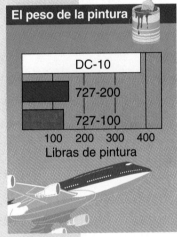

El peso de la pintura

DC-10

727-200

727-100

100   200   300   400
Libras de pintura

*En esta gráfica se muestra el
número de libras añadidas al
peso de un avión cuando se
pinta su superficie. Cada libra
supone un aumento anual de
$30 en los gastos de
combustible.* **Estima el
aumento anual de los
gastos para cada tipo
de avión.**

Fuente: American Airlines

▶ **H**allarás en todos los
capítulos citas
relacionadas con el tema
que estás estudiando.

*Lo más bello del mundo es,
precisamente, la unión de
aprendizaje e inspiración.*
—Wanda Landowska
(1879–1959)

✳ *Hot Page*™ *Lesson*

Patrones y funciones

▲
► **H**allarás por todo el libro
▼ "Sugerencias para
◄ resolver el problema".
▲

Sugerencia para resolver el problema

Estima y comprueba.

▲
► **H**allarás en todos los
▼ capítulos ideas para
◄ investigaciones a
▲ largo plazo.

Misión: Toma las siguientes medidas a los miembros de tu grupo: estatura; distancia entre (1) los extremos de ambas manos (con los brazos extendidos), (2) la muñeca y el codo y (3) el tobillo y la rodilla. Halla las relaciones que se dan entre la estatura y cada una de las distancias medidas (extremos de las manos, muñeca/codo y tobillo/rodilla).

✳ *Hot Page*™ *Lesson*

CAPÍTULO **7**

Teoría de los números

IMAGEN PERFECTA

Hallarás por todo el libro cartas relacionadas con las carreras y profesiones. Busca el título "Un gran futuro".

UN GRAN FUTURO

✳ *Hot Page*™ *Lesson*

Aplicaciones de fracciones

Hallarás en todos los capítulos listas de materiales que te indicarán lo que "Vas a necesitar".

VAS A NECESITAR

✓ Lápices de colores

✓ Papel rayado

✓ Bloques geométricos

✓ Calculadora

Hallarás en todos los capítulos fotos con descripciones que muestran las matemáticas en la vida real.

De los rascacielos más altos del mundo, $\frac{1}{3}$ *están en Chicago (arriba), aproximadamente* $\frac{1}{6}$ *en Nueva York (centro) y* $\frac{1}{7}$ *en Houston (abajo).*

Fuente: *The World Book Encyclopedia*

✳ *Hot Page*™ *Lesson*

Razonamiento con proporciones

LAZOS FAMILIARES

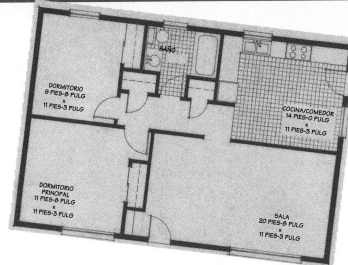

BAÑO

DORMITORIO
9 PIES-8 PULG
x
11 PIES-3 PULG

COCINA/COMEDOR
14 PIES-0 PULG
x
11 PIES-3 PULG

DORMITORIO
PRINCIPAL
11 PIES-8 PULG
x
11 PIES-3 PULG

SALA
20 PIES-8 PULG
x
11 PIES-3 PULG

✴ *Hot Page*™ *Lesson*

Hallarás en todos los capítulos uso frecuente de datos reales.

Producción mundial de automóviles en 1991

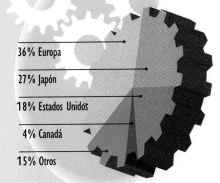

36% Europa

27% Japón

18% Estados Unidos

4% Canadá

15% Otros

Total mundial: 48,400,000

Probabilidad

Vive y deja **V**ivir

Hallarás en todos los "Archivos de datos" una perspectiva mundial. Busca el logotipo "De todo el mundo".

DE TODO EL MUNDO

Hay 92 países con un índice de natalidad mayor que el de la India y 134 con un índice de natalidad mayor que el de la China. Sin embargo, $\frac{1}{3}$ de los nacimientos que ocurren en el mundo tienen lugar en estos dos países.

Hallarás en todas las lecciones "Repasos mixtos" que te ayudarán a mantener tus habilidades en computación y en resolución de problemas.

R**e**pa**s**o MIXTO

1. ¿Qué longitud tiene la diagonal de un rectángulo que mide 5 m x 12 m?

Descompón estos números en factores primos.

2. 625   **3.** 7,200

La regla de una función es $f(n) = -2n - 4$.

Halla:

4. $f(-3)$ **5.** $f(2)$

6. ¿Cuál es la probabilidad de obtener un número menor que 5 cuando se tira un cubo numerado?

✳ *Hot Page*™ *Lesson*

Gráficas en el plano de coordenadas

Corriente oriental de Groenlandia

Corriente del Labrador

FRÍO como el HIELO

✳ *Hot Page*™ *Lesson*

Hallarás en todos los capítulos, bajo los títulos ¿Quién?, ¿Qué?, ¿Por qué?, ¿Cuándo?, ¿Dónde? y ¿Cómo?, miniartículos llenos de datos fascinantes.

¿CUÁNDO? Para el año 2000 se usarán más de 60,000 robots en Estados Unidos.

Fuente: *Robotics*

Archivo de datos #1

En el siglo XIV, los chinos pusieron en circulación el kwan, un billete que medía 9 pulg x 13 pulg. El kwan era 72 veces más grande que el bani, billete rumano emitido en 1917.

DE TODO EL MUNDO

Fuente: *Usborne Book of Countries of the World Facts*

NUESTROS BILLETES

El *Bureau of Engraving and Printing* (casa de la moneda) de Washington D.C. es el organismo encargado de fabricar todo el papel moneda de los Estados Unidos. El dinero se imprime en 16 prensas que producen 8,500 billetes por hora. Algunas funcionan 24 h/d.

Los bancos de la Reserva Federal ponen en circulación ese dinero. Una letra grande en el sello de la Reserva Federal indica qué banco emitió el billete.

DETALLES DEL DÓLAR

El billete de dólar que llevas en la cartera mide 6.14 pulg x 2.61 pulg. Su grueso es de aproximadamente 0.0043 pulg. El número de serie consta de ocho dígitos y tiene una letra delante y otra detrás. Este número sigue el patrón A 00000001 A, A 00000002 A, etc.

sello de la Reserva Federal

número de serie

marca de seguridad

microimpresión

retrato

sello del tesoro

EN ESTE CAPÍTULO

- reunirás, anotarás e interpretarás datos
- harás, leerás e interpretarás tablas y gráficas
- analizarás datos por medio del uso de la tecnología
- harás razonamientos lógicos para resolver problemas

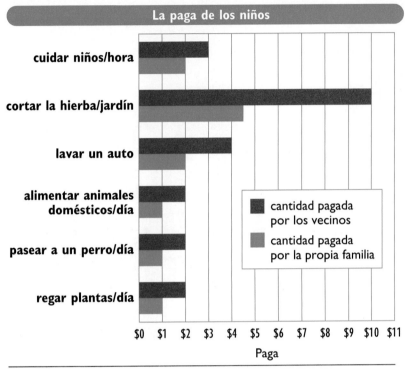

La paga de los niños

- cuidar niños/hora
- cortar la hierba/jardín
- lavar un auto
- alimentar animales domésticos/día
- pasear a un perro/día
- regar plantas/día

cantidad pagada por los vecinos

cantidad pagada por la propia familia

$0 $1 $2 $3 $4 $5 $6 $7 $8 $9 $10 $11

Paga

Fuente: *Zillions*

Tasas medias de interés

Año	Cuenta de ahorros	Certificado de depósito
1985	5.99%	9.66%
1986	5.00%	7.60%
1987	4.95%	7.66%
1988	4.96%	8.11%
1989	5.02%	8.30%
1990	4.93%	7.71%
1991	4.39%	6.83%

Fuente: *Statistical Abstract of the United States*

borde

valor

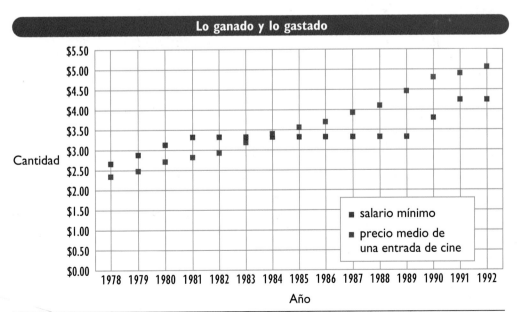

Lo ganado y lo gastado

$5.50
$5.00
$4.50
$4.00
$3.50
$3.00
Cantidad
$2.50
$2.00
$1.50
$1.00
$0.50
$0.00

1978 1979 1980 1981 1982 1983 1984 1985 1986 1987 1988 1989 1990 1991 1992

Año

- salario mínimo
- precio medio de una entrada de cine

Fuente: *Statistical Abstract of the United States; Variety; U.S. News & World Report*

investigación

Proyecto

Informe

La edad de las personas no es un buen indicador de su estatura. Los niños crecen aproximadamente al mismo ritmo durante los primeros años de vida, pero después se producen considerables variaciones. Un hombre norteamericano de 20 años puede alcanzar 5 pies y 6 pulgadas con tanta probabilidad como 6 pies. Las diferencias entre distintos países son incluso mayores. ¿Y el peso? ¿Es un buen indicador de la estatura?

Misión: *Responde a esta pregunta: ¿Puedes estimar la estatura de una persona a partir de su su peso? Si respondes "sí", explica cómo ese dato te permite hacer la estimación. Si tu respuesta es "no", explica por qué.*

Sigue Estas Pistas

✓ ¿Qué relaciones entre peso y estatura observas en los miembros de tu familia?

✓ ¿Qué datos te pueden ayudar a contestar la pregunta?

✓ ¿Podrías identificar un animal si conocieras su peso?

1-1 Registro de frecuencias

En esta lección

• Reunir, registrar e interpretar datos

VAS A NECESITAR

✓ Papel cuadriculado

Número de niños	Conteo	Frecuencia
1	||	2
2	⊞⊞ ||||	9
3	⊞⊞	5
4	||||	4
5	|||	3
6	||	2

PIENSA Y COMENTA

Cuando reúnes información sobre un conjunto cualquiera, obtienes una serie de *datos* que se pueden presentar de diferentes maneras. Uno de esos procedimientos es la *tabla de frecuencia*. En una **tabla de frecuencia** se registra cada dato y el número de veces que ocurre. La suma de las *marcas del conteo* es la frecuencia de cada dato. Para elaborar la tabla de la izquierda se preguntó a 25 adultos cuántos niños había en sus familias cuando eran pequeños.

1. ¿Qué cantidad era la más común? ¿Y la más rara?

Ejemplo 1 Representa los datos de la tabla de frecuencia en un *diagrama de puntos*.

```
×
×
×
×
×   ×
×   ×   ×
×   ×   ×   ×
×   ×   ×   ×   ×   ×
×   ×   ×   ×   ×   ×
─────────────────────
1   2   3   4   5   6
```

Registra cada respuesta poniendo una × sobre el número de niños en la familia.

2. ¿Qué información proporciona la tabla de frecuencia pero no el diagrama de puntos?

La **gama** de un conjunto de datos numéricos es la diferencia entre el valor más alto y el más bajo del conjunto.

Ejemplo 2 Halla la gama entre los siguientes precios de autos nuevos.

$8,750 $24,560 $16,230 $26,990 $12,400

• 26,990 − 8,750 = 18,240   Resta el valor más bajo del más alto.

La gama es $18,240.

3. **Geografía física** ¿Cuál es la gama de los datos siguientes?

Alturas de montañas de Alaska (en pies): 16,390   14,573   20,030   16,550   15,885   14,163   14,831   16,237   15,638   16,286   17,400   14,730   14,530

¿DÓNDE?

Cada día nacen 11,000 niños en los Estados Unidos lo cual equivale a más de 450 niños cada hora. **¿Aproximadamente cuántos niños nacen cada minuto?**

Fuente: *The World Almanac*

¿Cuántas tarjetas de béisbol tienes?			
11	I	21	I
12	︲+++	22	IIII
13	II	23	
14	I	24	III
15	IIII	25	I
16	I	26	
17	II	27	III
18		28	I
19		29	
20	IIII	30	+++ II

¡RECUERDA!

En una **gráfica de barras** se comparan cantidades o frecuencias.

Cuando la gama de un conjunto de datos es grande, conviene dividir las cantidades en *intervalos* de igual tamaño. Para evitar la duplicación de los datos, los intervalos no deben traslaparse.

Cuarenta niños que coleccionan tarjetas de béisbol dijeron cuántas tenían. Sus respuestas aparecen en la tabla de la izquierda.

4. a. Aficiones ¿Cuántos niños tienen 17 tarjetas de béisbol?

   b. ¿Cuántos tienen 23 tarjetas de béisbol?

5. ¿Cuál es la gama de las cantidades de tarjetas coleccionadas?

6. a. ¿Son apropiados en este caso los intervalos 0–10, 10–20 y 20–30? ¿Por qué?

   b. Halla dos divisiones en intervalos para los datos de esta tabla.

Un **histograma** es una *gráfica de barras* usada para representar frecuencias. La altura de las barras indica la frecuencia de los datos. No hay espacios entre barras consecutivas. En el histograma siguiente se muestran los datos de la tabla que aparece arriba, a la izquierda.

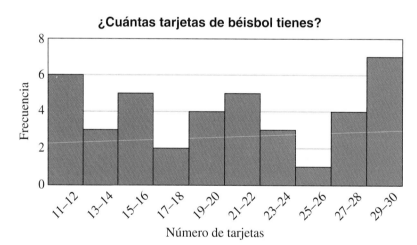

¿Cuántas tarjetas de béisbol tienes?

7. ¿Cuál es el intervalo del histograma?

8. ¿Qué intervalo es el más frecuente? ¿Y el menos frecuente?

9. ¿Qué mirarías para saber cuántos niños tienen más de 22 tarjetas: el histograma o la tabla? Explica por qué.

10. a. Dibuja de nuevo el histograma usando intervalos de distinto tamaño.

   b. ¿Cómo ha cambiado el aspecto del histograma?

EN EQUIPO

Formen equipos de cuatro y hagan a unas ocho personas (los miembros de su grupo y de otro grupo) una de las preguntas que aparecen a la derecha.

11. Anoten las respuestas en una tabla de frecuencia.

12. Hagan un diagrama de puntos o un histograma con esos datos.

13. ¿Qué respuesta fue la más frecuente? ¿Y la menos frecuente?

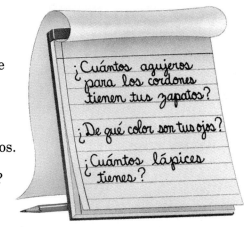

¿Cuántos agujeros para los cordones tienen tus zapatos?

¿De qué color son tus ojos?

¿Cuántos lápices tienes?

PONTE A PRUEBA

14. a. ¿Cuántos datos se registran en el diagrama de puntos de la derecha?

b. ¿Qué representa cada dato o cada ✕?

c. ¿Qué respuesta fue más frecuente?

15. Nutrición Emma interrogó a un grupo de estudiantes de la Escuela Serrano sobre sus frutas favoritas. Ocho dijeron que preferían las manzanas, seis eligieron las naranjas, cuatro las bananas, cinco los melocotones y una muchacha optó por los kiwis.

a. Crea una tabla de frecuencia con estos datos.

b. Haz un diagrama de puntos y un histograma para representar estos datos.

c. ¿Qué semejanzas ves entre el diagrama de puntos y el histograma?

¿Cuántos pares de calcetines rojos posees?

```
            ✕
            ✕
            ✕
     ✕      ✕
     ✕      ✕      ✕
     ✕      ✕      ✕      ✕
     ✕      ✕      ✕      ✕      ✕
    ─────────────────────────────
     0      1      2      3      4
```

POR TU CUENTA

16. Espectáculos Cincuenta personas respondieron a la pregunta "¿Cuántas películas viste en julio en una sala de cine?". El histograma de la derecha representa sus respuestas.

a. ¿Aproximadamente cuántas personas no fueron al cine en julio?

b. ¿Qué cantidad de películas fue la más frecuente? ¿Cuántas personas dieron esa respuesta?

c. ¿Cuál es la diferencia entre el número de los que vieron tres películas y el de los que vieron cinco?

d. ¿Cuántas personas vieron dos o más películas en un cine?

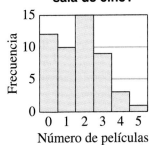

¿Cuántas películas viste en julio en una sala de cine?

Compara.
Usa >, < ó =.

1. 10 + 2 ■ 15 − 3

2. 7 × 2 ■ 5 × 3

Calcula mentalmente.

3. 594 + 406

4. 702 − 212

5. Sustituye cada ■ por +, −, × ó ÷.

4 ■ 6 ■ 3 = 7 ■ 3

Número de centavos	Frecuencia
1–5	12
6–10	6
11–15	10
16–20	7
21–25	5
26–30	6
31–35	0
36–40	4

17. La Srta. Blumberg preguntó a 25 estudiantes de matemáticas de qué color eran sus chaquetas de invierno. Siete chaquetas eran rojas, dos rosadas, tres verdes, nueve azules y cuatro eran de varios colores.

   a. Crea una tabla de frecuencia con estos datos.

   b. Haz un histograma con estos datos.

   c. ¿Cuál es la diferencia entre el número de chaquetas del color más común y el número de chaquetas del color más raro?

18. **Negocios** Estrella trabaja en una librería donde registra el número de libros que compra la gente. A la derecha puedes ver el diagrama de puntos que hizo el viernes por la mañana.

   a. ¿Cuál es la diferencia entre el número de personas que compraron dos libros y el número de personas que compraron cuatro?

   b. ¿Cuántas personas compraron más de tres libros?

19. **Salud** Gabriel le preguntó a 16 personas a qué hora se levantaban por la mañana. En la tabla de la izquierda se muestran sus respuestas.

   a. Haz una tabla de frecuencia y un histograma con los datos. Usa intervalos de media hora (6:00–6:29, 6:30–6:59, etc.).

   b. ¿Qué intervalo es el más común?

20. **Dinero** Cincuenta personas contaron las monedas de un centavo que tenían en los bolsillos. La tabla de frecuencia situada a la izquierda representa las cantidades.

   a. ¿Indica la tabla cuántas personas tenían 17 monedas en los bolsillos? ¿Por qué?

   b. ¿Cuál es la diferencia entre el número de personas que tenían 1–5 monedas y el de las que tenían 26–30 monedas?

   c. Crea un histograma con los datos. Usa los intervalos de la tabla.

21. **Por escrito** ¿Qué usarías para representar 100 datos: un histograma o un diagrama de puntos? Explica tu elección.

22. **Investigación (pág. 4)** Consigue una tabla de crecimiento de bebés. Puedes encontrarla en un libro sobre desarrollo infantil o se la puedes pedir a un pediatra. Explica cómo se interpreta la tabla y describe las relaciones que observes entre peso y estatura.

1-2 Uso de la computadora para hacer gráficas

En esta lección

• Usar una hoja de cálculo para hacer gráficas

• Elegir la mejor gráfica para un objetivo dado

VAS A NECESITAR

✓ Computadora

✓ Hoja de cálculo

PIENSA Y COMENTA

La tabla siguiente muestra la cantidad de dinero que recaudaron tres películas en los Estados Unidos durante cuatro fines de semana. La tabla se hizo en una computadora usando un programa de *hojas de cálculo*. Una hoja de cálculo es una herramienta para organizar y analizar datos.

1. **a. Discusión** ¿Cómo se organiza una hoja de cálculo? ¿Qué información proporciona?

   b. ¿Qué observas en la cantidad de dinero recaudada por cada película durante cuatro fines de semana?

Dinero recaudado (en millones de dólares)

	A	B	C	D	E
	Película	**Agosto 6–8**	**Agosto 13–15**	**Agosto 20–22**	**Agosto 27–29**
1					
2	**The Secret Garden**		4.6	4.3	3.3
3	**Jurassic Park**	5.1	4.3	3.8	2.9
4	**Free Willy**	5.4	4	3.1	2.3

Fuente: *Hollywood Reporter*

Una **casilla** es el cuadro donde se encuentran una fila y una columna. Por ejemplo, la columna C y la fila 2 coinciden en el cuadro sombreado. El nombre de este cuadro es *casilla C2* y su *valor* es 4.6.

2. **a.** ¿Cuál es el valor de la casilla D3?

   b. ¿Qué significa ese número?

3. ¿Qué casillas hay en la fila 1? ¿Y en la columna E?

4. ¿Qué casilla tiene el valor 5.4?

5. ¿Por qué crees que la casilla B2 está vacía?

 Tras 16 semanas en las salas de cine, "Jurassic Park" superó a "E.T." y se convirtió en la película que más dinero ha recaudado en la historia.

Fuente: *Variety*

Las hojas de cálculo te pueden ahorrar mucho tiempo y esfuerzo al hacer una gráfica. En una **gráfica de barras** se relacionan cantidades. La gráfica de barras siguiente se elaboró con una fila de la hoja de cálculo, pero le falta el título.

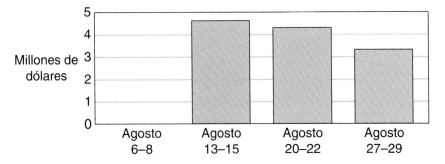

6. **a. Pensamiento crítico** ¿Qué película se representa en la gráfica de barras? Explica por qué lo sabes.

   b. ¿En qué fin de semana recaudó más dinero la película?

Para mostrar cómo cambia una cantidad a lo largo del tiempo, puedes hacer una **gráfica lineal**. La siguiente representa los mismos datos que la gráfica de barras de arriba, pero la línea permite dirigir la atención hacia los cambios y las tendencias.

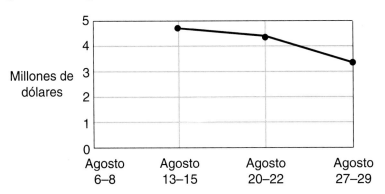

7. **a.** Supón que quisieras predecir la cantidad de dinero que recaudará la película durante el fin de semana posterior al 27–29 de agosto. ¿Qué gráfica usarías? ¿Por qué?

   b. Haz una predicción usando la gráfica elegida.

8. **Discusión** Estas dos gráficas representan la misma información de dos maneras distintas. ¿Es siempre apropiado representar los mismos datos en una gráfica de barras y en una gráfica lineal?

9. a. ¿Qué representan la hoja de cálculo de abajo y la gráfica de barras de la derecha?

b. ¿Por qué una gráfica lineal con los mismos datos *no* tendría sentido?

	A	B
1	**País**	**Películas en 1991**
2	Francia	133
3	India	806
4	Estados Unidos	578

Fuente: *Encyclopedia Britannica Yearbook*

Películas filmadas en 1991

¿Qué gráfica usarías para representar los siguientes datos, una lineal o una de barras? ¿Por qué?

10. la población de Alaska en 1950, 1960, 1970, 1980 y 1990

11. la cantidad de varones y de niñas que hay en tu escuela

Computadora Las gráficas de los ejercicios 12 y 13 puedes hacerlas con una computadora o a mano.

12. Haz una gráfica lineal para representar el dinero que recaudaron en agosto *Jurassic Park* o *Free Willy*. Describe la tendencia que ves en tu gráfica.

13. Haz una gráfica de barras para comparar el dinero que recaudó *Jurassic Park* y *Free Willy* durante el fin de semana del 6 al 8 de agosto.

14. Por escrito ¿Es la gráfica siguiente adecuada para estos datos? Incluye en tu respuesta las definiciones de gráfica lineal y de gráfica de barras.

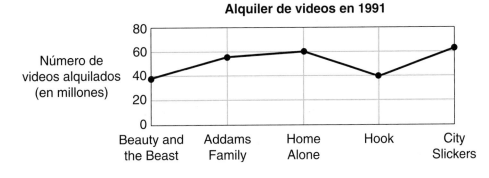

Alquiler de videos en 1991

Número de videos alquilados (en millones)

Beauty and the Beast | Addams Family | Home Alone | Hook | City Slickers

Edades de los estudiantes en la clase del Sr. Harris

Edad	Número de estudiantes
14	IIII
13	HHT HHT HHT I
12	HHT HHT II

1. ¿Cuántos estudiantes hay en la clase?

2. Haz una gráfica de puntos y un histograma con los datos.

3. ¿Cuál es la gama de las edades de los estudiantes?

4. ¿Qué edad es la más común?

Calcula.

5. 4×27 **6.** $18 \div 3$

En esta lección

• Interpretar gráficas
de doble línea y de
doble barra

• Hacer gráficas de doble
línea y de doble barra

VAS A NECESITAR

✓ Papel cuadriculado

1-3 **R**epresentación de datos

PIENSA Y COMENTA

Para representar distintos tipos de datos se utilizan diversas
clases de gráficas. Las **gráficas de doble línea** relacionan los
cambios que ocurren en dos conjuntos de datos a lo largo del
tiempo. En la gráfica siguiente se comparan las temperaturas
máximas en Juneau, Alaska, durante los primeros ocho días de
septiembre con las temperaturas mínimas en Key West, Florida,
durante el mismo período. La **leyenda** o clave aclara lo que
indican las líneas.

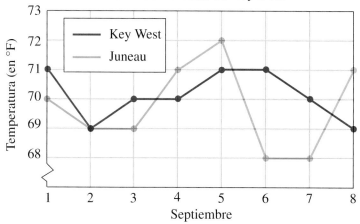

**Temperaturas máximas de Juneau comparadas
con las mínimas de Key West**

Fuente: Cámaras de comercio de Juneau y Key West

1. **El tiempo** ¿Cuál es la temperatura más alta representada
   en la gráfica de doble línea? ¿Se produce en Juneau o en
   Key West?

2. ¿En qué fecha(s) es mayor la diferencia entre las temperaturas?

3. ¿Es la temperatura máxima de Juneau igual a la mínima de
   Key West en alguna ocasión? De ser así, ¿cuándo?

4. **a.** ¿Qué día(s) es la temperatura máxima de Juneau más baja
   que la mínima de Key West?

   b. ¿Qué día(s) es la temperatura máxima de Juneau más alta
   que la mínima de Key West?

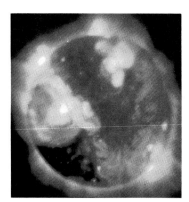

La temperatura
en el núcleo del
Sol es de unos
27,000,000°F. Si el calor en el
núcleo del Sol cesara de
pronto, el enfriamiento en la
superficie del Sol (y por lo
tanto en la Tierra) tardaría
unos 10 millones de años en
iniciarse.

Fuente: *Did You Know?*

Mediante las **gráficas de doble barra** se relacionan dos grupos de datos. Estas gráficas pueden ser horizontales, como la que hay a la derecha, o verticales, como la de la actividad de "En equipo".

5. Según la gráfica de la derecha, ¿en qué zoológico hay más mamíferos? ¿Y más reptiles?

6. ¿Qué zoológico tiene más reptiles que mamíferos?

EN EQUIPO

En la siguiente gráfica de doble barra se comparan las cantidades de libros para adultos y para niños prestados en cuatro bibliotecas durante 1992. Estudia la gráfica y responde a las preguntas con un compañero.

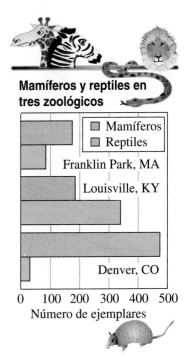

Mamíferos y reptiles en tres zoológicos

Fuente: *Zoológicos de las ciudades mencionadas*

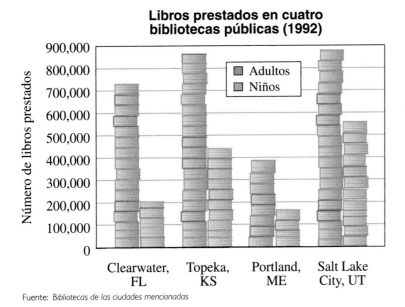

Libros prestados en cuatro bibliotecas públicas (1992)

Fuente: *Bibliotecas de las ciudades mencionadas*

7. ¿Qué biblioteca prestó más libros infantiles?

8. ¿Qué bibliotecas prestaron aproximadamente el mismo número de libros para adultos?

9. a. ¿Qué biblioteca prestó casi 400,000 libros para adultos?

b. ¿Qué biblioteca prestó unos 400,000 libros infantiles?

10. a. ¿En qué biblioteca fue mayor la diferencia entre los libros para adultos y los libros infantiles prestados?

b. Imagínate que fueras el bibliotecario de esa comunidad. ¿Aproximadamente cuántos libros para adultos comprarías por cada libro para niños?

Repaso MIXTO

	A	B
1	**Mes**	**Ingresos**
2	Enero	$550
3	Febrero	$680
4	Marzo	$720

Usa los datos de esta hoja de cálculo.

1. ¿Qué columna muestra el ingreso mensual?

2. ¿Cuál es el valor de la casilla B4?

3. Expón los datos en una gráfica de barras.

4. Expón los datos en una gráfica lineal.

5. ¿Cuál es la gama de los ingresos mensuales?

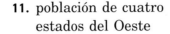

Producción mundial de bicicletas y automóviles

Producción en millones

- Bicis
- Autos

100
80
60
40
20
0

1950 1960 1970 1980 1990

Año

Fuente: *Worldwatch Institute*

Escoge entre una gráfica de doble línea y una de doble barra para representar los siguientes datos. Dibuja la gráfica.

11. población de cuatro estados del Oeste

Población		
Estado	1980	1990
ID	943,935	1,006,749
NV	800,493	1,201,833
OR	2,633,105	2,842,321
WA	4,132,156	4,866,692

Fuente: *The Information Please Almanac*

12. Educación resultados del SAT en todo el país

Año	Lenguaje	Matemáticas
1970	460	488
1975	434	472
1980	424	466
1985	431	475
1990	424	476

Fuente: *The World Almanac*

13. Negocios La gráfica de doble línea situada a la izquierda representa las diferencias entre la producción de bicicletas y la de automóviles durante varios años. ¿A partir de qué año se separan claramente las dos líneas? ¿Qué explicación darías al fenómeno?

14. Archivo de datos #7 (págs. 278–279)

a. ¿Qué tipo de cámara se vendió más en 1981? ¿Y en 1991?

b. ¿Cuál es la diferencia aproximada entre el número de cámaras de 35 mm y el de cámaras instantáneas que se vendieron en 1991?

15. Por escrito Recorta al menos una gráfica lineal o una gráfica de barras de un periódico o una revista. Escribe un resumen de los datos que proporcionen.

	A	B	C
1	Est	Bush	Clinton
2	IA	37	44
3	NE	47	29
4	NY	34	50
5	TN	43	47

1. Elige A, B, C o D. ¿Qué filas de la hoja de cálculo de la izquierda sirvieron probablemente para crear la gráfica de la derecha?

A. filas 2 y 3   **B.** filas 3 y 4

C. filas 2 y 4   **D.** filas 3 y 5

2. Haz una tabla de frecuencia y un diagrama de puntos con estos datos:

5 7 8 3 5 4 6 7 8 9 1 2 5 4 2 1 3

Resultados de las elecciones presidenciales de 1992

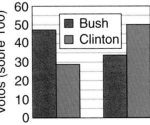

Votos (sobre 100)

- Bush
- Clinton

60 50 40 30 20 10 0

ESTRATEGIAS PARA RESOLVER PROBLEMAS

Haz una tabla
Razona lógicamente
Resuelve un problema más sencillo
Decide si tienes suficiente información, o más de la necesaria
Busca un patrón
Haz un modelo
Trabaja en orden inverso
Haz un diagrama
Estima y comprueba
Simula el problema
Prueba con varias estrategias
Escribe una ecuación

Resuelve. La lista de la izquierda muestra algunas estrategias que puedes usar.

1. En un patio lleno de niños (con dos piernas cada uno) y de perros (con cuatro patas cada uno), el número total de piernas y patas equivale a 14 más que el doble del número de cabezas. ¿Cuántos perros hay?

2. Usa cada uno de los dígitos del 1 al 5 una sola vez para formar un número de dos dígitos y otro de tres dígitos que tengan la mayor diferencia posible.

3. **Nutrición** A Valeria le dieron una bolsa con la etiqueta "melocotones", otra con "ciruelas" y otra con "melocotones y ciruelas". Pero todas las etiquetas estaban en la bolsa equivocada. Valeria metió la mano en una de las bolsas y sacó un melocotón. Así pudo averiguar qué fruta había en cada bolsa.

   a. ¿En qué bolsa metió la mano?

   b. ¿Qué etiqueta tenía cada bolsa?

4. Popsville está a 20 millas de Topsville. Mopsville está a 5 millas de Popsville en la misma carretera. ¿A qué distancia podría estar Mopsville de Topsville?

5. A 50 estudiantes se les hizo una encuesta sobre sus animales domésticos, pero los resultados les parecieron muy confusos. Usa un diagrama de Venn como el de la izquierda para determinar cuántos estudiantes no tenían animales domésticos.

   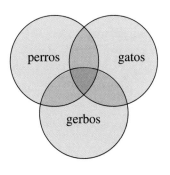

   • De los 50 estudiantes encuestados, 30 tenían gato y 25 tenían perro.

   • Dieciséis estudiantes tenían perro y gato, pero no gerbo.

   • Cinco declararon que sólo tenían gerbo, 4 que tenían perro y gerbo y 2 que tenían gato y gerbo.

   • Sólo un estudiante tenía los tres animales citados.

6. Ahmed tenía sueltos en un cajón 10 calcetines rojos iguales y 10 calcetines azules también iguales. Una mañana se produjo un corte de electricidad y, como se había levantado antes del amanecer, Ahmed no pudo ver el color de sus calcetines. ¿Cuántos tuvo que sacar del cajón para asegurarse de tener un par que hiciera juego?

1-4 **M**edia, mediana y moda

PIENSA Y COMENTA

Para hacer generalizaciones sobre un conjunto de datos puedes hallar la *media,* la *mediana* y la *moda* de las cantidades consideradas.

Para hallar la **media** de una serie de cantidades debes sumar sus valores y dividir la suma por el número de esas cantidades. La media se conoce también como *promedio.*

Ejemplo 1 Se preguntó a 20 estudiantes cuántas veces al día bebían agua en la fuente. Sus respuestas aparecen a la izquierda. Halla la media de las cantidades.

• 63 ÷ 20 = *3.15*

La media es 3.15. Como promedio, estos estudiantes bebieron en la fuente tres veces al día.

1. Earl hizo la encuesta pero olvidó incluir su respuesta. Earl nunca bebe agua de la fuente. ¿Cómo afecta a la media este dato?

La **mediana** es el término que queda en el medio de un conjunto de valores ordenados en forma numérica. Si el número de cantidades es par, la mediana equivale a la media de las dos cantidades centrales.

Ejemplo 2 Halla la mediana de estas cantidades.

• 0 1 1 1 2 2 2 2 2 2 3 3   Ordena las cantidades.
3 4 5 5 5 5 5 10

• 0 1 1 1 2 2 2 2 2 2 3 3   Las cantidades centrales
3 4 5 5 5 5 5 10   son 2 y 3.

• 2 + 3 = 5
5 ÷ 2 = 2.5

La mediana es 2.5.

2. Halla la mediana de las cantidades de la izquierda.

---

20 estudiantes nos dicen cúantas veces al día beben agua en la fuente

0	1	1
5	2	10
2	3	5
1	5	2
2	3	4
3	5	5
2	2	

Cantidad de letras en un tazón de sopa de letras

46 65 37 35 47 55 62

Se llama **valor extremo** una cantidad mucho más alta o más baja que las restantes.

3. ¿Cuál es el valor extremo en la tabla sobre la fuente de agua?

4. Supón que el estudiante que bebe 10 veces diarias en la fuente no hubiera asistido a clase el día de la encuesta.

   a. ¿Cuál habría sido la media de las cantidades? ¿Y la mediana?

   b. ¿Cómo afecta el valor extremo a los datos obtenidos?

La **moda** es el valor que se produce más veces. Un conjunto de cantidades puede tener más de una moda. También puede hablarse de moda cuando el conjunto no está formado por números.

Ejemplo 3 Halla la moda de los datos sobre la fuente.

• 0 1 1 1 2 2 2 2 2 2 3 3 3   *Se produce seis veces el número 2.*
4 5 5 5 5 5 10

La moda es 2.

5. ¿Cuál es la moda de las cantidades situadas a la derecha?

Ejemplo 4 Utiliza la media, la mediana o la moda para describir cada caso. Explica tu elección.

   a. el libro favorito de los estudiantes de tercer grado

   Moda; se usa la moda si los datos no son númericos.

   b. el número de estudiantes en cada clase de la escuela

   Media o mediana; se usa la media cuando no hay valores extremos que distorsionen los resultados.

   c. el número de animales domésticos que tienen tus compañeros de clase

   Mediana; se usa la mediana cuando un valor extremo distorsiona los resultados. Alguien puede tener muchos animales domésticos.

EN EQUIPO

Reúne datos con un compañero sobre uno de los temas de la derecha o sobre cualquier otro tema. Consigan al menos diez datos.

6. Hallen la media, la mediana y la moda de las cantidades.

7. ¿Qué medida describe mejor los datos obtenidos?

El agua (H_2O) es el compuesto químico más común en la Tierra. Su volumen no ha cambiado en nuestro planeta desde que éste se formó hace 4,600 millones de años.

Fuente: *Did You Know?*

Número de asistentes a las clases de yoga del Sr. Singh

| 12 | 8 | 10 | 7 | 8 | 9 |

TEMAS

• Número de botones en diferentes prendas

• Número de páginas en libros

¿Devuelve usted las latas de aluminio?

Respuesta	Frecuencia
Las dono para obras de caridad	1
Nunca	4
A veces	12
Siempre	33

8. **Medio ambiente** A cincuenta residentes en un estado donde se pagan y reembolsan los envases de aluminio se les preguntó si devolvían las latas usadas. La tabla de la izquierda recoge sus respuestas.

   a. ¿Cuál es la moda?

   b. Si vivieras en un estado donde no se pagara ese depósito y estuvieras promoviendo una ley que lo requiriese, ¿cómo usarías los datos de la tabla para una campaña de apoyo?

9. Lanza un dado 20 veces y registra los números que salgan. Halla la media, la mediana y la moda de esas cantidades. ¿Qué conclusiones puedes sacar?

Halla la media, la mediana y la moda de los datos siguientes.

10. horas dedicadas a hacer tareas escolares por la noche

    1.5   2   3   2.5   2   3.5   1.75   3.25

11. temperaturas mínimas diarias (en °F) durante una semana de tiempo variable

    55.2   58   62.3   62.3   65.6   67   72

12. segundos invertidos en la carrera de 50 yd

    27   30   25   28   29   33   32   25   25   35

13. **a.** El peso total de los estudiantes de una clase es de 2,825 lb. La media es de 113 lb. ¿Cuántos estudiantes hay en esa clase?

    b. La mediana es de 125 lb. Si exactamente 3 estudiantes tienen ese peso, ¿cúantos pesan más de 125 lb?

Grado	Conteo
60	I
78	III
80	₩ II
81	II
85	₩ III
87	II
91	I
94	I

14. **Educación** La clase de séptimo grado de la escuela intermedia Jonesberg se examinó recientemente del capítulo 4 de matemáticas. Las notas aparecen en la tabla de la izquierda.

    a. Halla la media, la mediana y la moda de esas notas.

    b. ¿Cuál es el valor extremo de la tabla?

    c. ¿Sube la media el valor extremo? ¿La baja?

    d. ¿Qué refleja de forma más exacta el resultado global del examen: la media, la mediana o la moda? Explica tu respuesta.

Fiesta de cumpleaños

El domingo pasado, 7 ancianos del asilo Rose Hill celebraron sus cumpleaños. La Sra. Ullsca cumplió 102 años, mientras que la ''bebé'' del grupo, la Sra. Hensen, cumplió 62.

Sus familiares y amigos se reunieron para festejarlo con pastel y canciones. También se celebraron los cumpleaños del Sr. Harlem, que cumplía 75, la Sra. Joyla (84), el Sr. Gutiérrez (63), la Srta. Rugas (71) y la Sra. Saeger (63).

15. a. Halla la media, la mediana y la moda de estos datos. Redondea la media al número entero más cercano.

  b. ¿Hay algún valor extremo? Si lo hubiera, di cuál es y explica cómo afecta a los resultados.

  c. ¿Cuál es la gama de las edades de los ancianos que celebraban sus cumpleaños?

16. Por escrito Diez personas fueron interrogadas sobre el número de veces que conviene cepillarse los dientes cada día. Sus respuestas aparecen en la tabla de la derecha. Explica por qué la media no es significativa en este caso.

17. Dominic espera alcanzar una media de 90 en los exámenes de español. Sus notas han sido hasta ahora las siguientes: 89, 94, 76, 84 y 91. La máxima calificación es 100.

  a. ¿Cuál es su media actual?

  b. Pensamiento crítico Todavía falta un examen. ¿Es posible que consiga la media de 90? Respalda tu respuesta con ejemplos.

18. Archivo de datos #10 (págs. 416–417)

  a. Calcula la esperanza media de vida de los animales de la tabla. Redondea la cantidad a la décima más cercana.

  b. ¿Cuál es la mediana de las esperanzas de vida? ¿Y la moda?

  c. ¿Te permiten la media, la mediana y la moda representar de forma exacta esos datos? Explica por qué.

 19. Investigación (pág. 4) Registra los pesos y las estaturas de, al menos, 10 varones y niñas de siete años. Halla la media, la mediana y la moda de esos datos.

¿Cuántas veces al día conviene cepillarse los dientes?

Respuesta	Frecuencia
3 veces	9
10 veces	1

Repaso MIXTO

	A	B	C
1	10	12	120
2	6	9	54
3	2	6	12

Compara.
Usa >, < ó =.

1. C3 ■ B1
2. B2 ■ A1
3. ¿Qué patrones ves en estos datos?

Estima.

4. 197 × 3   5. 42 × 19

■ VAS A NECESITAR

✓ Papel cuadriculado

1-5 **E**xploración de diagramas de dispersión

PIENSA Y COMENTA

A veces ocurre que dos conjuntos de datos relacionados no se pueden comparar fácilmente en gráficas de doble barra o de doble línea. En un **diagrama de dispersión**, estos datos se representan mediante puntos no conectados.

En el diagrama de dispersión siguiente se relacionan las edades y diámetros de varios arces.

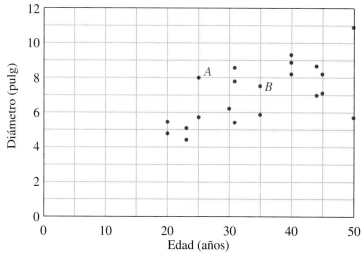

Edades y diámetros de varios arces

Fuente: USDA Forest Service

 El arce más grande de los Estados Unidos está situado en St. Clair County, Michigan. Este árbol gigantesco tiene un diámetro de 70.5 pulg, a los 4 pies y medio de altura.

Fuente: *The Guinness Book of Records*

1. **a. Biología** ¿Cuántos años tiene un árbol con un diámetro de unas 5 pulg?

   b. ¿Aproximadamente cuántas pulgadas de diámetro tiene un árbol de 40 años?

2. **a.** ¿Qué edad tiene el árbol correspondiente al punto A?

   b. ¿Aproximadamente cuántas pulgadas de diámetro tiene el árbol correspondiente al punto B?

3. ¿Aproximadamente cuántas pulgadas mide el diámetro mayor del diagrama?

4. ¿Cuál es la gama de los diámetros que aparecen en el diagrama de dispersión?

5. ¿Qué relación observas entre la edad y el diámetro de un arce?

Al examinar un diagrama de dispersión te darás cuenta de que los puntos indican una tendencia o *correlación*. Los tres diagramas siguientes muestran los tipos de relación que pueden darse entre dos conjuntos de datos.

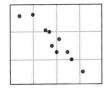
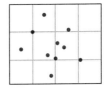

Correlación positiva
En general, a medida que aumentan los valores de un conjunto de datos, aumentan también los valores del otro conjunto.

Correlación negativa
En general, a medida que aumentan los valores de un conjunto de datos, disminuyen los valores del otro conjunto.

Sin correlación
Los valores de un conjunto de datos no están relacionados con los valores del otro conjunto.

6. ¿Qué correlación observas en el diagrama de dispersión de los arces que aparece en la página 20?

EN EQUIPO

La tabla de la derecha representa los pesos de varias bolsas con libros y el número de libros que contiene cada una. Usa los datos para hacer un diagrama de dispersión con un compañero.

7. a. ¿Qué nombre eligieron para los ejes?

   b. ¿Qué intervalos eligieron para los ejes?

8. ¿Qué tipo de correlación observan entre el número de libros y el peso de la bolsa?

Libros	Peso (lb)	Libros	Peso (lb)
3	6	6	8
3	8	6	12
4	6.5	7	9.5
4	7	7	11
4	9	7	16
5	7	8	12
5	10	8	12.5
6	7.5	8	16.5

POR TU CUENTA

Di qué tipo de correlación esperarías ver en diagramas de dispersión que relacionaran los siguientes conjuntos de datos. Explica tu razonamiento.

9. número de niños y número de animales domésticos que viven en una casa

10. horas de estudio y horas dedicadas a la televisión

11. superficie de un estado y número de gobernadores que éste ha tenido

Poblaciones de alces y lobos en Isle Royale, Michigan

Año	Lobos	Alces
1979	50	664
1980	30	650
1981	14	700
1982	23	900
1983	24	811
1984	22	1062
1985	20	1025
1986	16	1380
1987	12	1653
1988	11	1397
1989	15	1216
1990	12	1313
1991	12	1600
1992	13	1880

Fuente: *National Park Service, Isle Royale, Michigan*

Re*pa*$o MIXTO

Las notas en el examen de ciencia fueron 100, 85, 90, 100, 90, 80, 95, 85, 70, 85, 100, 85, 75, 30, 90.

1. Halla la media, la mediana y la moda.

2. ¿Cuál es el valor extremo y cómo afecta a la media?

3. En una clase de 25 estudiantes, 6 juegan solamente al tenis y 8 sólo al béisbol. Si 9 no practican ningún deporte, ¿cuántos juegan a los dos deportes mencionados?

12. Biología Isle Royale, en el lago Superior, tenía a finales de los años 70 la población de lobos más densa del mundo; es decir, allí había más lobos por milla cuadrada que en ninguna otra parte del planeta. Isle Royale contaba además con un gran número de alces, lo que permitió recoger abundantes datos sobre la relación entre los alces y los lobos en ese hábitat. La tabla de la izquierda proporciona las poblaciones de ambas especies entre 1979 y 1992.

a. ¿Aumenta o disminuye la población de alces? ¿Y la de lobos?

b. Haz un diagrama de dispersión para comparar la población de alces (sobre el eje vertical) con la de lobos (sobre el eje horizontal).

c. ¿Qué conclusiones puedes sacar observando los datos en el diagrama?

13. El espacio La astronave *Columbia* ha realizado 13 viajes al espacio. La tabla de la derecha muestra en cada caso el número de los tripulantes y la duración del viaje.

Días	Personas
2	2
2	2
8	2
6	7
5	5
11	5
7	2
5	4
10	6
8	7
9	7
14	7
14	7

a. Registra los datos en un diagrama de dispersión.

b. Por escrito Examina tu diagrama. ¿Observas alguna correlación? Explica tu respuesta.

14. Elige A, B o C. Carmela creó un diagrama de dispersión para relacionar las temperaturas diarias con la mayor o menor presencia de gente de una playa. ¿Cuál de los tres diagramas siguientes representa esos datos? Explica tu elección.

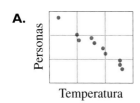

A.
Personas / Temperatura

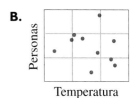

B.
Personas / Temperatura

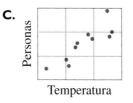

C.
Personas / Temperatura

 15. Investigación (pág. 4) Haz un diagrama de dispersión con los datos sobre pesos y estaturas que reuniste en la Lección 1-4. ¿Qué conclusiones puedes sacar?

En esta lección

1-6 **R**azonamiento lógico

• Resolver problemas usando la estrategia del razonamiento lógico

Más de 1.8 millones de personas emigraron a los Estados Unidos en 1991. Los idiomas y culturas que los inmigrantes traen consigo enriquecen la ya extraordinaria diversidad que caracteriza a este país.

Fuente: *The Information Please Almanac*

Eva, Frida, Pascual, Walter y Mika están tomando cursos intensivos de lenguas extranjeras. Cada uno estudia un idioma distinto. El Sr. Sánchez quiso un día averiguar lo que estudiaban, y Mika, su vecina, le dio la siguiente información.

• La mujer que estudia italiano no es Eva. Eva tampoco estudia alemán.

• Frida y Pascual no estudian chino mandarín, pero uno de ellos estudia francés.

• Eva, Frida y Walter van a clase en el mismo auto los martes por la noche. Uno estudia alemán, otro español y otro italiano.

El Sr. Sánchez se quedó pensando un momento, sacó papel y lápiz y le dijo a Mika qué idioma estudia cada uno. ¿Sabrías averiguarlo tú también?

LEE

Lee el problema y analiza la información recibida.

1. Piensa en lo que se te pregunta y en la información que recibes.

  a. ¿Qué datos tienes?

  b. ¿Qué debes averiguar?

PLANEA

Elige una estrategia para resolver el problema.

El razonamiento lógico es una estrategia que permite descartar opciones imposibles, considerar alternativas y hallar soluciones. Empieza analizando la primera pista.

2. a. ¿Podría Eva estar estudiando italiano o alemán?

  b. ¿Podría estar estudiando francés? ¿Qué dato te da la respuesta?

  c. ¿Qué lengua está estudiando Eva? ¿Qué pistas usaste?

Haz una tabla lógica para ordenar las ideas que surjan al considerar cada dato por separado. Registra en ella toda la información que necesitas.

	Francés	Alemán	Italiano	Chino mandarín	Español
Eva	✕	✕	✕	✕	●
Frida	■	■	■	■	✕
Mika	■	■	■	■	✕
Pascual	■	■	■	■	✕
Walter	■	■	■	■	✕

3. a. ¿Por qué hay una ✕ en todas las casillas de la fila "Eva" menos en una?

  b. ¿Por qué hay una ✕ en todas las casillas de la columna "Español" menos en una?

  c. ¿Qué indica el punto azul en la casilla donde coinciden la fila "Eva" y la columna "Español"?

4. ¿Quién *no* estudia italiano? ¿Cómo puedes utilizar este dato en la tabla?

5. Copia y completa la tabla. Usa una ✕ para indicar las opciones imposibles y coloca un punto en la casilla correspondiente al idioma que estudia cada persona.

Para resolver este problema analizaste la información recibida y eliminaste las opciones imposibles.

6. ¿Cómo te ayudó la tabla a resolver el problema?

⌐PONTE A PRUEBA

Julia B. Robinson, la primera mujer que ingresó en la Academia Nacional de Ciencias, utilizó la teoría de los números para resolver problemas de lógica.

Fuente: *The Book of Women's Firsts*

Razona lógicamente para resolver estos problemas.

7. La clase de Skye quiere hacer una excursión y está vendiendo lápices para recaudar fondos. Skye, Amalie, Leonardo y Scott son los vendedores de más éxito. Skye ha vendido más lápices que Amalie, pero menos que Leonardo; Scott ha vendido más que Amalie, pero menos que Skye; Amalie es quien ha vendido menos. ¿Quién ha vendido más?

8. Deportes En la escuela hay tres armarios donde se guardan las pelotas de baloncesto, fútbol americano y fútbol. Cada armario contiene un solo tipo de pelota y tiene puesto un letrero que indica qué tipo de pelota contiene. Recientemente alguien los ha cambiado de sitio y, por desgracia, ha colocado mal todos los letreros. Tu tarea consiste en poner cada letrero en el armario correspondiente, pero solamente puedes abrir una puerta y sacar una pelota. Si abres el armario de "fútbol americano" y sacas una pelota de baloncesto, ¿qué pelotas hay en los armarios de "baloncesto" y de "fútbol"?

┏**POR** TU CUENTA

Usa cualquier estrategia para resolver los problemas. Muestra tu trabajo.

9. ¿Qué número del grupo de la derecha está descrito a continuación?

- la suma de sus dígitos es 14
- es par
- es múltiplo de 5
- está en millares
- es inferior a 2,220

10. Daphne tiene el mismo número de hermanas que de hermanos. Su hermano Tomás tiene el doble de hermanas que de hermanos. ¿Cuántos niños hay en la familia de Tomás y Daphne?

11. Dinero El lunes, cuando recibió su paga, Hugo no tenía dinero. El martes se gastó $1.25 y el miércoles su hermana le devolvió el dólar que le debía. ¿Cuál es la paga de Hugo si ahora tiene $3.25?

12. Halla la mediana de todos los números positivos pares múltiplos de 7 e inferiores a 105.

13. ¿De cuántas maneras distintas puedes colocar 36 azulejos cuadrados para formar un rectángulo?

14. Autos Para ahorrar gasolina, el Sr. Cárdenas, la Srta. Rose y la Srta. Trang van juntos en auto al trabajo. En lo que va de mes, la Srta. Trang ha manejado 10 mi más que el Sr. Cárdenas; éste ha triplicado la distancia cubierta por la Srta. Rose, quien por su parte ha manejado 5 mi. ¿Cuántas millas han recorrido en total?

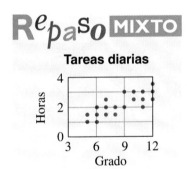

Usa el diagrama de dispersión.

1. ¿Qué correlación ves en el diagrama de dispersión?

2. ¿Cuántos estudiantes fueron encuestados?

Estima.

3. 122 + 237

4. 393 − 27

5. 48 × 4   **6.** 9 × 119

1-7 **Tablas arborescentes**

New Jersey Devils

Jugador	Tantos
Chorske	36
Driver	42
Kasatonov	40
Lemieux	68
McKay	33
Richer	64
Stastny	62
Stevens	59
Todd	63
Vilgrain	46
Weinrich	32
Zelepukin	31

Fuente: *Sports Illustrated Sports Almanac*

PIENSA Y COMENTA

En la tabla de la izquierda aparecen los 12 máximos anotadores de los New Jersey Devils durante la temporada de hockey 1991–92. Puedes comparar las marcas mediante una *tabla arborescente*. En las **tablas arborescentes** se representan datos distribuidos de forma ordenada.

Para elegir los *tallos* busca la cantidad mayor y la cantidad menor. El valor más alto es 68, y el más bajo 31. Los *tallos* representan en este caso las decenas. Escribe los tallos en una columna y dibuja una línea a su derecha como se muestra a continuación.

```
        3 |
tallos → 4 |
        5 |
        6 |
```

Las *hojas* son en este caso los dígitos de las unidades asociadas a cada decena. El tallo es el dígito (o dígitos) que queda cuando se elimina la hoja. La hoja es siempre un dígito: el último del número por la derecha. Escribe los valores de las hojas a la derecha de los tallos.

```
3 | 6  3  2  1
4 | 2  0  6
5 | 9            ← hojas
6 | 8  4  2  3
```

Ordena las hojas de menor a mayor. Añade una *clave* para explicar qué representan estos tallos y hojas.

```
3 | 1  2  3  6
4 | 0  2  6
5 | 9
6 | 2  3  4  8
        3 | 1 representa 31  ← clave
```

1. a. ¿Qué número tiene el tallo 5 y la hoja 9?

 b. ¿Qué número tiene el tallo 6 y la hoja 8?

Es fácil hallar la mediana y la moda de los valores que aparecen en una tabla arborescente. La mediana es la hoja central y su tallo, o la media de las dos hojas centrales y sus tallos. Para hallar la moda, busca las hojas que más se repiten en un tallo.

Ejemplo Crea una tabla arborescente con los tiempos de las corredoras de 80 metros vallas en los Juegos Olímpicos (aparecen a la derecha). Halla la mediana y la moda.

- 10 | 3 5 7 8 9
  11 | 2 7 7

  10 | 3 representa 10.3

- 10.8 + 10.9 = 21.7   Halla la media de los
  21.7 ÷ 2 = 10.85   dos valores centrales.

- El único número que se repite es 11.7.

La mediana es 10.85. La moda es 11.7.

2. La tabla arborescente de la derecha representa las millas recorridas por nueve autos con un galón de gasolina.

    a. Halla la moda.

    b. Halla la mediana.

    c. Halla la media.

1 | 6
2 | 4 8
3 | 2 5 5 9
4 | 3 5

1 | 6 representa 16

Carrera de 80 metros vallas (mujeres)	
Año	Tiempo(s)
1932	11.7
1936	11.7
1948	11.2
1952	10.9
1956	10.7
1960	10.8
1964	10.5
1968	10.3

Fuente: *The Information Please Almanac*

⌐EN EQUIPO

En 1990, el *National Assessment Governing Board* (organismo nacional de evaluación) realizó una prueba nacional de matemáticas con estudiantes de octavo grado. Las notas medias correspondientes a nueve estados del Medio Oeste aparecen en la tabla de la derecha. Utiliza esos datos para hacer una tabla arborescente con un compañero.

3. ¿Qué tallos eligieron?

4. Hallen la mediana y la moda de los valores.

5. La calificación media en todo el país fue de 261 puntos. Hallen la media de las notas aquí registradas y redondeen el valor obtenido al número entero más cercano. Comparen ese promedio con el nacional. ¿Cuál es más alto? Expliquen las diferencias que observen entre ambos promedios.

Resultados de la prueba nacional de matemáticas (1990)	
(calificación máxima: 350)	
Illinois	260
Indiana	267
Iowa	278
Michigan	264
Minnesota	276
Nebraska	276
North Dakota	281
Ohio	264
Wisconsin	274

Fuente: *The World Almanac*

Crea una tabla arborescente con cada grupo de datos. Halla las medianas y las modas.

6. salarios de jugadores de béisbol (en millones de dólares)

    1.3 1.4 2.3 1.4 2.4 2.5 3.9 1.4 1.3 2.5 3.6 1.4

7. temperaturas máximas diarias (en °F)

    98 99 94 87 83 74 69 88 78 99 100 87 77

La tabla arborescente de la izquierda representa los kilómetros recorridos durante una marcha de beneficencia. Úsala en los ejercicios 8–11.

```
16 | 1  1  2  3  5  5
17 | 0  2  2  4
18 | 4  5  8  9
19 | 3  6  7  9  9  9
        19 | 3 representa 19.3
```

8. ¿Qué números corresponden a los tallos?

9. ¿Qué números corresponden a las hojas del primer tallo?

10. ¿Cuánta gente caminó más de 19 km?

11. Halla la media, la mediana, la moda y la gama.

Usa la tabla arborescente de la izquierda en los ejercicios 12–16.

```
4 | 3  6  7
5 | 1  2
6 | 1  7
7 | 1  8
8 | 2  6  8
      8 | 2 representa 82
```

12. ¿Cuántos datos se representan?

13. ¿Cuál es la cantidad más baja? ¿Y la más alta?

14. ¿Cuántas cantidades son superiores a 65?

15. Halla la mediana y la gama.

16. Elige A, B, C o D. ¿Qué es más probable que representen los datos registrados en la tabla anterior? ¿Por qué?

    A. notas de exámenes

    B. temperaturas medias mensuales en Dallas (en °F)

    C. profundidad de 12 piscinas (en pies)

    D. número de libros en las bibliotecas de la ciudad de Nueva York

17. Por escrito Explica cómo se halla la mediana en una tabla arborescente. No olvides que el número de los datos registrados en la tabla puede ser par o impar.

18. Deportes En la tabla siguiente se registra el número de las victorias conseguidas por las diez mujeres y los diez hombres que han ganado más campeonatos de golf hasta 1993.

Mujeres		Hombres	
Nombre	Victorias	Nombre	Victorias
Kathy Whitworth	88	Sam Snead	81
Mickey Wright	82	Jack Nicklaus	70
Patty Berg	57	Ben Hogan	63
Betsy Rawls	55	Arnold Palmer	60
Louise Suggs	50	Byron Nelson	52
Nancy Lopez	44	Billy Casper	51
JoAnne Carner	42	Walter Hagen	40
Sandra Haynie	42	Cary Middlecoff	40
Carol Mann	38	Gene Sarazen	38
Babe Zaharias	31	Lloyd Mangrum	36

Fuente: *Sports Illustrated Sports Almanac*

a. Crea una tabla arborescente con los datos de todos los golfistas.

b. Halla la mediana, la moda y la gama de los valores.

VISTAZO A LO APRENDIDO

Halla la media, la mediana, la moda y la gama de las cantidades siguientes. Identifica los valores extremos y explica cómo afectan a la media.

1. número de palabras en algunos sonetos de Shakespeare

122   114   113   116   120   123   119   117   123   111

2. puntuaciones de gimnasia (sobre 10)

7.09   8.002   7.6   6.98   3.6   8.9   7.085   7.5   8.65

3. Crea un diagrama de dispersión con los datos de la derecha. ¿Qué conclusiones puedes sacar del diagrama?

4. Elsa, Keiko y LaTonya fueron a la playa. Cada una llevaba su toalla y otra cosa. La que tenía una toalla rosada llevaba la pelota. La que llevaba el té frío tenía una toalla a rayas. Keiko llevaba los sándwiches. Elsa no llevaba ni el té ni la toalla azul. ¿Quién tenía cada toalla y qué otra cosa llevaba cada una?

Repaso MIXTO

Compara.
Usa <, > ó =.

1. 12 × 3 ▇ 45 − 9

2. 24 ÷ 2 ▇ 3 × 6

Completa los patrones numéricos.

3. 1   2   4   7   11   ▇ ▇

4. 1   4   9   16   ▇ ▇ ▇

5. El director de un club de excursiones fluviales en balsa necesita una media de 12 pasajeros por viaje. Un día, los primeros cuatro viajes contaron con 10, 14, 9 y 12 participantes. ¿Cuántas personas deben participar en el último recorrido para que la media sea de 12?

Asistencia al cine

Año	Precio (dólares)	Personas (millones)
1982	2.94	1,175
1984	3.36	1,199
1986	3.71	1,017
1988	4.11	1,085
1990	4.75	1,057
1992	5.05	964

Fuente: *Motion Picture Association of America*

Representa los datos de la derecha en las gráficas siguientes.

1. diagrama de puntos

2. tabla de frecuencia

3. tabla arborescente

4. Halla la media, la mediana y la moda de los valores.

5. ¿Cuál es la gama de los tiempos registrados?

6. ¿Cuántas personas hicieron ejercicio durante más de 20 minutos?

Respuestas a "¿Cuántos minutos ha dedicado hoy al ejercicio?"
10, 20, 35, 12, 17, 14, 16, 12, 15, 14, 23, 19, 11, 10, 26, 11, 12, 15, 27, 21, 38

Los ejercicios 7–10 se basan en la gráfica de abajo.

Asistencia a una exposición de arte

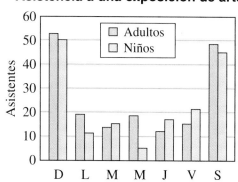

7. ¿Qué día fue mayor la diferencia entre las cifras de adultos y las de niños?

8. ¿Qué día acudieron más adultos?

9. ¿Aproximadamente cuántos niños acudieron a la exposición durante el fin de semana?

10. ¿Cuál es la diferencia aproximada entre el número de adultos que asistieron el miércoles y el número de adultos que asistieron el jueves?

La tabla arborescente de la derecha representa las velocidades del viento registradas durante una tormenta.

11. Crea una tabla de frecuencia con estos datos.

12. Crea un diagrama de puntos con estos datos.

13. Halla la media, la mediana, la moda y la gama de estos valores.

```
0 | 9
1 | 4  6  8
2 | 5  5  9
3 | 0  3  4  4  8
```
3 | 0 representa 30

El diagrama de puntos siguiente representa el número de ofertas recibidas por seis objetos en una subasta.

```
        ×
        ×              ×
×       ×       ×      ×
×   ×   ×   ×   ×   ×
───────────────────────
445  446  447  448  449  450
```

14. ¿Cuántos datos hay representados?

15. ¿Cuántas ofertas más recibió el objeto más popular con respecto al menos popular?

En esta lección

1-8

Muestras representativas y encuestas

• Identificar una muestra representativa

• Escribir las preguntas de una encuesta

 Desde 1790, el gobierno de Estados Unidos ha actualizado el censo de población cada 10 años. En 1990, más de 300,000 trabajadores (y $3,000 millones) se dedicaron a reunir información sobre ciudadanos como tú. La población de Estados Unidos era ese año de 248,709,893 personas. **¿Aproximadamente cuánto gastó el gobierno por persona para hacer el censo?**

Fuente: *Scholastic Update* y *The World Almanac*

PIENSA Y COMENTA

Los estadísticos son expertos que reúnen y estudian datos sobre grupos específicos o *poblaciones*. Lo más exacto sería interrogar o investigar a todos los miembros del grupo, pero esto es generalmente imposible. Una *muestra* de la *población estudiada* suele proporcionar suficiente información para llegar a conclusiones válidas.

1. Supón que estás estudiando los hábitos alimentarios de los estudiantes universitarios. ¿Qué pregunta harías para saber si Juan Pérez forma parte de la población investigada?

Llamamos **muestra representativa** a un grupo escogido que reúne las características de la población a la que pertenece.

2. Supón que debes averiguar cuáles son las golosinas preferidas por los adolescentes de Idaho y para ello encuestas a jóvenes en la calle.

   a. ¿Representaría tu muestra a todos los adolescentes si preguntaras a un grupo de cinco cuál es su golosina favorita? ¿Por qué?

   b. ¿Representaría tu muestra a todos los adolescentes si interrogaras durante tres días a los que pasan por la esquina de Main Street de Boise, Idaho? ¿Por qué?

   c. ¿Cómo podrías obtener una muestra representativa de la población estudiada?

Una muestra es **aleatoria** cuando todos los elementos de la población tienen las mismas posibilidades de ser incluidos en ella.

3. a. ¿Dónde irías para obtener una muestra representativa de las personas que visitan el Parque Nacional Yosemite.

   b. Supón que decides repartir volantes en un punto del parque. ¿Tendrías así acceso a una muestra aleatoria de visitantes? ¿Por qué?

Llamamos **capciosas** a las preguntas parciales, equívocas o engañosas. En muchos casos, estas preguntas presuponen hechos que pueden ser falsos o favorecen una cierta respuesta frente a otras.

4. **Discusión** ¿Cuál de las siguientes preguntas es capciosa? ¿Cuál no lo es? ¿Por qué?

   • "¿Son violentos los dibujos animados de los sábados por la mañana?"

   • "¿Cree usted que los violentísimos dibujos animados de los sábados por la mañana afectan a los impresionables niños?"

EN EQUIPO

Trabaja en grupos de cuatro. Inventen dos preguntas de encuesta, una capciosa y la otra neutral.

5. ¿A qué población van dirigidas sus preguntas?

6. ¿Cómo podrían obtener una muestra aleatoria de esa población?

TÚ DECIDES

Índice de control de compra

Hay gran variedad de cereales para el desayuno. ¿Decides tú los cereales que consume tu familia? Si es así, posees el *control de compra* sobre los cereales. Los anunciantes están interesados en saber quién controla la adquisición de cada producto.

REÚNE DATOS

1. **a.** Junto con varios compañeros, piensa en al menos seis objetos cuya compra esté seguramente controlada por los jóvenes de tu edad.

   b. Preparen y hagan una encuesta para determinar el control de compra de sus amigos. El grupo debe interrogar al menos a 25 personas. Registren siempre el sexo de los encuestados.

ANALIZA LOS DATOS

Para comparar el control de compra sobre distintos artículos puedes utilizar *índices de control de compra*. El ejemplo muestra cómo se convierte un dato en un índice.

Di si las siguientes preguntas son neutrales o capciosas.

7. ¿Qué te parece más agradable, un cobertor de plumas o una manta de lana?

8. ¿Qué es más agradable en una noche de invierno, el suave y rico tacto de un cobertor o la áspera superficie de una manta de lana?

9. ¿Qué prefieres, el rock o el jazz?

10. ¿Qué prefieres, el estridente alboroto del rock o las melodiosas y relajantes notas del jazz?

11. Ingeniería Jaime es un planificador urbano que está estudiando los efectos de las reparaciones callejeras en los conductores de autobuses. ¿Cómo puede asegurarse de que la muestra escogida para su encuesta es aleatoria?

12. Por escrito Supón que estás estudiando el potencial de ingresos de los estudiantes que no acaban la escuela secundaria. ¿Cómo seleccionarías una muestra representativa?

Repaso MIXTO

Usa esta tabla arborescente del programa ciclista de Trinh.

Millas recorridas diariamente en bicicleta

0	5 5 7 8 8 9 9
1	0 0 0 1 2 7 8
2	2 5 8 8 9 9

2 | 5 representa 25

1. ¿Qué número tiene el tallo 1 y la hoja 0?

2. Halla la media, la mediana, la moda y la gama.

3. ¿Qué dato del ejercicio 2 convencería a los padres de Trinh de que a ésta le queda tiempo suficiente para hacer las tareas escolares?

Ejemplo Treinta y cuatro estudiantes sobre 45 controlan la compra de casetes o discos compactos.

34 ÷ 45 × 100 = 75.5

El resultado del cálculo se redondea al número entero más cercano. En este caso, el índice es 76.

2. Usen los datos de su encuesta para hallar los índices de control de compra correspondientes a los varones, a las niñas y al conjunto de los encuestados.

TOMA LA DECISIÓN

3. Supón que estás encargado de gestionar la publicidad en el periódico de tu escuela y quieres probar a los comerciantes de la zona que anunciarse en ese medio es muy ventajoso para ellos. Elabora un cartel con gráficas que muestren el control de compra de los estudiantes.

Según James MacNeal, del departamento de estudios de mercadeo de la universidad Texas A&M, los niños de entre 4 y 12 años originaron en 1990 compras equivalentes a $132,000 millones.

1-9

Persuasión con estadísticas

DATOS SOBRE EL CACAHUATE

Granja media: 100 acres

Se necesitan 100 lb de semillas por acre.

Producción media: 2,705 lb/acre

Costo de las semillas: $.70/lb

Beneficio medio: $63 por acre

De un acre sembrado pueden obtenerse 30,000 sándwiches de mantequilla de cacahuate.

De 548 cacahuates se obtienen 12 oz de mantequilla.

2 oz de mantequilla contienen 210 calorías.

En 100 g de mantequilla hay 0 mg de colesterol.

1 oz de mantequilla contiene 8 g de grasa.

Se calcula que se consumen anualmente 800,000,000 lb de mantequilla de cacahuate.

Fuente: *Peanut Advisory Board*

EN EQUIPO

Tú y tu socio tienen problemas económicos y no consiguen sacar adelante su granja de cacahuates. Finalmente deciden buscar nuevos inversionistas y convencerlos con las estadísticas de la izquierda. Explica cómo usarían esos datos para persuadir a alguien de que invierta en la empresa.

1. ¿Qué estadísticas presentarían en un banco para pedir un préstamo?

2. ¿Qué estadísticas *no* presentarían a posibles inversionistas?

3. Uno de los inversionistas asegura haber oído que la mantequilla de cacahuate tiene mucho colesterol. ¿Qué responderían?

PIENSA Y COMENTA

Las estadísticas son herramientas muy poderosas que puedes usar para influir en tus amigos. La compañías suelen utilizarlas para mejorar su imagen pública o para inducirnos a comprar ciertos productos.

Los datos verdaderos se presentan a veces de una manera equívoca destinada a sostener una determinada conclusión. En las dos gráficas siguientes se representa la variación en el precio del oro durante varios meses de 1993.

Estabilidad del oro en 1993

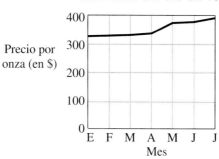

Subida del oro en 1993

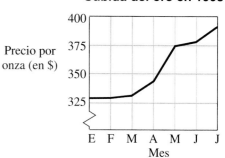

Fuente: *Business Week*

El símbolo ⊰ situado en el ángulo inferior izquierdo de la gráfica de la derecha indica que se han suprimido algunos valores en la escala de los precios.

4. ¿En qué se diferencian las dos gráficas de la página 34? ¿En qué se parecen?

5. **Negocios** Supón que eres el dueño de las joyerías Víctor y le estás explicando a un cliente por qué tus precios son ahora tan altos. ¿Qué gráfica le mostrarías? ¿Por qué?

6. Supón que eres Pepe Listo, un reportero que está investigando la reciente subida de precios en las joyerías Víctor. ¿Qué gráfica mostrarías en tu artículo? ¿Por qué?

7. ¿Cuál de las dos gráficas es engañosa? ¿Por qué?

Ciertas técnicas de persuasión son muy sutiles. El cartel de la derecha pertenece a la campaña publicitaria del Paraíso de la Hamburguesa. La tabla siguiente recoge datos relacionados con este restaurante.

Producto	Calorías	Grasa (g)	Cantidad vendida el martes
Minihamburguesa	480	35	80
Hamburguesa especial	575	42	68
Hamburguesa vegetal	580	40	65
Gran hamburguesa con papas	660	57	43
Superhamburguesa	700	55	75

8. **Nutrición** ¿Cuál es la media de calorías por hamburguesa en este restaurante?

9. ¿Por qué es engañoso el anuncio?

Ejemplo A continuación se muestra el número de películas filmadas en el estado de Washington durante cinco años. ¿Qué usaría la oficina de turismo para promocionar su región entre los productores de Hollywood: la media, la mediana o la moda?

Año	1988	1989	1990	1991	1992
Número de películas	6	7	3	7	4

• media = 5.4   mediana = 6   moda = 7

La moda es en este caso la cantidad más alta y facilitaría la promoción de Washington entre los productores de cine.

10. Durante 1987 se rodaron cuatro películas en Washington. ¿Causaría este hecho que la oficina de turismo utilizara otra medida en su campaña de promoción? Explica por qué.

Población en 1990 (millares)

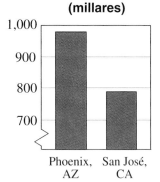

Fuente: *The World Almanac*

11. Medio ambiente Kano preguntó a 100 personas: "¿Cree que las bellas montañas del Parque Adirondack de Nueva York deberían conservarse en su agreste estado natural?" De las 100 respuestas, 80 fueron positivas. ¿Consideras que los resultados de Kano fueron objetivos? ¿Por qué?

Usa la gráfica de barras de la izquierda en los ejercicios 12 y 13.

12. A primera vista, la gráfica sugiere que Phoenix tiene el doble de población que San José. Explica por qué esto es incorrecto.

13. Dibuja la gráfica de forma que dé una impresión más precisa de los datos.

14. a. Deportes Usa los datos de la derecha para crear una gráfica lineal que represente un gran aumento en el número de participantes en el maratón de Boston.

b. Deportes Crea otra gráfica lineal que represente un pequeño aumento en el número de participantes.

Participantes en el maratón de Boston

	Mujeres	Hombres
1983	725	5,949
1988	1,093	5,665
1993	1,861	7,069

c. Publicidad Supón que fueras un promotor del maratón de Boston. ¿Qué gráfica mostrarías a los patrocinadores para convencerlos de que, dado el aumento en la participación, deben aumentar también el valor de los premios?

15. Educación Libertad ha obtenido las siguientes calificaciones en los exámenes de geografía.

$$93 \quad 83 \quad 76 \quad 92 \quad 76$$

a. Halla la media, la mediana y la moda de estas notas.

b. ¿Qué debería usar Libertad para probar su conocimiento superior en geografía: la media, la mediana o la moda?

c. ¿Qué debería usar su profesor para animarla a estudiar más: la media, la mediana o la moda?

R^{e}paso MIXTO

Explica si se observaría o no una tendencia en los diagramas de dispersión descritos abajo.

1. estatura e ingresos de una persona

2. años de educación e ingresos

3. ¿Sería capciosa la pregunta "¿Prefiere usted la primavera o el otoño?"?

Calcula.

4. 127×33

5. $144 \div 16$

6. Sustituye cada ■ por $+, -, \times$ ó $\div$.
$6 \ \blacksquare \ 2 \ \blacksquare \ 3 = 20 \ \blacksquare \ 5$

16. **Aficiones** Usa los datos de la tabla de la derecha para crear dos histogramas diferentes. Uno indicará que sólo hay una mínima correspondencia entre el nivel de ingresos y las horas dedicadas a la televisión. El otro sugerirá lo contrario, es decir, que esa diferencia es notable.

17. **Por escrito** Busca una gráfica en un periódico o una revista. Describe los datos que se representan y explica por qué la gráfica es o no engañosa.

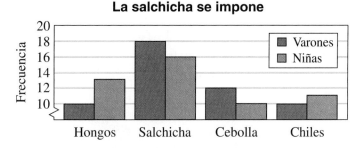

Ingresos anuales	Horas semanales de TV
Menos de $30,000	53
$30,000 a $39,999	49
$40,000 a $49,999	48
$50,000 a $59,999	47
Más de $60,000	46

18. **Nutrición** Farnaz encuestó a 50 varones y a 50 niñas de su escuela para averiguar cuál era el ingrediente que preferían en la pizza. Después publicó en el periódico escolar un artículo que incluía la siguiente gráfica de doble barra. Explica por qué la gráfica es engañosa. Vuelve luego a dibujarla de forma correcta y ponle un nuevo título.

La salchicha se impone

Frecuencia — Hongos, Salchicha, Cebolla, Chiles
■ Varones
■ Niñas

19. **Archivo de datos #1 (págs. 2–3)** Dibuja una gráfica de doble línea sobre tipos de interés. Hazlo desde el punto de vista de un banquero interesado en mostrar que los intereses obtenidos con un certificado de depósito son muy superiores a los que proporciona una cuenta de ahorros.

20. **Medicina** En la gráfica de abajo se representan los datos sobre el sarampión que aparecen en la tabla de la derecha.

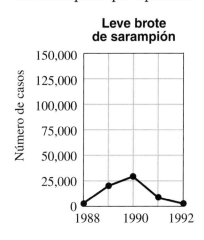

Leve brote de sarampión

Número de casos — 1988, 1990, 1992

a. ¿Ofrece la gráfica una representación correcta de los datos? ¿Por qué?

b. Vuelve a dibujar la gráfica con un máximo de 30,000 casos y ponle un nuevo título. ¿Refleja mejor los datos tu gráfica que la de la izquierda? ¿Por qué?

Casos de sarampión registrados en Estados Unidos	
1988	3,396
1989	18,193
1990	27,786
1991	9,643
1992	2,237

Fuente: *Centers for Disease Control*

En conclusión

Recogida y registro de datos 1-1

Para organizar datos puedes hacer tablas de frecuencia que te permitirán crear histogramas o diagramas de puntos. La **gama** de los datos es la diferencia entre el valor más alto y el valor más bajo.

Veces	Frecuencia
0	11
1	8
2	4
3	2
4	1
5	0

1. Frances encuestó a sus compañeros de clase para saber cuántas veces a la semana cocinaban en casa. En la tabla de frecuencia de la derecha se registran las respuestas. Haz un diagrama de puntos y un histograma con esos datos.

Representación de datos 1-2, 1-3

Las hojas de cálculo son herramientas muy valiosas para organizar datos, pues a partir de ellas se pueden hacer diferentes gráficas. En las **gráficas de barras** se relacionan cantidades, y en las **gráficas lineales** se comparan los cambios ocurridos durante un cierto período de tiempo.

2. Mira la hoja de cálculo siguiente.

   a. ¿Cuál es el valor de la casilla B3?

   b. ¿Qué casilla tiene un valor de 6.8?

   c. Haz una gráfica de doble barra para representar los datos.

	A	B
1	3.5	3.8
2	6.8	6.1
3	2.1	0.9

3. a. Archivo de datos #9 (págs. 362–363) ¿Qué usarías para representar el cambio en el tamaño de las familias entre 1930 y 1991: una gráfica lineal o una de barras?

   b. Haz la gráfica.

4. Archivo de datos #10 (págs. 416–417) ¿Por qué los datos sobre la esperanza de vida aparecen en una gráfica de doble barra?

Media, mediana y moda, y uso de la estadística 1-4, 1-9

La **media**, la **mediana** y la **moda**, junto con los posibles **valores extremos**, expresan ciertas características de los datos considerados.

5. Meredith está aprendiendo a tocar la trompeta y durante dos semanas ha ido anotando los minutos diarios que practica.

   a. Halla la media, la mediana y la moda de los tiempos.

   b. ¿Cuáles son los valores extremos? ¿Cómo afectan a la media?

   c. Meredith quiere impresionar a la profesora con una prueba de su dedicación. ¿Qué le mostrará para conseguirlo: la media, la mediana o la moda de los tiempos anotados?

Práctica diaria			
Semana 1		Semana 2	
20	40	10	60
15	65	0	40
35		20	
15		15	
15		35	

Diagramas de dispersión y tablas arborescentes

Los **diagramas de dispersión** representan la relación existente entre dos grupos de datos.

Las **tablas arborescentes** sirven para ordenar grupos de datos.

6. Elige A, B o C. ¿Cúal de los siguientes diagramas de dispersión representa una correlación positiva?

A. 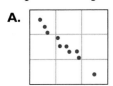   B. 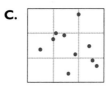   C.

7. Haz un diagrama de dispersión con los datos de la derecha.

   a. ¿Qué tipo de correlación ves en el diagrama?

   b. ¿Qué conclusiones puedes sacar del diagrama?

8. Haz una tabla arborescente para mostrar los tiempos del equipo de esquí. Halla la mediana y la moda.
tiempo en minutos: 3.1 2.4 4.6 3.2 3.1 2.7

Peso y pulso de 10 animales

Animal	Peso (lb)	Pulso (latidos por minuto)
carpa	17	59
gato	9	130
bacalao	11	48
zorro	10	240
visón	2	340
puercoespín	15	300
conejo	3	150
salmón	6	38
ardilla	1	390

Encuestas y muestras representativas

9. Por escrito El editor del periódico escolar te ha pedido un artículo sobre los medios de transporte que los estudiantes usan para ir a la escuela y sobre las mejoras que les gustaría ver en el servicio de autobuses.

   a. Escribe una pregunta neutral para la encuesta.

   b. ¿Cómo elegirías una muestra representativa?

Resolución de problemas mediante el razonamiento lógico

10. Sam, Katie y Martín fueron a una fiesta. Uno iba disfrazado de araña, otro de zorro y el tercero de pez. Todos llevaron algo de comer. El pez no llevó galletas; la araña llevó manzanas; Martín era el zorro y Katie hizo las palomitas de maíz. ¿Quién vestía cada disfraz y qué llevó cada uno a la fiesta?

PREPARACIÓN PARA EL CAPÍTULO 2

1. Nombra las figuras geométricas que aparecen a la derecha.

2. Describe cada una de las siguientes figuras de la forma más completa posible.

   a. triángulo   **b.** rectángulo   **c.** paralelogramo

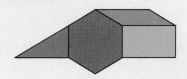

APLICA LO QUE SABES

cierra el caso

Pesos y estaturas

¿Es el peso de una persona un buen indicador de su estatura? Mira la respuesta que diste al principio del capítulo y revísala (o amplíala) basándote en los conocimientos que has adquirido después. Usa luego estadísticas para responder a la pregunta de forma convincente. Puedes preparar un informe, un cartel o una presentación oral. Las siguientes sugerencias te pueden ser útiles.

✔ Usa un diagrama de dispersión.
✔ Usa medidas de tendencia central.
✔ Usa la representación más adecuada para los datos.

Los problemas precedidos por una lupa (pág. 8, #22; pág. 19, #19 y pág. 22, #15) te ayudarán a realizar la investigación.

Extensión: Meg supuso que el tamaño de los pies suele ser directamente proporcional a la estatura de la persona. Un diagrama de dispersión demostró que tenía razón. ¿Qué otras medidas de las personas pueden aumentar al aumentar su estatura? ¿Cuáles podrían disminuir?

¿Dónde naciste?

Muchos de tus compañeros han nacido cerca del lugar donde vives, pero es probable que algunos procedan de otros estados o países.

✍ Averigua dónde han nacido tus compañeros.

✍ Haz un mapa representando cada sitio (o estudiante) con un punto.

✍ Halla la media y la mediana de las distancias que separan la escuela de esos lugares.

✍ Dibuja un círculo considerando la escuela como centro y la media o la mediana como radio. Explica por qué elegiste ese radio.

✍ ¿Cuántos estudiantes hay dentro del círculo?

✍ ¿Cuántos quedan fuera?

✍ ¿Hay alguno en la circunferencia o próximo a ella?

¡FELIZ CUMPLEAÑOS A TODOS!

¿Cuándo es el "cumpleaños" de la clase? Descúbrelo hallando el número de días que ha vivido cada estudiante y calculando la media de todas las "vidas". Este promedio te permitirá determinar un "nacimiento común" (cuenta a partir del día en que haces el cálculo). La clase ya puede celebrar su "cumpleaños".

Un trozo de pastel

El pastel es un postre muy popular; todo el mundo tiene una variedad favorita.

- Haz una encuesta a familiares y amigos sobre sus pasteles favoritos.
- Haz una tabla con las diferentes preferencias.
- En vez de palabras, usa dibujos para mostrar los datos.

CUESTIÓN DE PERROS

Los perros son muy apreciados en todo el mundo. La *American Kennel Society* (Club Kennel de Estados Unidos) ha clasificado docenas de razas diferentes. Los perros más voluminosos son el San Bernardo y el mastín inglés, que suelen pesar entre 170 lb y 200 lb. Los más pequeños son el Yorkshire terrier miniatura, el chihuahua y el caniche. Investiga cuáles son las cinco razas más populares hoy día y compara sus pesos medios. Averigua cuánto cuesta alimentar a un ejemplar de cada raza durante una semana. Haz una gráfica con los resultados.

¿Pies grandes?

¿Puedes calcular la estatura de un individuo a partir de la talla de sus zapatos? Averigua la estatura de varias personas y la talla de los zapatos que calzan. Haz diagramas de dispersión comparando los datos que reúnas. Usa uno para hombres y otro para mujeres. ¿Observas un patrón? ¿Puedes predecir la talla de los zapatos a partir de la estatura? Explica por qué.

1. Se preguntó a 20 personas qué tiempo tardaban en llegar al trabajo.

   a. Haz una tabla de frecuencia con los datos.

   b. Haz un histograma con los datos. Usa intervalos de 10 min.

"¿Cuántos minutos tarda en llegar al trabajo?"			
30	60	25	10
15	45	35	30
25	50	90	20
35	10	60	30
40	30	50	45

Ejercicios preferidos por los adolescentes

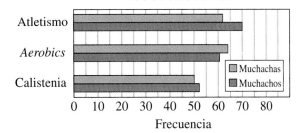

2. Usa la gráfica anterior para responder a las siguientes preguntas.

   a. ¿Quiénes practican más el atletismo?

   b. ¿Quiénes practican menos la calistenia?

   c. ¿Qué tipo de ejercicio practican más los adolescentes?

   d. ¿Aproximadamente cuántas muchachas fueron encuestadas?

3. La escuela Summer Street celebra una feria de artesanía cada año. Sus beneficios en los últimos 5 años han sido de $425, $355, $390, $400 y $360. Haz una gráfica lineal que represente esos beneficios.

4. **Elige A, B o C.** ¿Qué medida sería más representativa de la asignatura preferida por los estudiantes de séptimo grado?

   A. la media   **B.** la mediana   **C.** la moda

5. Mark Lenzi y Tan Liangde compitieron por la medalla de oro en salto de trampolín masculino durante los Juegos Olímpicos de 1992. Crea una gráfica apropiada para comparar sus puntuaciones en los primeros cinco saltos de la fase final. Redondea los valores si es necesario.

Salto	Lenzi	Tan
1	36	43.74
2	45.03	43.89
3	48	55.44
4	52.92	39.36
5	45	51.03

6. Halla la media, la mediana, la moda y la gama de los pesos (en onzas) de hámsters de 1 mes: 1.25, 2, 3.25, 2.25, 2.5, 3.5, 1.75, 1, 1.75, 2, 1.5, 2.

7. Erin, Sara y Tim tienen los apellidos Syrio, Ellis y Trag. Syrio es sobrino de Erin. En ninguno de ellos el nombre y el apellido empiezan con la misma letra. ¿Cuál es el nombre completo de cada persona?

8. Crea una tabla arborescente con estas puntuaciones de la liga juvenil de bolos: 45, 56, 34, 55, 78, 21, 38, 66, 56, 41.

9. Supón que estás haciendo una encuesta sobre el tiempo que la gente espera en las consultas de los médicos. ¿Obtendrías una muestra representativa si llamaras a todos los pacientes del Dr. López? Explica por qué.

10. **Por escrito** Explica cómo puede utilizarse una gráfica engañosa.

Repaso general

Elige A, B, C o D.

1. Usa el diagrama de puntos para averiguar cuántas familias tienen al menos dos bicicletas.

```
                          x
                  x   x   x
                  x   x   x
          x   x   x   x   x   x
          x   x   x   x   x   x
          0   1   2   3   4   5
```

   A. 4   **B.** 11   **C.** 15   **D.** 19

2. ¿Cuál es la gama de los valores registrados en la tabla arborescente?

8	8
9	1 6
10	3 4 4 5
11	0

   8 | 8 representa 88

   A. 88   **B.** 22
   C. 104   **D.** 110

3. ¿Qué podría representar la tabla arborescente de arriba?

   A. temperaturas máximas durante 8 días

   B. número de horas diarias dedicadas a mirar televisión

   C. peso en libras de los jugadores de los Chicago Bears

   D. número de libros leídos en una semana por los miembros del Club del Misterio

4. ¿Qué símbolo satisface la igualdad?

   $$3 \times 5 - 2 = 7 + (3 \blacksquare 2)$$

   A. $\times$ **B.** $\div$ **C.** $+$ **D.** $-$

5. ¿Cuál es la moda de los valores 3, 7, 7, 9, 2, 4, 3, 8, 8, 7, 0, 6?

   A. 6.5   **B.** 7   **C.** 8   **D.** 9

6. ¿Cuál es la mejor estimación de 12×37?

   A. 200   **B.** 300   **C.** 400   **D.** 500

7. Cuando el equipo de fútbol paró para comer, ocho jugadores pidieron pasta y ensalada y tres pidieron solamente ensalada. Si en total hay 20 jugadores y todos pidieron, al menos, uno de estos dos platos, ¿cuántos comieron pasta pero no ensalada?

   A. 5   **B.** 12   **C.** 9   **D.** 17

Sueño diario

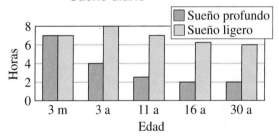

8. Usa la gráfica de barras para comparar las horas diarias que duerme un bebé de 3 meses con las que duerme un adulto de 30 años.

   A. aproximadamente la mitad

   B. aproximadamente el doble

   C. aproximadamente lo mismo

   D. aproximadamente tres veces más

9. Usa la gráfica de barras para estimar la duración del sueño profundo a cada edad. ¿Cuál es la media de los valores?

   A. 3.5   **B.** 2   **C.** 5   **D.** 2.5

10. Según la gráfica, ¿cuántas horas más pasa un bebé de 3 meses en el período de sueño profundo que una persona de 30 años?

    A. 2   **B.** 3   **C.** 4   **D.** 5

Archivo de datos #2

La lanzadera espacial despega como un cohete, gira alrededor de la Tierra como un satélite artificial y aterriza como un avión. Sus cohetes propulsores de combustible sólido se desprenden a 45 km de altura y caen al mar en paracaídas para ser allí recuperados. El depósito externo se separa de la nave a unos 110 km de altura y se desintegra al entrar en contacto con la atmósfera terrestre. Los ingenieros diseñaron este aparato para utilizarlo en un máximo de 80 misiones. Cada propulsor de combustible sólido puede aprovecharse en unos 6 vuelos.

Fuente: Alabama Space Science Exhibit Commission

La conquista DEL ESPACIO

Valentina Tereshkova, la primera mujer astronauta, fue lanzada al espacio el 16 de junio de 1963. Su viaje en la nave espacial soviética *Vostok* 6 duró 70 h 50 min.

Cuando la revista *Science World* preguntó a sus lectores "¿Qué grandes descubrimientos astronómicos se harán en el próximo siglo?", el resultado fue más bien sorprendente. Esta gráfica circular representa las respuestas de 9,000 personas.

Futuros descubrimientos astronómicos

El origen del universo

Otros

14%

10%

Pruebas de que ha existido vida en Marte

38%

38%

Mensajes procedentes de galaxias lejanas

Fuente: *Science World*

+Y

+X

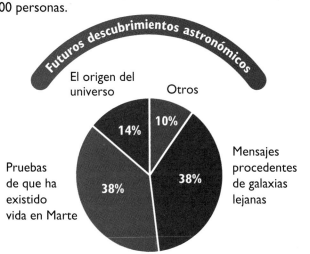

44

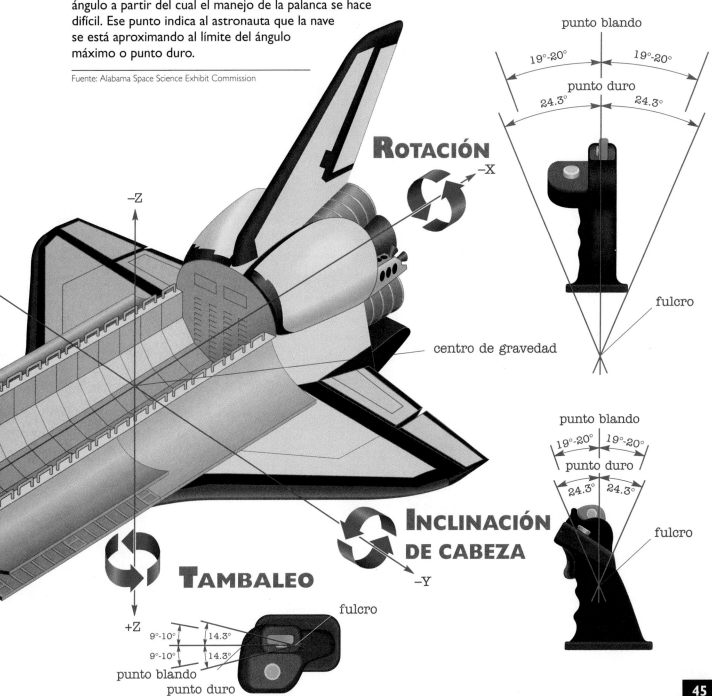

EN ESTE CAPÍTULO

- clasificarás figuras geométricas
- usarás instrumentos para dibujar figuras geométricas
- usarás tecnología para explorar el círculo
- resolverás problemas haciendo diagramas

La lanzadera espacial tiene tres ejes. Cada uno de los giros o maniobras que se realizan en torno a ellos tiene un nombre específico.

X—Rotación   Y—Inclinación de cabeza   Z—Tambaleo

Los astronautas realizan esas maniobras utilizando una palanca de mando que impide la continuación del giro cuando se alcanza un ángulo máximo llamado *punto duro*. Se denomina *punto blando* al ángulo a partir del cual el manejo de la palanca se hace difícil. Ese punto indica al astronauta que la nave se está aproximando al límite del ángulo máximo o punto duro.

Fuente: Alabama Space Science Exhibit Commission

punto blando
19°-20°   19°-20°
punto duro
24.3°   24.3°

fulcro

ROTACIÓN
–X

–Z

centro de gravedad

punto blando
19°-20° 19°-20°
punto duro
24.3° 24.3°

fulcro

INCLINACIÓN DE CABEZA
–Y

TAMBALEO

+Z
9°-10°   14.3°
9°-10°   14.3°
punto blando
punto duro

fulcro

45

(in)vestigación

Proyecto

Informe

La cadena de tiendas Emporio Electrónico ha contratado siempre a la misma agencia de publicidad para crear sus anuncios de prensa. Las ventas de esta compañía han ido disminuyendo en los últimos meses debido a la creciente competencia de otras empresas, y sus dueños han decidido cambiar de publicitarios. Varias agencias (entre ellas la tuya) han recibido el encargo de presentar muestras de anuncios que se puedan emplear en la campaña de prensa destinada a vender una nueva línea de productos electrónicos.

Misión: Diseña un anuncio de muestra para Emporio Electrónico. Tienes que promocionar una televisión, un aparato de video, un aparato para discos compactos y un sistema de altavoces. Escribe el texto de la pieza y recuerda que debes indicar el precio de cada producto. Puedes usar lápices, plumas, papel, regla y/o compás.

Sigue estas pistas

✔ Piensa en un anuncio de prensa que te guste. ¿Qué tiene de interesante o llamativo?

✔ ¿Qué elemento del anuncio te haría ir a la tienda a ver el producto?

• Explorar patrones gráficos

Exploración de patrones gráficos

EN EQUIPO

1. a. ¿Cuál es la siguiente figura de este patrón? Dibújenla.

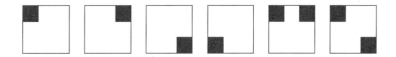

b. ¿Cuáles podrían ser las figuras octava y novena de este patrón? ¿Hay más de una alternativa?

2. a. Dibujen las dos siguientes figuras de este patrón.

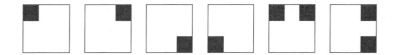

b. ¿Cuáles podrían ser las figuras novena y décima del patrón?

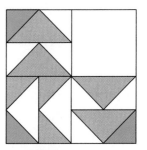

¿QUÉ? Arriba aparecen tres secciones de un diseño textil conocido como "rompecabezas del holandés". **Dibuja el cuadrado que completa el diseño.**

Fuente: *The Quilt ID Book*

PIENSA Y COMENTA

Hay muchos patrones con figuras geométricas. Describe las dos siguientes figuras para cada patrón.

3.

4.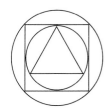

1. Halla la media.

2. Halla la(s) moda(s).

Usa la gráfica para
responder a la
pregunta 3.

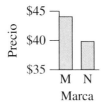

3. ¿Cuesta la marca M el
doble de lo que cuesta la
marca N? Explica por qué.

4. Trabajando 3 h al día,
Thieu ha invertido 13 h en
hacer un rompecabezas. Si
empezó el sábado, ¿qué día
ha terminado?

POR TU CUENTA

5. **a.** Añade las siguientes dos figuras a este patrón.

b. Por escrito Describe la figura número 20 del patrón.

Elige la siguiente figura en cada patrón.

6.

A.   **B.**   **C.**   **D.**

7.

A.   **B.**   **C.**   **D.**

8. Copia las primeras cuatro figuras de los patrones que
aparecen en las preguntas 1 y 2 de la actividad "En equipo" y
halla una manera de prolongar la serie que no sea igual a la
ya utilizada. Dibuja al menos cuatro figuras nuevas en cada
patrón.

9. Copia estas figuras en papel punteado y dibuja otras dos que
sigan el mismo patrón. Halla después una manera distinta de
continuar la serie.

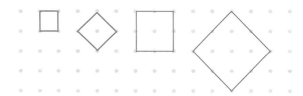

- Trabajar con ángulos y pares de ángulos

VAS A NECESITAR

✓ Transportador

EN EQUIPO

Estudien los ángulos siguientes y sus medidas. Algunos pares están formados por *ángulos complementarios* y otros no. Traten de definir el concepto de *ángulos complementarios*.

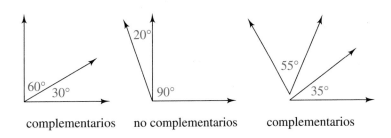

complementarios   no complementarios   complementarios

Traten ahora de definir el concepto de *ángulos suplementarios*.

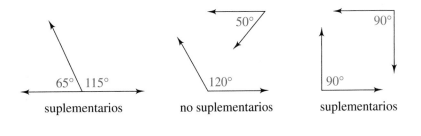

suplementarios   no suplementarios   suplementarios

¡RECUERDA!

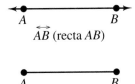

$\overleftrightarrow{AB}$ (recta AB)

$\overline{AB}$ (segmento AB)

$\overrightarrow{AB}$ (rayo AB)

$\overleftarrow{BA}$ (rayo BA)

PIENSA Y COMENTA

Un **ángulo** está formado por dos rayos (los *lados*) con un extremo común (el *vértice*). A este ángulo lo puedes denominar $\angle DCE$, $\angle ECD$, $\angle C$ o $\angle 1$.

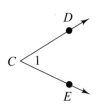

1. ¿Puedes llamar al ángulo $\angle CDE$? ¿Por qué?

2. Si la medida de $\angle 1$ es 56°, ¿cuál es la medida de su ángulo complementario? ¿Y la del suplementario?

3. Dibuja un ángulo grande.

 a. Coloca el centro del transportador en el vértice del ángulo.

 b. Asegúrate de que un lado del ángulo pase por el cero de la escala del transportador.

 c. Lee la graduación marcada en el punto donde el segundo lado coincide con la escala. ¿Cuál es la medida del ángulo?

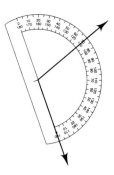

4. ¿Cómo medirías un ángulo cuando las líneas que representan a sus lados no se prolongan hasta la escala graduada del transportador?

5. Usa el transportador para dibujar un ángulo de 140°.

¡RECUERDA!

El símbolo ⌐ representa al ángulo recto.

Los ángulos pueden clasificarse de acuerdo a sus medidas.

ángulo agudo
mide menos de 90°

ángulo recto
mide 90°

ángulo obtuso
mide más de 90° y menos de 180°

ángulo llano
mide 180°

6. Clasifica el ángulo que dibujaste en la pregunta 5.

Los **ángulos adyacentes** comparten el vértice y un lado, pero no tienen puntos interiores comunes. ∠ABD y ∠DBC son ángulos adyacentes.

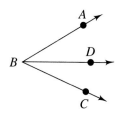

7. ¿Son ∠ABD y ∠ABC ángulos adyacentes? ¿Por qué?

8. Dibuja dos rectas que se corten y numera los ángulos no llanos como se indica en el dibujo.

 a. Nombra los pares de ángulos adyacentes.

 b. Entre los ángulos numerados, dos pares no son adyacentes sino *opuestos por el vértice*. Nombra los pares de ángulos opuestos por el vértice.

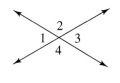

 c. Usa el transportador para medir los ángulos numerados. ¿Qué característica tienen los ángulos opuestos por el vértice?

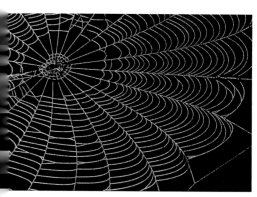

Una araña va formando ángulos adyacentes cuando fabrica los filamentos radiales de su tela. Creada la armazón, conecta los radios tejiendo un larguísimo hilo en espiral.

Para expresar el concepto *la medida de* ∠A puedes usar la notación *m*∠A.

Ejemplo   Halla las medidas de ∠1, ∠2 y ∠3 si *m*∠4 = 128°.

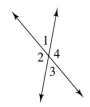

$m∠1 = 180° - 128°$ ∠1 y ∠4 son suplementarios.
$m∠1 = 52°$
$m∠2 = 128°$ ∠2 y ∠4 son opuestos por el vértice.

$m∠3 = 52°$ ∠1 y ∠3 son opuestos por el vértice.

PONTE A PRUEBA

9. ∠A y ∠B son suplementarios. Si *m*∠A = 15°, ¿cuál es *m*∠B?

10. ∠C y ∠D son complementarios. Si *m*∠C = 50°, ¿cuál es *m*∠D?

11. ∠1 y ∠2 son opuestos por el vértice. Si *m*∠1 = 75°, ¿cuál es *m*∠2?

Estima las medidas de estos ángulos y clasifícalos después.

12.   **13.**   **14.**

15. a. Nombra los dos ángulos adyacentes.

  b. Si *m*∠ADB = 20° y *m*∠BDC = 55°, *m*∠ADC = ■.

  c. ¿Podrías nombrar algún ángulo de la derecha con una sola letra? ¿Por qué?

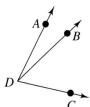

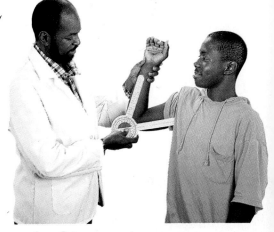

Los fisioterapeutas usan goniómetros para medir la capacidad de movimiento que tenemos en articulaciones como el codo o la rodilla. El goniómetro tiene un transportador incorporado.

Fuente: *Scholastic Dynamath*

POR TU CUENTA

Clasifica cada ángulo como agudo, recto, obtuso o llano.

16. $m∠A = 45°$ **17.** $m∠B = 180°$

18. $m∠C = 90°$ **19.** $m∠D = 150°$

Calcula mentalmente.

1. 803 + 997

2. 14 + 36 − 11

Dibuja un diagrama de puntos con cada grupo de valores.

3. 9, 13, 12, 12, 10, 13, 11

4. 7, 2, 4, 3, 6, 5, 6, 2, 4, 7

5. Añade una figura al patrón.

6. ¿Cuántos rectángulos hay en esta figura?

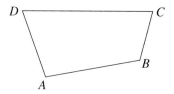

Di si la medida estimada para cada ángulo es razonable. En caso contrario, haz una estimación mejor.

20. 120°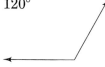

21. 60°

22. 45°

23. **Por escrito** Un estudiante ha medido ∠ABC y afirma que $m\angle ABC = 60°$. Explica el error cometido.

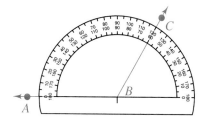

Observa la figura de abajo y nombra los siguientes elementos.

24. cuatro rectas

25. tres segmentos

26. cuatro rayos

27. cuatro ángulos rectos

28. dos pares de ángulos adyacentes suplementarios

29. dos pares de ángulos obtusos opuestos por el vértice

30. dos pares de ángulos complementarios

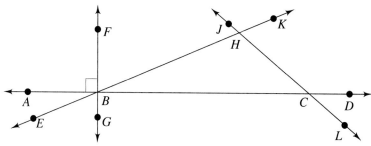

31. Dibuja dos ángulos complementarios con un transportador. Uno de ellos debe medir 25°.

32. Dibuja dos ángulos suplementarios con un transportador. Uno de ellos debe medir 55°.

33. Usa un transportador para hallar $m\angle A$, $m\angle B$, $m\angle C$ y $m\angle D$.

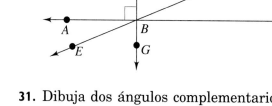

34. Observa estas dos fotocopias de superficies de marfil y determina cuál corresponde al colmillo de un mamut y cuál al de un elefante.

a.

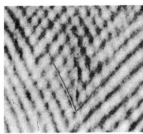

b.

35. a. Dibuja dos ángulos (∠1 y ∠2) que sean opuestos por el vértice y suplementarios.

b. Dibuja dos ángulos (∠3 y ∠4) que sean opuestos por el vértice y complementarios.

Usa papel punteado o cuadriculado (pero *no* transportador) para dibujar ángulos con las siguientes magnitudes.

36. 90°   **37.** 180°   **38.** 45°   **39.** 135°

40. a. Archivo de datos #2 (págs. 44–45) Si un astronauta quiere levantar la proa de la lanzadera espacial, ¿alrededor de qué eje debe rotar la palanca?

b. Cuando el astronauta levanta la proa de la lanzadera, ¿por qué medida angular pasa la palanca de mando antes de que se haga difícil manejarla?

41. Elige A, B, C o D. ∠1 y ∠2 son suplementarios, y ∠1 y ∠3 son complementarios. ¿Qué relación hay entre ∠2 y ∠3?

A. $m\angle 2 = m\angle 3$ **B.** $m\angle 2 = m\angle 3 + 90°$

C. $m\angle 3 = m\angle 2 + 90°$ **D.** $m\angle 2 + m\angle 3 = 180°$

42. Pensamiento crítico Usa las categorías *agudo, recto* y *obtuso* para clasificar los ángulos posibles de cada par.

a. dos ángulos suplementarios
b. dos ángulos adyacentes
c. dos ángulos complementarios
d. dos ángulos opuestos por el vértice

43. Si $m\angle XYZ = 87°$ y $m\angle 1 = 34°$, ¿cuál es $m\angle 2$?

La identidad del marfil

Ed Espinoza, un investigador del *United States Fish and Wildlife Service* (servicio nacional para la fauna salvaje) ha descubierto un sistema para determinar si los colmillos de marfil proceden de un mamut prehistórico o de un elefante. La importación de marfil de elefante es ilegal, pero los contrabandistas tratan de introducirlo en Estados Unidos como si procediera de mamuts.

Los lados planos de los colmillos tienen unas marcas características. Cuando Ed Espinoza y su equipo las fotocopiaron y midieron, observaron que en los colmillos de mamut forman ángulos de 90° o menos, mientras que en los de elefante su abertura es de 115° o más.

• Clasificar triángulos según sus lados y sus ángulos

• Trabajar con las medidas de los ángulos de un triángulo

VAS A NECESITAR

✓ Tijeras

✓ Triángulos de papel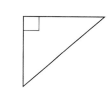

EN EQUIPO

Usa un triángulo de papel distinto de los utilizados por tus compañeros.

• Numera los ángulos y arráncalos del triángulo.

• Junta los tres ángulos de modo que queden adyacentes pero no sobrepuestos. ¿Qué observas?

• Compara tus resultados con los obtenidos por tus compañeros. Formen una hipótesis sobre lo observado.

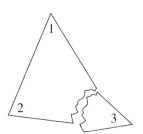

★¡RECUERDA!

Se dice que dos o más segmentos son congruentes cuando tienen la misma longitud. Los ángulos congruentes son aquéllos que tienen la misma medida.

PIENSA Y COMENTA

Los triángulos pueden clasificarse por el número de sus lados congruentes o por la medida de sus ángulos.

triángulo escaleno
sin lados congruentes

triángulo isósceles
al menos dos
lados congruentes

triángulo equilátero
tres lados congruentes

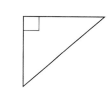

triángulo rectángulo
un ángulo recto

triángulo acutángulo
tres ángulos agudos

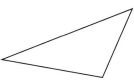

triángulo obtusángulo
un ángulo obtuso

1. Clasifica los triángulos según sus lados.

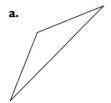 a.    b.   c.

2. Clasifica los triángulos anteriores según sus ángulos.

3. ¿Son también isósceles los triángulos equiláteros? ¿Por qué?

4. a. Dobla un triángulo equilátero de papel haciendo que dos lados coincidan. ¿Qué observas en los dos ángulos que coinciden?

b. ¿Obtienes el mismo resultado si haces coincidir otros dos lados? ¿Qué propiedad tienen los ángulos de un triángulo equilátero?

Durante la actividad "En equipo" descubriste que la siguiente proposición se cumple en todos los triángulos.

La suma de los ángulos de un triángulo es igual a 180°.

5. ¿Se puede hallar la medida de cada ángulo en un triángulo equilátero? Explica por qué.

6. Usa un triángulo isósceles de papel que no sea equilátero. Dóblalo haciendo que dos lados coincidan. Repite dos veces la operación para emparejar diferentes lados. ¿Qué observas?

Si en un triángulo se conoce la medida de dos ángulos, es posible hallar la medida del tercer ángulo.

Ejemplo   Halla la medida de $\angle C$.

$$53° + 61° = 114°$$
$$180° - 114° = 66°$$
$$m\angle C = 66°$$

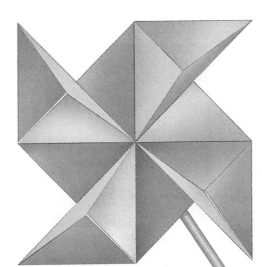

El origami es el arte japonés de crear figuras doblando papel. Todos los triángulos de este molinillo tienen el mismo tamaño y la misma forma.

7. Examina estos triángulos y clasifícalos, juzgando por su aspecto, según sus lados. Nombra los lados que sean congruentes.

a.

b.

c.

d.

8. Clasifica los triángulos anteriores según sus ángulos. Nombra los ángulos obtusos y rectos.

Halla las medidas de los ángulos que faltan.

9.
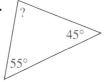

10.
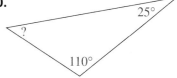

Halla las medidas de los ángulos que faltan.

11.
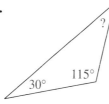

12.
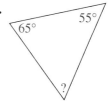

El "triángulo" es un instrumento de percusión que consiste en una varilla de acero colgada de un cordón. Se toca golpeándolo con otra varilla metálica. **¿Qué clase de triángulo es este instrumento: escaleno, isósceles o equilátero?**

Fuente: *Encyclopedia Americana*

13. Usa el transportador para dibujar un triángulo con ángulos de 75°, 45° y 60°. Anota las medidas de los ángulos.

14. a. Por escrito ¿Puede ser triángulo rectángulo un triángulo equilátero? ¿Por qué?

  b. ¿Puede un triángulo obtusángulo tener un ángulo recto? ¿Por qué?

15. Elige A, B, C o D. Un triángulo tiene dos ángulos que miden 35° y 50°. Clasifícalo.

  A. acutángulo
  B. rectángulo
  C. obtusángulo
  D. no se puede determinar

Halla las medidas que faltan en estos triángulos isósceles.

16.

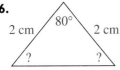

17.

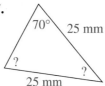

18. Los triángulos que aparecen a continuación son todos triángulos rectángulos.

  a. ¿Cuánto suman los dos ángulos agudos en cada caso?

  b. ¿Qué relación hay entre los dos ángulos agudos de estos triángulos? ¿Se cumple esa propiedad en todos los triángulos rectángulos? Explica por qué.

19. Pensamiento crítico Las medidas de los ángulos de un triángulo son 50°, 60° y 70°.

  a. Clasifica el triángulo según sus ángulos.

  b. ¿Puede el triángulo ser equilátero? ¿Por qué?

  c. ¿Puede el triángulo ser isósceles? ¿Por qué?

  d. ¿Puedes clasificarlo según sus lados? ¿Por qué?

VISTAZO A LO APRENDIDO

1. Agrega una figura que continúe la serie del patrón de la derecha.

Clasifica el ángulo a partir de la medida dada.

  2. 23°   **3.** 117°   **4.** 90°

Juzgando por su apariencia, clasifica cada triángulo según sus lados y sus ángulos.

  5.

  6.

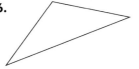

  7.

R^e_paso MIXTO

1. Haz una tabla de frecuencia con los siguientes valores: 8, 3, 6, 5, 2, 7, 6, 3, 6, 2, 5, 7, 3, 4, 5, 6, 3, 7, 4, 5

Completa.

2. Un ángulo es ■ si mide más de 90° y menos de 180°.

3. Dos ángulos son ■ si comparten un vértice y un lado pero no tienen puntos interiores comunes.

4. Melinda y Julia compraron un total de 17 boletos para la rifa, pero Melinda compró 9 más que Julia. ¿Cuántos boletos compró cada una?

En esta lección

• Resolver problemas haciendo diagramas

2-4 **H**az un diagrama

Los diagramas te pueden ayudar a "ver" relaciones descritas en un problema.

> Un triángulo isósceles tiene un ángulo que mide 50°. ¿Cuáles son las medidas de los otros dos ángulos?

LEE

Lee y analiza la información recibida. Resume el problema.

1. Piensa en la información que recibes y en lo que debes averiguar.

    a. ¿Cuál es la medida conocida?

    b. ¿A qué tipo de triángulo se refiere el problema?

    c. ¿Qué distingue a este tipo de triángulos?

    d. Resume el objetivo del problema.

PLANEA

Decide qué estrategia usarás para resolver el problema.

Hacer un diagrama sería una buena estrategia en este caso. Conoces la medida de un ángulo, pero no sabes a qué ángulo pertenece. En concreto, desconoces si corresponde a uno de los ángulos congruentes (los triángulos isósceles tienen dos) o al que no es congruente con los otros.

RESUELVE

Prueba con la estrategia.

2. Dibuja un diagrama que represente el ángulo de 50° como uno de los dos ángulos congruentes.

    a. ¿Cuál es la medida del otro ángulo congruente?

    b. ¿Cuál sería entonces la medida del tercer ángulo?

3. Dibuja otro diagrama poniendo la magnitud de 50° en un ángulo distinto. ¿Cuáles son las medidas de los otros ángulos?

4. ¿Hay alguna otra distribución en la que un triángulo isósceles pueda tener un ángulo de 50°? ¿Por qué?

5. Escribe la solución al problema resumiendo lo que has descubierto.

6. Explica cómo el diagrama te ayudó a resolver el problema.

◀ COMPRUEBA

Piensa en cómo resolviste el problema.

⌐P O N T E A PRUEBA

Dibuja diagramas para resolver estos problemas.

7. Jacobo va a la escuela caminando. A las 8:20 de la mañana cruza una calle que está a dos cuadras de su casa. A las 8:24, cuando llega a la biblioteca municipal, está a tres cuadras de la escuela y a mitad de camino. Si sigue caminando al mismo paso, ¿a qué hora llegará a la escuela? Explica tu respuesta.

8. Durante la primera reunión del club de tenis de mesa, sus siete miembros han acordado celebrar un campeonato en el que cada jugador jugará con todos los demás. ¿Cuántos partidos habrá en el torneo?

*Según el profesor Michael Hill, de la Universidad de Minnesota, una mujer normal recorre unos 256 pies/min cuando camina, mientras que un hombre normal recorre unos 245 pies/min. **Averigua qué distancia puedes cubrir tú en un minuto.***

⌐P O R TU CUENTA

Usa cualquier estrategia para resolver estos problemas. Muestra tu trabajo.

9. Has comprado varios lápices en una tienda de descuento. Todos cuestan lo mismo, y la cantidad adquirida es equivalente al precio (en centavos) de cada uno. Si el costo total es de $1.44, ¿cuántos lápices has comprado?

10. El diagrama representa un diseño triangulado hecho con palillos. En el nivel superior hay tres palillos, en el intermedio seis y en el inferior nueve.

  a. Si decidieras prolongar el diseño hasta que tuviera siete niveles, ¿cuántos palillos necesitarías en total?

  b. ¿En qué nivel habría 24 palillos?

11. Halla todas las combinaciones de seis números enteros mayores que cero cuya suma sea igual a 12.

Calcula mentalmente.

1. 630 ÷ 90

2. 80 • 70

3. Halla la media, la mediana y la moda de las siguientes puntuaciones: 98, 85, 87, 85, 78.

4. Tres exámenes han recibido las calificaciones 88, 92 y 85. ¿Cuál debe ser la cuarta calificación para hacer que la media sea 90?

Usa este diagrama en los ejercicios 5 y 6.

5. Halla la medida del ángulo que falta.

6. Clasifica el triángulo según sus ángulos.

7. Halla dos números enteros cuya suma sea 166 y cuya diferencia sea 32.

12. Shana empezó a subir una escalera y se detuvo en el escalón del medio. Luego bajó 2 escalones, subió 4, bajó 3, subió 5 y llegó finalmente a la plataforma superior. ¿Cuántos escalones tiene esa escalera?

13. Rafael tiene $1.55 en monedas de diez y de veinticinco centavos. Halla todas las combinaciones de monedas que Rafael podría tener.

14. **Archivo de datos #4 (págs. 142–143)** Carolina vive en Londres y tiene familiares en Phoenix y Singapur. Cuando llama a su hermano, son las 10:00 a.m. en Londres y las 5 p.m. en el lugar donde él vive. ¿Dónde vive su hermano, en Phoenix o en Singapur?

15. **Jardinería** Brandon planta anualmente bulbos de tulipán en un cantero cuadrado (abajo se muestran tres canteros posibles). El cantero cuenta este año con 29 bulbos más que el año pasado. Si el cantero sigue siendo cuadrado, ¿cuántos tulipanes tiene este año?

  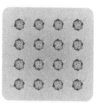

16. Rosa, Carlos y María tocan la guitarra, el piano y la batería en una banda. Carlos es primo de la guitarrista; Rosa vive al lado de la persona que toca la batería y a dos cuadras de la guitarrista. ¿Quién toca cada instrumento?

17. En la familia Molinos hay dos niños. La suma de sus edades es igual a 21, y el producto de las mismas es igual a 110. ¿Cuántos años tiene cada uno?

18. ¿Cuántos ángulos hay en este dibujo? ¿Cuántos de ellos son obtusos?

19. Tres ángulos tienen el mismo vértice pero carecen de puntos interiores comunes. Juntos miden 180°. La suma del primero y el segundo es igual a 88°; la del segundo y el tercero es igual a 120°. Halla la medida de cada uno.

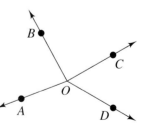

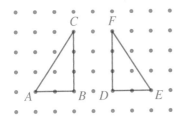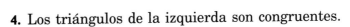

2-5

Triángulos congruentes

PIENSA Y COMENTA

Decimos que dos o más figuras son **congruentes** cuando tienen el mismo tamaño y la misma forma.

1. Nombra los pares de figuras que parecen congruentes.

a.   b.   c.   d.

e.   f.   g.   h.

2. ¿Cómo podrías comprobar que dos figuras son congruentes?

3. Supón que calcas un polígono y lo colocas encima de su "pareja" congruente. ¿Qué observas en los ángulos y segmentos que coinciden?

Los polígonos cuyas *partes correspondientes* (lados y ángulos) son congruentes se llaman **polígonos congruentes**. Si haces coincidir los vértices A y E, B y D, y C y F, los lados y los ángulos correspondientes de los dos triángulos serán congruentes. Puedes expresar esto usando los símbolos $\cong$ ("es congruente con") y $\triangle$ ("triángulo").

$$\overline{AB} \cong \overline{ED} \qquad \angle A \cong \angle E$$
$$\overline{BC} \cong \overline{DF} \qquad \angle B \cong \angle D$$
$$\overline{CA} \cong \overline{FE} \qquad \angle C \cong \angle F$$
$$\triangle ABC \cong \triangle EDF$$

Ten siempre en cuenta que los vértices correspondientes se nombran en el mismo orden.

4. Los triángulos de la izquierda son congruentes.

a. ¿Qué vértice corresponde al vértice J? ¿Y al K? ¿Y al L?

b. Completa.

$$\triangle JKL \cong \blacksquare$$

$$\overline{JK} \cong \blacksquare \qquad \overline{KL} \cong \blacksquare \qquad \overline{LJ} \cong \blacksquare$$

$$\angle J \cong \blacksquare \qquad \angle K \cong \blacksquare \qquad \angle L \cong \blacksquare$$

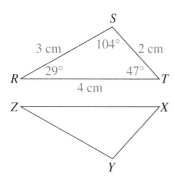

3 cm 104° 2 cm

R 29° 47° T

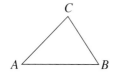

4 cm

Z ———————— X

Y

Ejemplo $\triangle XYZ \cong \triangle TSR$

a. Escribe seis relaciones de congruencia entre las partes correspondientes de estos triángulos.

$$\angle X \cong \angle T \qquad \angle Y \cong \angle S \qquad \angle Z \cong \angle R$$
$$\overline{XY} \cong \overline{TS} \qquad \overline{ZY} \cong \overline{RS} \qquad \overline{ZX} \cong \overline{RT}$$

b. Halla $m\angle X$ y la longitud de $\overline{ZY}$.

- Como $\angle X \cong \angle T$, $m\angle X = m\angle T = 47°$.
- Como $\overline{ZY} \cong \overline{RS}$, la longitud de $\overline{ZY}$ es 3 cm.

EN EQUIPO

C

A ———————— B

Dibujen un triángulo escaleno grande, $\triangle ABC$, y tracen los siguientes triángulos usando un compás y una regla.

5. a. Sigue los pasos 1–3 para construir $\angle D$ congruente con $\angle A$. En el paso 1, traza un rayo que parta del punto D. Pon la aguja del compás en el punto A y traza un arco que corte los lados de $\angle A$. Después, pon la aguja en D y, manteniendo la misma apertura, traza otro arco. Luego, lleva a cabo los pasos 2 y 3.

Paso 1

Paso 2

Paso 3

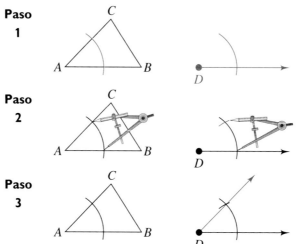

b. Pon una punta del compás en A y la otra en B. Usa esta apertura para trazar $\overline{DE}$ en un lado de $\angle D$ de modo que $\overline{DE} \cong \overline{AB}$. En el otro lado de $\angle D$, traza $\overline{DF}$ congruente con $\overline{AC}$. Dibuja $\overline{EF}$.

c. ¿Qué observas en $\triangle ABC$ y $\triangle DEF$?

6. a. $\triangle DEF \cong$ ▉

b. $\triangle EFD \cong$ ▉

c. $\triangle DFE \cong$ ▉

d. Nombra seis relaciones de congruencia entre los ángulos y lados correspondientes.

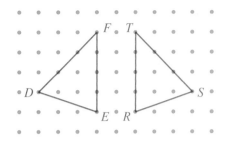

7. Pensamiento crítico Si sabes que $\triangle ABC \cong \triangle ZXY$, ¿qué puedes afirmar sobre los lados y ángulos de $\triangle ZXY$? ¿Por qué?

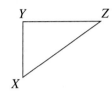
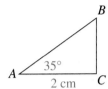

8. a. Dibuja un triángulo escaleno grande y llama a los vértices D, E y F. Construye $\overline{JK}$ congruente con el lado $\overline{DE}$ del $\triangle DEF$.

b. Construye un ángulo con vértice J y lado $\overrightarrow{JK}$ que sea congruente con $\angle D$.

c. Construye un ángulo con vértice K y lado $\overrightarrow{KJ}$ que sea congruente con $\angle E$.

d. Prolonga los lados de los dos ángulos creados en las partes (b) y (c) hasta que se corten en el punto L. ¿Qué parece ser cierto en $\triangle DEF$ y $\triangle JKL$?

9. a. Dibuja un triángulo escaleno grande y llama a los vértices G, H e I. Construye $\overline{XY}$ congruente con el lado $\overline{GH}$ del $\triangle GHI$.

b. Dale al compás la apertura $\overline{GI}$. Pon la aguja en X y dibuja un arco. Dale al compás la apertura $\overline{HI}$. Pon la aguja en Y y dibuja otro arco que corte al anterior en el punto Z. Dibuja $\overline{XZ}$ y $\overline{YZ}$.

c. ¿Qué parece ser cierto en $\triangle GHI$ y $\triangle XYZ$?

10. Pensamiento crítico En $\triangle ABC$ y $\triangle PQR$, $\overline{AB}$ y $\overline{PQ}$ tienen la misma longitud. $\overline{BC}$ y $\overline{QR}$ tambíen tienen la misma longitud. ¿Deben tener la misma longitud $\overline{AC}$ y $\overline{PR}$? ¿Por qué?

Cuando esté terminada, la base antártica Amundsen-Scott albergará el mejor observatorio de la Tierra. El frío (la temperatura media es allí de −72°F) reduce la presión atmosférica, lo cual, unido al aplanamiento de la atmósfera en los polos, permite que los telescopios tengan una inmejorable visión del cielo. **Describe los triángulos congruentes que forman esta estructura.**

Fuente: *Omni*

11. Haz una lista de los triángulos que parecen congruentes.

a. b. c.

d. e. f.

12. Completa. (Acuérdate de nombrar los vértices correspondientes en el mismo orden.)

a. △ABC ≅ ■ b. △ABC ≅ ■ c. △ABC ≅ ■

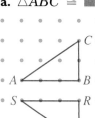 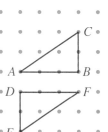 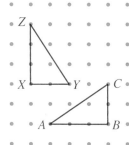

13. △DEF ≅ △CLK

a. ∠D ≅ ■ b. ∠E ≅ ■

c. ∠F ≅ ■ d. $\overline{DE}$ ≅ ■

e. $\overline{EF}$ ≅ ■ f. $\overline{DF}$ ≅ ■

14. Supón que △XYZ ≅ △RBP. Escribe seis relaciones de congruencia entre los lados y los ángulos.

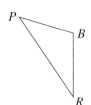

15. Traza un segmento y llámalo $\overline{AB}$.

a. Construye un segmento $\overline{XY}$ que sea congruente con $\overline{AB}$.

b. Construye un segmento $\overline{CD}$ que sea el doble de largo que $\overline{AB}$.

16. Dibuja el ángulo obtuso ∠E. Construye un ángulo ∠F que sea congruente con ∠E.

Henry Ford revolucionó las técnicas industriales cuando aplicó el concepto de congruencia a la producción en cadena (y en masa) de automóviles. Ford empezó a fabricar el modelo T en 1908. El nuevo sistema permitió que el costo del auto bajara de $950 en 1909 a $360 en 1926.

17. a. Dibuja un triángulo escaleno grande, $\triangle RST$. Usa una regla y un compás para construir $\triangle XYZ$ congruente con $\triangle RST$.

    b. Por escrito Explica cómo construiste $\triangle XYZ$ en la parte (a).

18. Completa esta expresión de tantas maneras correctas como puedas: $\triangle ABC \cong$ ▪

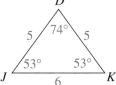

19. Elige A, B, C o D. $\triangle RST$ y $\triangle XYZ$ son equiláteros y congruentes. ¿Qué ángulos son congruentes con $\angle R$?

    A. $\angle X$ solamente   **B.** $\angle S$ y $\angle T$

    C. $\angle X$, $\angle S$ y $\angle T$ **D.** $\angle S$, $\angle T$, $\angle X$, $\angle Y$ y $\angle Z$

20. $\triangle RST \cong \triangle EFG$. Halla todas las medidas de ángulos y longitudes de lados que puedas en $\triangle EFG$.

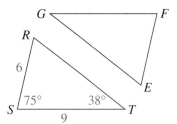

21. a. Usa papel punteado o cuadriculado para trazar $\triangle XYZ$ y $\triangle JKL$ de modo que $\triangle XYZ \cong \triangle JKL$.

    b. Dibuja dos triángulos *no congruentes* cuyos ángulos correspondientes sean congruentes.

22. ¿Es $\triangle ABC$ congruente con $\triangle DEF$? ¿Por qué?

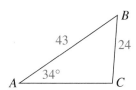 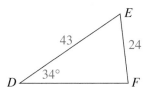

23. Investigación (pág. 46) Las ilustraciones son tan atractivas que se han convertido en un elemento casi imprescindible de los anuncios. Halla al menos dos ilustraciones publicitarias y explica por qué el diseñador puede haber elegido esas imágenes.

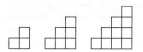

2-6

Cuadriláteros

 El Pentágono, sede del Departamento de Defensa estadounidense, fue construido entre 1941 y 1945. Entonces era el edificio de oficinas más grande del mundo. Ocupa 34 acres y tiene 3,700,000 pies^2 de superficie útil.

 **¡RECUERDA!**

Dos rectas son paralelas si están en el mismo plano y no se cortan. Dos segmentos son paralelos si están en rectas paralelas.

PIENSA Y COMENTA

Los *polígonos* se designan por el número de sus lados.

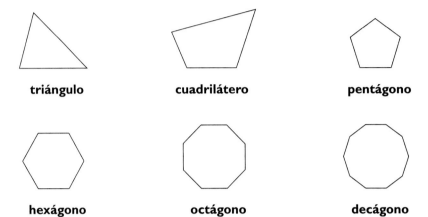

| triángulo | cuadrilátero | pentágono |

| hexágono | octágono | decágono |

1. ¿Cuántos lados tiene un pentágono? ¿Y un hexágono? ¿Y un octágono? ¿Y un decágono?

Los lados y ángulos de un **polígono regular** son todos congruentes.

2. Entre los polígonos de arriba, ¿cuáles parecen regulares?

3. ¿Qué otro nombre tienen los triángulos regulares?

Algunos cuadriláteros tienen nombres especiales.

El **trapecio** tiene exactamente dos lados paralelos.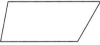

El **paralelogramo** tiene ambos pares de lados opuestos paralelos.

El **rectángulo** es un paralelogramo con cuatro ángulos rectos.

El **rombo** es un paralelogramo con cuatro lados congruentes.

El **cuadrado** es un paralelogramo con cuatro ángulos rectos y cuatro lados congruentes.

4. ¿Qué otro nombre recibe el cuadrilátero regular?

Los cuadriláteros tienen dos pares de lados opuestos y dos pares de ángulos opuestos.

5. Nombra los dos pares de lados opuestos.

6. Nombra los dos pares de ángulos opuestos.

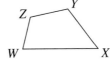

Las *diagonales* del cuadrilátero *ABCD* son $\overline{AC}$ y $\overline{BD}$.

¿QUÉ? ¿Qué advierte a los conductores esta señal australiana? Escribe todos los nombres que pueden emplearse para describir la forma de la señal de arriba. **¿Cuál es el más exacto?**

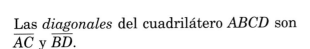

Usa un paralelogramo distinto de los utilizados por tus compañeros de grupo. Traza en él una diagonal y luego recórtalo. Córtalo después a lo largo de la diagonal.

7. a. ¿Son congruentes los dos triángulos que se forman? ¿Por qué?

b. ¿Eran congruentes los lados opuestos del paralelogramo? ¿Por qué?

c. ¿Qué propiedad tienen los ángulos opuestos del paralelogramo? Supón que hubieras hecho el corte a lo largo de la otra diagonal. ¿Cuál habría sido el resultado?

8. Compara tus resultados con los del resto del grupo. ¿Qué propiedad observas en los paralelogramos? ¿Se cumple esa propiedad tanto en rectángulos como en cuadrados y rombos? ¿Por qué?

El caparazón de esta tortuga recién nacida prueba la existencia de polígonos en la naturaleza. *¿Qué polígonos ves en este caparazón?*

El hecho de que los lados opuestos de los paralelogramos sean congruentes y paralelos es muy útil cuando se dibujan estas figuras en papel cuadriculado o punteado.

Ejemplo   Dibuja las siguientes figuras en papel punteado.

a. un paralelogramo *ABCD* que no sea ni rectángulo ni rombo

b. un rombo *EFGH* que no sea cuadrado

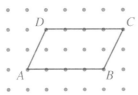

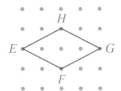

PONTE A PRUEBA

Clasifica estos cuadriláteros según su aspecto. Después, nombra los lados y ángulos congruentes.

9.

10.

11.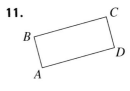

POR TU CUENTA

Clasifica cada polígono de acuerdo al número de lados. Aclara después si te parece ser regular o no.

12.

13.

14.

15.

Haz una lista con todos los nombres aplicables a cada cuadrilátero, según su aspecto. Rodea con un círculo el nombre que consideres más exacto.

16.

17.

18.

19.

Usa papel punteado para dibujar las siguientes figuras.

20. un rectángulo

21. un cuadrado

22. un rombo que no sea cuadrado

23. un trapecio con dos ángulos rectos

24. un cuadrilátero regular

25. Pensamiento crítico ¿Puede un cuadrilátero ser a la vez rombo y rectángulo? Explica por qué.

26. Por escrito Escribe una oración que incluya la palabra *todos* y algunas de las palabras siguientes: trapecio(s), paralelogramo(s), rectángulo(s), rombo(s) y cuadrado(s). Haz lo mismo con las palabras *algunos* y *ningún.*

27. a. Dibuja un cuadrilátero con sólo un par de ángulos opuestos congruentes.

b. Dibuja un cuadrilátero con sólo un par de lados opuestos congruentes.

28. Elige A, B, C o D. ¿Qué afirmaciones son falsas?

    I. Todos los trapecios son cuadriláteros.

    II. Todos los rectángulos son cuadrados.

    III. Todos los paralelogramos son rombos.

    A. sólo II   **B.** sólo III

    C. II y III   **D.** I, II y III

Haz una lista de todas las magnitudes (longitudes de lados y medidas de ángulos) que puedas determinar en estos cuadriláteros.

29. paralelogramo $ABCD$, longitud de $\overline{AB}$ es 6 cm, $m\angle A = 65°$

30. cuadrado $EFGH$, longitud de $\overline{EF}$ es 3 m

31. rombo $WXYZ$, longitud de $\overline{WX}$ es 4 cm

32. rectángulo $JKLN$, longitud de $\overline{JK}$ es 5 pulg

33. trapecio $PQRS$, longitud de $\overline{PQ}$ es 10 cm, $m\angle Q = 65°$

R^epa^so MIXTO

Calcula mentalmente.

1. $54 \div (15 - 9)$

2. $7(11 - 4)$

Completa.

3. El triángulo que no tiene lados congruentes se llama ■.

4. El triángulo con tres ángulos agudos se llama ■.

$\triangle ABC \cong \triangle JKL$

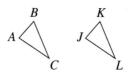

5. $\angle C \cong$ ■

6. ■ $\cong \overline{LJ}$

7. En un triángulo rectángulo, el mayor de los ángulos agudos es dos veces más grande que el menor. ¿Cuánto miden los dos ángulos agudos?

▌**Sugerencia para resolver el problema**

Haz un diagrama.

2-7 Círculos

En esta lección

• Identificar elementos del círculo y trabajar con cuadriláteros inscritos

■ **VAS A NECESITAR**

✓ Computadora

✓ Programa de geometría

✓ Transportador

PIENSA Y COMENTA

Incluso el Frisbee™ se beneficia de las computadoras. Algunos ingenieros las usan para crear discos de plástico aerodinámicos que recorran distancias cada vez mayores. Otros para acelerar la producción y bajar así los costos.

Los diseñadores gráficos recurren a las computadoras para decorar estos juguetes volantes. Como se muestra abajo, pueden utilizar *círculos* y otras figuras geométricas en el diseño que adorna la parte superior del disco.

El **círculo** es un conjunto de puntos situados en un plano a la misma distancia de otro punto llamado *centro*. Los círculos se nombran por sus centros. Abajo aparece el círculo *O*.

Llamamos **radio** al segmento que tiene un extremo en el centro y el otro en el círculo.

$\overline{OB}$ es un radio del círculo *O*.

Llamamos **diámetro** al segmento que pasa a través del centro y tiene ambos extremos en el círculo.

$\overline{AC}$ es un diámetro del círculo *O*.

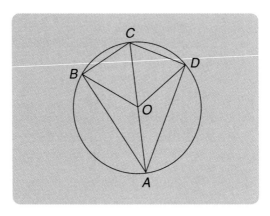

Llamamos **ángulo central** al ángulo cuyo vértice está en el centro del círculo.

$\angle AOB$ es un ángulo central del círculo *O*.

Llamamos **cuerda** al segmento que tiene ambos extremos en el círculo.

$\overline{AD}$ es una cuerda del círculo *O*.

1. ¿Qué figuras geométricas ves en el diseño de la página anterior?

2. Nombra los triángulos isósceles del diseño. ¿Cómo sabes que son isósceles?

3. **a.** Estima las medidas de los siguientes ángulos. Anota las estimaciones.

∠BOC	∠COD	∠BOA	∠DOA
∠CBA	∠BAD	∠ADC	∠DCB

   b. Mide los ángulos que aparecen arriba. Compara las medidas reales con las estimadas.

4. Nombra los triángulos obtusángulos y los triángulos rectángulos del diseño.

5. Nombra los triángulos congruentes que haya en el diseño.

Llamamos **arco** a una porción de círculo. Si el arco es igual a la mitad del círculo, lo denominamos **semicírculo.** Para designar un semicírculo se usan tres letras (la primera y la tercera representan sus extremos).

6. **a.** ¿Es $\overset{\frown}{ADC}$ (se lee "el arco ADC") un semicírculo del círculo O?

   b. ¿Por qué es necesario usar tres letras para designar semicírculos?

7. $\overset{\frown}{AB}$ es un arco del círculo O. Nombra otros dos arcos menores que un semicírculo.

8. ¿Cuáles de estas figuras parecen arcos?

   a.   **b.**   **c.**   **d.**   **e.**

9. $\overline{AD}$ es una cuerda del círculo O. Nombra las otras cuerdas representadas.

10. **Terminología** La analogía es una forma de expresar una relación. Completa esta analogía.

    Cuerda es a *arco* lo que *diámetro* es a ■.

Llamamos polígono **inscrito** a aquél cuyos lados son cuerdas de un círculo.

11. Nombra un polígono inscrito en el círculo O.

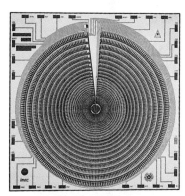

 Arriba aparece un diminuto trozo de cristal semiconductor o "microchip" creado por investigadores de la Universidad de Pennsylvania para darles "vista" a los robots. El chip "interpreta" la luz de forma similar al ojo humano. En su centro hay 102 células fotoeléctricas que actúan como el área de la retina donde la visión es más clara.

Fuente: *Discover*

12. ¿Qué propiedad tienen los vértices de un polígono inscrito?

13. Nombra los pares de ángulos opuestos del cuadrilátero *WXYZ*.

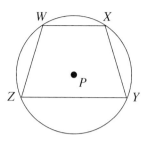

14. A juzgar por su aspecto, ¿tiene lados congruentes el cuadrilátero *WXYZ*? ¿Podrías usar un compás para comprobarlo? ¿Cómo?

⌐EN EQUIPO

Computadora Hagan una conjetura sobre la suma de los ángulos opuestos de un cuadrilátero inscrito. Comprueben su conjetura en varios círculos y cuadriláteros.

⌐POR TU CUENTA

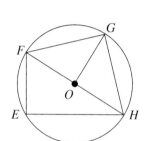

Nombra los siguientes elementos del círculo *O*.

15. dos cuerdas   **16.** tres radios

17. un diámetro   **18.** un ángulo central

19. un semicírculo   **20.** dos arcos

21. la cuerda más larga representada

22. un cuadrilátero inscrito

23. un triángulo inscrito

24. a. Diseña una hebilla de cinturón redonda que tenga un cuadrilátero inscrito.

    b. Por escrito Describe tu diseño de modo que otra persona lo pueda dibujar sin mirarlo.

    c. Pide a un familiar o amigo que use tu descripción para dibujar la hebilla. Compara el resultado con tu diseño y, si es necesario, vuelve a redactar la descripción.

1. Haz un histograma con las siguientes temperaturas máximas: 100°, 127°, 134°, 118°, 100°, 118°, 117°, 122°, 119°, 116°, 118° y 114°.

2. Dibuja un octágono.

3. Dibuja un trapecio.

4. Cuando se va en bicicleta se queman 11 calorías/min. Corriendo (a pie) se queman 14 calorías/min, y bailando 8 calorías/min. ¿Cómo quemarías más calorías: corriendo 15 min 3 días a la semana o andando en bicicleta 40 min 2 días a la semana?

25. Elige A, B, C o D. ¿Cuál de los siguientes polígonos *no* es un polígono inscrito?

A.   **B.**   **C.**   **D.**

Computadora Haz una conjetura sobre las siguientes figuras y compruébala luego.

26. un cuadrilátero inscrito cuyos vértices son los extremos de dos diámetros

27. un triángulo inscrito uno de cuyos lados es un diámetro

28. los lados no paralelos de un trapecio inscrito

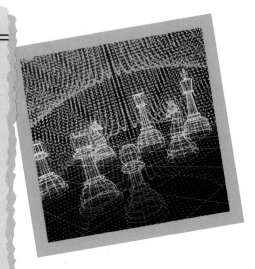

Dibujo por computadora

La computadora se está convirtiendo velozmente en el pincel utilizado por animadores cinematográficos y publicistas para crear objetos tridimensionales de notable realismo.

Ciertos programas permiten crear imágenes de líneas entrecruzadas.

En programas más complejos, las imágenes se forman sobre una especie de "alambrada de polígonos". Cada punto de los polígonos puede ser manipulado y desplazado para modelar o sombrear las figuras.

La computadora permite a los publicitarios crear autos que se convierten en tigres y a los realizadores de cine mostrar la sangre de un "Klingon" fluyendo por la pantalla. Usando la computadora como un lienzo, los artistas cambian nuestra manera de ver el mundo.

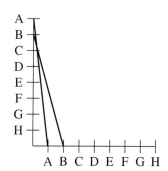

29. Cuando termines este ejercicio verás cómo los artistas pueden usar líneas rectas para dar la impresión de una curva. Traza dos rectas perpendiculares y márcalas como se indica a la derecha. Usando una regla, une las letras correspondientes (A/A, B/B, etc.).

 30. Investigación (pág. 46) Realiza una encuesta entre varios compañeros para averiguar qué aspectos de la publicidad producen en ellos una reacción positiva y cuáles provocan rechazo.

Dibuja la siguiente figura en cada patrón.

1.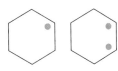

2.

Clasifica los ángulos como agudos, rectos, obtusos o llanos.

3. $m\angle A = 36°$ **4.** $m\angle B = 102°$ **5.** $m\angle C = 180°$ **6.** $m\angle D = 143°$

Observa la figura y nombra lo siguiente.

7. dos rectas **8.** dos segmentos

9. dos rayos **10.** dos ángulos rectos

11. dos ángulos opuestos por el vértice

12. dos ángulos complementarios **13.** dos ángulos suplementarios

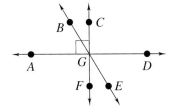

Halla las medidas de los ángulos que faltan y clasifica cada triángulo según sus ángulos.

14.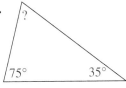

15.

16.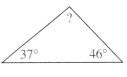

17.

$\triangle ABC \cong \triangle DEF$. **Completa cada expresión.**

18. $\angle A \cong$ ▩ **19.** $\angle C \cong$ ▩

20. $\overline{AB} \cong$ ▩ **21.** $\overline{BC} \cong$ ▩

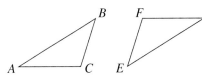

22. Dibuja el círculo O. Dibuja, designa e identifica tres radios, un diámetro, un cuadrilátero inscrito y cinco cuerdas.

Dibuja los siguientes polígonos en papel punteado.

23. un triángulo rectángulo **24.** un triángulo isósceles **25.** un rombo que no sea cuadrado

26. un hexágono **27.** un pentágono **28.** un cuadrilátero regular

Construcción de bisectrices

VAS A NECESITAR

✓ **Papel de calcar**

✓ **Compás**

✓ **Regla**

EN EQUIPO

Usa una regla para dibujar un segmento $\overline{AB}$ en papel de calcar. Dobla el papel de manera que el punto A coincida con el punto B. Desdóblalo y llama punto M a la intersección de $\overline{AB}$ con la línea del pliegue.

1. Compara tu resultado con el de un compañero.

   a. ¿Qué relación hay entre $\overline{AM}$ y $\overline{MB}$?

   b. ¿Qué tipo de ángulo forma el pliegue con $\overline{AB}$?

Usa una regla para dibujar un ángulo $\angle CDE$ en papel de calcar. Dobla el papel de manera que $\overrightarrow{DC}$ coincida con $\overrightarrow{DE}$. Desdóblalo y llama F a cualquier punto del pliegue situado dentro de $\angle CDE$. Dibuja $\overrightarrow{DF}$.

2. Compara tu resultado con el de tu compañero. ¿Qué relación hay entre $\angle CDF$ y $\angle FDE$?

PIENSA Y COMENTA

El **punto medio** de un segmento es el punto que lo divide en dos partes congruentes. La **bisectriz de un segmento** es una recta (o segmento o rayo) que pasa por su punto medio. Llamamos **mediatriz** a la recta perpendicular que pasa por el punto medio de un segmento.

3. Si M es el punto medio de $\overline{AB}$, ¿cuál de las bisectrices es la mediatriz?

4. ¿Cuántas bisectrices tiene un segmento dado?

5. Si dibujaras el segmento $\overline{XY}$ en un papel, ¿cuántas mediatrices de $\overline{XY}$ podrías trazar?

6. Z es el punto medio de $\overline{XY}$.

   a. Si $\overline{XY}$ tiene 38 mm de largo, ¿cuál es la longitud de $\overline{XZ}$? ¿Y la de $\overline{ZY}$?

   b. Si $\overline{XZ}$ tiene $\frac{3}{4}$ pulg de largo, ¿cuál es la longitud de $\overline{ZY}$? ¿Y la de $\overline{XY}$?

⚡ **¡RECUERDA!**

Llamamos perpendiculares a las rectas que se cortan formando ángulos rectos.

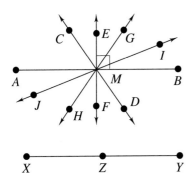

Con un compás y una regla podrás construir la mediatriz de un segmento dado.

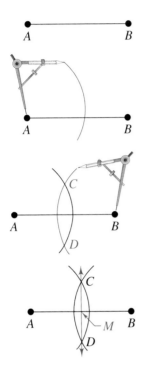

7. Dibuja $\overline{AB}$ y sigue las instrucciones siguientes.

   Paso 1 Pon la aguja del compás en A, coloca la otra punta más allá del punto medio y dibuja un arco que corte $\overline{AB}$.

   Paso 2 Manteniendo la misma apertura, pon la aguja en B y traza otro arco que corte $\overline{AB}$. Llama C y D a los puntos donde se cortan los arcos.

   Paso 3 Dibuja $\overleftrightarrow{CD}$. Llama punto M a la intersección de $\overline{AB}$ y $\overleftrightarrow{CD}$.

   Has construido la mediatriz $\overleftrightarrow{CD}$ de $\overline{AB}$. M es el punto medio de $\overline{AB}$.

8. Explica cómo construirías $\overline{AB}$ siendo M su punto medio.

9. Supongamos que quieres construir una recta perpendicular a $\overleftrightarrow{EF}$ en el punto F. ¿Cómo empezarías?

La **bisectriz** de un ángulo es el rayo que lo divide en dos ángulos congruentes.

10. Dibuja un $\angle P$ grande y sigue las instrucciones para construir su bisectriz.

    Paso 1 Pon la aguja del compás en P y traza un arco que corte los lados de $\angle P$. Llama S y T a los puntos donde el arco corta los lados.

    Paso 2 Manteniendo la misma apertura, pon la aguja del compás primero en S y después en T para trazar dos arcos que se corten en el punto X.

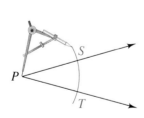

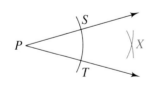

Paso 3   Traza $\overrightarrow{PX}$.

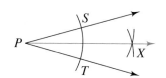

Has construido la bisectriz $\overrightarrow{PX}$ de $\angle SPT$.

POR TU CUENTA

11. Dibuja un segmento y traza su mediatriz.

12. Dibuja un ángulo agudo y traza su bisectriz.

13. La bisectriz de $\angle JKL$ es $\overrightarrow{KN}$. Si la medida de $\angle JKN$ es 66°, ¿cuál es la medida de $\angle JKL$?

14. A es el punto medio de $\overline{XY}$; Y es el punto medio de $\overline{XZ}$; Z es el punto medio de $\overline{AB}$. Si $\overline{XA}$ tiene 2 cm de largo, ¿qué longitud tiene $\overline{XB}$?

Sugerencia para resolver el problema

Haz un diagrama.

Traza en tu papel un segmento congruente con $\overline{CD}$.

$C \bullet$

15. Traza y designa lo siguiente.

   a. un segmento igual a la mitad de $\overline{CD}$

   b. un segmento igual a la cuarta parte de $\overline{CD}$

   c. un segmento de $1\frac{1}{2}$ veces la longitud de $\overline{CD}$

16. a. Traza un ángulo de 90°.

   b. Traza un ángulo de 45°.

   c. Traza un triángulo que tenga un lado congruente con $\overline{CD}$ incluido entre un ángulo de 45° y otro de 90°. ¿Cuál es la medida del tercer ángulo? ¿Qué puedes afirmar sobre los otros dos lados?

$D \bullet$

17. Traza un rectángulo que tenga dos lados congruentes con $\overline{CD}$ y los otros dos de la mitad de la longitud de $\overline{CD}$.

18. Dibuja un ángulo obtuso $\angle ABC$. Después, traza y designa los siguientes ángulos.

   a. un ángulo con medida igual a un cuarto de la medida de $\angle ABC$

   b. un ángulo con medida igual a tres cuartos de la medida de $\angle ABC$

Repaso MIXTO

Haz una tabla arborescente con cada grupo de valores.

1. 43, 46, 51, 56, 55, 59, 56, 63, 61, 56, 45, 63

2. 209, 208, 221, 213, 222, 218, 241, 225, 211, 212

¿Verdadero o falso?

3. El ángulo central de un círculo tiene su vértice en el centro del círculo.

4. Los lados de un polígono inscrito son diámetros del círculo.

5. Un ángulo de 160° está dividido por una bisectriz. Una de sus mitades también está bisecada y así sucesivamente hasta que se forma un ángulo de 10°. ¿Cuántos ángulos están bisecados?

La construcción geométrica limitada al trazado de figuras con regla y compás data de la época de Euclides, matemático griego del siglo III a. C. En su libro *Elementos* se registraron todos los conocimientos geométricos acumulados durante los 300 años anteriores.

Fuente: *An Introduction to the History of Mathematics*

19. Por escrito ¿En qué se parece la bisectriz de un segmento a la de un ángulo?

20. Elige A, B, C o D. $\overrightarrow{AD}$ es la bisectriz de ∠BAC. $\overleftrightarrow{AD}$ es la mediatriz de $\overline{BC}$. ¿Qué expresiones son ciertas?

    I. ∠BAD ≅ ∠CAD   II. $\overline{AD}$ ≅ $\overline{AD}$

    III. $\overline{BD}$ ≅ $\overline{CD}$ IV. ∠BDA ≅ ∠CDA

A. I y III   **B.** I, II y III

C. I, II y IV   **D.** I, II, III y IV

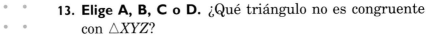

V I S T A Z O A LO APRENDIDO

Halla la medida de los ángulos numerados.

1. △BCD ≅ △SRT   **2.** △EFG ≅ △UVW

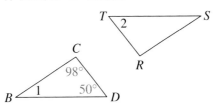 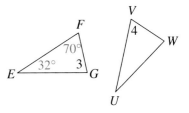

Dibuja los siguientes polígonos.

3. un cuadrado   **4.** un trapecio   **5.** un rombo   **6.** un hexágono

Nombra los siguientes elementos del círculo O.

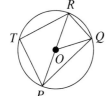

7. todos los radios   **8.** todos los diámetros

9. todos los semicírculos   **10.** todas las cuerdas

11. todos los cuadriláteros inscritos

12. Dibuja un segmento y construye su mediatriz. Traza luego la bisectriz de uno de los ángulos formados por el segmento y su mediatriz.

13. Elige A, B, C o D. ¿Qué triángulo no es congruente con △XYZ?

A.   **B.**   **C.**   **D.**

ESTRATEGIAS PARA RESOLVER PROBLEMAS

Haz una tabla
Razona lógicamente
Resuelve un problema más sencillo
Decide si tienes suficiente información, o más de la necesaria
Busca un patrón
Haz un modelo
Trabaja en orden inverso
Haz un diagrama
Estima y comprueba
Simula el problema
Prueba con varias estrategias
Escribe una ecuación

Usa cualquier estrategia para resolver estos problemas. Muestra tu trabajo.

1. La biblioteca de la escuela Martin Luther King tiene 8 mesas y 42 sillas. Hay varias mesas pequeñas con 4 sillas cada una y varias grandes con 6 sillas cada una. ¿Cuántas mesas de cada tipo hay en la biblioteca?

2. En una tienda de repuestos para autos hay 21 latas de aceite alineadas de tal forma que cada hilera tiene una lata menos que la situada debajo. ¿Cuántas hileras hay?

3. En la clase de séptimo grado de la Srta. Valdez hay 2 varones por cada 3 niñas. Si en total hay 30 estudiantes, ¿cuántas niñas hay en la clase?

4. Las sucesiones como 6, 7, 8, 9 y 10 están formadas por números *consecutivos*. Halla seis números consecutivos que sumen 81.

5. ¿Cuántos triángulos ves?

6. La Srta. Johnson llena su auto de gasolina cada seis días. El Sr. Martínez lo hace cada ocho días. Si ambos llenaron hoy sus tanques, ¿cuántos días pasarán hasta que vuelvan a hacerlo el mismo día?

7. **Negocios** Una emisora de radio regaló camisetas durante una promoción de tres días. El primer día se distribuyó la mitad más una de las camisetas, el segundo, la mitad más una de las que quedaban y el tercero, la mitad más una de las restantes. Si al final del tercer día quedaba una camiseta, ¿cuántas había al principio de la campaña?

El 21 de noviembre de 1980, la emisora WKRQ de Cincinnati otorgó a una joven de 15 años llamada Mary Buchannan el mayor premio radiofónico de la historia: $25,000 anuales durante 40 años. **Si Mary recibe el dinero cada 21 de noviembre, ¿qué cantidad ha recibido hasta hoy?**

Fuente: *Guinness Book of Records*

En esta lección

2-9

Figuras tridimensionales

• Identificar y
dibujar figuras
tridimensionales

PIENSA Y COMENTA

¿Qué figuras geométricas ves a la entrada del Louvre? ¿Y en el centro de conferencias Jomo Kenyatta de Nairobi? ¿Y en el edificio de las Naciones Unidas? Figuras como éstas que no están en un solo plano se denominan *figuras sólidas* o *tridimensionales.*

Algunas figuras tridimensionales tienen sólo superficies planas. Estas superficies se llaman *caras* y tienen forma de polígono.

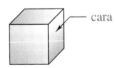

cara

1. ¿Qué edificios tienen caras?

El arquitecto I. M. Pei diseñó la nueva entrada de acero y cristal del Museo del Louvre. El Louvre (originalmente un palacio real) se construyó en los siglos XIV y XV. La moderna estructura de Pei logra una armonía arquitectónica entre el antiguo Egipto y el palacio del Renacimiento.

Los **prismas** son figuras tridimensionales con dos caras poligonales paralelas y congruentes llamadas *bases.* Los prismas se clasifican de acuerdo con la forma de sus bases.

2. Asocia cada prisma a uno de los nombres siguientes: prisma triangular, prisma rectangular, prisma hexagonal.

a.

b.

c.

3. Los segmentos formados por la intersección de dos caras se llaman *aristas*. En la pregunta 2, ¿por qué se representan algunas aristas con líneas discontinuas?

4. El *cubo* tiene seis caras congruentes. ¿De qué otro modo podríamos llamarlo?

5. a. Nombra dos aristas del prisma rectangular que sean perpendiculares a $\overline{AE}$ en A.

b. Nombra dos aristas paralelas a $\overline{AB}$.

c. Aunque $\overline{AB}$ y $\overline{HG}$ no están en la misma cara del prisma, hay un plano que los contiene. Como pertenecen a rectas *coplanarias* que no se cortan, $\overline{AB}$ y $\overline{HG}$ son paralelos. Nombra otros dos segmentos paralelos que no estén en la misma cara.

d. Se dice que dos rectas **se cruzan** cuando no son paralelas pero tampoco se cortan. $\overleftrightarrow{AB}$ y $\overleftrightarrow{EH}$ se cruzan. Nombra otras dos rectas que se cruzan.

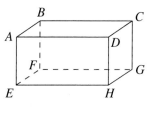

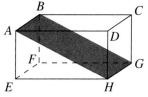

La **pirámide** es una figura tridimensional que tiene una sola base. La base es un polígono cualquiera, pero las caras laterales son siempre triángulos. La pirámide se designa por la forma de su base.

6. Asocia cada figura a uno de los nombres siguientes: pirámide triangular, pirámide rectangular, pirámide pentagonal, pirámide hexagonal.

a.

b.

c.
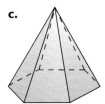

7. ¿Cuáles de estas figuras tienen base? Describe las bases.

cilindro

cono

esfera

EN EQUIPO

Dibuja un prisma rectangular con un compañero (usen lápiz para poder borrar). Tracen primero dos rectángulos congruentes traslapados y conecten luego los planos como se muestra en el dibujo. Decidan qué aristas deben marcarse con una línea discontinua.

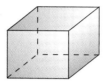 

POR TU CUENTA

Da el mejor nombre a las figuras siguientes.

8.

9.

10.

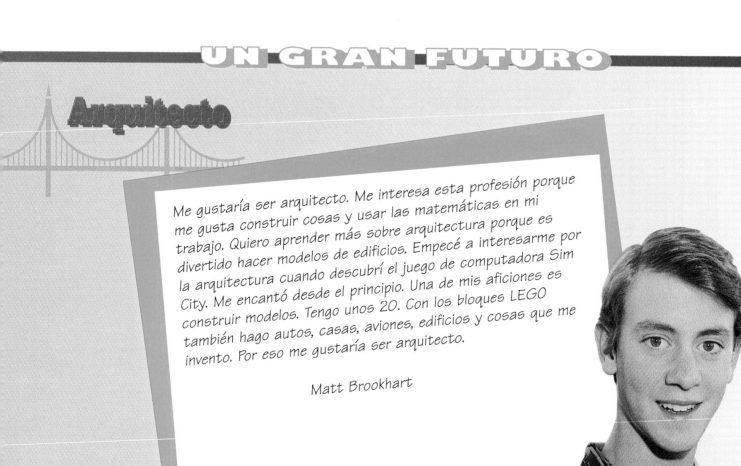

UN GRAN FUTURO

Arquitecto

Me gustaría ser arquitecto. Me interesa esta profesión porque me gusta construir cosas y usar las matemáticas en mi trabajo. Quiero aprender más sobre arquitectura porque es divertido hacer modelos de edificios. Empecé a interesarme por la arquitectura cuando descubrí el juego de computadora Sim City. Me encantó desde el principio. Una de mis aficiones es construir modelos. Tengo unos 20. Con los bloques LEGO también hago autos, casas, aviones, edificios y cosas que me invento. Por eso me gustaría ser arquitecto.

Matt Brookhart

Da el mejor nombre a las siguientes figuras.

11.

12.

13.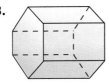

14. a. Nombra tres pares de rectas paralelas.

    b. Nombra tres pares de rectas que se cruzan.

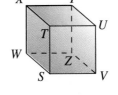

15. Dibuja un cubo.

16. Por escrito ¿En qué se parecen un cilindro y un cono? ¿En qué se diferencian?

17. Investigación (pág. 46) Usa lo aprendido sobre figuras tridimensionales para dibujar:

    a. un aparato de televisión   **b.** unos altavoces

Di si la proposición es verdadera o falsa. Si es falsa, explica por qué.

18. Todos los prismas rectangulares son cubos.

19. Algunas pirámides son prismas.

Querido Matt:

    Recuerdo que los motivos por los que quería ser arquitecta eran muy parecidos a los tuyos. Es muy importante que el trabajo al que vas a dedicar tu vida sea para ti divertido. Yo disfruto mucho con la arquitectura.

    La sensación de que puedes empezar haciendo un boceto en una servilleta y acabar construyendo un complejísimo edificio con muchas plantas y varias fachadas sigue fascinándome.

    Mi socio y yo somos también aficionados a la arqueología, y hemos pasado muchas horas en las selvas de América Central tratando de estudiar la civilización olmeca a través de sus obras arquitectónicas. En este sentido, la arquitectura es tanto un lazo con el pasado como un puente hacia el futuro.

    Ivenue Love-Stanley, arquitecta

En conclusión

Exploración de patrones   2-1

1. Dibuja la siguiente figura en el patrón de la derecha.

Ángulos y construcciones   2-2, 2-8

Los **ángulos** están formados por dos rayos que tienen un extremo común. Se pueden clasificar de acuerdo a su medida.

Con un compás y una regla pueden construirse figuras congruentes, **mediatrices** de segmento o **bisectrices** de ángulo.

Nombra un par de ángulos que corresponda a cada descripción.

2. opuestos por el vértice

3. complementarios

4. adyacentes

5. suplementarios

6. Dibuja un triángulo grande *LMN* que tenga un ángulo obtuso ∠*L*. Construye primero la bisectriz de ∠*L* y luego la mediatriz de $\overline{MN}$.

7. Por escrito Supón que tienes el $\overline{AB}$. ¿Cómo construirías un triángulo rectángulo con ambos catetos congruentes con $\overline{AB}$?

Triángulos y cuadriláteros   2-3, 2-5, 2-6

Los triángulos se clasifican según sus lados o ángulos. Los ángulos y lados correspondientes de los **triángulos congruentes** son también congruentes. Los ángulos de un triángulo suman 180°.

Todos los lados y ángulos de un **polígono regular** son congruentes. Ciertos polígonos de cuatro lados (cuadriláteros) tienen nombres especiales.

8. Elige A, B, C o D. En △*DEF*, *m*∠*D* es el doble de *m*∠*E*. ¿Qué tipo de triángulo es △*DEF*?

    I. acutángulo   II. obtusángulo   III. rectángulo

A. I y II   **B.** I y III   **C.** II y III   **D.** I, II y III

9. $\triangle UVW \cong \triangle XYZ$. Escribe las seis relaciones de congruencia que hay entre los lados y los ángulos.

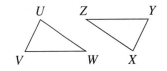

10. Define un trapecio.　　　**11.** Define un rombo.

Círculos y figuras tridimensionales　　　2-7, 2-9

El *círculo* es un conjunto de puntos situados en un plano y a la misma distancia de otro llamado centro.

El *prisma* es una figura tridimensional con dos bases paralelas.

La *pirámide* es una figura tridimensional con una sola base.

Nombra los siguientes elementos del círculo O.

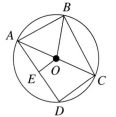

12. una cuerda　　　**13.** un semicírculo　　　**14.** un ángulo central

15. un cuadrilátero inscrito

16. un arco menor que un semicírculo

17. Por escrito Describe las semejanzas y diferencias que observas entre una pirámide triangular y un prisma triangular.

Estrategias y aplicaciones　　　2-4

Un diagrama permite "ver" las relaciones descritas en un problema.

18. En $\triangle TRI$, $\overline{TR}$ y $\overline{TI}$ son congruentes. Si $m\angle R = 32°$, ¿cuánto podrían medir los otros dos ángulos?

PREPARACIÓN PARA EL CAPÍTULO 3

Para redondear números enteros puede utilizarse el método descrito a continuación.

Redondea 12,376 a la centena más cercana.

12,3̲76	3 está en el lugar de las centenas.
376 → 400	376 está más cerca de 400 que de 300, por eso se redondea a 400.

12,376 se convierte en 12,400.

Redondea cada número al valor relativo indicado.

1. 1,272 a la centena más cercana

2. 32,455 al millar más cercano

3. 54,671 a la decena más cercana

4. 191 a la centena más cercana

cierra el caso

El anuncio anunciado

Después de estudiar los proyectos enviados, Emporio Electrónico ha elegido a un grupo de agencias (la tuya incluida) para realizar entre ellas la selección final. Antes de enviarlo al cliente, revisa tu anuncio considerando todo lo que has aprendido en este capítulo. Los problemas precedidos por la lupa (pág. 65, #23; pág. 73, #30 y pág. 83, #17) te ayudarán en la tarea.

La publicidad es un gran negocio en Estados Unidos. Hay compañías que llegan a gastar un cuarto de sus presupuestos en anuncios y promociones. Durante 1990, los fabricantes de aparatos electrónicos de entretenimiento invirtieron casi $400 millones en publicidad.

Extensión: Compara estas dos ilustraciones del mismo televisor. ¿Cuál es más realista? ¿Por qué?

CUADRA EL CUADRADO

Este juego es para dos personas. Se necesita lápiz o pluma y un cuadrado de papel punteado de, al menos, 6 por 6 puntos. Los jugadores se turnan en conectar los puntos mediante líneas horizontales o verticales; cuando uno de ellos traza el último lado de un cuadrado, pone su inicial en la figura. Gana quien tenga más cuadrados cuando todo el cuadrado grande haya sido llenado.

Variación 1: Usa un triángulo de papel punteado para "triangular" triángulos.

Variación 2: Usa un triángulo de papel punteado para "paralelogramar" paralelogramos.

¡Popotes tridimensionales

Puedes hacer modelos de pirámide usando popotes como aristas. Con seis popotes se forma un tetraedro, es decir, una pirámide de cuatro caras triangulares.

También se pueden construir otras figuras tridimensionales con popotes. ¿Cuántos tipos distintos conseguirá crear toda la clase? Exhíbanlas, poniendo en ellas los nombres correspondientes.

espejo letrado

Hay letras mayúsculas que se leen igual en un espejo colocado encima o debajo de ellas. Este reflejo horizontal funciona en BOBO pero no en LOBO.

$$\frac{\text{BOBO}}{\text{BOBO}} \quad \frac{\text{LOBO}}{\text{ГOBO}}$$

También hay mayúsculas que se leen igual en un espejo colocado a su derecha o a su izquierda. Este reflejo vertical funciona con las letras en TOMA pero no en COMA.

$$\text{TOMA} \mid \text{AMOT}$$
$$\text{COMA} \mid \text{AMOƆ}$$

Enumera las letras correspondientes a cada tipo de reflejo y forma con ellas tantas palabras como puedas. ¿Cuántas letras tiene la palabra más larga? ¿Puedes construir una oración con las palabras de cada lista? ¿Hay palabras que se lean igual horizontal y verticalmente?

Instrucciones para trazar

Hay polígonos básicos que se pueden construir usando solamente una regla y un compás. Traza círculos e inscribe en ellos los siguientes polígonos regulares:

Triángulo   Cuadrado   Hexágono   Octágono

Cuando hayas terminado, escribe instrucciones claras para que un compañero de clase pueda hacer lo mismo.

1. Dibuja la figura siguiente del patrón.

2. Elige A, B, C o D. ∠1 y ∠2 son ángulos agudos opuestos por el vértice. ∠1 y ∠3 son ángulos suplementarios adyacentes. ¿Qué afirmaciones son ciertas?

    I. ∠1 es obtuso.

    II. ∠2 y ∠3 son complementarios.

    III. $m\angle 1 = m\angle 3$

    IV. ∠2 y ∠3 son suplementarios.

  A. I solamente   **B.** I y II

  C. III y IV   **D.** IV solamente

3. En un triángulo, dos ángulos son complementarios. ¿De qué tipo es el triángulo?

4. a. En un triángulo, dos ángulos miden 54° y 26°. ¿Cuánto mide el tercer ángulo?

  b. Clasifica el triángulo según sus ángulos.

5. △ABC ≅ △XYZ. Escribe seis relaciones de congruencia entre los lados y ángulos correspondientes.

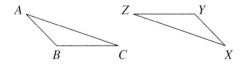

6. Pensamiento crítico ¿Puede un trapecio tener dos lados congruentes? ¿Y tres lados congruentes? ¿Y cuatro lados congruentes? Explica por qué.

7. Construye un ángulo de 45°.

8. △ABC ≅ △EBD. Halla tantas medidas de ángulo y longitudes de lado como puedas.

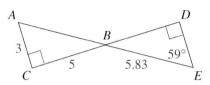

9. Dibuja un triángulo grande △ABC con $\overline{AB} \cong \overline{BC}$. Construye la bisectriz de ∠B y llama D al punto en que ésta corta $\overline{AC}$. ¿Qué propiedades tienen los dos triángulos menores? ¿Por qué?

10. Da el nombre más exacto a cada figura.

  a.   **b.**

  c.   **d.**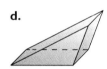

11. Nombra los siguientes elementos del círculo O.

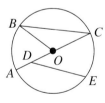

  a. un ángulo central

  b. dos radios

  c. una cuerda que no sea diámetro

  d. un semicírculo

12. Por escrito Escribe una definitión de *cuadrado* que incluya la palabra *rombo*.

Repaso general

Elige A, B, C o D.

1. ¿En qué grupo son todos los números divisibles por 9?

   A. 36, 18, 21   **B.** 108, 252, 45

   C. 98, 81, 450   **D.** 120, 180, 267

2. ∠1 y ∠2 son complementarios, y la medida de ∠1 es cuatro veces más grande que la medida de ∠2. ¿Cuánto mide ∠2?

   A. 18°   **B.** 36°   **C.** 72°   **D.** 144°

3. En la tabla arborescente de abajo, los tallos representan decenas. ¿Qué afirmación es falsa?

   ```
   1 | 3 4 9
   2 | 1 2 4 4
   3 | 0 3
   ```

   A. El número mayor es 33.

   B. La moda es 24.

   C. La mediana es 22.

   D. Hay 12 datos.

4. ¿Qué gráfica representaría mejor el cambio en la población estadounidense entre 1930 y 1990?

   A. una gráfica lineal

   B. una gráfica de barras

   C. un diagrama de puntos

   D. una tabla arborescente

5. Halla la *mejor* estimación del perímetro de la región sombreada.

   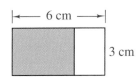

   A. 8 cm   **B.** 14 cm

   C. 12 cm   **D.** 18 cm

6. Si encuestaras a los estudiantes de tu clase para determinar cuánto tiempo dedican por lo general a las tareas de matemáticas, ¿cuál sería la mejor pregunta?

   A. ¿Cuánto tardaste anoche en hacer la tarea de matemáticas?

   B. ¿Cuántas horas dedicaste la semana pasada a las tareas de matemáticas?

   C. ¿Qué tareas consumen más tiempo: las de matemáticas o las de historia?

   D. ¿Hiciste anoche tu tarea de matemáticas?

7. ¿Cuál es la siguiente figura en este patrón?

   A.   **B.**   **C.**   **D.**

8. Dos ángulos miden 36°. ¿A qué tipo de triángulo pertenecen?

   A. acutángulo   **B.** rectángulo

   C. obtusángulo   **D.** escaleno

9. En el paralelogramo *ABCD*, el lado $\overline{AB}$ mide 9 y ∠*A* mide 40°. ¿Qué medida *no* se puede averiguar?

   A. longitud de $\overline{BC}$ **B.** longitud de $\overline{CD}$

   C. $m\angle C$ **D.** $m\angle D$

10. La media de seis datos es 9. Si 4, 7, 9, 10 y 11 son cinco de los valores, ¿cuál es el sexto?

    A. 6   **B.** 9   **C.** 12   **D.** 13

Aplicaciones de decimales

Balón Y Canasta

DE TODO EL MUNDO

La ex-Unión Soviética ganó la medalla de oro de básquetbol en las Olimpiadas del verano de 1972. Hasta entonces, ningún equipo había conseguido vencer a los jugadores olímpicos de Estados Unidos.

Entre los logros deportivos de la jugadora de básquetbol Teresa Edwards destacan su extraordinaria carrera en el equipo de la Universidad de Georgia, su participación en tres Juegos Olímpicos y sus tres años como profesional en la liga femenina de Japón. Teresa hubiera preferido jugar en Estados Unidos, pero este país no contaba en 1992 con una liga profesional para mujeres.

Fuente: *Sports Illustrated for Kids*

Estadísticas olímpicas de Teresa Edwards			
Año	**Juegos**	**Puntos**	**Asistencias**
1984	6	15	8
1988	5	83	17
1992	5	63	27
Total	**16**	**161**	**52**

Estadísticas profesionales de Teresa Edwards			
Temporada	**Juegos**	**Puntos**	**Asistencias**
1989-1990	15	479	69
1990-1991	15	477	90
1991-1992	15	328	65
Total	**45**	**1,284**	**224**

Fuente: *Sports Illustrated for Kids*

Venta de pelotas de básquetbol (en millones)					
Año	**Cantidad**	**Dólares**	**Año**	**Cantidad**	**Dólares**
1980	3.2	39.7	1986	3.1	47.5
1981	2.7	38.4	1987	3.5	54.6
1982	2.3	32.6	1988	3.6	60.3
1983	2.4	37.3	1989	3.6	65.5
1984	2.8	45.0	1990	4.0	79.6
1985	2.5	38.5	1991	3.6	64.5

Fuente: *National Sporting Goods Association*

EN ESTE CAPÍTULO

- calcularás, estimarás y resolverás problemas usando decimales
- aplicarás propiedades y trabajarás con expresiones algebraicas
- usarás tecnología para explorar patrones con decimales
- resolverás problemas con información insuficiente o excesiva

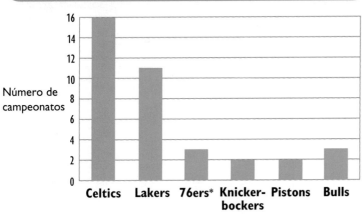

Número de campeonatos ganados por varios equipos de la NBA (1947-1993)

Número de campeonatos

16
14
12
10
8
6
4
2
0

Celtics · Lakers · 76ers* · Knicker-bockers · Pistons · Bulls

*Antes, los Syracuse Nationals

Fuente: *1993 Information Please Sports Almanac* y NBA

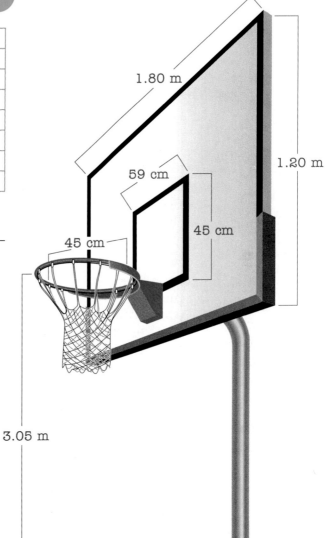

1.80 m

1.20 m

59 cm

45 cm

45 cm

3.05 m

Shaquille O'Neal jugó básquetbol en la Universidad Estatal de Lousiana antes de convertirse en el centro del equipo Orlando Magic. Al finalizar la temporada del 1991, encabezaba la Conferencia del Sudeste en puntos, rebotes, porcentaje de canastas, y bloqueos, hazaña jamás alcanzada por ningún otro jugador. Los récords de su período universitario para un solo juego incluyen 53 puntos, 24 rebotes y 12 bloqueos.

Fuente: Lousiana State University

Estadísticas de Shaquille O'Neal en la NCAA							
Temporada	Juegos	Canastas/Intentos	Tiros libres/Intentos	Puntos	Rebotes	Asistencias	Bloqueos
1989/90	32	180/314	85/153	445	385	61	115
1990/91	28	312/497	150/235	774	411	45	140
1991/92	30	294/478	134/254	722	421	46	157

Fuente: *Sports Illustrated for Kids*

investigación

Proyecto

Informe

¿Te has preguntado alguna vez qué ocurriría si tuvieras tu propio negocio? Miles de personas decididas a trabajar (y vivir) de forma independiente abren empresas cada año. Pero, por desgracia, muchas de ellas fracasan debido a una planificación inadecuada, a un cambio en los gustos de los consumidores, a las fluctuaciones de la economía o incluso a la mala suerte. Según la *Small Business Administration* sólo 1 de cada 3 negocios con menos de 5 empleados dura más de 6 años.

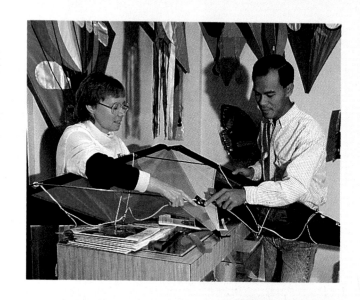

Misión: Decide qué clase de negocio te gustaría abrir. ¿Vas a proporcionar un servicio? ¿Vas a vender un producto? Describe el funcionamiento de la empresa. ¿Cuántas horas estará abierta cada día? ¿Qué recursos necesitarás? ¿Cuál sería la mejor ubicación?

Sigue estas pistas

✓ ¿Cómo puedes averiguar si hay demanda para lo que ofreces?

✓ ¿Qué objetivos te vas a marcar?

✓ ¿A quién esperas vender tu producto o servicio?

Así son los decimales

VAS A NECESITAR

✓ Papel cuadriculado

centenas	decenas	unidades	.	décimas	centésimas	milésimas
1	5	5	.	0	4	6
	6	3	3	.	6	

¡RECUERDA!

Se redondea hacia arriba si el dígito de la derecha es 5 ó mayor. Se redondea hacia abajo si el dígito de la derecha es 4 ó menor.

¿QUIÉN? En 1954, la piloto Jerrie Cobb elevó el récord femenino de velocidad a 226.148 mi/h. Aunque nunca viajó al espacio, en 1960 se convirtió en la primera mujer que pasó las pruebas para astronautas de la NASA.

Fuente: *The Book of Women's Firsts*

PIENSA Y COMENTA

En 1920, un auto Dusenberg con motor de combustión interna elevó el récord automovilístico de la milla a la velocidad de 155.046 mi/h (millas por hora). En 1983, un Thrust con motor de reacción estableció el histórico récord de 633.6 mi/h.

Para leer un número decimal debes conocer el valor del último dígito de la derecha. El número 155.046 se lee "ciento cincuenta y cinco *y* cuarenta y seis milésimas" porque el último dígito está en el lugar de las milésimas ("y" representa el punto decimal). El número 633.6 se lee "seiscientos treinta y tres y seis décimas".

1. David leyó 12.0045 como "doce y cuarenta y cinco milésimas". ¿Lo hizo correctamente? ¿Por qué?

2. El dígito 6 aparece tres veces en la tabla de valor relativo situada a la izquierda. ¿Cuál es el valor del 6 en cada caso?

El procedimiemto para redondear decimales es muy similar al utilizado para números enteros.

Ejemplo 1   Redondea 1.73628 a la centésima más cercana.

• 1.7**3**628   Mira el dígito situado a la derecha del lugar de las centésimas.

• 3 → 4   Como 6 > 5, redondea hacia arriba.

• 1.74   Escribe el número redondeado.

Para indicar que 1.73628 es aproximadamente igual a 1.74, escribimos 1.73628 ≈ 1.74.

3. Susana redondeó 1.73628 a la milésima más cercana y escribió 1.736. ¿Acertó? ¿Por qué?

Al final de un decimal redondeado no se escriben ceros adicionales. El valor al que se redondea se convierte en el último dígito del número.

4. ¿A qué número equivale 1.37602 redondeado a la diezmilésima más cercana: 1.3760 ó 1.37600? ¿Por qué?

Los modelos te pueden ayudar a comparar decimales.

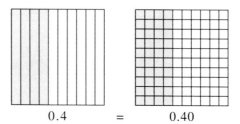

0.4   =   0.40

Los números 0.4 y 0.40 son **decimales equivalentes** porque expresan la misma cantidad.

5. Dibuja modelos de 0.58 y 0.6. ¿Qué número es mayor?

Los decimales pueden ordenarse y compararse en una recta numérica.

Ejemplo 2 Ordena 0.5, 0.8 y 0.25 de menor a mayor usando una recta numérica.

Los números aumentan de izquierda a derecha.

Ordenados de menor a mayor, los números quedan así: 0.25, 0.5 y 0.8.

Otra manera de ordenar decimales es comparar su valor relativo.

Ejemplo 3 Usa los datos de la izquierda para ordenar las ciudades de acuerdo con su precipitación anual.

- Compara los decimales 40.24, 40.74 y 40.14.

  Los dígitos correspondientes a las decenas y a las unidades son los mismos.

- Compara los dígitos correspondientes a las décimas.

  $$7 > 2 > 1$$

  Por tanto, $40.74 > 40.24 > 40.14$.

Ordenadas las precipitaciones de mayor a menor, las ciudades quedan así: Huntington, Galveston y Cincinnati.

6. El tiempo La precipitación media anual en Bismarck, North Dakota, es de 15.36 pulg. En Denver, Colorado, la media anual es de 15.31 pulg. ¿Qué valor decimal nos permite determinar la diferencia entre estas cantidades de lluvia?

Precipitación media anual

Ciudad	Cantidad (pulg)
Galveston, TX	40.24
Huntington, WV	40.74
Cincinnati, OH	40.14

Fuente: *The World Almanac*

7. a. Escribe en palabras y en cifras los números decimales correspondientes a las zonas sombreadas.

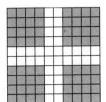 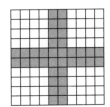 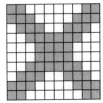

b. Compara los decimales de la parte (a) por medio de enunciados que empleen los signos <, > ó =.

Compara usando <, > ó =.

8. 0.167 g ■ 0.16 g   **9.** 3.09 m ■ 3.7 m

10. Biología La araña más pequeña es el macho de la especie *Patu marplesi*, que mide 0.017 pulg de ancho, el tamaño aproximado de un punto ortográfico. La araña más grande es la goliat macho, que mide 11.020 pulg de ancho.

a. Escribe cada número en palabras.

b. Redondea cada número a la centésima más cercana.

La araña goliat vive en las selvas tropicales de Sudamérica. En esta foto aparece representada a $\frac{1}{4}$ de su tamaño real.

Determina el valor relativo de los dígitos subrayados y redondea los decimales a ese valor.

11. 0.76<u>9</u>49   **12.** 5.194<u>3</u>8   **13.** 0.564391<u>1</u>8

Escribe cinco números situados entre estos valores.

14. 40 y 50   **15.** 18 y 19   **16.** 3.7 y 3.8

17. Todos los equipos de la clase de Susana ganaron puntos en el concurso de matemáticas de la semana pasada.

a. Ordena las puntuaciones de los equipos en una recta numérica.

b. Enumera los equipos según sus puntuaciones (de mayor a menor).

18. Por escrito Explica cómo distinguirías el número mayor entre 16.75 y 16.746.

Puntuaciones del concurso de matemáticas	
Equipo de Ayla	9.3
Equipo de Max	8.9
Equipo de Susana	9.5
Equipo de Simón	9.2
Equipo de Terri	9

1. Halla la medida del tercer ángulo.

2. Clasifica el triángulo según sus ángulos.

Escribe *verdadero* o *falso.*

3. El prisma hexagonal tiene 12 aristas.

4. La pirámide puede tener una base circular.

5. Sonia hizo una lista de números enteros consecutivos. Empezó con el 1 y terminó con el 113. ¿Cuántos dígitos escribió?

El promedio de bateo se determina dividiendo el número de "hits" conseguidos por el número de veces al bate.

19. a. Una bola de bolos pesa 5.61 kg, y un bolo 1.57 kg. Redondea cada peso al kilogramo más cercano.

b. ¿Aproximadamente cuántos bolos hacen falta para igualar el peso de una bola?

20. Escribe al menos cinco decimales que se puedan redondear a 7.26.

21. Escribe el mayor decimal que sea menor que 1 y que pueda obtenerse usando los dígitos 4, 7, 0 y 6 una sola vez.

22. Deportes Seis estudiantes compitieron en salto largo durante la jornada de atletismo. El ganador saltó 4.72 m, y el estudiante que quedó en último lugar saltó 3.5 m. No hubo empates. Escribe posibles longitudes de los saltos realizados por los otros cuatro participantes.

Deportes **Usa la tabla siguiente en los ejercicios 23-25.**

Máximos bateadores de las grandes ligas				
	Liga Nacional		Liga Americana	
Año	Jugador	Promedio de bateo	Jugador	Promedio de bateo
1989	Tony Gwynn, San Diego	.336	Kirby Puckett, Minn.	.339
1990	Willie McGee, St. Louis	.335	George Brett, Kan. City	.329
1991	Terry Pendleton, Atlanta	.319	Julio Franco, Texas	.341
1992	Gary Sheffield, San Diego	.330	Edgar Martinez, Seattle	.343

Fuente: *The Information Please Sports Almanac*

23. ¿Quién consiguió el promedio de bateo más alto? ¿Y el más bajo?

24. Enumera los jugadores según su promedio de bateo (de mayor a menor). ¿Quién va delante de George Brett? ¿Quién va detrás de Tony Gwynn?

25. Pensamiento crítico Supón que redondearas los promedios a la centésima más cercana. ¿Podrías ordenar los bateadores adecuadamente de mayor a menor? ¿Por qué?

26. Investigación (página 92) Habla con alguien que haya abierto un negocio y pídele que te explique cómo planeó su proyecto. Averigua qué diferencias hay entre el funcionamiento real de la empresa y lo proyectado.

Estrategias para estimar

$2.39 \\
Taco \\
Sándwich de queso $1.89 \\
Yogur con \\
granola \quad $1.49 \\
Frutas frescas \quad $1.99 \\
Paleta de fruta \quad $1.39 \\
Yogur helado \quad $1.59 \\
Jugo \quad pequeño \quad $.69 \\
grande 1.29

PIENSA Y COMENTA

Quieres comprar un sándwich de queso, un yogur helado y un jugo pequeño. Solamente tienes $6. Para estimar el costo total puedes *redondear* los precios.

$$1.89 + 1.59 + 0.69 \approx 2 + 2 + 1$$
$$= 5$$

El costo total es de unos $5.

1. ¿Es la cantidad estimada mayor que la exacta, o menor? ¿Cómo lo sabes?

También puedes estimar diferencias redondeando las cantidades.

Ejemplo 1   Estima la diferencia entre el precio de un taco y el de un sándwich de queso.

$$2.39 - 1.89 \approx 2.5 - 2 \quad \text{Redondea al}$$
$$= 0.5 \quad \text{medio dólar más cercano.}$$

Un taco cuesta aproximadamente $.50 más.

2. ¿Aproximadamente cuánto más cuesta el jugo grande que el pequeño?

Las sumas pueden estimarse por medio de la *estimación por la izquierda.*

Ejemplo 2   Estima el costo de un taco y un yogur con granola.

$$\left.\begin{array}{r} 2.39 \\ +1.49 \\ \hline 3 \end{array}\right\} \approx 1 \quad \begin{array}{l}\text{Suma los dígitos de la} \\ \text{izquierda. Ajusta el} \\ \text{cálculo estimando la} \end{array}$$
$$3 + 1 = 4 \quad \text{suma de los centavos.}$$

El costo total es de unos $4.

3. ¿Obtendrías el mismo resultado en el ejemplo 2 si redondearas los precios? ¿Por qué?

4. ¿Aproximadamente cuánto cuestan tres paletas?

La pizza más grande de la historia se cocinó en Chicago el 1 de abril de 1993. Tenía una circunferencia de 37.7 pies, o sea, de unos 38 pies. **¿Qué cantidad aparecería en un libro de récords? ¿Y en un artículo de periódico?**

Fuente: *Pizza and Pasta*

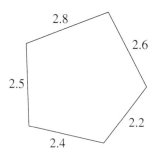

2.8
2.6
2.5
2.2
2.4

Cuando los sumandos *se agrupan* en torno a un número, puede estimarse la suma multiplicando ese número por su frecuencia. La agrupación te permitirá estimar el perímetro del pentágono a la izquierda.

$$2.8 + 2.6 + 2.2 + 2.4 + 2.5 \approx 2.5 + 2.5 + 2.5 + 2.5 + 2.5$$
$$5 \times 2.5 = 12.5$$

El pentágono tiene un perímetro de aproximadamente 12.5 unidades.

5. Steve compró tres libros en una tienda de segunda mano. Le costaron $2.53, $2.65 y $2.39.

   a. Explica cómo estimarías el costo total.

   b. ¿Aproximadamente cuánto le costó cada libro?

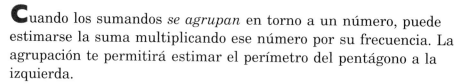

¡RECUERDA!

Área de un rectángulo = longitud × ancho

También puedes usar la estimación para hallar un producto.

Ejemplo 3   Estima el área de una sala que mide 10.5 pies × 9.25 pies.

$$10.5 \approx 11 \qquad 9.25 \approx 9 \quad \text{Redondea cada factor.}$$
$$11 \times 9 = 99 \quad \text{Multiplica.}$$

La sala tiene aproximadamente 99 pies².

6. Estima el área de una alfombra que mide 3.75 pies × 4.25 pies.

Lista de precios

Tipo	Precio
A	$23.95*
B	$15.95
C	$12.95
D	$ 7.95

*Disco doble

Se puede estimar un cociente usando dos *números compatibles*. Decimos que dos números son **compatibles** cuando son fáciles de dividir mentalmente.

Ejemplo 4   Has ahorrado $50.25. Según la tabla de la izquierda, ¿aproximadamente cuántos discos del tipo D podrías comprar?

$$50.25 \approx 48 \qquad 7.95 \approx 8 \quad \text{Elige números}$$
$$48 \div 8 = 6 \quad \begin{array}{l}\text{cercanos a los}\\\text{reales y fáciles}\\\text{de dividir.}\end{array}$$

Podrías comprar hasta 6 discos del tipo D.

7. ¿Aproximadamente cuántos discos del tipo B podrías comprar? Explica tu elección de números compatibles.

   a. ¿Basta la estimación del precio para decidir si puedes comprar todos los discos que quieres? Explica por qué.

   b. ¿Basta la estimación para saber lo que tienes que pagar? ¿Por qué?

Supón que tú y un compañero están construyendo una estantería para colocar las bolsas de libros enumeradas a la derecha. Cada estante puede sostener 30 kg. Hagan estimaciones para responder a las siguientes preguntas.

Pesos de bolsas de libros (kg)	
Adam	8.4
Denise	8
Jake	6
Leroy	7.49
Miranda	7.63
Nicola	6.9
Pieter	8.5
Zeke	7.52

8. ¿Bastarían dos estantes? ¿Por qué?

9. ¿Cuántos estantes se necesitan como mínimo?

10. ¿Qué bolsas deben compartir estante para que cada estante sostenga un peso más o menos igual?

┌ PONTE A PRUEBA

11. En Chicago, Illinois, la velocidad media del viento es de 10.4 mi/h. En Great Falls, Montana, la velocidad es de 13.1 mi/h. ¿Cuánto mayor, aproximadamente, es la velocidad media del viento en Great Falls que en Chicago?

12. El burrito más grande del mundo contenía 75.75 lb de queso. Estima cuántas cajas de queso de 10 lb utilizaron los cocineros.

Chicago es conocida como la *windy city* (ciudad ventosa) no por su clima, sino por la charlatanería que en el pasado caracterizaba a sus políticos.

Fuente: *The Book of Why*

Estima. Usa cualquier estrategia.

13. $3.963 \div 1.79$ **14.** 4.27×1.6 **15.** $9.355 - 0.7$

┌ POR TU CUENTA

Estima las sumas agrupando las cantidades.

16. $6.3 + 5.9 + 6.09 + 6.33 + 5.68 + 6.1 + 5.821$

17. $\$14.25 + \$13.75 + \$14.53 + \$13.69$

18. Transporte Un tren fue a una velocidad media de 42.5 mi/h durante 6.75 h. ¿Aproximadamente qué distancia recorrió?

19. Por escrito Bill usó una calculadora para hallar la suma de $362.9 + 42.8 + 35.46$ y obtuvo el resultado de 826.36.

a. Explica cómo pudo obtener ese resultado.

b. ¿Cómo podría la estimación ayudarlo a descubrir su error?

El tren más rápido del mundo es el TGV (Train à grande vitesse) francés. Su velocidad media es de 132 mi/h. **¿Qué distancia recorrerá este tren en 4.75 h?**

Fuente: *The Guinness Book of Records*

1. Identifica el valor extremo de 8, 5, 10, 15, 7, 9, 3, 30, 3.

Ordena los números de mayor a menor.

2. 0.04, 0.040007, 4.004, 0.40, 0.403

3. 7.618, 7.681, 7.6801, 7.0681

Evalúa.

4. 738 + 187 + 232

5. 7,083 − 896

6. Un electricista cortó un cable de 25 pies en dos trozos. Uno era cuatro veces más largo que el otro. ¿Cuánto medía cada trozo?

Aunque el coral puede vivir en aguas con temperaturas de entre 61°F y 97°F, su temperatura ideal de crecimiento es entre 73°F y 77°F. Algunas especies crecen a un ritmo de sólo $\frac{1}{2}$ pulg/año, pero ciertas formaciones llegan a alcanzar la altura de edificios de 15 ó 20 pisos.

Estima los resultados usando cualquier estrategia. Di qué estrategia has usado.

20. 71.43 − 28.098

21. 24.32 × 176.12

22. 345.124 ÷ 8.98

23. 726.27 + 685.8 + 699.05

Estima por la izquierda para hallar las sumas.

24. 5.429 + 2.665

25. 3.602 + 2.309

26. 2.174 + 5.891

27. **Elige A, B, C o D.** Kiah ha estimado correctamente que la suma de varios números es 900. ¿Con qué números ha hecho el cálculo?

   A. 682.14 + 65.21 + 142.65

   B. 734.3 + 201.79 + 55.22

   C. 421.5 + 337.948 + 275.801

   D. 225.06 + 275.8 + 269.7

28. **Dinero** Las manzanas cuestan $.69 la libra. Estima el precio de una bolsa de 3.75 lb.

29. **Diversiones** El 25 de marzo de 1992, Mark Pi hizo 4,096 fideos en 54.8 segundos durante una feria de comida celebrada en Columbus, Ohio.

   a. Estima cuántos fideos hizo por segundo.

   b. Explica cómo hiciste la estimación.

30. **El tiempo** Siete estudiantes midieron la cantidad de lluvia que cae en su ciudad e hicieron la tabla arborescente de la derecha.

Precipitación (pulg)			
0	5	9	
1	1	3	6	7
2	4		

   2 | 4 representa 2.4

   a. Estima la diferencia entre la mayor cantidad y la menor cantidad.

   b. Estima la precipitación media de la zona.

31. **Oceanografía** El bloque de coral más grande del mundo se llama *Galaxea Fascicularis* y está cerca de Okinawa, Japón. Mide 7.24 m de largo y 4.002 m de alto. ¿Cuál es la diferencia aproximada entre las dos dimensiones?

32. **a. Archivo de datos #3 (págs. 90–91)** Halla la media de puntos por juego obtenidos por Teresa Edwards en su carrera profesional.

   b. Comprueba tu respuesta con una estimación. Explica cómo la has hecho.

3-3

Suma y resta de decimales

Producción de postres helados en Estados Unidos (cuartos/persona)		
Año	**Yogur**	**Paletas**
1987	—	0.7664
1988	—	0.819
1989	1.341	0.8
1990	1.9	0.825
1991	2.39	0.9112

Fuente: *International Ice Cream Association*

PIENSA Y COMENTA

La tabla de la izquierda indica que la producción de yogur helado y de paletas de fruta está aumentando cada año. Sumando los decimales correspondientes a cada producto hallarás la producción combinada por persona en 1991.

$$2.39 \boxed{+} 0.9112 \boxed{=} \mathit{3.3012}$$

Durante 1991, en Estados Unidos se produjeron 3.3012 ct de yogur helado y de paletas por persona.

1. ¿Cómo puedes estimar para comprobar si la suma es o no razonable?

2. Isaac informó en el periódico local sobre la cantidad de cuartos de yogur helado y de paletas producida en 1991. ¿Tuvo que publicar las cantidades exactas? Explica por qué.

Cuando se suman o restan decimales a mano hay que alinear los puntos decimales.

Ejemplo 1 ¿Cuánto aumentó la producción de yogur helado por persona entre 1989 y 1991?

$$\begin{array}{r} 2.390 \\ -1.341 \\ \hline 1.049 \end{array}$$ **Alinea los puntos decimales y añade un cero.**

La producción de yogur helado por persona aumentó 1.049 ct entre 1989 y 1991.

3. ¿Cuánto más yogur helado que paletas se produjo en 1989? ¿Y en 1991?

4. **a.** Usa los datos de 1989–1991 en una gráfica de doble barra.

   b. Explica por qué la gráfica evita la necesidad de calcular las diferencias en la producción de postres helados.

   c. Pensamiento crítico Supón que quisieras invertir $1,000 en una compañía de postres. ¿Qué elegirías: una empresa de yogur helado o una de paletas? Explica por qué.

Las propiedades de la suma te pueden ayudar a sumar decimales mentalmente. Conoces bien la primera propiedad.

Propiedad de identidad

El número cero no altera la suma.

Aritmética	**Álgebra**
$5.6 + 0 = 5.6$	$a + 0 = a$

5. ¿Cómo se usa la propiedad de identidad al hallar $5.238 - 5.238 + 17.9$?

Propiedad conmutativa

El orden de los sumandos no altera la suma.

Aritmética	**Álgebra**
$1.2 + 3.4 = 3.4 + 1.2$	$a + b = b + a$

Propiedad asociativa

El modo de agrupar los sumandos no altera la suma.

Aritmética	**Álgebra**
$(2.5 + 6) + 4 = 2.5 + (6 + 4)$	$(a + b) + c = a + (b + c)$

Ejemplo 2

Usa las propiedades de la suma para hallar e resultado de $0.7 + 12.5 + 1.3$ mentalmente

$$0.7 + 12.5 + 1.3 = 12.5 + 0.7 + 1.3 \quad \text{Pro} \ldots \text{con} \ldots \text{a}$$
$$= 12.5 + (0.7 + 1.3) \quad \text{Pr} \ldots \text{d} \ldots \text{as} \ldots$$
$$= 12.5 + 2$$
$$= 14.5$$

6. La propiedad conmutativa permite cambiar el orden s sumandos en $4.4 + 5.3 + 0.6$. Éstos son algunos de órdenes posibles: $0.6 + 5.3 + 4.4$ y $0.6 + 4.4 + 5$.

a. ¿Cuál de ellas prefieres para hallar la suma mer te? Explica tu respuesta.

b. ¿Qué otra propiedad puedes usar para hallar la s mentalmente?

c. ¿Cuál es la suma?

Tú y un compañero son los "disc jockeys" de moda en la ciudad. Parte de su trabajo consiste en actualizar las cintas de la estación de radio. Hoy van a compilar la cinta musical de 15 minutos que se emitirá el 4 de julio. La lista de la derecha muestra la música apropiada disponible. Deben elegir canciones cuyas duraciones no sumen más de 15 min, pero sólo pueden dejar un máximo de 2 min de blanco al final de la cinta.

Título	Minutos
76 Trombones	3.12
Liberty Bell March	3.6
Stars & Stripes Forever	3.52
Born in the USA	4.65
Oklahoma	3.27
Strike Up the Band	2.7
Pennsylvania Polka	2.7
Star Spangled Banner	4.5

7. a. ¿Qué canciones elegirían?

  b. ¿Cuánto tiempo ocuparán?

8. ¿Cuánto tiempo sobra al final de la cinta?

9. ¿Caben seis canciones en la cinta? ¿Por qué?

PONTE A PRUEBA

10. Claudina, su hermana Julieta y Aimé fueron a patinar. La entrada para mayores de 12 años costaba $3.50, y para menores de 12 años $1.75. Los patines se rentaban por $2.75. Claudina y Aimé tienen 13 años y Julieta 10.

  a. ¿Cuánto más que Julieta pagó Claudina?

  b. ¿Cuánto costaron todas las entradas?

  c. ¿Cuánto pagaron en total por los patines?

Identifica cada propiedad.

11. $(46.8 + 32.7) + 7.3 = 46.8 + (32.7 + 7.3)$

12. $1.978 + 312.2 - 1.978 = 312.2 + 1.978 - 1.978$

13. $60.2 + 0 = 60.2$

POR TU CUENTA

Cálculo mental **Evalúa usando las propiedades de la suma.**

14. $16.2 + 23.5 + 3.8$ **15.** $24.4 + (5.6 + 11)$

Repaso MIXTO

Completa.

1. El cuadrilátero con lados opuestos paralelos y cuatro ángulos rectos se llama ■.

2. El triángulo regular se llama también triángulo ■.

Estima. Usa cualquier estrategia.

3. $198.4 \div 2.03$

4. $348.89 - 49.402$

Calcula.

5. Cuando te unes al Club Juvenil de Cintas te dan 6 cintas por 1¢ cada una. Después, tienes que comprar 8 más a $7.99 cada una. ¿Cuál es el precio medio de las cintas?

Ancho G 5.3975 cm

Ancho O 3.175 cm

Ancho N 0.79375 cm

16. Las longitudes de los lados de un rectángulo son 8.7 m y 6.13 m. ¿Cuál es el perímetro del rectángulo?

17. **Autos** La velocidad máxima alcanzada por una mujer en un auto de reacción fue de 524.016 mi/h. Kitty Hambleton consiguió este récord en 1976. Debido a la resistencia del viento, su velocidad media durante el viaje de ida y vuelta fue de 512.710 mi/h. ¿Qué diferencia hay entre su velocidad máxima y su velocidad media?

18. **Aficiones** El ancho de las vías determina el tamaño de los trenes de juguete. A la izquierda aparecen tres modelos con el ancho de las vías correspondiente.

a. Estima la diferencia que hay entre el ancho de la vía más pequeña y el ancho de la vía más grande.

b. Supón que quieres comprar un tren para un niño de cinco años. ¿Qué tren comprarías? ¿Por qué?

19. **Por escrito** ¿Se cumple la propiedad conmutativa también en la resta? Explica por qué y da ejemplos.

20. **Investigación (página 92)** Haz una encuesta entre varios estudiantes para averiguar qué productos o servicios les gustaría tener en los alrededores de la escuela.

VISTAZO A LO APRENDIDO

Ordena los números de mayor a menor.

1. 8.05, 8.5, 8.059, 8.049, 8.0499, 8.015

Compara usando <, > ó =.

2. 4.406 ■ 4.4060 **3.** 6.621 ■ 6.612 **4.** 10.01 ■ 10.101

5. **a.** Redondea para estimar \$3.07 + \$3.48 + \$4.25.

b. Halla la misma suma estimando por la izquierda.

c. Explica qué estimaciones realizas cuando compras algo en una tienda.

Halla cada suma o diferencia.

6. 2.99 + 3.08 + 18.5642 **7.** 89.32 − 23.073

3-4 Información insuficiente o excesiva

En esta lección

• Decidir si un problema proporciona información insuficiente o excesiva

VAS A NECESITAR

✓ Calculadora

En Estados Unidos *se consumen 23,500 bushels de limones frescos cada día. Haría falta un limón de 52 pies de largo y 33 pies de alto para producir tanto jugo.*

Fuente: *In One Day*

Algunos problemas no proporcionan toda la información requerida para resolverlos. Otros contienen más datos de los necesarios. Antes de iniciar los cálculos, debes determinar si puedes resolver el problema y qué información necesitarás.

La escuela Holdfield celebrará el Día de la Familia el sábado próximo. Los estudiantes de séptimo grado venderán limonada en un puesto. Jerry y Monina están encargados de conseguir todo lo necesario.

Como esperan vender al menos 100 vasos de limonada, Jerry y Monina han pedido prestadas cuatro jarras de 64 oz y han comprado catorce latas de 12 oz de limonada helada a $.89 cada una. De cada una se obtienen 48 oz de limonada. También han comprado tres paquetes de 50 vasos de papel a $1.50 el paquete.

La clase planea cobrar $.30 por vaso, y cada vaso de limonada contiene 6 oz. ¿Cuánto se han gastado Jerry y Monina?

LEE ▶

Lee y analiza la información que te dan. Resume el problema.

1. Piensa en lo que se te pregunta, en la información que recibes y en los datos que puedes usar.

    a. ¿Qué debes averiguar?

    b. ¿Necesitas toda la información recibida para resolver el problema? Explica por qué.

PLANEA ▶

Elige una estrategia para resolver el problema.

Para hallar lo que se han gastado Jerry y Monina tienes que determinar qué materiales han comprado y cuánto han pagado por ellos.

    2. ¿Qué información indica el costo de la limonada?

    3. ¿Qué información indica el costo de los otros artículos?

Usa la información que reuniste para resolver el problema.

4. **a.** ¿Cuánto gastaron Jerry y Monina en limonada?

   b. ¿Cuánto costaron los otros materiales?

   c. ¿Cuánto gastaron en total?

Para resolver el problema seleccionaste la información necesaria y desechaste el resto.

5. ¿Qué información no necesitabas?

6. ¿Tienes suficiente información para hallar la ganancia que los estudiantes obtuvieron en un día? ¿Por qué?

PONTE A PRUEBA

Trata de resolver los problemas. Si no es posible, di qué información falta.

7. Varios amigos hicieron una bandera rectangular de 4 yd de largo para instalarla en el gimnasio. Pagaron la tela a $3.75 la yarda, y $9 por la orla que bordea las 10 yd de perímetro. ¿Cuál era el ancho de la bandera?

8. **Aficiones** La tienda de animales domésticos tiene 32 peces tropicales en una pecera. Un pez cuesta $2.45 y una pecera $5.00. ¿Cuánto cuestan una pecera y varios peces?

9. **Transporte** Los cuatro miembros de la familia Coy viajaron en auto ocho horas diarias durante tres días. ¿Cuál es la distancia media recorrida por día?

POR TU CUENTA

Usa cualquier estrategia para resolver estos problemas. Muestra tu trabajo. Si no es posible resolver un problema, di qué información falta.

10. **Dinero** Rita vendió granizados de fruta en la feria. Estuvo trabajando desde las 12 del mediodía hasta las 5 de la tarde. Cobraba $.50 por un vaso pequeño y $.75 por un vaso grande. Doce niños compraron un total de 15 vasos pequeños y 24 adultos compraron un total de 28 vasos grandes. ¿Cuánto dinero obtuvo Rita?

Re**pa**s**o** MIXTO

Haz una tabla arborescente con cada grupo de datos.

1. 29, 27, 37, 40, 46, 48

2. 1.3, 2.2, 1.7, 1.4, 1.3, 2.5

Calcula.

3. 52.039 + 12.99

4. 10.98 − 6.018

5. El 5 de agosto de 1990, Beth Cornell y un equipo de ayudantes crearon el pastel más alto del mundo. Tenía 100 capas y 30.85 m de altura. ¿Qué altura aproximada tenía cada capa?

6. Halla tres números consecutivos cuya suma sea 60.

11. **Biología** El panda gigante es un animal raro y tímido que vive en los bosques de bambú de China y dedica entre 10 y 12 h diarias a su alimentación. El panda consume principalmente bambú, pero también come flores, frutas, bayas, hierbas, cortezas y algunos animales pequeños salvajes. Los cañaverales de bambú florecen, granan y mueren en ciclos de unos 50 años. Cuando esto ocurre, muchos pandas mueren. En 1983, antes del último florecimiento del bambú, había unos 1,000 animales vivos. ¿Cuántos quedan ahora?

El panda gigante recién nacido mide unas 6 pulg de largo y pesa unas 3 lb. El ejemplar adulto puede pesar hasta 300 lb y medir 5 pies de altura cuando está erguido.

12. **D** Devon gana $25.50 diarios trabajando media jornada e apatería. Como incentivo, su jefe le paga $.50 a les por cada paquete de calcetines deportivos que v espués de 5 días Devon ha ganado $157.50. ¿Cuántos pa s de calcetines ha vendido?

13. **D s** Un grupo de 120 niñas con edades comprendidas e s 6 y los 16 años votaron por sus deportes favoritos. L ro deportes más votados (básquetbol, voleibol, na a y softball) recibieron 27, 26, 22 y 21 votos. ¿En qué ord ueron votados?

• El softball no ocupaba el tercer lugar.

• El básquetbol seguía inmediatamente al softball.

• El deporte más votado no se juega con pelota.

14. **Espectáculos** El club de teatro hizo dos representaciones de *El mago de Oz*, una el viernes por la noche y otra el sábado por la noche. El sábado hubo el doble de espectadores que el viernes. Si en total asistieron 495 personas, ¿cuántas vieron la obra cada noche?

15. **Biología** Cada primavera, la hembra del cocodrilo cava su nido en la orilla de un río. Lo hace junto al agua para poder vigilarlo, pero no demasiado cerca para evitar que se inunde. Después pone entre 30 y 70 huevos y los cubre de arena. A los 90 días, las crías rompen el cascarón y la madre las transporta en su boca hasta el río. Los recién nacidos miden unas 12 pulg de largo y crecen unas 10 pulg al año. ¿Qué edad tiene un cocodrilo con 32 pulg de largo?

16. Una balanza en equilibrio tiene 1 pesa verde y 3 rojas en un platillo y 3 verdes en el otro. Las pesas del mismo color pesan lo mismo. Si las rojas pesan 0.25 lb cada una, ¿cuánto pesan las verdes?

¿CÓMO? El sexo de un embrión de cocodrilo se determina por la temperatura del huevo durante la incubación. La mayoría de los huevos incubados a temperaturas de menos de 90°F contienen hembras. La mayoría de los incubados a más de 92°F contienen machos. Aproximadamente la mitad de los embriones incubados a temperaturas de entre 90°F y 92°F son machos y la mitad son hembras.

Fuente: *Crocodiles & Alligators of the World*

3-5 Multiplicación y división de decimales

PIENSA Y COMENTA

Para representar la multiplicación de decimales se pueden usar modelos. Este modelo muestra que el producto de 0.7 y 0.4 es 0.28.

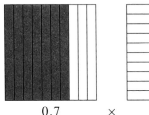 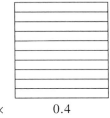 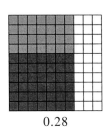

0.7   ×   0.4   =   0.28

1. Escribe 0.7, 0.4 y 0.28 en orden de mayor a menor.

2. a. Dibuja un modelo que represente el producto de 0.2 y 0.9.

    b. Escribe 0.2, 0.9 y su producto en orden de mayor a menor.

    c. ¿Qué puedes afirmar sobre el producto de dos números menores que 1?

Maneras de expresar "Multiplica 3.4 por 5"

3.4×5

$3.4 \cdot 5$

$3.4(5)$

$(3.4)(5)$

Las diversas maneras de expresar una multiplicación aparecen a la izquierda.

3. Supón que estás indicando la operación con un punto. ¿Por qué es importante que el punto esté bien *centrado*?

Cuando se trabaja con problemas de decimales es conveniente estimar las cantidades antes de hacer los cálculos.

Ejemplo 1   El pescado cuesta $2.58/lb en el supermercado. ¿Cuál es el precio de 5.2 lb?

     Estima: $2.58 \times 5.2 \approx 3 \times 5 = 15$

     2.58 ✖ 5.2 ▬ *13.416*   Usa la calculadora.

     $13.416 \approx 13.42$ Redondea hacia arriba.

     $13.42 \approx 15$ El resultado es razonable.

El precio es $13.42.

4. **a.** Brian se dio cuenta de que la tecla del punto decimal no funcionaba en su calculadora. ¿Qué estimación podría hacer para colocar el punto al calcular la superficie de una sala que mide 12.5 pies × 15.75 pies?

   b. Halla el área de la sala.

La estimación puede ahorrarnos muchos errores cuando dividimos números decimales.

Ejemplo 2

Supón que recorres en bicicleta 25.75 mi en 2.5 h. Halla tu velocidad media en millas por hora.

Estima: $25.75 \div 2.5 \approx 25 \div 2.5 = 10$

$25.75 \boxed{\div} 2.5 \boxed{=} \mathit{10.3}$ Usa la calculadora.

$10.3 \approx 10$ **El resultado es razonable.**

Recorriste un promedio de 10.3 mi/h.

5. El papá de Susana es vendedor y la semana pasada recorrió 283.4 mi con 16.2 gal de gasolina. Susana afirma que su promedio fue de 1.75 mi/gal.

   a. ¿Estás de acuerdo con el promedio de Susana? Respalda tu respuesta mostrando los cálculos.

   b. ¿Qué estimación podría hacer Susana para comprobar su promedio?

Las propiedades de la multiplicación te pueden servir para hallar productos mentalmente. Ya conoces dos propiedades.

Propiedad de identidad

El producto de 1 y cualquier número es igual a ese número.

Aritmética   **Álgebra**

$5 \times 1 = 5$ $a \times 1 = a$

Propiedad del cero

El producto de cero y cualquier número es igual a cero.

Aritmética   **Álgebra**

$5 \times 0 = 0$ $a \times 0 = 0$

---

6. Terry no tardó ni un segundo en hallar el resultado de $3.625 \times 58.42 \times 0$. ¿Cómo lo consiguió?

Propiedad conmutativa

El orden de los factores no altera el producto.

Aritmética   **Álgebra**

$5 \times 2 = 2 \times 5$ $a \times b = b \times a$

¿CUÁNDO? *El 17 de abril de 1988,* unas 30,000 personas participaron en un desfile de bicicletas en San Juan, Puerto Rico. La población de la isla es unas 117.4 veces mayor que la concurrencia al desfile. *¿Aproximadamente cuántos habitantes tiene Puerto Rico?*

Fuente: *The Guinness Book of Records*

Propiedad asociativa

La agrupación de los factores no altera el producto.

Aritmética

$(3 \times 2) \times 5 = 3 \times (2 \times 5)$

Álgebra

$(a \times b) \times c = a \times (b \times c)$

Ejemplo 3   Evalúa $0.25 \times 3.58 \times 4$.

$0.25 \times 3.58 \times 4$

$= 3.58 \times 0.25 \times 4$ ← Propiedad conmutativa

$= 3.58 \times (0.25 \times 4)$ ← Propiedad asociativa

$= 3.58 \times 1 = 3.58$ ← Propiedad de identidad

7. ¿Qué propiedad usarías primero para evaluar $4.3 \times 2.5 \times 2$? Explica tu razonamiento.

EN EQUIPO

Trabaja con un compañero.

- Usen una calculadora para hallar los productos.

  0.1×0.4 0.6×0.03 0.27×0.35 0.59×0.261

- Copien y completen la tabla de la izquierda basándose en sus cálculos.

Suma de valores decimales en los factores	Número de valores decimales en el producto
2	■
3	■
■	■
■	■

8. ¿Qué relación observan entre la suma de los valores decimales en los factores y el número de valores decimales en el producto?

9. Determinen el número de valores decimales que tendrá el producto de 0.736 y 0.9751. Después, calculen ese producto. ¿Fue acertada la predicción? ¿Por qué?

10. Escriban una regla para determinar el número de valores decimales que tendrá un producto.

11. a. Hallen 0.5×0.3 y 0.5×0.5 primero sin calculadora y luego con ella.

   b. Hallen 0.5×0.2 y 0.5×0.4 primero sin calculadora y luego con ella.

   c. ¿Qué hace la calculadora cuando el último dígito de un producto decimal es cero?

Usa las propiedades de la multiplicación para completar estas expresiones. Nombra la propiedad usada.

12. $3.6 \times \blacksquare = 0$ **13.** $\blacksquare \times 1.5 = 1.5 \times 3.4$ **14.** $7.8 \times \blacksquare = 7.8$

15. $(2.5 \times \blacksquare) \times 2.3 = 2.5 \times (1.4 \times 2.3)$ **16.** $\blacksquare \times 1 = 25.5$

17. Nikia compró 3.2 yd de tela por $13.92. ¿Cuánto pagó por yarda?

POR TU CUENTA

Cálculo mental Usa las propiedades de la multiplicación para evaluar estas expresiones.

18. $0.2 \times 3.41 \times 5$ **19.** $1.09 \times 23.6 \times 0$ **20.** $(2.3 \times 0.5) \times 4$

Las soluciones a las siguientes ecuaciones contienen errores debido a la colocación incorrecta del punto decimal. Estima cada producto o cociente. Escribe de nuevo las ecuaciones colocando el punto decimal en el lugar correcto.

21. $10.8 \div 4.5 = 24$ **22.** $2.7 \times 1.3 = 351$ **23.** $11.44 \div 2.6 = 44$

24. Halla los cocientes.

   a. $75\overline{)300}$ **b.** $7.5\overline{)300}$ **c.** $0.75\overline{)300}$

   d. Explica lo que le ocurre al cociente cuando el dividendo (300) permanece igual y los divisores (75, 7.5 y 0.75) disminuyen.

25. Por escrito ¿Se cumple la propiedad conmutativa también en la división? ¿Por qué? Da ejemplos.

26. Jardinería Después de arrancar unos arbustos, Rogelio tapó los agujeros con césped. Si el césped costaba $2.25/yd² y Rogelio gastó un total de $27.90, ¿cuánto césped compró?

27. Deportes La Federación Internacional de Tenis (FIT) exige que las pelotas nuevas reboten entre 0.53 y 0.58 de la altura de la que caen. Determina la gama de distancias aceptables tras el segundo rebote después de una caída de 200 cm. Redondea la cantidad a la centésima más cercana.

Repaso MIXTO

Redondea cada decimal al valor indicado.

1. 33.516823

2. 0.6187368

Di si los ángulos son agudos, rectos u obtusos.

3. 105°   **4.** 36°

5. 90°   **6.** 95°

7. Un cuarto de los estudiantes de séptimo grado está en el coro de la clase. Un tercio está en la banda. Cuatro quintos del coro ensayaron el jueves. Si hay 120 estudiantes en séptimo grado, ¿cuántos ensayaron el jueves?

Esta pelota de tenis nueva cayó desde una altura de 150 cm. Tras el primer bote alcanzó una altura de 79 cm. ¿Cumple esta pelota las normas de la FIT?

Patrones en cocientes

En esta lección

• Usar la calculadora para hallar patrones en decimales periódicos

• Analizar el concepto de la división por cero

■ VAS A NECESITAR

✓ Calculadora

PIENSA Y COMENTA

¿Sabes cómo influye la memoria de una calculadora en los resultados que proporciona? Haz este experimento.

1. Calcula mentalmente.

   a. $6 \div 2 \times 2$ **b.** $8 \div 4 \times 4$ **c.** $15 \div 5 \times 5$

2. ¿Qué ocurre cuando primero divides y luego multiplicas por el mismo número?

3. **a.** ¿Qué debe mostrar la calculadora si marcas

       1 ➗ 3 ✖ 3 ⊟ ?

   b. Inténtalo. ¿Qué ocurre?

4. Ahora, haz el mismo cálculo en dos pasos.

   a. Marca 1 ➗ 3 ⊟ . Anota el resultado.

   b. Borra lo obtenido y multiplica el cociente que obtuviste en la parte (a) por 3. ¿Qué muestra la calculadora?

Lo que se ve en el visor no es siempre lo que la calculadora tiene guardado en la memoria. Las calculadoras suelen guardar en la memoria dígitos que usan para redondear.

5. Cuando calculas $1 \div 3$ en una calculadora, el visor muestra una serie de números 3 después del punto decimal.

   a. ¿Cuántos 3 crees que necesitarías para registrar la solución exacta de $1 \div 3$?

   b. Halla $1 \div 3$ con lápiz y papel.

   c. ¿Se detendrá la repetición de dígitos? ¿Por qué?

6. **a.** Usa la calculadora para hallar $2 \div 3$. ¿Es el último dígito del cociente el mismo que los restantes?

   b. ¿Qué hizo la calculadora con los dígitos que no se veían?

*El ábaco chino, una de las primeras máquinas de cálculo, data del 1175 d.C. En este ábaco se representa el número 1,532,786. **¿Cómo representarías el número 1,175?***

Fuente: *History of Mathematics*

Llamamos **decimal exacto** a uno que tiene fin. Por ejemplo, $1 \div 4 = 0.25$. El decimal en el que un dígito (o una serie de dígitos) se repite constantemente se llama **decimal periódico.**

$1 \div 3 = 0.333333333 \ldots = 0.\overline{3}$

$1 \div 6 = 0.1666666666 \ldots = 0.1\overline{6}$ La barra indica qué dígito o dígitos se repiten.

$4 \div 11 = 0.36363636 \ldots = 0.\overline{36}$

7. a. Usa lápiz y papel para hallar $1 \div 7$. ¿Qué serie de dígitos se repite?

   b. Escribe el cociente de $1 \div 7$ usando una barra para indicar la parte que se repite.

   c. Usa una calculadora para hallar $1 \div 7$. ¿Cuántos dígitos periódicos aparecen en el visor?

8. a. Usa una calculadora para hallar $9 \div 64$.

   b. ¿Es el cociente de $9 \div 64$ periódico o exacto? Explica por qué.

 El número 142857 es conocido como "el circular". ¿Te resulta familiar? Comprueba qué ocurre cuando se multiplica por 2. ¿Y por 3? ¿Qué sucede cuando se multiplica por 7? **¿Por qué crees que le pusieron ese apodo?**

Fuente: *The Kids' World Almanac of Amazing Facts About Numbers, Math, and Money*

EN EQUIPO

Trabaja con un compañero. Usen una calculadora.

9. a. Miren las divisiones de la derecha. ¿Qué patrón ven en los divisores?

   b. Copien la tabla. Hallen los divisores que faltan. Calculen los cocientes.

   c. ¿Qué le ocurre al cociente a medida que el divisor se acerca a cero? ¿Por qué?

   d. **Discusión** ¿Por qué creen que a la división por cero se la llama *indefinida*?

Dividendo	Divisor		Cociente
50	÷	100	= ■
50	÷	10	= ■
50	÷	1	= ■
50	÷	0.1	= ■
50	÷	0.01	= ■
50	÷	0.001	= ■
50	÷	■	= ■
50	÷	■	= ■
50	÷	■	= ■

POR TU CUENTA

Elige Usa calculadora, lápiz y papel o cálculo mental para hallar los cocientes. Usa una barra para indicar los decimales periódicos.

10. $3 \div 8$ **11.** $2 \div 7$ **12.** $1 \div 0.3$ **13.** $155 \div 11$

Usa una calculadora para hallar los cocientes.

1. 2.21 ÷ 1.7
2. 0.75 ÷ 0.5

Evalúa mentalmente.

3. (13 × 0.2) × 5
4. 3 × (1.5 × 6)

5. Una moneda de 1¢ pesa aproximadamente 0.1 onza. ¿A cúanto dinero equivale una libra de monedas de 1¢?

14. **a.** Usa una calculadora para hallar 4 ÷ 99, 5 ÷ 99 y 6 ÷ 99. ¿Qué patrón observas?

    b. Usa el patrón para hallar 7 ÷ 99, 8 ÷ 99 y 9 ÷ 99 sin calculadora.

15. Haz de nuevo el ejercicio 14 usando los números de abajo en lugar de 99.

    a. 999   **b.** 11   **c.** 33   **d.** 101

16. Divide 1 por todos los números enteros del 10 al 20.

    a. ¿Con qué divisores aparecen cocientes periódicos?

    b. ¿Con qué divisores aparecen cocientes exactos?

    c. ¿Con qué divisores no puedes precisar si el cociente es periódico o exacto? ¿Por qué no puedes?

17. **Por escrito** ¿Es periódico el número 3.03003000300003 . . . ? ¿Por qué?

6010150330
7564014270
2314429524
0643021845
9561814675

¿QUIÉN? El 19 de noviembre de 1989, Yasumasa Kanada y Yoshiaki Tamura calcularon pi (π) hasta 1,073,740,000 cifras sin que los dígitos terminaran o se repitieran.

Fuente: *The Guinness Book of Records*

Acerca de pi

¿Qué tienen en común los círculos, las computadoras y "Star Trek"? Los tres están unidos por un número muy especial: *pi*.

Pi, o π, representa la relación entre un círculo y su diámetro. En 1767, un matemático llamado Johann Lambert probó que π es un número irracional, es decir, un decimal que no es ni exacto ni periódico.

Como π es interminable, la tripulación del Enterprise pudo usarlo para entretener a una computadora malévola mientras la desmantelaban.

A lo largo de los siglos se han usado diferentes aproximaciones de π. Los egipcios creían que equivalía a 256 ÷ 81. Arquímedes, un célebre matemático griego, probó que π se situaba entre 22 ÷ 7 y 223 ÷ 71. Otra estimación griega lo igualaba a 377 ÷ 120. Los chinos usaban 355 ÷ 113 y según una estimación india equivalía a 62,832 ÷ 20,000. Otras aproximaciones antiguas son 3 y 3.16.

Usa el artículo para responder a las siguientes preguntas.

18. ¿Cuál de los dos límites de π dados por Arquímedes está más cerca del valor que ofrece la calculadora?

19. Halla dos números no mencionados en el artículo cuyo cociente sea aproximadamente igual a π.

 En este sello brasileño de 1967 aparece una cinta con un solo lado llamada "cinta de Möbius". Hazla torciendo una banda de papel y pegando sus extremos. **¿Cómo podrías demostrar que la cinta tiene un solo lado?**

Resuelve. La lista de la izquierda muestra algunas de las estrategias que puedes usar.

1. La escuela está organizando un festival de "raíces culturales". Eduardo, Tessa, Joe y Liz van a presentar objetos de sus países de origen. Los objetos son unas maracas mexicanas, un sari hindú, una concha tahitiana y un cuerno de carnero israelí. Joe no llevará ningún objeto de Tahití o de la India. Tessa no llevará ningún objeto de Tahití. Eduardo llevará las maracas. ¿Qué llevarán los otros estudiantes?

2. En el coro de la escuela hay 43 estudiantes. Diez de ellos pertenecen también a la orquesta. En la orquesta hay 52 estudiantes. Ocho de sus miembros pertenecen tanto al coro como al club de ajedrez. ¿Cuántos estudiantes pertenecen a la orquesta y al coro pero no al club de ajedrez?

3. Tras despertarse un sábado por la mañana, Jaime dedicó 2 h a ducharse, vestirse y desayunar. Después fue al campo de béisbol con un amigo y estuvo allí 4.5 h. Tardó media hora en llegar al campo y media hora en regresar. Si volvió a casa a las 5:15 p.m., ¿a qué hora se despertó?

4. Allen es el menor de 8 hermanos. Tiene 5 hermanas y 2 hermanos. La suma de las edades de Allen y su hermana Raquel es igual a 40. La diferencia entre sus edades es 16. Raquel se casó hace unos años y ahora tiene dos niños. ¿Qué edad tienen Allen y Raquel?

5. Carmen tiene 3 amigos con los que se cartea regularmente. Siempre les escribe durante la semana en que recibe carta. Riaz escribe cada 4 semanas, Julia cada 3 semanas y Roy cada 5 semanas. Si Carmen escribió 3 cartas esta semana, ¿cuántas semanas pasarán hasta que tenga que volver a escribir 3 cartas en la misma semana?

6. Un triángulo isósceles tiene un ángulo que mide 41.35°. ¿Cuáles pueden ser las medidas de los otros ángulos?

Uso de la propiedad distributiva

• Usar la propiedad distributiva y el orden de las operaciones

VAS A NECESITAR

✓ Papel cuadriculado

✓ Tijeras

El "manto del SIDA", un gran montaje realizado en junio de 1993, consistía en 2,973 recuadros de 8 paneles que podían distribuirse de muy diversas maneras. En la exhibición se extendieron sobre el suelo conjuntos de 4 recuadros separados por un "camino" de 6 pies que permitía a la gente aproximarse a cada panel para observarlo de cerca.

Fuente: *The Names Project*

EN EQUIPO

Luther, Pearl, Sundar, Cristal, Stella y Kip pintaron unos paneles escénicos para la obra teatral de la escuela. Cada panel era un rectángulo de 9 pies de alto que se podía combinar con los restantes para crear diversos escenarios. Los tres rectángulos de abajo tienen la misma forma que los paneles.

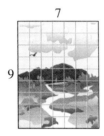
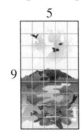
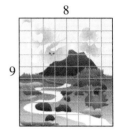

Trabajen en parejas. Usen papel cuadriculado para dibujar 6 rectángulos con las siguientes dimensiones.

$$9 \times 4 \qquad 9 \times 7 \qquad 9 \times 6 \qquad 9 \times 3 \qquad 9 \times 5 \qquad 9 \times 8$$

• Recorten los rectángulos.

• Hallen el área de cada uno.

• Combinen dos de los rectángulos y hallen el área conjunta.

PIENSA Y COMENTA

Supón que combinas los rectángulos de 9×3 y de 9×4. Puedes multiplicar para hallar el área de cada uno y sumar después las áreas para averiguar la superficie total.

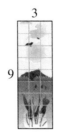
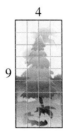

$$9 \cdot 3 \quad + \quad 9 \cdot 4$$

Conocer el orden de las operaciones nos permite determinar cuál de ellas debe realizarse primero.

Orden de las operaciones

- Haz las operaciones encerradas entre símbolos de agrupación.
- Multiplica y divide de izquierda a derecha.
- Suma y resta de izquierda a derecha.

1. a. Teniendo en cuenta el orden de las operaciones, ¿qué debes hacer primero para simplificar $9 \cdot 3 + 9 \cdot 4$? ¿Qué debes hacer en último lugar?

b. ¿Cuál es el área total?

Otra manera de hallar el área conjunta de los dos rectángulos es sumar sus anchos y multiplicar el resultado por la longitud.

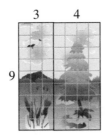

2. a. ¿Cuál es el ancho de los rectángulos combinados?

b. Para representar el área como la suma de los anchos por la longitud podemos escribir la expresión $9 \cdot (3 + 4)$ o, lo que es igual, $9(3 + 4)$. Considera el orden de las operaciones. ¿Qué debes hacer primero?

c. ¿Cuál es el área de los rectángulos combinados?

¡RECUERDA!

$4 \times 5 = 4 \cdot 5 = 4(5)$

Puedes convertir $9 \cdot 3 + 9 \cdot 4$ en $9(3 + 4)$ porque ambas expresiones son equivalentes. La conversión de las expresiones ilustra la *propiedad distributiva*.

$$9 \cdot 3 + 9 \cdot 4 = 9(3 + 4)$$

Propiedad distributiva

Cada término situado dentro de un paréntesis puede multiplicarse por un factor situado fuera.

Aritmética	Álgebra
$6(3 + 2) = 6 \cdot 3 + 6 \cdot 2$	$a(b + c) = a \cdot b + a \cdot c$
$5(8 - 2) = 5 \cdot 8 - 5 \cdot 2$	$a(b - c) = a \cdot b - a \cdot c$

La propiedad distributiva nos ayuda a multiplicar mentalmente. Para hallar 6 × 53, por ejemplo, piensa en 53 como 50 + 3.

$$6(50 + 3) = 6 \cdot 50 + 6 \cdot 3$$
$$= 300 + 18$$
$$= 318$$

3. ¿Qué pasos debes seguir para hallar mentalmente 7 × 5.9 usando la propiedad distributiva y la resta?

4. **a.** Explica por qué 3(2.5 + 5) = (2.5 + 5)3.

   b. Completa: (2.5 + 5)3 = (2.5)■ + (5)■

P O R TU CUENTA

Escribe dos expresiones para hallar el área de las figuras. Halla el área.

5.

6.

7.

Halla los números que faltan.

8. 4(7 + 8) = 4(■) + 4(■)

9. 3(8.2 − 1.5) = (■)8.2 − (■)1.5

10. ■(4.8) = 6(5) − 6(■)

11. ■(2.8 + 6.5) = 7(2.8) + 7(6.5)

12. **Publicidad** Sam hizo un gran cartel para anunciar la venta de artículos de uso de la escuela. El cartel medía 20 pulg por 28.5 pulg.

    a. Usa la propiedad distributiva para escribir una ecuación que represente el área del cartel.

    b. Evalúa la ecuación para hallar el área del cartel.

13. Dustin y sus cinco hermanos fueron al Museo de Ciencias. La entrada a la exhibición de dinosaurios costaba $5.25 por persona. La entrada al planetario costaba $4.75 por persona.

    a. Explica cómo usarías la propiedad distributiva para hallar cuánto pagaron Dustin y sus hermanos por ver la exhibición de dinosaurios.

    b. Usa la propiedad distributiva para hallar cuánto pagaron por ver el espectáculo del planetario.

    c. ¿Cuánto pagaron los seis hermanos en total?

Re**p**a**s**o **MIXTO**

1. Multiplica 4.2 × 10, 4.2 × 100 y 4.2 × 1,000. Predice el resultado de 4.2 × 1,000,000.

Halla los cocientes. Pon una barra sobre los decimales periódicos.

2. 5 ÷ 3

3. 7 ÷ 16

4. 15 ÷ 18

5. Carla y Tania cobraron $45.00 por pintar una cerca. Carla trabajó 6 h y Tania 9 h. ¿Qué cantidad de dinero corresponde a Tania?

Calcula mentalmente usando la propiedad distributiva.

14. 6(3.9)   **15.** 10.3(4)   **16.** 2(2.6)   **17.** 11.6(2)

Inserta +, −, × ó ÷ para hacer que las ecuaciones sean válidas.

18. 5.2 ■ 3 + 2.4 = 18   **19.** 23.1 ÷ 7 ■ 3.3 = 6.6

Coloca los paréntesis de modo que resulten válidas las ecuaciones.

20. 4 + 4 ÷ 4 − 4 = 1   **21.** 4 × 4 ÷ 4 + 4 = 2

22. 4 + 4 + 4 ÷ 4 = 3   **23.** 4 × 4 − 4 + 4 = 4

24. 4 + 4 × 4 − 4 = 28   **25.** 4 + 4 × 4 − 4 = 0

26. Dinero Las empresas que compran papel de prensa reciclado para utilizarlo en la fabricación de otros productos pagan $5 por 1 tonelada. En Estados Unidos se reciclaron 6.6 millones de toneladas de papel de periódico durante 1991. Usa la propiedad distributiva para hallar cuánto dinero generó la venta de periódicos reciclados en 1991.

27. Aficiones Elena está haciendo una placa de madera para el cumpleaños de su abuelo. Su abuelo es italiano, y Elena ha decidido usar tres piezas de madera (castaño, roble y cerezo) para representar los tres colores de la bandera italiana. Cada pieza mide 6 pulg × 4.5 pulg.

a. Usa la propiedad distributiva para hallar el área de cada pieza.

b. Usa las áreas y la propiedad distributiva para hallar la superficie total de la placa de madera.

28. Dinero Ione va a comprar lilas para los centros de mesa que adornarán una cena. Cada centro contará con 3 lilas y hay un total de 10 mesas. Como le hacen descuento por comprarlas sueltas, cada lila le cuesta $.92. Usa la propiedad distributiva para calcular mentalmente el costo de las lilas.

29. Dinero Quieres comprar 4 cuadernos que cuestan $.89 cada uno. Calcula mentalmente el costo total.

30. Por escrito Explica cómo usarías la propiedad distributiva al menos de dos maneras diferentes para calcular 4(110.5).

 31. Investigación (página 92) Diseña un recibo de compra que podrías usar en tu negocio. Explica cómo aparecerían las transacciones típicas en tu recibo.

 Con 320,000 toneladas al año, Wyoming es el estado que genera menos basura en este país. Si se reciclan tres centésimos de cada tonelada, **¿cuántas toneladas de basura recicla Wyoming en 1 año?**

Fuente: *The Information Please Environmental Almanac*

3-8

Exponentes

PIENSA Y COMENTA

Luis y Sofía llegaron a un acuerdo con sus padres. La conversación fue más o menos así:

—De ahora en adelante vamos a lavar los platos de la cena sin quejarnos —dijo Luis.

Sofía añadió: —Sí, lavaremos los platos si nos pagan 2¢ esta noche y cada día el doble que el anterior.

Sus padres pensaron que al menos de esa manera lavarían los platos sin quejas y se mostraron conformes. Sin embargo, al final de la segunda semana ya no estaban tan contentos con el acuerdo.

El dibujo y la tabla de abajo muestran lo rápido que aumentan las cantidades cuando se las dobla de forma constante.

Día	Centavos
uno	$2 = $ ■
dos	$2 \times 2 = $ ■
tres	$2 \times 2 \times 2 = $ ■
cuatro	$2 \times 2 \times 2 \times 2 = $ ■

1. Completa la tabla de arriba para ver cuántos centavos cobraron Luis y Sofía cada uno de los cuatro primeros días.

Puedes usar un *exponente* para representar los factores repetidos.

$$\text{base} \longrightarrow 2^4 \longleftarrow \text{exponente}$$

La **base** es el número usado como factor. El **exponente** indica cuántas veces se usa la base como factor. El número 2^4 se lee "dos elevado a la cuarta potencia". La *forma normal* de 2^4 es 16. La *forma exponencial* de 16 es 2^4.

Centavos	Potencia de 2
2	■
4	■
8	■
16	2^4
■	■

2. Copia y completa la tabla de la izquierda.

3. ¿Cuánto cobraron Luis y Sofía el quinto día?

Los padres les pagaron a Luis y Sofía 2^{10}¢ el décimo día. La tecla $\boxed{y^x}$ te permitirá aclarar a cuánto dinero equivale 2^{10}¢ en forma normal.

$$2 \;\boxed{y^x}\; 10 \;\boxed{=}\; \mathit{1024}$$

Los padres de Luis y Sofía pagaron 1,024¢, es decir, $10.24.

4. a. Usa la calculadora para evaluar 2^{14}. Escribe el resultado en forma normal.

   b. ¿A cuántos dólares equivale eso?

   c. ¿Por qué crees que a los padres de Luis y Sofía dejó de gustarles el acuerdo alcanzado?

Gibraltar, la colonia más pequeña del mundo, tiene un área igual a $(1.5)^2$ mi². ¿Cuál es el área de Gibraltar en forma normal?

Fuente: *The Guinness Book of Records*

Se pueden usar exponentes con otras bases que no sean 2. Este cuadrado tiene lados de 3 unidades. Su área equivale a $3 \times 3 = 3^2$, es decir, a 9 unidades cuadradas.

5. ¿Por qué crees que a 3^2 también se lo llama "3 al cuadrado"?

Para elevar números al cuadrado se puede usar la tecla $\boxed{x^2}$.

$$2.8 \;\boxed{x^2}\; \mathit{7.84}$$

6. ¿Qué teclas de la calculadora usarías para evaluar 2.3^4? ¿Y para evaluar 2.3^2?

Para evaluar expresiones con potencias hay que incluir éstas en el orden de las operaciones.

Orden de las operaciones

- Haz primero las operaciones encerradas entre símbolos de agrupación.
- Trabaja con las potencias.
- Multiplica y divide de izquierda a derecha.
- Suma y resta de izquierda a derecha.

7. Discusión Explica cómo hallarías el valor de las siguientes expresiones.

   a. $(3 + 5)^2 \div 4$ **b.** $(3 + 5^2) \div 4$

8. ¿Qué debes hacer primero cuando una potencia está entre paréntesis?

> **Sugerencia para resolver el problema**
>
> Para recordar el orden de las operaciones puedes usar las iniciales de las palabras en esta oración: "**P**ara **E**ntender **M**atemáticas **D**ebes **S**aber **R**estar." (**P**aréntesis, **E**xponentes, **M**ultiplicación, **D**ivisión, **S**uma y **R**esta).

La calculadora sigue el orden de las operaciones. Para simplificar $3^4 \times (5 - 1.2)^3$, usa las teclas de los paréntesis cuando sea necesario.

3 $\boxed{y^x}$ 4 $\boxed{\times}$ $\boxed{(}$ 5 $\boxed{-}$ 1.2 $\boxed{)}$ $\boxed{y^x}$ 3 $\boxed{=}$ 4444.632

9. a. ¿Cuál es la base de la expresión $(7.8 - 2.9)^4$? ¿Y el exponente?

b. Escribe $(7.8 - 2.9)^4$ en forma normal.

EN EQUIPO

Trabaja con un compañero. Estudien el patrón que se observa en estas potencias de 2.

Forma normal	16	8	4	2	1
Potencia de 2	2^4	2^3	2^2	2^1	$2^■$

10. a. ¿Qué exponente completa la ecuación siguiente?

$$2^■ = 1$$

b. Comprueben su solución con una calculadora.

11. Hallen 3^0, 4^0, 5^0, 10^0. ¿Qué observan?

12. Elijan un número mayor que 1,000,000. ¿Cuál sería el valor de una expresión que tuviera ese número como base y 0 como exponente?

13. Escriban una regla general basándose en su descubrimiento.

POR TU CUENTA

14. a. ¿Qué cantidad es mayor: 2^6 ó 6^2? Determínalo sin hacer el cálculo.

b. Halla 2^6 y 6^2. ¿Fue acertada tu predicción? ¿Por qué?

15. a. Escribe $6 \times 6 \times 6 \times 6$ en forma exponencial.

b. ¿Cuál es la base de la potencia que acabas de escribir? ¿Y el exponente?

c. Escribe la expresión en forma normal.

 La leyenda dice que el reinado del primer emperador del Japón empezó alrededor del 660 a.C., pero es probable que en realidad se iniciara unos 40 años a.C. El emperador Akihito es el monarca número 5^3 de la dinastía imperial japonesa. **¿Cuántos emperadores ha habido en Japón?**

Fuente: *The Guinness Book of Records*

Escribe cada expresión en forma exponencial.

16. $5.2 \times 5.2 \times 5.2$

17. $0.3 \times 0.3 \times 0.3 \times 0.3 \times 0.3$

Escribe estas expresiones como series de factores y en forma normal.

18. 4^5 **19.** 5.2^3 **20.** 13^6 **21.** 0.2^4 **22.** 3.7^3

Elige Usa una calculadora, lápiz y papel o cálculo mental para evaluar cada expresión.

23. $2^5 \times 4^0$ **24.** $12 + 5^3$ **25.** $1^3 - 3(1 - 14^0)$ **26.** $3(0.5 + 2.5)^2$

Asocia cada cantidad con la potencia correspondiente.

27. ruedas en un monociclo   **a.** 2^5

28. planetas en el sistema solar   **b.** 3^2

29. punto de congelación del agua en °F   **c.** 5^0

30. a. Supón que les cuentas un secreto a 3 personas. Cada una de ellas se lo cuenta a otras 3 y cada una de éstas a 3 más. Haz una tabla que represente la difusión del secreto.

     b. Escribe en forma exponencial el número de personas que se enteraron del secreto en la última ronda.

31. a. Copia y completa la tabla de la derecha.

     b. ¿Qué patrón observas en las potencias de 10?

     c. Usa el patrón, no una calculadora, para determinar cuántos ceros hay en la forma normal de 10^{12}.

32. Por escrito Halla el valor de 0.5^2. ¿Qué ocurre con los valores decimales del resultado cuando se eleva al cuadrado un decimal situado entre 0 y 1? ¿Qué número es mayor: el original o el elevado al cuadrado? ¿Por qué?

33. Escribe en forma exponencial dos números cuyos valores estén situados entre 5^2 y 5^3.

34. Traza el contorno de tu pie en papel cuadriculado y estima su área. Escribe en forma exponencial dos números que puedan representar el área del pie.

35. a. Escribe 81 en forma exponencial usando 3 como base.

     b. Escribe 81 en forma exponencial usando 9 como base.

Re**pas**o **MIXTO**

Compara. Usa <, > ó =.

1. 22.168 ▮ 22.1168

2. 3.899 ▮ 3.8899

Halla los números que faltan.

3. ▮(8.8) = 4(9) − 4(0.2)

4. 3.8(16 + 5) = ▮(16) + ▮(5)

5. Estudia el patrón ABCDEABCDEABCDE . . . ¿Cuál será la letra número 118 en este patrón?

	Número	Número de ceros
10^0	▮	0
10^1	▮	1
10^2	▮	▮
10^3	▮	▮
10^4	▮	▮
10^5	▮	▮

Compara usando <, > ó =.

1. 0.168 ■ 0.1680   **2.** 5.6 ■ 5.592   **3.** 1.83 ■ 2.032   **4.** 11.26 ■ 11.206

5. 3.012 ■ 3.12   **6.** 6.89 ■ 6.51   **7.** 79.284 ■ 79.28   **8.** 35.009 ■ 35.01

Ordena de menor a mayor.

9. 0.234, 0.243, 0.23, 0.24   **10.** 0.368, 0.3681, 0.36792, 0.3   **11.** 10.2, 10.02, 10.201

Usa una calculadora o lápiz y papel para hallar los resultados.
Pon una barra sobre los decimales periódicos.

12. 0.213×5.2 **13.** $5.1 - 2.83$ **14.** $86.4 \div 27$ **15.** $6.02 + 5.283$

16. $23.102 - 4.9$ **17.** $2.8 \div 0.6$ **18.** $15 \div 0.11$ **19.** 4.2×3.7

20. $312.6 + 0.835 + 7.26$ **21.** $70.273 + 6.84 + 3$ **22.** $290.007 - 95.094$

Cálculo mental Evalúa usando la propiedad distributiva.

23. $4(30 + 8)$ **24.** $4(90 - 6)$ **25.** $3(8 - 0.5)$ **26.** $(5.4)3$ **27.** $9(19)$

¿Qué operación debes realizar primero? Explica por qué.

28. $97 - 15 + 42$ **29.** $14(37 \div 13)$ **30.** $32 - 4 \cdot 7$ **31.** $3 + 14^2$

32. $123 + 2 \cdot 0$ **33.** $39 \div 3 \cdot 6$ **34.** $47 + 150 \div 15$ **35.** $164 \div (4 \cdot 4)$

Elige Usa una calculadora, lápiz y papel o cálculo mental
para hallar cada valor.

36. 3^4 **37.** 6^3 **38.** 170^0 **39.** 2.7^3 **40.** 10^9 **41.** 1.8^2

Estima Usa cualquier método.

42. 6.9×8.92 **43.** $\$37.63 \div 7.19$ **44.** $98.52 - 46.9074$

45. $0.167 + 0.902 + 0.55$ **46.** $\$1.49 + \$2.36 + \$10.98$ **47.** 10.22×4.908

48. $\$4.29 + \$3.88 + \$1.01$ **49.** $5.7621 - 2.497$ **50.** $2.4 + 2.71 + 2.359$

51. $145.9 + 153.29 + 151.2 + 148.008$ **52.** $22.7 + 23.095 + 19.26 + 18.802$

Evaluación de expresiones algebraicas

VAS A NECESITAR

✓ Cronómetro

✓ Calculadora

¡RECUERDA!

$65x$ significa 65 por x.

 El corazón de una persona adulta pesa unas 0.656 lb y bombea unos 656.25 gal de sangre por hora. **Halla el número de galones de sangre que bombea el corazón en 1 día.**

Fuente: *Reader's Digest's ABCs of the Human Body*

EN EQUIPO

Trabajen en grupos de tres. Hallen el número de veces que les late el corazón en 15 segundos tomándose el *pulso* durante 15 s. Cada pulsación corresponde a un latido. La parte interior de la muñeca o la parte superior del cuello son lugares adecuados para tomar el pulso.

• Anoten el número de latidos en 15s para cada persona y calculen los latidos por minuto.

• ¿Cuántas veces latirá el corazón de cada persona en 5 minutos?

• ¿Cuántas veces latirá el corazón de cada persona en 1 día? ¿Y en 1 semana?

PIENSA Y COMENTA

1. Explica cómo hallaron los latidos correspondientes a 5 minutos, 1 día y 1 semana.

Para expresar el número de minutos en que se produce una cierta cantidad de latidos se puede utilizar una **variable,** es decir, una representación del número. Supón que tu corazón late 72 veces por minuto. La *expresión algebraica* $72m$ representa el número de latidos en m minutos.

Para *evaluar* la expresión se reemplaza la variable m por un número. Para evaluar $72m$ siendo $m = 3$, se sustituye m por 3 y se obtiene la *expresión numérica* $72 \cdot 3$.

$$72m = 72 \cdot 3$$
$$= 216$$

Con $m = 3$, el *valor numérico* de la expresión $72m$ es 216.

2. ¿Por qué tienes que añadir el signo de multiplicación cuando sustituyes m por 3?

Las expresiones algebraicas pueden incluir más de una operación.

Si compras 4 cintas de video y una de música que cuesta \$7, la expresión algebraica $4v + 7$ representa el costo total.

3. ¿Qué operaciones hay en la expresión $4v + 7$?

4. Supón que cada video costara \$19.95. Usa la expresión $4v + 7$ para hallar el costo total.

5. Supón que tú y un amigo invitan a tres niños al cine. Sea a el precio de una entrada de adulto y c el de una entrada infantil.

   a. ¿Qué representa $2a$?

   b. ¿Qué representa $3c$?

   c. Evalúa $2a + 3c$ con $a =$ \$6 y $c =$ \$3.50.

La película "E.T." fue estrenada en 1982 y desde entonces ha recaudado más de \$225,000,000, cantidad que la convierte en una de las películas más taquilleras de la historia.

Fuente: *The Information Please Almanac*

Las expresiones algebraicas pueden también tener exponentes.

Ejemplo   Evalúa $4n^2 + p^2$ con $n = 3$ y $p = 1.5$.

$$4 \; \boxed{\times} \; 3 \; \boxed{x^2} \; \boxed{+} \; 1.5 \; \boxed{x^2} \; \boxed{=} \; \mathbf{38.25}$$

PONTE A PRUEBA

6. a. ¿Qué operación deberías hacer primero al evaluar la expresión $4 + 0.5n$ siendo $n = 3$?

   b. Halla el valor de la expresión.

7. Halla el valor de $12x \div 6y$ con $x = 3$ e $y = 1$.

8. Juan y su amiga Kayla coleccionan tapas de botellas. Juan tiene s cajas de zapatos llenas de tapas y Kayla tiene $2s$ cajas.

   a. ¿Quién tiene más tapas?

   b. ¿Cuántas cajas tiene Kayla si Juan tiene 1 caja?

   c. ¿Cuántas cajas tiene Kayla si Juan tiene 3 cajas?

POR TU CUENTA

Cálculo mental Evalúa cada expresión con $p = 4$ y $n = 6$.

9. $5p + 3$ **10.** $3p + n^2$ **11.** $p \times n$ **12.** $2 + 4n$

13. a. Evalúa $4n - n^2$ primero con $n = 4$ y después con $n = 2$.

   b. ¿Qué expresión tiene un valor más alto? Explica por qué.

Di si las expresiones son numéricas o algebraicas.

14. $4 + (3 \times 2)$ **15.** $6n + 5$ **16.** $a^2 \div 2$ **17.** $12 \div 6$

18. Por escrito Las expresiones $4y^2$ y $(4y)^2$ son diferentes. Considera el valor de cada una si $y = 5$ y explica por qué son diferentes.

19. Completa la tabla siguiente. Evalúa las expresiones sustituyendo cada variable por los dos valores situados a la izquierda.

	$t + 2$	$2(t - 1)$	$2t^2$	$2(2t)$
$t = 1.7$	■	■	■	■
$t = 2.04$	■	■	■	■

La Casa de la Moneda

La Casa de la Moneda estadounidense tiene instalaciones en Philadelphia, San Francisco, Denver y West Point, NY. Los bancos de la reserva federal distribuyen al público las monedas que allí se fabrican.

En 1991 se produjeron las siguientes cantidades de moneda:

9,324,386,076 monedas de 1¢
1,050,600,678 monedas de 5¢
1,528,461,114 monedas de 10¢
1,201,934,693 monedas de 25¢

Usa el artículo de arriba en los ejercicios 20 y 21.

20. a. La expresión algebraica que refleja el valor en dólares de n monedas de 5¢ es $0.05n$. Evalúa la expresión usando el número de monedas de cinco centavos fabricadas en 1991.

   b. ¿Qué preferirías tener: la cantidad equivalente a las monedas de 1¢ o la equivalente a las monedas de 5¢? ¿Por qué?

21. Una moneda de 10¢ tiene 0.053 pulgadas de grueso. ¿Cómo podrías averiguar si una columna formada con las monedas de 10¢ fabricadas en 1991 llegaría a la Luna?

22. Archivo de datos #1 (págs. 2–3) ¿A cuánto dinero equivale una pila de 2 pulg hecha con billetes de un dólar?

R^e_pa_s_o MIXTO

Los ejercicios 1 y 2 tratan sobre el rectángulo PQRS.

1. Halla $m\angle R$.

2. ¿Verdadero o falso? $\overline{SP}$ y $\overline{PQ}$ son paralelos.

Escribe las expresiones en forma exponencial.

3. $6 \times 6 \times 6 \times 6 \times 6$

4. $2.4 \times 2.4 \times 2.4 \times 2.4$

5. Para cambiar el aceite de su auto, Cindy necesita 5 ct de aceite. Si el aceite cuesta $1.09 el cuarto, ¿cuánto paga Cindy en total?

 En 1981 Elizabeth Jones se convirtió en la primera mujer encargada de la escultura y grabado en la Casa de la Moneda estadounidense. Su tarea consiste en diseñar y grabar monedas o medallas conmemorativas. También crea moldes para las monedas normales.

Fuente: *The Book of Women's Firsts*

3-10 **C**reación de expresiones algebraicas

PIENSA Y COMENTA

En las conversaciones comunes aparecen muchos conceptos matemáticos. Fíjate en las expresiones "matemáticas" de la siguiente charla.

—Hola, Frank, ¿qué tal ha ido el lavado de autos?

—¡Fabuloso, Gina! Hemos lavado 80 autos más que el año pasado y hemos ganado el doble.

—¡Estupendo! Eso significa que el viaje de la banda va a costar $2 menos por persona.

1. Identifica los conceptos matemáticos que hay en la conversación de Frank y Gina.

Aunque no sabes cuánto dinero ganó la banda el año pasado, puedes representar la cantidad conseguida este año mediante una expresión algebraica.

2. Si m representa el dinero ganado el año pasado, lo obtenido este año equivale a ■m.

3. Si c representa el número de autos lavados el año pasado, $c + $ ■ es el número de autos lavados este año.

Cuando conoces el valor de una variable puedes escribir una expresión numérica.

4. Supón que la banda ganó $240 lavando autos el año pasado. La expresión numérica del dinero obtenido este año es entonces ■ • 240.

5. Si se lavaron 50 autos el año pasado, la expresión numérica correspondiente a los autos lavados este año es 50 + ■.

6. Supón que t es el costo del viaje por persona antes del lavado de autos. Escribe la expresión algebraica correspondiente al costo del viaje después del lavado de autos.

Los estadounidenses gastan $2.5 millones diarios en el lavado de sus autos.

Fuente: *In One Day*

A la derecha aparece una lista de expresiones verbales "traducibles" al lenguaje algebraico.

Ejemplo   Convierte cada frase en una expresión algebraica.

Frase	Expresión algebraica
"Hay 20 menos." "Disminuye en 20." Halla la diferencia entre ese número y 20.	$n - 20$
"¿Me puede poner 10 más?" "Por favor, añada 10." "Auméntelo en 10, por favor."	$r + 10$
"Dobla esa cantidad, por favor." "Necesito el doble."	$2x$
"Divídanlo entre los cuatro." "¿Cuál es el cociente de s y 4?" Un cuarto de los estudiantes.	$s \div 4$

Términos	Operación
añadir	+
más	
suma	
aumentado por	
más que	
menos	−
diferencia	
restar	
menos que	
disminuido por	
producto	×
veces	
por	
cociente	÷
dividir	
entre	

7. Escribe una expresión algebraica que exprese "5 menos que un número".

8. a. Escribe una expresión algebraica que exprese el costo de p carteles a \$4 el cartel.

b. Escribe una expresión verbal equivalente a la algebraica.

c. Escribe una expresión numérica para el costo de 50 carteles a \$4 el cartel.

d. Escribe una expresión algebraica que exprese "p carteles repartidos entre 9 estudiantes".

9. Discusión ¿Para qué sirven las expresiones algebraicas?

EN EQUIPO

Trabaja con un compañero. Escriban cada expresión algebraica en forma verbal. Inventen después una historia usando las frases.

$3 \div n$ $n \div 3$ $3n$ $3 - n$

PONTE A PRUEBA

Escribe cada frase en forma numérica.

10. tres veces diecisiete

11. sesenta y siete menos que ochenta

Entre 1953 y 1991, Gwilym Hughes, de Gran Bretaña, vio un promedio de 528 películas al año. **¿Qué expresión algebraica podrías escribir para hallar la cantidad aproximada de películas que vio en un cierto número de años? ¿Cuántas películas vio en 38 años?**

Fuente: *The Guinness Book of Records*

Esta sección de una página de guía telefónica recoge 11 nombres en 1 pulg. Cada página tiene 4 columnas y mide 11 pulg de largo. ¿Qué expresión algebraica podrías escribir para hallar el número aproximado de nombres que hay en toda la guía?

 Para cubrir la longitud del Canal de la Mancha tendrías que nadar 1,470 largos en una piscina normal.

Escribe estas expresiones verbales en forma algebraica.

12. 9 menos que x

13. cuatro más que s

14. siete aumentado por y

15. el producto de 7 y t

16. Mario encontró s conchas en la playa y las compartió con su hermano a partes iguales. Escribe una expresión algebraica que represente el número de conchas que le tocó a cada uno.

POR TU CUENTA

Escribe estas expresiones algebraicas en forma verbal.

17. $4 \div n$ **18.** n^2 **19.** $n - 8.2$ **20.** $6.5 - n$

21. a. Hay b libros en un estante de la biblioteca. Escribe una expresión algebraica para los libros que hay en 275 estantes.

b. Evalúa la expresión con 25 libros por estante.

c. Pensamiento crítico ¿Te dará la evaluación de la expresión anterior la cantidad aproximada de libros en la biblioteca o la cantidad exacta? ¿Por qué?

Usa los datos del letrero de la izquierda en los ejercicios 22 y 23.

22. a. Escribe una expresión numérica para representar el número de ciruelas que hay en 5 cajas.

b. Escribe una expresión algebraica para representar el número de ciruelas que hay en p cajas.

23. Escribe una expresión algebraica para la suma del número de manzanas que hay en a bolsas y el número de tomates que hay en t cajas.

24. En 1926, Gertrude Ederle se convirtió en la primera mujer que cruzó el Canal de la Mancha a nado. Superó a los nadadores anteriores por 2 h.

a. Sea t el récord anterior. Escribe una expresión algebraica para el tiempo de Gertrude Ederle.

b. Por escrito Explica cómo te has decidido entre la suma y la resta al escribir la expresión algebraica.

c. El récord anterior era de 16.5 h. ¿Cuál es el tiempo de Gertrude Ederle?

25. Elige A, B, C o D. ¿Qué encontrarás en la expresión algebraica correspondiente a "un número al cuadrado aumentado por 3"?

A. multiplicación y resta

B. multiplicación y división

C. exponente y paréntesis

D. exponente y suma

26. Erik corta hierba para ganar algo de dinero. Cada día puede cortar el césped de un jardín al salir de la escuela. Los sábados y los domingos, puede cortar el césped de dos jardines.

a. Escribe una expresión numérica para la cantidad de jardines en los que Erik puede trabajar a lo largo de 1 semana.

b. Escribe una expresión algebraica para el número de jardines en los que puede trabajar a lo largo de w semanas.

c. Supón que Erik gana un promedio de $6 por jardín. Escribe una expresión numérica para la cantidad de dinero que gana en 1 semana.

d. Escribe una expresión algebraica para la cantidad de dinero que gana en w semanas.

Repaso MIXTO

Estima el resultado.

1. $239.6 - 118.43$

2. $26.92 + 13.267$

Evalúa con $p = 7$.

3. $p^2 - 2p$

4. $4(p - 2)$

5. Nicol ha leído las primeras 79 páginas de un libro. Cuando haya leído 17 páginas más habrá alcanzado la mitad del libro. ¿Cuántas páginas hay en el libro?

VISTAZO A LO APRENDIDO

1. Elige A, B, C o D. Una tienda de libros de uso pagó $250 por una colección de libros. La tienda vendió esa colección por $315. ¿Qué otra información necesitas para averiguar la ganancia que la tienda sacó por libro?

A. el valor por el que se aseguró la colección

B. el tiempo que pasó desde la compra hasta la venta

C. el número de libros que tiene la colección

D. Hay suficiente información para resolver el problema.

Evalúa. Pon una barra sobre los decimales periódicos.

2. 8.006×2.34 3. $20 \div 6$ 4. $4^2 + 25$

5. $3c - 8$ si $c = 6$ 6. $5 \times 2n^2$ si $n = 5$ 7. $6(5.7)$

Escribe estas expresiones algebraicas en forma verbal.

8. $p \times 3$ 9. $14 + s$ 10. $7 - t$

MATEMÁTICAS Y ELECTRICIDAD

3-11 Uso de decimales

En esta lección

- Usar decimales y variables para resolver problemas relacionados con la electricidad

Aparato	Vatiaje
Aire acondicionado	150
Reloj	2
Secadora	4,856
Ventilador	200
Secadora de cabello	1,235
Plancha	1,100
Microondas	1,450
Radio	71
Refrigerador	254
Estufa eléctrica	12,200
Televisor	145
Tostadora	1,146
VCR	45
Lavadora	512

 El mayor "apagón" ocurrido en Norteamérica se produjo entre el 9 y el 10 de noviembre de 1965. Unas 30,000,000 de personas se quedaron sin electricidad y la ciudad de Nueva York estuvo sin corriente durante 13.5 h.

Fuente: *The Guinness Book of Records*

PIENSA Y COMENTA

El **vatio** es una unidad de potencia eléctrica. La cantidad de vatios consumida por un aparato se llama **vatiaje.** A la izquierda aparecen los vatiajes medios por hora de varios aparatos.

1. ¿En qué se parecen los aparatos que consumen más de 1,000 vatios por hora?

2. **Estimación** ¿Cuánto más vatiaje que una lavadora consume una secadora?

3. ¿Cómo puedes calcular el vatiaje que consume un televisor en 3 h?

4. **a.** Escribe una expresión algebraica que represente el vatiaje consumido por un televisor en h horas.

   b. Evalúa tu expresión con $h = 2$, 4.5 y 3.75.

El número de *kilovatios-hora* consumidos determina la cantidad que se paga a la compañía de electricidad. Como el vatio es una unidad muy pequeña, las compañías de electricidad miden en *kilovatios* el consumo de sus clientes. Un **kilovatio** (kW) equivale a 1,000 vatios. Para calcular kilovatios-hora (kW•h) se usa esta fórmula.

$$\text{kW•h} = \frac{\text{vatiaje} \times \text{horas de consumo}}{1,000}$$

5. ¿Qué aparatos de la tabla consumen al menos 1 kW•h cada hora de funcionamiento?

6. ¿Cuántos kilovatios-hora ha consumido una estufa eléctrica que ha estado funcionando 1 h?

Si sabes el precio de la electricidad por kilovatio-hora (tarifa eléctrica), puedes usar la siguiente fórmula para determinar el precio de la energía que consumen los aparatos eléctricos:

$$\text{costo} = \text{kW•h} \times \text{tarifa eléctrica.}$$

7. La tarifa que paga Todd es de $.12 por kW•h. ¿Cuánto le cuesta el funcionamiento de su estufa eléctrica durante 1 h?

Hagan esta actividad en grupos de tres o cuatro.

• Elijan tres aparatos de la tabla que todos los miembros del grupo tengan en casa.

• Estimen el número de horas que cada aparato funciona en la casa de cada uno durante un período de 24 horas.

• Hagan una tabla con los tres aparatos. Junto a cada aparato escriban el nombre de la persona correspondiente y las horas de funcionamiento diario.

8. Escriban y evalúen expresiones numéricas que representen el número de kilovatios consumidos por cada aparato en 1 h.

9. a. Escriban expresiones algebraicas que representen los kilovatios consumidos por cada aparato en x horas.

   b. Evalúen las expresiones algebraicas usando el número de horas de funcionamiento estimado por cada persona.

10. Supongan que la tarifa eléctrica en su ciudad es de $.10 por kW•h. ¿Cuánto les cuesta diariamente el funcionamiento de cada aparato?

 La planta hidroeléctrica Raúl Leoni, en Guri, Venezuela, es actualmente la central eléctrica más grande del mundo: su capacidad es de 10,300,000 kW. Llamamos "capacidad" a la cantidad máxima de electricidad que puede producirse cada día, no a la que realmente se produce. **¿Cuánto tardaría una estufa eléctrica en consumir 10,300,000 kW?**

Fuente: *The Guinness Book of Records*

POR TU CUENTA

11. Raquel averiguó que su familia usaba el microondas unas 2 h a la semana.

    a. ¿A cuántos kW•h equivale esto?

    b. ¿Cuál es costo semanal si el precio del kW•h es de $.11?

12. Escribe una expresión algebraica que represente lo que cuesta usar una secadora de cabello durante d horas si la tarifa es de $.13 por kW•h.

13. Escribe una expresión algebraica que represente lo que cuesta usar un ventilador eléctrico durante f horas si la tarifa es de $.13 por kW•h.

14. **Por escrito** Explica cómo se podría ahorrar electricidad en tu casa. Podrías considerar la posibilidad de limitar el uso de ciertos aparatos o la opción de utilizar aparatos no eléctricos.

Nombra la propiedad aplicada.

1. $8.3 \times 53 = 53 \times 8.3$

2. $89.3 \times 1 = 89.3$

Escribe una expresión algebraica para cada frase.

3. r dividido por ocho

4. quince menos que c

5. Unos 5^3 millones de norteamericanos vieron el último episodio de la serie M*A*S*H el 28 de febrero de 1983. La población de EE.UU. era en aquel momento de 230 millones de personas. ¿Cuántos habitantes de EE.UU. no vieron este último episodio?

Usa esta factura de electricidad para hacer los ejercicios 15–17.

Cliente: Joan P. Mayer
367 Livingston Ave.
Minnetonka, MN

ELECTRICIDAD CONSUMIDA		COSTO DE LA ELECTRICIDAD	
ABR 23 Lectura estimada	11742	Mínimo mensual	$5.78
MAR 23 Lectura del contador	11230		
		Costo del consumo realizado	
kW•h consumidos en este período	512*	512* kW•h @ $0.106733	◼
kW•h/DÍA - Período actual	16.5		
kW•h/DÍA - Mismo período del año anterior	27.2		
Próxima lectura del contador MAY 23		**TOTAL**	◼

*Consumo estimado

UN GRAN FUTURO

Escritora

Quisiera que mi futura profesión fuera la de escritora. Conseguir que miles de pequeñas letras negras se agrupen para formar algo, un libro, por ejemplo, me parece algo maravilloso. Escribir también me interesa porque creo que la palabra escrita es prácticamente el único medio que hace posible transmitir ideas y sentimientos a otras personas sin siquiera verlas. Pienso que este trabajo no puede enseñarse y, por lo tanto, que la única manera de aprenderlo es seguir escribiendo. También creo, sin embargo, que el estudio de la gramática puede serme muy útil. Escribir historias es para mí una afición que ojalá se convierta en profesión.

Jill Danek

15. a. Calcula lo que le ha costado la electricidad a Joan durante este período. Redondea el resultado al centavo más cercano.

b. ¿Qué cantidad debe pagar?

c. ¿Cuál es el costo medio diario de la electricidad consumida por Joan?

16. Compara los kilovatios-hora consumidos al día durante este período con los consumidos durante el mismo período el año anterior. ¿Qué podría explicar el cambio en el consumo?

17. En la tabla de la derecha se indica cuánta electricidad ha consumido Joan mensualmente el año anterior.

a. Discusión ¿En qué estación del año es más elevado su consumo?

b. ¿Qué influencia puede tener el lugar donde vive Joan en su gasto de electricidad?

18. Investigación Averigua por qué la compañía de electricidad incluye un mínimo mensual en la factura.

kW•h al mes			
Mayo	500	Noviembre	691
Junio	513	Diciembre	709
Julio	558	Enero	715
Agosto	595	Febrero	725
Septiembre	542	Marzo	625
Octubre	526	Abril	512

Querida Jill,

Cuando fui a la universidad tenía intención de ser científica y estudié astronomía, matemáticas y física. Aunque siempre me ha encantado leer, nunca seguí cursos de literatura o redacción. Los únicos profesores que me han orientado por el camino de las letras son los grandes escritores que descubrí en los libros: Jane Austen, Charles Dickens, A.A. Milne, Robert McCloskey, T. H. White.

Pero la formación científica no ha resultado inútil, pues me ha enriquecido con una visión muy particular del mundo, y todo lo que hay en la cabeza de un escritor llega a sus obras tarde o temprano. Me gusta tu insistencia en que la única manera de aprender a escribir bien es escribir sin descanso; no obstante, recuerda que la lectura puede proporcionarte conocimientos y recursos extraordinariamente valiosos. De grandes lectores nacen los escritores.

Jane Langton
Escritora

En conclusión

Estrategias de estimación   3-1, 3-2

Para estimar con decimales puedes usar el redondeo, la estimación por la izquierda, la agrupación o números compatibles.

Usa cualquier estrategia para estimar el resultado. Di después qué estrategia usaste.

1. $50.3 \div 6.9$ **2.** $1.46 + 4.38$ **3.** $8.2 + 7.8 + 8.123 + 8.392 + 7.989 + 8.01$

Propiedades   3-3, 3-5, 3-7

Para evaluar una expresión puedes cambiar el orden de los términos, aplicando la propiedad conmutativa. Usa la propiedad asociativa para cambiar la agrupación.

Para evaluar una expresión con paréntesis puedes aplicar la propiedad distributiva asignando el factor correspondiente a cada uno de los términos agrupados.

Usa las propiedades estudiadas para hallar los números que faltan. Identifica la propiedad que has usado.

4. $6(3.2) = \blacksquare(3) + 6(\blacksquare)$

5. $8.6 + 9.2 = \blacksquare + 8.6$

6. $(3.8 + 2) + 3 = 3.8 + (2 + \blacksquare)$

7. $8.2 \times \blacksquare = 5.9 \times 8.2$

8. $(7 \times \blacksquare) \times 1 = 7 \times (3.2 \times 1)$

9. $5(8.1 + 6.2) = 5(\blacksquare) + 5(\blacksquare)$

Decimales exactos y periódicos   3-6

Decimos que un decimal es *exacto* cuando tiene un límite. Si en el decimal hay un dígito o una serie de dígitos que se repite de forma constante decimos que el decimal es *periódico*.

10. Divide el 1 por cada número entero del 1 al 10. ¿Qué divisores tienen cocientes periódicos? ¿Cuáles tienen cocientes exactos?

11. Por escrito ¿Es periódico el decimal 0.05055055505555 . . . ? Explica por qué.

Exponentes

El *exponente* se usa para indicar una multiplicación repetida. Por ejemplo, la forma exponencial de $2 \times 2 \times 2 \times 2 \times 2$ es 2^5. Su forma normal es 32.

Escribe las potencias siguientes en forma normal y como series de factores.

12. 2^3　　　　**13.** 9^4　　　　**14.** 3^7　　　　**15.** 0.2^3　　　　**16.** 0.12^2

Expresiones algebraicas

Llamamos *variable* al símbolo que representa a cierto valor. Las *expresiones algebraicas* contienen al menos una variable. Para evaluar una expresión algebraica se sustituye la variable por el número correspondiente a su valor.

Evalúa estas expresiones con $x = 3$ e $y = 5$.

17. $6x + 9$　　　　**18.** $3 + 8y$　　　　**19.** $x \cdot y$　　　　**20.** $2x + y^2$

Escribe estas expresiones verbales en forma algebraica.

21. n menos que 8　　　　**22.** el producto de 6 y c　　　　**23.** 6 más que el doble de n

Estrategias y aplicaciones

Antes de empezar a resolver un problema debes decidir si tienes suficiente información, demasiada información o información insuficiente.

24. María paga una tarifa eléctrica de \$.14 por kW•h. ¿Cuánto le cuesta el funcionamiento de su refrigerador durante 3 horas?

   a. Di qué información falta.

   b. Averigua los datos que faltan y resuelve el problema.

PREPARACIÓN PARA EL CAPÍTULO 4

Escribe la expresión algebraica correspondiente a cada situación.

1. el precio de c cintas de música a \$8 la cinta

2. un disco compacto que cuesta \$2 más que d dólares

3. 4 lápices menos que los n lápices en una caja

4. n lápices distribuidos entre 4 amigos

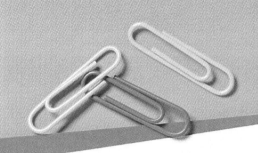

cierra el caso

Hagamos negocio

Al principio del capítulo consideraste la posibilidad de abrir un negocio. Ha llegado el momento de solicitar un préstamo bancario para poner en marcha la empresa. Si es necesario, revisa la descripción inicial de su funcionamiento basándote en lo que has aprendido a lo largo del capítulo. Después, prepara un plan de actividades para presentárselo a la persona encargada de estudiar tu solicitud. Las siguientes sugerencias te pueden ser útiles.

✓ Haz una gráfica.

✓ Prepara una hoja de cálculo.

✓ Haz una presentación oral.

Los problemas precedidos por la lupa (pág. 96, #26; pág. 104, #20 y pág. 119, #31) te ayudarán a realizar la investigación.

Extensión: Muchas personas se inician en los negocios comprando una concesión (en inglés, "franchise"). ¿Qué es una concesión? ¿Qué debe hacer un individuo para convertirse en dueño de una concesión?

Puedes consultar:

- al dueño de un negocio perteneciente o asociado a una cadena nacional

Descifra la cifra

En las criptosopas las letras reemplazan a los números (o viceversa). Transforma la criptosopa siguiente en una operación aritmética.

$$\begin{array}{r} MI \\ \times\ CA \\ \hline SA \\ EIC \\ \hline ELLA \end{array}$$

Cuando hayas determinado los números de esta criptosopa, invéntate otra para mostrársela a la clase.

El grueso del papel

El papel ha estado sin duda presente a lo largo de tu vida, ¿pero te has preguntado alguna vez cuál es el grueso de una hoja de papel? La respuesta, por supuesto, depende del tipo de papel. Piensa en un método para medir el grueso de una hoja de cuaderno a la milésima de pulgada más cercana. Mide sólo cuando estés seguro de que tu método es razonable. Compara la hoja de cuaderno con cartulina, papel de calcar, papel de periódico, las páginas de un libro o cualquier otra clase de papel. Ordena los gruesos en una tabla, de mayor a menor.

A galope tendido

El caballo no es el animal más rápido, pero los seres humanos siempre han admirado su velocidad. ¿Cuál es la velocidad máxima que puede alcanzar un caballo? Las distancias recorridas en las carreras se miden en "estadios". Investiga los tiempos de los caballos en el Kentucky Derby. ¿Qué caballo posee el récord? ¿Qué tiempo tuvo? Conviértelo a millas por hora y redondea a la décima de milla más cercana.

JUEGO DE GAMAS

Para jugar a este juego se necesitan dos personas con una calculadora.

El Jugador 1 anota dos números de 4 dígitos cuya gama sea 100. Por ejemplo, 3,500 y 3,600.

El Jugador 2 elige un número de dos dígitos y lo marca en la calculadora.

Los Jugadores 1 y 2 se turnan para multiplicar el número de la calculadora por cualquier número entero o decimal. Gana el primero en conseguir un producto situado entre los dos números iniciales.

Utiliza tus destrezas de estimación; no calcules con lápiz y papel.

A golpe de pelota

Cada año se imprimen, venden o intercambian millones de tarjetas de béisbol. En el reverso de estas tarjetas puedes hallar las estadísticas de las carreras profesionales de los jugadores (promedios de bateo, promedios de carreras limpias, etc.). Averigua cómo se calculan estos datos. Prepara un cartel o cualquier tipo de exhibición para comparar a los grandes jugadores de antaño con las actuales estrellas. Si juegas al béisbol o al softball, registra los datos correspondientes a tu próxima temporada.

1. Redondea cada número al valor de las décimas.

   a. 0.571034   **b.** 26.095   **c.** 501.9386

2. Según el último estado de cuenta que recibió Rhea Medeiros, tenía $213.15 en su cuenta. Si ha firmado dos cheques, uno por $68.94 y otro por $128.36, ¿cuál es el balance actual de la cuenta?

3. Estima por la izquierda la suma de los siguientes precios de comestibles: $7.99, $2.79, $4.15, $2.09.

4. **Estimación** Usa cualquier método.

   a. 289.76 − 52   **b.** 8.7891 − 3.493

   c. 68.5 ÷ 7.02   **d.** 97.60 • 3.4

   e. 21.15 + 19.38 + 20.046 + 22.07

5. **Por escrito** Alison tiene que elegir entre dos trabajos para el verano. En la gasolinera trabajaría 18 h/semana a $5.20/h; cuidando niños trabajaría 25 h/semana a $3.75/h. ¿Qué trabajo escogerías si estuvieras en su lugar? ¿Por qué?

6. Usa papel cuadriculado para dibujar modelos de 0.65, 0.25 y 0.50. Luego, usa $<$, $>$ ó $=$ para comparar los decimales.

7. Divide. Usa una barra para indicar los decimales periódicos.

   a. 1.9 ÷ 1.8   **b.** 51 ÷ 3   **c.** 1.2 ÷ 0.3

8. Convierte cada frase en una expresión algebraica.

   a. el doble de un número sumado a 6.5

   b. 35.9 menos que un número

   c. el cociente de r y cuatro

   d. s disminuido por x

9. Durante un concierto de dos días, hubo el doble de asistentes el sábado que el viernes. Sea p el número de personas que asistieron el viernes. Escribe la expresión algebraica correspondiente a los asistentes del sábado.

10. Evalúa $7n^2 - 3y^2$ si $n = 6.8$ e $y = 3.5$.

11. **Por escrito** Explica cómo enseñarías a alguien a multiplicar 7 por 2.5 usando la propiedad distributiva.

12. La familia de Carlos compró un aparato de aire acondicionado de 150 vatios. Durante una ola de calor de nueve días, el aparato estuvo funcionando 8 h diarias. Si la tarifa eléctrica es de $.12 kW•h, ¿cuánto les costó mantener la casa fresca durante la ola de calor?

13. **Cálculo mental** Usa la propiedad distributiva para hacer estas evaluaciones.

    a. 6(10.5)   **b.** 3(98)   **c.** (7.3)6

14. **Elige A, B, C o D.** Cuatro bolsas de manzanas pesan 3.5, 3.8, 4.2 y 3.5 lb. ¿Cuál es la mediana de los pesos?

    A. 3.5   **B.** 3.65   **C.** 3.75   **D.** 3.8

15. ¿Qué información necesitas para resolver este problema? En los Juegos Olímpicos de 1992, el nadador estadounidense Pablo Morales ganó la medalla de oro en 100 m mariposa con un tiempo de 53.32 s. En los Juegos Olímpicos de 1972, Mark Spitz ganó el mismo evento deportivo. ¿Quién obtuvo el mejor tiempo y cuál es la diferencia entre las marcas?

Repaso general

Elige A, B, C o D.

1. ¿Qué expresión algebraica corresponde a la frase "aumenta *r* por 2"?

   A. $2r$ **B.** $r - 2$ **C.** $r + 2$ **D.** $r \cdot 2$

2. Después de redondear, Ester ha obtenido la suma 5. ¿Qué números ha sumado?

   A. $4.23 + 7.8$ **B.** $3.95 + 2.25$

   C. $2.37 + 2.07$ **D.** $2.35 + 2.73$

3. ¿Cuál es la cantidad máxima de entradas de cine que puedes comprar si tienes $33.48 y cada entrada cuesta $6.75?

   A. 3   **B.** 4   **C.** 5   **D.** 6

4. ¿Qué dos líneas se cortan en la figura de la derecha?

   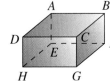

   A. $\overleftrightarrow{AB}, \overleftrightarrow{CG}$

   B. $\overleftrightarrow{DH}, \overleftrightarrow{FB}$ **C.** $\overleftrightarrow{AE}, \overleftrightarrow{AB}$ **D.** $\overleftrightarrow{HG}, \overleftrightarrow{EF}$

5. Nombra la propiedad de la suma ilustrada por la siguiente ecuación.
   $0.8 + (1.6 + 4.2) = 0.8 + (4.2 + 1.6)$

   A. Propiedad de identidad

   B. Propiedad conmutativa

   C. Propiedad asociativa

   D. Propiedad distributiva

6. ¿Qué dos números están entre 6^3 y 6^4?

   A. 3^6 y 4^6 **B.** 5^3 y 5^4

   C. 7^2 y 7^3 **D.** 4^5 y 5^4

7. ¿Cuánto es $0.3 \times 0.3 \times 30$?

   A. 30   **B.** 27   **C.** 9   **D.** 2.7

8. ¿Qué dos ángulos son adyacentes en el diagrama de la derecha?

   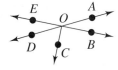

   A. $\angle EOD, \angle DOC$ **B.** $\angle BOC, \angle BOD$

   C. $\angle AOE, \angle BOC$ **D.** $\angle AOB, \angle EOD$

9. ¿Cúal es una forma exponencial de 64?

   A. 2^6 **B.** 4^3 **C.** 8^2

   D. todas las potencias anteriores

10. ¿Qué información *no* aparece en la gráfica de abajo?

    A. En el zoológico hay aproximadamente tantos pájaros como anfibios.

    B. Hay más animales de granja que animales salvajes.

    C. Los reptiles están incluidos en la categoría "otros".

    D. Hay menos pájaros que animales de granja.

    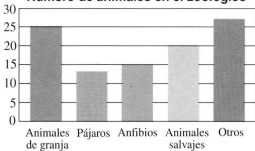

Introducción al álgebra

Una familia de cuatro personas gasta un promedio de $189.70 diarios y recorre un promedio de 100 mi/día durante sus vacaciones.

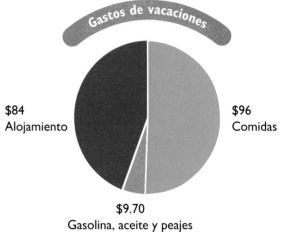

Gastos de vacaciones

$84
Alojamiento

$96
Comidas

$9.70
Gasolina, aceite y peajes

Fuente: *AAA World*

¿Ha estado alguna vez en Washington, D.C.?

Edad	Sí		No	
	Hombres	**Mujeres**	**Hombres**	**Mujeres**
21-34	86	75	14	25
35-44	66	71	34	29
45-54	58	43	42	57
55+	40	67	60	33
Total	63	57	37	43
porcentaje	**60**		**40**	

Fuente: *The First Really Important Survey of American Habits,* Mel Poretz y Barry Sinrod

La compañía de ferrocarril Japón Este transportó 14,660,000 pasajeros al día durante 1989. Ese año, los viajeros olvidaron en el tren 377,712 paraguas, 141,200 prendas de vestir, 143,761 libros, 89,799 monederos y 4,359 accesorios diversos.

Tasas de cambio

Valor de $1 en varios países en un día determinado.

Moneda extranjera	Valor/dólar de EE.UU.
Australia (dólar)	1.4650
Gran Bretaña (libra)	0.6768
Canadá (dólar)	1.2776
Francia (franco)	5.7065
Alemania (marco)	1.6962
Grecia (dracma)	230.90
Israel (sheqel o siclo)	2.7670
Italia (lira)	1,533.37
Japón (yen)	110.87
México (peso)	3.1105
España (peseta)	129.30
Suiza (franco)	1.5110

Fuente: *The Wall Street Journal*

Archivo de datos #4

EN ESTE CAPÍTULO

- representarás y estudiarás los números enteros
- representarás, escribirás y resolverás ecuaciones
- usarás tecnología para explorar los números enteros
- resolverás problemas usando tablas

Línea de cambio de fecha

Primer meridiano

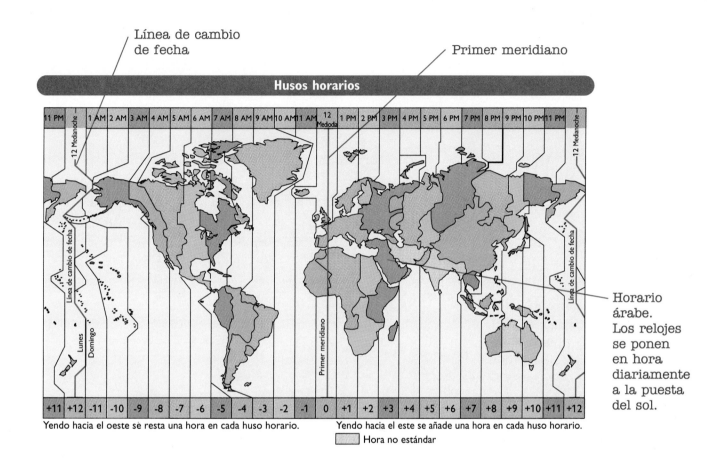

Husos horarios

Horario árabe. Los relojes se ponen en hora diariamente a la puesta del sol.

Yendo hacia el oeste se resta una hora en cada huso horario.   Yendo hacia el este se añade una hora en cada huso horario.

Hora no estándar

Lugares visitados por los estadounidenses en un año reciente

	Número de personas
Suiza	751,000
República Dominicana	1,004,000
Bahamas	1,011,000
Japón	1,103,000
Italia	1,166,000
Francia	1,681,000
Alemania	1,877,000
Gran Bretaña	2,943,000
Canadá	12,689,000
México	16,380,000

Fuente: *AAA World*

in Vestigación

Informe

Para este proyecto, necesitarás una balanza sencilla para pesar monedas de 1¢. La que aparece en la fotografía tiene las características básicas que necesitas. Su eje es un lápiz colocado bajo el punto medio (que llamaremos "punto cero") de una regla. Ésta debe estar numerada de cero a doce en ambas direcciones. Prueba tu balanza colocando una moneda de 1¢ en el siete del brazo izquierdo y después otra en el siete del brazo derecho. ¿Recupera el equilibrio? Haz pruebas similares para practicar el uso de la balanza.

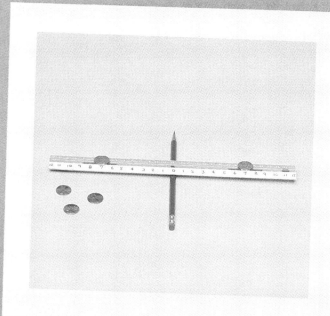

Misión: Experimenta con tu balanza. Coloca distintas cantidades de monedas de 1¢ en diferentes puntos de la balanza y averigua lo que debes hacer para que la regla se equilibre. Explica la relación que observas entre la posición de las monedas y el equilibrio de la balanza.

Sigue estas pistas

✓ ¿Cómo puedes equilibrar la balanza si pones una moneda de 1¢ en un brazo y dos, tres o más monedas de 1¢ en el otro?

✓ ¿Qué debes hacer en un brazo de la balanza para contrapesar monedas situadas en dos puntos distintos del otro brazo?

En esta lección

• Hallar el valor absoluto y el número opuesto de un número entero

• Registrar y ordenar números enteros en una gráfica

¡RECUERDA!

Los números positivos se pueden escribir con o sin el signo "+".

$$5 = +5$$

¡RECUERDA!

Los números naturales son 0, 1, 2, 3, . . .

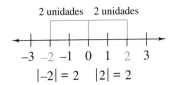

$$|-2| = 2 \quad |2| = 2$$

PIENSA Y COMENTA

"Abríguense bien, amigos, porque mañana la temperatura no pasará de cinco grados sobre cero, y cuando despierten rondará los cinco grados bajo cero."

La temperatura sobre cero puede escribirse como +5°C ó 5°C. La temperatura bajo cero se escribe −5°C. Los números 5 y −5 se leen así: 5 *positivo* y 5 *negativo*.

Un termómetro colocado en posición horizontal parece una recta numérica. Puedes registrar 5 y −5 en esta recta numérica.

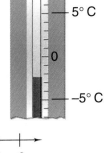

1. ¿Cuántas unidades hay entre 0 y 5? ¿Cuántas hay entre 0 y −5?

Dos números son **opuestos** cuando están en distinta dirección pero a la misma distancia de 0 en la recta numérica. Los números 5 y −5 son opuestos. Al conjunto de los **números enteros** pertenecen tanto los números naturales como sus opuestos.

2. ¿Qué dos números enteros están a 6 unidades de 0 en la recta numérica?

El **valor absoluto** de un número entero es su distancia de 0 en la recta numérica. Ese valor es siempre positivo. Como −2 está a 2 unidades de 0, $|-2|$ es 2. La expresión $|-2|$ se lee "el valor absoluto de −2".

3. **a.** Escribe $|-4|$ en palabras.

   b. Halla $|-4|$.

4. ¿Qué dos números tienen el valor absoluto de 1?

5. ¿Puede el valor absoluto de un número ser −3? ¿Por qué?

¡RECUERDA!

El símbolo < significa *es menor que*. El símbolo > significa *es mayor que*.

En una recta numérica horizontal, el valor de los números aumenta de izquierda a derecha.

Ejemplo ¿En qué ciudad hace más frío: en St. Paul o en Madison?

• Halla -7 y 1 en una recta numérica.

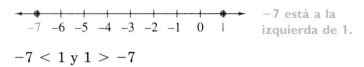

-7 está a la izquierda de 1.

$$-7 < 1 \text{ y } 1 > -7$$

En St. Paul hace más frío que en Madison.

6. Completa usando $<$, $>$ ó $=$: 5 ■ -8

7. Ordena -9, 6, 0, -4 y 1 de menor a mayor.

PONTE A PRUEBA

Nombra el número entero representado por cada punto de la recta numérica.

8. A **9.** B

10. C **11.** D

12. ¿Qué dos puntos representan números opuestos en la recta numérica anterior?

13. Traza una recta numérica y registra los siguientes puntos: -3, 7, 4, -1 y 0.

Escribe el número entero correspondiente a cada situación.

14. una deuda de $20

15. 101 grados de fiebre

¿QUÉ? El punto de ebullición del agua en grados Fahrenheit es 212°. En grados Celsius es 100°. **¿Qué escala se usa cuando se dice que un niño tiene una fiebre de 101°?**

POR TU CUENTA

16. Explica cómo usarías una recta numérica para distinguir el número mayor entre -3 y -9.

17. a. ¿Qué número entero es mayor: -43 ó 22?

b. ¿Qué número entero tiene mayor valor absoluto: -43 ó 22?

18. ¿Qué número entero es su propio opuesto?

Escribe el número entero que representa cada situación.

19. Geografía física La ciudad de New Orleans, Lousiana, está a 8 pies bajo el nivel del mar.

20. a. Astronomía La temperatura de la superficie en la cara iluminada de la Luna, 210°F, es casi igual a la del agua hirviendo en la Tierra.

   b. Astronomía La temperatura superficial en la cara oscura de la Luna es de unos 240°F bajo cero.

Registra estos números enteros y sus opuestos en una recta numérica.

21. −5　　　**22.** 4　　　**23.** −8　　　**24.** 3

Compara. Usa <, > ó =.

25. 10 ▉ −10　　**26.** |12| ▉ |−12|　　**27.** −6 ▉ −2　　**28.** 0 ▉ −14

29. a. ¿Cuál es el número opuesto del opuesto de 8?

   b. Marca 8 en la calculadora. Aprieta ⊞ (la tecla para cambiar de signo) tres veces. ¿Qué relación hay entre los cuatro números?

   c. Por escrito Describe el número opuesto del opuesto de cualquier número. Da ejemplos para ilustrar tu descripción.

30. Escribe los números enteros que representan las temperaturas de Marte mencionadas en el artículo de la derecha.

31. Investigación Averigua la temperatura máxima y la temperatura mínima en la superficie de otros dos planetas.

Escribe un número entero que haga válida a cada afirmación.

32. −7 < ▉　　**33.** ▉ > −9　　**34.** |12| < ▉　　**35.** −15 > ▉

36. a. Pensamiento crítico Escribe tres números situados entre −3 y −4.

   b. ¿Son enteros los números que has escrito? ¿Por qué?

37. Por escrito Tienes un amigo que no sabe ordenar números enteros. Explícale cómo se ordenan los siguientes de menor a mayor:

$$-32 \quad 12 \quad 0 \quad -4 \quad 22$$

R^epaso **MIXTO**

Redondea al valor subrayado.

1. 6.86<u>7</u>7　　**2.** 0.4<u>8</u>32

Evalúa con $h = 8.2$.

3. $2h - 5.5$

4. $418.2 \div 3h$

5. Dentro de 20 años, Nelson tendrá el triple de años que ahora. ¿Qué edad tiene Nelson?

El planeta rojo

En 1971, la nave espacial no tripulada Mariner 9 transmitió datos y fotografías desde las proximidades de Marte. Los astrónomos descubrieron que la temperatura del planeta más cercano a la Tierra oscilaba entre 68°F bajo cero durante el día y 176°F bajo cero durante la noche. El planeta tiene una superficie rojiza, rocosa y desértica muy similar a la imaginada por los científicos y escritores de ciencia ficción.

4-2 **R**epresentación de números enteros

VAS A NECESITAR

✓ Fichas de álgebra

✓ Cubos numerados

PIENSA Y COMENTA

Fichas de álgebra como las de abajo pueden ayudarte a comprender los números enteros.

1 ■ -1

positivo   negativo

1. Escribe el número entero representado por cada conjunto de fichas.

a.   b. ■ ■ ■

c. ■   d.

2. Dibuja un conjunto de fichas para representar cada número entero y su opuesto.

a. -2 b. 4 c. -7 d. 3

Un conjunto de un número igual de fichas positivas y negativas representa cero.

■ representa cero o + ■ $= 0$.

3. Supón que tienes 8 fichas positivas. ¿Cuántas fichas negativas necesitas para representar cero?

4. Supón que tienes 5 fichas negativas. ¿Cuántas positivas necesitas para representar cero?

5. Combina fichas para representar cero con números opuestos. Escribe el número entero representado por las fichas que sobran.

a.   b.

6. ¿Se puede representar cero con un número impar de fichas? ¿Por qué?

7. Si se utilizan todas las fichas, ¿qué número entero está representado por 7 fichas negativas y 3 positivas?

8. Si se utilizan todas las fichas, ¿qué número entero está representado por 2 fichas negativas y 5 positivas?

Jaime Escalante probó a los estudiantes de la escuela Garfield de Los Ángeles que con dedicación y perseverancia "se puede alcanzar cualquier objetivo en la vida". Los 18 estudiantes que asistieron a su primer curso de cálculo aprobaron el examen Advanced Placement de cálculo universitario y siete de ellos obtuvieron excelentes notas.

Fuente: *Reader's Digest*

Trabaja con un compañero. Necesitan una bolsa de fichas de álgebra y dos cubos numerados. Túrnense en lanzar los cubos.

- Lancen los cubos y, sin mirar, saquen de la bolsa tantas fichas como indique el número obtenido. Por ejemplo, si sale un 7, saquen 7 fichas.

- Hallen el número entero representado por las fichas y escríbanlo en una tabla como la de la derecha. Usen <, > ó = para comparar los números enteros. La persona que obtenga el valor más bajo se anota 1 punto.

- Repitan la operación hasta que uno de ustedes consiga 10 puntos.

Jugador 1	Jugador 2	
−5	3	−5 < 3

POR TU CUENTA

Nombra el número entero representado por cada conjunto de fichas.

9.

10.

11.

12.

13.

14.

15. **a.** Elige tres números enteros. Dibuja las fichas que representan a cada número y a su opuesto.

b. ¿Qué número se representa al combinar las fichas de un entero con las de su opuesto?

Usa fichas para representar cada número de varias maneras.

16. 7   17. −1   18. −6   19. 2

20. **Por escrito** Explica cómo se halla el número entero representado por 6 fichas positivas y 9 negativas.

21. ¿Qué número entero puedes representar con 24 fichas positivas y 32 negativas?

22. El número entero 7 está representado por un conjunto de fichas de las que 4 son negativas. ¿Cuántas fichas positivas tiene el conjunto?

23. **Pensamiento crítico** Explica cómo se puede representar $|-8|$ con 12 fichas.

Repaso MIXTO

Estima los resultados.

1. 14.98 + 36.201

2. 15.013 • 3.86

Compara. Usa <, > ó =.

3. −4 ■ −10

4. 5 ■ −6

5. $|-3|$ ■ $|3|$

6. $|16|$ ■ $|-23|$

7. Las páginas de un libro están numeradas consecutivamente del 1 al 128. ¿En cuántos números de página aparece el dígito 6?

• Sumar números enteros usando fichas de álgebra

VAS A NECESITAR

✓ Fichas de álgebra

✓ Calculadora

P I E N S A Y C O M E N T A

Supón que a un amigo le has prestado primero $5 y luego $3 más. Puedes usar fichas rojas para saber cuánto te debe. Cada ficha roja representa un dólar que te debe tu amigo.

$$-5 \;+\; (-3) \;=\; \blacksquare$$

1. ¿Qué número debe aparecer en el cuadro gris?

2. Usa fichas para hallar las siguientes sumas.

   a. $-4 + (-6)$ **b.** $-1 + (-8)$ **c.** $-5 + (-2)$

3. ¿Qué signo lleva la suma de dos números enteros negativos?

4. **a.** Escribe el enunciado numérico correspondiente a la siguiente suma.

   b. ¿Qué signo lleva la suma de dos números enteros positivos?

5. Completa la proposición siguiente con la palabra apropiada: Para sumar dos números enteros con el mismo signo se suman sus valores absolutos. La suma tiene ■ signo que los sumandos.

Supón ahora que el amigo a quien le prestaste $8 te devuelve $3. Las fichas rojas representan la cantidad prestada y las amarillas la cantidad devuelta.

$$-8 \;+\; 3 \;=\; \blacksquare$$

Las 3 fichas positivas y 3 de las negativas forman un par de opuestos.

6. **a.** ¿Qué número va en el cuadro gris?

   b. ¿Cuánto te debe tu amigo ahora?

NUESTRA DEUDA NACIONAL:
$???????????
Porción de TU familia $??????
MARCADOR DE LA DEUDA

Deuda nacional de Estados Unidos

Miles de millones de dólares

3,500
3,000
2,500
2,000
1,500
1,000
500
0

1960 1970 1980 1990

Año

Estima la cantidad correspondiente a cada uno de los años registrados.

Para representar la suma de números enteros puedes usar también una recta numérica.

Ejemplo 1   Usa una recta numérica para hallar −6 + 4.

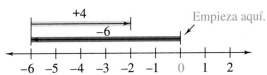

Paso 1   Empieza en el 0. Para representar −6, "retrocede" 6 unidades a la *izquierda* hasta alcanzar el 6 *negativo*.

Paso 2   Para representar la suma de +4, "avanza" 4 unidades a la *derecha* hasta alcanzar el 2 *negativo*.

−6 + 4 = −2

Sugerencia para resolver el problema

La flecha inferior corresponde al primer número entero de la operación.

7. Escribe las expresiones numéricas correspondientes a estas representaciones.

a.

b.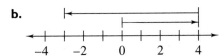

c. ¿Cuál es el signo del número entero con mayor valor absoluto en cada expresión?

d. Usa los modelos para hallar las sumas.

e. ¿Cuál es el signo de cada resultado?

f. ¿Qué sumando tiene el mismo signo que la suma?

8. Escribe las expresiones correspondientes a estas sumas.

a.

b.

c. ¿Cuál es el signo del número entero con mayor valor absoluto en cada expresión?

d. Usa los modelos para hallar las sumas.

e. ¿Cuál es el signo del resultado en cada expresión?

f. ¿Qué sumando tiene el mismo signo que la suma?

9. Elige la palabra adecuada para completar la siguiente afirmación:

Para sumar dos números enteros con signos diferentes hay que hallar primero sus valores absolutos. Después se resta el valor absoluto menor del valor absoluto mayor. La suma tiene el mismo signo que el sumando con el *(menor, mayor)* valor absoluto.

Si un modelo no te resulta útil o conveniente para sumar números enteros, puedes hacerlo siguiendo la proposición de la pregunta 9.

Ejemplo 2

La temperatura en Barrow, Alaska, subió 17°F a lo largo del día. La temperatura mínima fue de −45°F. ¿Cuál fue la temperatura máxima del día?

- Debes hallar (−45) + 17.

$$|17| = 17 \quad |-45| = 45 \qquad \text{Halla los valores absolutos.}$$

$$45 - 17 = 28 \qquad \text{Resta.}$$

$$(-45) + 17 = -28 \qquad \text{La suma es negativa porque } -45 \text{ tiene el valor absoluto mayor.}$$

La temperatura máxima fue de −28°F.

¿Qué lugar es más frío en enero: *la capital del estado de Alaska o la capital del estado de North Dakota? Quizás te sorprenda saber que la temperatura media en Juneau es 10°C más alta que en Bismarck. Si la temperatura media en Bismarck es de* **−16°C, ¿cuál es la temperatura media en Juneau?**

También puedes usar una calculadora para sumar números enteros.

Ejemplo 3

Usa una calculadora para hallar la suma de −127 y 48.

- 127  La tecla de cambio de signo convierte 127 en −127.

EN EQUIPO

Trabaja con un compañero. Usen modelos para representar cada suma. Después, hallen los resultados.

10. −5 + (−4)   **11.** 2 + (−8)   **12.** −6 + 7   **13.** 12 + (−7)

PONTE A PRUEBA

Escribe la expresión numérica correspondiente a cada modelo. Después, halla las sumas.

14.    **15.**

16.   **17.**

Halla las sumas.

18. −8 + (−4)   **19.** 7 + (−2)   **20.** 3 + (−12)   **21.** −14 + 16

POR TU CUENTA

Escribe las expresiones numéricas y halla las sumas.

22. dos más seis

23. dos más seis negativo

24. dos negativo más seis

25. dos negativo más seis negativo

Elige Usa una calculadora, lapiz y papel o cálculo mental. Escribe el enunciado numérico correspondiente a cada situación.

26. Dinero El viernes, Sherry le pidió $10 a su hermana. Al día siguiente le devolvió $5, pero el lunes le pidió $4 más. ¿Cuánto le debe Sherry a su hermana?

27. El tiempo A medianoche, la temperatura era de $-12°F$, pero para las 6 a.m. había subido 19°. ¿Cuál era la temperatura a las 6 a.m.?

28. Por escrito Explica cómo hallarías la suma de dos números enteros que tienen signos diferentes.

Escribe los enunciados numéricos correspondientes a estas teclas de calculadora.

29. 16 ⊞ 24 ▤ *8*

30. 112 ⊞ 158 ▥ ▤ *−46*

Usa una calculadora para hallar las sumas.

31. $126 + (-92)$ **32.** $-68 + (-72)$ **33.** $-99 + 137$ **34.** $67 + 48$

35. a. Laura vive en Los Ángeles y usa la expresión $t + 3$ para hallar la hora de Nueva York, ciudad donde vive su abuela. La variable t representa la hora de Los Ángeles. Usa esta expresión para hallar la hora de Nueva York cuando son las 5 p.m. en Los Ángeles.

b. Archivo de datos #4 (págs. 142–143) Usa la variable t para la hora de tu zona y escribe la expresión que representa la hora de Londres.

c. ¿Qué hora es en tu zona cuando son las 6 a.m. en Londres?

Cálculo mental Simplifica las expresiones.

36. $4 + 7 + (-2)$ **37.** $|-3| + 5 + (-3)$ **38.** $28 + (-12) + (-26)$

39. Diversiones ¿Qué profundidad bajo tierra alcanza la montaña rusa de la derecha?

Repaso MIXTO

Estima por la izquierda.

1. $8.033 + 9.23 + 6.82$

2. $5.77 + 10.09 + 4.15$

Dibuja un conjunto de fichas para representar cada número entero y su opuesto.

3. 8 **4.** −5

5. La Sra. González tiene dos hijos. La suma de sus edades es 22 y el producto 117. ¿Cuántos años tienen sus hijos?

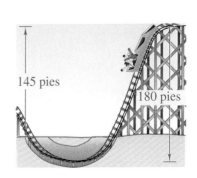

145 pies

180 pies

Práctica: Resolver problemas

ESTRATEGIAS PARA RESOLVER PROBLEMAS

Haz una tabla
Razona lógicamente
Resuelve un problema
más sencillo
Decide si tienes suficiente
información, o más de
la necesaria
Busca un patrón
Haz un modelo
Trabaja en orden inverso
Haz un diagrama
Estima y comprueba
Simula el problema
Prueba con varias estrategias
Escribe una ecuación

Usa cualquier estrategia para resolver los problemas. Muestra todo tu trabajo.

1. Karla quiere comprar un auto de segunda mano. Puede elegir entre pagar $3,600 en efectivo o dar $1,000 de entrada y $120 al mes durante dos años. Karla tiene ahorrado $4,500 y gana $250 al mes en un trabajo de media jornada.

   a. ¿Cuánto pagará Karla por el auto si decide dar una entrada y pagar $120 al mes?

   b. ¿Por qué crees que alguien en una situación parecida escogería el pago a plazos?

   c. ¿Cuál es la ventaja de pagar en efectivo?

   d. ¿Qué método de pago usarías tú en circunstancias similares? ¿Por qué?

2. Supón que te han encargado preparar la escenografía de una obra de teatro y necesitas un sofá y una silla para una escena. En el almacén hay tres sofás: uno azul, uno de flores y uno de rayas. Además hay cuatro asientos: uno reclinable, uno giratorio, una butaca y una mecedora. ¿Cuántas combinaciones de sofá y asiento puedes hacer?

3. Langston piensa hacer un mosaico de 4 × 4 usando 16 baldosas cuadradas rojas, amarillas, azules y verdes. No quiere que en ninguna fila, columna o diagonal de cuatro baldosas se repita un color. Muestra dos distribuciones posibles.

4. Supón que el expreso de Washington, D.C., sale de Nueva York cada 40 min. Si el primer tren parte a las 5:20 a.m., ¿cuál es la salida más cercana a las 12:55 p.m.?

5. Supón que tienes un recipiente lleno con ocho galones de jugo de manzana. Además tienes dos envases vacíos con capacidad para cinco y tres galones respectivamente. ¿Cómo puedes dividir el jugo en dos partes iguales usando solamente los tres envases?

La compañía Amtrak transporta diariamente a unos 58,000 viajeros entre diversas ciudades de Estados Unidos.

Fuente: Amtrak

En esta lección

• Restar números enteros

4-4 **R**esta de números enteros

VAS A NECESITAR

✓ Fichas de álgebra

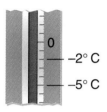

PIENSA Y COMENTA

La temperatura más baja registrada en Sacramento es de −5°C. La mínima registrada en San Diego es de −2°C. Restando hallarás la diferencia entre ambas temperaturas.

1. ¿Qué expresión corresponde a restar −2 de −5: −2 − (−5) ó −5 − (−2)?

Las fichas de álgebra te pueden ayudar a entender la resta de números enteros.

Ejemplo 1 Usa fichas de álgebra para hallar −5 − (−2).

  Empieza con 5 fichas negativas.

  Quita 2 fichas negativas.
Quedan 3 fichas negativas.

$$-5 - (-2) = -3$$

2. Usa fichas de álgebra para hallar las diferencias.

   a. −7 − (−2)   **b.** 5 − 3   **c.** −5 − (−4)

Ejemplo 2 Halla 4 − 6.

  Empieza con 4 fichas positivas.

   No hay suficientes fichas positivas para quitar 6. Añade 2 pares de opuestos.

  Quita 6 fichas positivas.
Quedan 2 fichas negativas.

$$4 - 6 = -2$$

3. Usa fichas de álgebra para hallar las diferencias.

   a. 4 − 7   **b.** 3 − 9   **c.** 1 − 5

   d. 7 − (−5)   **e.** 2 − (−4)   **f.** 6 − 10

¿DÓNDE? Las temperaturas en Verkhoyansk, Rusia, oscilan entre una mínima de −90°F y una máxima de 98°F. **¿Cuál es la gama de esas temperaturas?**

Fuente: *The Guinness Book of Records*

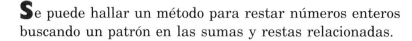

Se puede hallar un método para restar números enteros buscando un patrón en las sumas y restas relacionadas.

4. Usa fichas para hallar las diferencias y las sumas.

a. $5 - 3$ 　　　**b.** $-9 - (-6)$ 　　　**c.** $4 - (-5)$

$5 + (-3)$ 　　　　$-9 + 6$ 　　　　　$4 + 5$

d. ¿Qué observas en las sumas y las diferencias?

e. Completa la proposición siguiente:

Para restar un número entero, ▧ su opuesto.

Para calcular mentalmente $-7 - (-13)$ puedes pensar: "si quito 13 fichas tengo que añadir 6 pares de opuestos y me quedan 6 fichas positivas". También podrías hacer el cálculo siguiente: "si sumo el opuesto de 13 *negativo,* o sea, 13 *positivo,* obtengo $-7 + 13$, que es igual a 6".

5. Cálculo mental Halla las diferencias.

a. $3 - 7$ 　　　**b.** $-2 - (-8)$ 　　　**c.** $6 - 2$ 　　　**d.** $-4 - 7$

Ejemplo 3 　　Un científico midió la temperatura de una capa de nieve de 7 pulg. La temperatura en la superficie de la nieve era de $-27°$F. Al nivel del suelo, la temperatura era de $24°$F. ¿Cuánto más alta era la temperatura al nivel del suelo?

• $24 - (-27) = 24 + 27$ 　　Para restar -27 suma 27 (su opuesto).

$= 51$

La temperatura al nivel del suelo era $51°$F más alta.

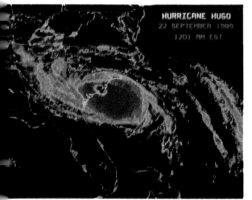

Los meteorólogos usan satélites, *aviones, radares y supercomputadoras para observar y predecir la trayectoria de los huracanes. La fuerza de la tormenta se calcula midiendo su presión atmosférica interna. La del huracán Hugo no superaba los 934 milibares, aproximadamente 80 menos de lo normal.* **¿Cuál es la presión atmosférica normal?**

EN EQUIPO

Trabaja con un compañero.

• Empiecen con 3 fichas amarillas cada uno.

• Túrnense en lanzar un cubo numerado y restar luego las fichas indicadas por la cantidad que salga. Consideren los números impares como positivos y los pares como negativos. Iniciarán cada turno con las fichas que les hayan quedado del anterior.

• Registren lo que ocurre en un enunciado de resta. Escriban después el enunciado de suma correspondiente.

• Continúen hasta que hayan lanzado 5 veces cada uno.

PONTE A PRUEBA

Usa modelos para hallar las diferencias.

6. $-4 - (-2)$ **7.** $-4 - (-8)$ **8.** $3 - 9$

9. Elige A, B, C o D. A las 8 p.m., la velocidad del viento era de 10 mi/h y se percibía una temperatura de $-9°F$. Una hora más tarde, el viento alcanzaba las 25 mi/h y la temperatura percibida había descendido a $-29°F$. ¿Cuál de estos enunciados numéricos representa ese cambio?

A. $29 + (-9) = 20$ **B.** $-29 - (-9) = -20$

C. $-9 - (-29) = 20$ **D.** $-29 - 9 = -38$

10. Trabaja con un compañero. Digan si los siguientes enunciados de resta son *siempre, a veces* o *nunca* verdaderos. Respalden sus respuestas con ejemplos.

a. $(+) - (+) = (+)$ **b.** $(-) - (+) = (-)$ **c.** $(-) - (-) = (+)$

d. $(+) - (-) = (-)$ **e.** $(-) - (+) = (+)$ **f.** $(+) - (+) = (-)$

Escribe el enunciado de suma correspondiente a cada enunciado de resta. Halla las diferencias.

11. $-9 - (-6) = $ ■   **12.** $6 - 11 = $ ■   **13.** $5 - (-3) = $ ■

POR TU CUENTA

Determina sin calcular si las diferencias son positivas o negativas.

14. $-7 - (-13)$ **15.** $-18 - 25$ **16.** $9 - (-2)$ **17.** $46 - (-65)$

Elige Usa una calculadora, lápiz y papel o cálculo mental para hallar las diferencias.

18. $4 - 15$ **19.** $-3 - 9$ **20.** $17 - (-8)$

21. $-10 - (-18)$ **22.** $58 - 35$ **23.** $-121 - 98$

24. $0 - (-22)$ **25.** $-54 - 82$ **26.** $-8 - (-12)$

Cálculo mental Simplifica las expresiones numéricas.

27. $-4 + 5 - (-4)$ **28.** $-3 - (-3) + (-6)$ **29.** $-7 + (-7) + 5$

30. $2 + 8 - (-2)$ **31.** $-8 + 4 - (-8)$ **32.** $2 + (-3) - (-5)$

Repaso MIXTO

Expresa usando exponentes.

1. $4 \cdot 4 \cdot 4 \cdot 4 \cdot 4$

2. $1 \cdot 1$ **3.** $9 \cdot 9 \cdot 9$

Halla las sumas.

4. $-9 + 6$ **5.** $9 + (-4)$

6. $-1 + (-8)$

7. Dwana se está entrenando para correr un maratón. La primera semana caminó 1 mi diaria, la segunda 2 mi diarias y la tercera 3 mi diarias. Si mantiene este ritmo, ¿cuántas millas habrá caminado en total al final de 5 semanas?

Los satélites meteorológicos Tiros miden la temperatura terrestre a través de las microondas emitidas por las moléculas de oxígeno: la frecuencia de la radiación cambia al alterarse la temperatura del gas. Estos aparatos toman más de 60,000 medidas diarias desde una órbita situada a 530 mi de altura.

Fuente: *Universidad de Alabama, Huntsville*

33. El tiempo Las temperaturas máxima y mínima registradas en EE.UU. son 134°F y −80°F respectivamente. La temperatura más alta se midió en Death Valley, California; la más baja en Prospect Creek, Alaska. ¿Cuál es la diferencia entre ambas temperaturas?

34. Archivo de datos #11 (págs. 456–457)

a. Halla la diferencia en grados Fahrenheit entre la temperatura media más alta y la temperatura media más baja.

b. Halla la diferencia en grados Fahrenheit entre la temperatura media más baja en el Hemisferio Norte y la temperatura media más baja en el Hemisferio Sur.

c. Halla la diferencia en grados Fahrenheit entre la temperatura media a 70° de latitud norte y a 70° de latitud sur.

d. ¿Dónde hace más frío: en el Hemisferio Norte o en el Hemisferio Sur?

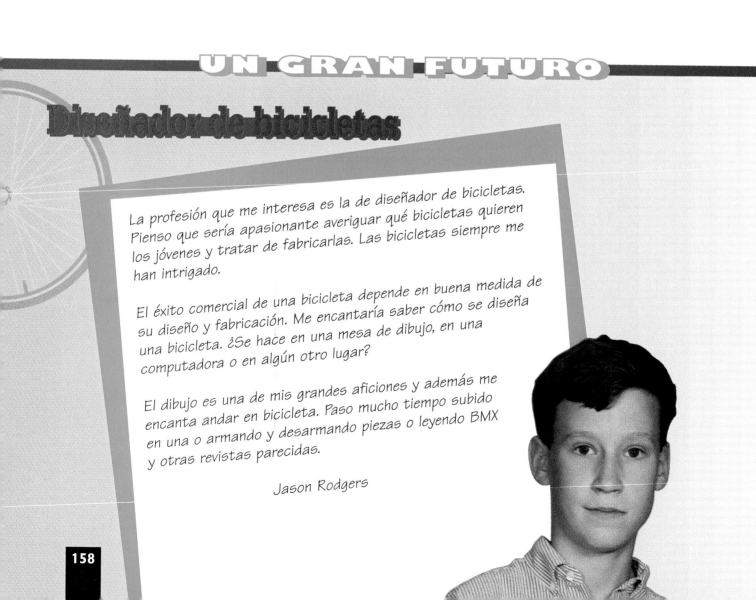

UN GRAN FUTURO

Diseñador de bicicletas

La profesión que me interesa es la de diseñador de bicicletas. Pienso que sería apasionante averiguar qué bicicletas quieren los jóvenes y tratar de fabricarlas. Las bicicletas siempre me han intrigado.

El éxito comercial de una bicicleta depende en buena medida de su diseño y fabricación. Me encantaría saber cómo se diseña una bicicleta. ¿Se hace en una mesa de dibujo, en una computadora o en algún otro lugar?

El dibujo es una de mis grandes aficiones y además me encanta andar en bicicleta. Paso mucho tiempo subido en una o armando y desarmando piezas o leyendo BMX y otras revistas parecidas.

Jason Rodgers

Usa el diagrama de la derecha para responder a las siguientes preguntas.

35. **a.** ¿Sube o baja la temperatura en la troposfera?

    b. ¿Aproximadamente cuánto cambia la temperatura en la troposfera?

36. ¿Aproximadamente cuánto cambia la temperatura en la estratosfera? ¿Y en la mesosfera?

37. Estima la gama de temperaturas que experimenta una nave espacial entre la superficie terrestre y 150,000 pies de altura.

38. **Por escrito** Explica con tus propias palabras cómo sumas y restas números enteros. Da ejemplos.

Estimación Redondea cada número. Estima luego la suma o la diferencia.

39. $-38 + 17$

40. $124 - 238$

41. $-53 + (-110)$

42. $122 - 16$

43. $-74 - 52$

44. $65 + 92$

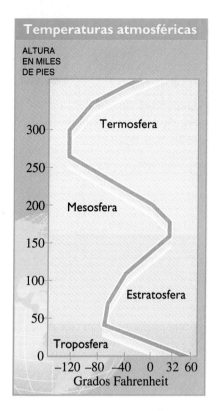

Temperaturas atmosféricas

ALTURA EN MILES DE PIES

Termosfera

Mesosfera

Estratosfera

Troposfera

300 — 250 — 200 — 150 — 100 — 50 — 0

−120 −80 −40 0 32 60
Grados Fahrenheit

Querido Jason:

Las bicicletas actuales se diseñan en computadoras. Los programas de diseño indican incluso por dónde deben cortarse los tubos u otras piezas metálicas en las fresadoras de las fábricas. Esta profesión requiere conocimientos de metalurgia e ingeniería, habilidad matemática y, por supuesto, afición a las bicicletas. Pero hoy en día también hace falta dominar el manejo de las computadoras.

Las matemáticas que aprendí cuando era joven son una de mis herramientas, sobre todo álgebra y estadística, materias que debo usar con mucha frecuencia. Además ejercito una destreza que, por lo visto, no te falta (¡yo también solía desarmar mi bicicleta!). Sigue explorando los mecanismos, observa el funcionamiento de piezas y engranajes. Si combinas tu destreza mecánica con las matemáticas, la física y la ingeniería llegarás a ser un buen diseñador.

John Schubert
Diseñador de bicicletas

Operaciones con números enteros

PIENSA Y COMENTA

La persona que paga con un cheque debe tener una cuenta bancaria que cubra la cantidad marcada. Supongamos que Pedro Fortuna tiene $100 en su cuenta y firma un cheque de $100.

1. ¿Qué balance queda en su cuenta?

Algunos bancos hacen préstamos automáticos cuando una persona escribe un cheque por más dinero del que tiene en la cuenta.

2. Supón que Pedro tiene $100 en una cuenta de este tipo y firma un cheque de $150. ¿Cuál es su balance?

Puedes usar una hoja de cálculo de computadora para controlar el movimiento de una cuenta. Considera los depósitos como "partidas positivas" y los cheques como "partidas negativas".

	A	B	C	D
1	**Fecha**	**Depósitos**	**Cheques**	**Balance**
2				$200
3	4/29	$100		$300
4	4/30		$400	−$100

3. ¿Cómo se calculó la cantidad en la celdilla D3? ¿Y en la celdilla D4?

4. a. ¿Qué cantidades aparecerán en la fila 5 cuando Pedro haga el depósito de abajo?

b. ¿Qué cantidades aparecerán en la fila 6 cuando se cobre el cheque #147?

DEPÓSITO

Fecha _5/1_

Cantidad _$200.00_

Número de cuenta **123 5813**

_5/2_ 19____   147

PÁGUESE A _Estudio Rataplam_ $ _$150.00_

Ciento cincuenta ———— DÓLARES

Pedro Fortuna

123 5813

Computadora Trabaja con un compañero. La compañía discográfica Halcón quiere controlar mejor su situación financiera. A la derecha aparecen los ingresos y gastos de un año.

Mes	Ingresos	Gastos
Enero	$12,385	$10,760
Febrero	10,426	10,825
Marzo	11,680	10,476
Abril	11,720	10,344
Mayo	11,457	10,256
Junio	12,870	10,280
Julio	12,408	10,255
Agosto	12,539	10,349
Septiembre	9,906	10,265
Octubre	10,124	10,368
Noviembre	10,569	10,398
Diciembre	13,165	11,458

• Hagan una hoja de cálculo como la de abajo para determinar el balance al final de cada mes.

	A	B	C	D	E
1	**Mes**	**Balance (principio de mes)**	**Ingresos**	**Gastos**	**Balance (fin de mes)**
2	Enero		12,385	10,760	1,625
3	Febrero	1,625	10,426	10,825	1,226

• Hagan una gráfica lineal con los valores de la columna "Balance".

• Hagan una gráfica de barras con los valores de la columna "Balance".

5. a. ¿Cómo determinan en cada gráfica si el cambio es positivo o negativo?

  b. Pensamiento crítico ¿Qué relación tienen el sentido e inclinación de las líneas en la primera gráfica con la longitud y posición de las barras en la segunda?

  c. ¿Qué gráfica representa mejor los cambios a lo largo del tiempo? ¿Cuál representa mejor los balances?

POR TU CUENTA

6. a. Computadora A la derecha aparecen registradas las operaciones bancarias realizadas por Valeria Carpenter durante un mes. Registra los datos en una hoja de cálculo o en una tabla y usa una calculadora para hallar el balance. Valeria tenía $250 a principio de mes.

  b. Valeria recibió un estado de cuenta a fin de mes. El banco le había cobrado $10 cada vez que su balance era negativo, y $.25 por cada cheque. Además le cobraba $5.50 por el mantenimiento de la cuenta. Considerando que ese dinero se carga directamente a su cuenta, ¿dónde pondrías las cantidades: en la columna de cheques o en la de depósitos?

  c. Halla el balance de Valeria a fin de mes.

	Cheque	Depósito
1	$25.98	
2	$239.40	
Dep		$122.00
3	$54.65	
Dep		$350.00
4	$85.48	
5	$163.80	

¡RESPONDA!

PREGUNTA	CANTIDAD
1	-$200
2	-$300
3	$200
4	-$100
5	$500
6	-$100
7	-$200
8	$400

7. **Espectáculos** La tabla de la izquierda recoge lo que obtuvo una concursante con sus primeras ocho respuestas en un concurso de televisión. Las cantidades negativas corresponden a errores. Averigua cuánto ganó o perdió tras las ocho preguntas.

8. **a. Archivo de datos #3 (págs. 90–91)** Prepara una hoja de cálculo con la información sobre la venta de pelotas de básquetbol. Considera los años, las cantidades vendidas y los dólares ingresados. Usa los datos para estimar el precio medio de una pelota.

   b. ¿En qué año fue mayor el precio medio de una pelota? ¿En qué año fue menor?

9. **Negocios** Los *Royal Rappers* quieren grabar un disco compacto. A la izquierda aparecen primero los gastos variables y después los fijos (es decir, los que no dependen de las ventas). Usa la hoja de cálculo para responder a las preguntas siguientes.

Producción de un CD

Gastos variables

CD en blanco: $1.83 por unidad

Gastos fijos

Gastos de estudio:	$5,120
Músicos de estudio:	3,000
Fotógrafo:	500
Diseñador gráfico:	500
Promotor:	2,000

	A	B	C	D	E
1	Unidades	1,000	2,000	3,000	4,000
2	Gastos variables				
3	Gastos fijos				
4	Ingresos por ventas				
5	Ganancias o pérdidas				

a. ¿Cómo puedes hallar los gastos variables de 1,000 unidades? ¿Qué fórmula usarás para B2?

b. **Por escrito** Llena la fila 2. Explica luego por qué es apropiado el término "gastos variables".

c. ¿Qué valor aparecerá en todas las celdillas de la fila 3?

d. Los *Rappers* esperan ganar $6 por disco vendido. ¿Cómo hallarás los ingresos correspondientes a 1,000 unidades? ¿Qué fórmula usarás para la celdilla B4?

e. Registra los datos en una hoja de cálculo o copia la tabla. Halla las pérdidas o ganancias obtenidas con el número de unidades indicado.

f. Supón que los *Rappers* vendieran 500,000 ejemplares de su disco. ¿Cuál sería la ganancia?

g. ¿Cuáles serían las pérdidas o ganancias si los *Rappers* produjeran 10,000 discos pero vendieran sólo 5,000?

Repaso MIXTO

Dibuja lo siguiente.

1. un rombo

2. un trapecio

Halla las diferencias.

3. $8 - 1$ 4. $3 - (-6)$

5. $-4 - (-9)$

6. ¿Cuáles son los dos números siguientes de esta progresión?

   $2, 3, 5, 6, 8, 9, \ldots$

Multiplicación y división de enteros

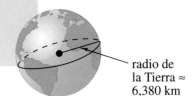

radio de
la Tierra ≈
6,380 km

La cueva más honda descubierta hasta ahora es la de Pierre St. Martin, en Francia, que tiene 1,332 m de profundidad. **¿Aproximadamente cuántas veces más profunda tendría que ser para alcanzar el centro de la Tierra?**

⚡**¡RECUERDA!**

Propiedad conmutativa

$$ab = ba$$

PIENSA Y COMENTA

La cueva Lechuguilla de Nuevo México fue descubierta en 1986 y es, por ahora, la más profunda en Estados Unidos. Los espeleólogos, es decir, los exploradores de cuevas, bajaron por ella con mucho cuidado para no perturbar sus formaciones rocosas. Supón que un espeleólogo desciende 4 pies/min durante 3 min. Puedes representar el descenso en una recta numérica vertical.

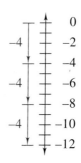

1. a. ¿Cuánto descendió el espeleólogo en 3 min?

   b. ¿Qué número entero representa ese descenso?

También puedes representar el desplazamiento en una suma repetida o en una multiplicación.

Suma repetida	Multiplicación
$(-4) + (-4) + (-4) = -12$	$3(-4) = -12$

2. Halla los siguientes productos haciendo una suma repetida.

   a. $2(-5)$ **b.** $4(-2)$

3. Usando la propiedad conmutativa puedes convertir $3(-4)$ en $-4 \cdot 3$. ¿Cuál es el producto de $-4 \cdot 3$? ¿Y el de $-5 \cdot 2$? ¿Y el de $-2 \cdot 4$?

4. Completa la siguiente proposición:

El producto de dos números enteros de distinto signo lleva el signo ■.

Los patrones te permiten hallar el producto de dos números enteros negativos.

5. a. Copia y completa el patrón de la izquierda.

   b. Describe el patrón que se observa en los productos al avanzar desde $-4(3)$ hasta $-4(-3)$.

   c. Escribe un patrón que permita hallar $-2(-5)$. Empieza con $-2(3)$.

   d. Completa la siguiente proposición:

El producto de dos números enteros negativos lleva el signo ■.

$-4(3) = ■$
$-4(2) = ■$
$-4(1) = ■$
$-4(0) = ■$
$-4(-1) = ■$
$-4(-2) = ■$
$-4(-3) = ■$

Has aplicado las dos reglas para multiplicar números enteros.

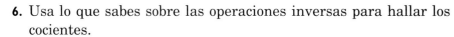

Cuando se multiplican dos números enteros con el mismo signo, el producto es siempre positivo.

Cuando se multiplican dos números enteros con distinto signo, el producto es siempre negativo.

El Promedio Industrial Dow Jones es el precio medio de las acciones de 30 compañías industriales. Los inversores lo usan para prever las tendencias del mercado. La *Dow Jones & Company,* una casa editora que publica materiales relacionados con asuntos bancarios y financieros, calcula el Promedio todas las horas cuando está abierto el mercado de valores. Esta empresa empezó a publicar estadísticas industriales en 1896 basándose en las acciones de 12 compañías.

La multiplicación y la división son *operaciones inversas* porque una deshace la otra. La relación entre ambas operaciones permite formular reglas para la división de números enteros.

6. Usa lo que sabes sobre las operaciones inversas para hallar los cocientes.

a. $3 \cdot 4 = 12$ **b.** $3(-4) = -12$ **c.** $(-3)(-4) = 12$

$12 \div 4 = \blacksquare$ $-12 \div (-4) = \blacksquare$ $12 \div (-4) = \blacksquare$

$12 \div 3 = \blacksquare$ $-12 \div 3 = \blacksquare$ $12 \div (-3) = \blacksquare$

d. ¿Cuál es el signo del cociente cuando los dos números enteros tienen el mismo signo?

e. ¿Cuál es el signo del cociente cuando los dos números enteros tienen distinto signo?

f. Vuelve a escribir las reglas para multiplicar números enteros incluyendo también la división.

Algunos problemas pueden requerir más de una operación con números enteros.

Ejemplo El Promedio Industrial Dow Jones subió 1 punto el lunes, bajó 3 el martes, subió 4 el miércoles, bajó 4 el jueves y bajó 3 el viernes. ¿Cuál fue la variación media de la semana?

$$\frac{1 + (-3) + 4 + (-4) + (-3)}{5} = \frac{-5}{5}$$

Se divide por 5 la suma de las variaciones.

La variación media fue de -1 punto, es decir, se produjo una bajada de 1 punto.

7. Halla la media de las siguientes temperaturas:

$$-12° \quad -8° \quad -6° \quad -3° \quad 0° \quad 3° \quad 5°$$

EN EQUIPO

Trabaja con un compañero para completar los siguientes enunciados. Den después dos ejemplos de cada relación.

8. $+ \cdot + = \blacksquare$

9. $+ \cdot - = \blacksquare$

10. $- \cdot + = \blacksquare$

11. $- \cdot - = \blacksquare$

12. $+ \div + = \blacksquare$

13. $+ \div - = \blacksquare$

14. $- \div + = \blacksquare$

15. $- \div - = \blacksquare$

PONTE A PRUEBA

Di si los productos o cocientes son *positivos* o *negativos*.

16. $7(-4)$

17. $-25 \div (-5)$

18. $-48 \div 6$

19. $-81 \div 9$

20. $(-4)^3$

21. $(-4)(9)(2)$

Cálculo mental Halla los resultados.

22. $36 \div (-12)$

23. $72 \div 9$

24. $39 \div (-3)$

25. $0 \div (-2)$

26. $(-4 \cdot 6) \div (-3)$

27. $(2)^4$

28. Escribe dos enunciados de división relacionados con $7(-3) = -21$.

POR TU CUENTA

Elige Usa una calculadora, lápiz y papel o cálculo mental.

29. **Aficiones** Supón que un buzo está a 180 pies bajo el nivel del mar y sube hasta la superficie a una velocidad de 30 pies/min. ¿Cuánto tiempo tarda en alcanzar la superficie?

30. **Negocios** El precio de una acción ha bajado $2 diarios durante 8 días.

    a. ¿Cuál ha sido la variación total del precio?

    b. Si antes de la caída el precio era $38, ¿cuál es su precio después de la caída?

31. **Pensamiento crítico** Escribe los pasos que seguirías para multiplicar -23 y -45 en la calculadora. Halla después el producto.

Re**paso** MIXTO

Evalúa con $m = 1.8$ y $n = 4.6$.

1. $4m - n$

2. $4(n + 2) + m^2$

Halla los resultados.

3. $120 + 43 - 95 + 11$

4. $28 - 9 + 35 + 14$

5. ¿De cuántas maneras puedes combinar las letras A, B, C y D sin que ninguna se repita?

La presión atmosférica al nivel del mar es de 1 atmósfera, es decir, de 14.7 lb/pulg². A 33 pies de profundidad la presión es de 2 atmósferas. A 66 pies la presión es de 3 atmósferas. ¿Cuál es la presión en atmósferas a 198 pies bajo el nivel del mar? ¿Y en libras por pulgada cuadrada?

Estimación **Estima los productos o cocientes.**

32. $-24 \cdot 35$ **33.** $428 \div (-58)$ **34.** $-108(-55)$

35. $-265 \div (-129)$ **36.** $-72 \cdot 68$ **37.** $64 \cdot 93$

Halla el punto de la recta numérica que corresponde a cada producto o cociente.

38. $-2 \cdot 0$ **39.** $-16 \div (-2)$ **40.** $(-1)^4$ **41.** $4(-2)^0$ **42.** -1^4

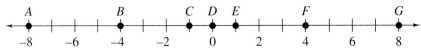

43. **Nutrición** Supón que, tras haber nadado 25 min, almuerzas 1 tz de sopa de tomate, 3 oz de queso "cheddar" y 8 galletas saladas.

  a. Halla el número de calorías que has quemado nadando y el número de calorías ingeridas con la comida.

  b. Halla la pérdida o la ganancia neta de calorías.

44. **Pensamiento crítico** Usa la tabla de la izquierda. Elige los alimentos de un almuerzo y un ejercicio cualquiera. Imagínate que haces el ejercicio durante 40 min. Halla el total de calorías ingeridas y el total de calorías quemadas. Calcula la pérdida o la ganancia neta de calorías.

45. **Por escrito** Explica cómo se determina el signo del producto o del cociente de dos números enteros.

Ejercicio	Calorías quemadas por minuto
Caminar	3
Patinar	4
Tenis	5
Nadar	6

Comida	Calorías
Manzana (1)	80
Banana (1)	100
"Bagel" (1)	165
Queso "cheddar" (1 oz)	115
Queso crema (1 oz)	100
Lechuga "iceberg" (1 tz)	5

Comida	Calorías
Mayonesa (1 cda)	100
Leche desnatada (1 tz)	85
Jugo de naranja (1 tz)	120
Galletas saladas (4)	50
Sopa de tomate (1 tz)	90
Atún (3 oz)	170

▮V I S T A Z O A LO APRENDIDO

Escribe el número entero que corresponde a cada situación.

1. El Mar Muerto está a 1,300 pies bajo el nivel del mar.

2. La temperatura media de Miami en julio es de 83°F.

Elige **Evalúa usando una calculadora, lápiz y papel o cálculo mental.**

3. $153 + (-67)$ **4.** $86 - (-17)$ **5.** $37 + (-89)$

6. $-54 \div (-9)$ **7.** $12 \cdot (-15)$ **8.** $(-5)^2 + 6(2 - 4)$

En esta lección

4-7 **Haz una tabla**

• Resolver problemas
haciendo una tabla

Cuando un problema obliga a considerar muchas opciones, la
información se puede ordenar en una tabla.

Sheila trabaja en un bazar después de la escuela. A tres niños que
compraron el mismo objeto les devolvió 45¢ en tres
combinaciones distintas de monedas. Sheila se pregunta ahora
cuántas combinaciones de 45¢ puede obtener sin usar monedas
de 1¢.

LEE

Lee y analiza la información
que se te da. Resume el
problema.

PLANEA

Decide qué estrategia usarás
para resolver el problema.

RESUELVE

Prueba con la estrategia.

COMPRUEBA

Puedes usar tablas para
resolver otros problemas de
monedas.

1. ¿Qué se debe hallar? Explícalo con tus propias palabras.

2. ¿Qué información necesitarás para resolver el problema?

Una tabla de monedas y valores te ayudará a determinar todas
las combinaciones de monedas con un valor total de 45¢. La tabla
debe impedir además que una combinación aparezca más de una
vez. Inventa un sistema que haga imposible la repetición de
combinaciones.

3. **a.** Copia y completa la tabla. Amplíala después hasta que
hayas registrado todas las combinaciones posibles.

Moneda	Número de monedas (Valor)			
Moneda de 25¢	1 (25¢)	1 (25¢)	1 (25¢)	0 (0¢)
Moneda de 10¢	0 (0¢)	1 (10¢)	2 (20¢)	
Moneda de 5¢	4 (20¢)	2 (10¢)	0 (0¢)	
Valor total	45¢	45¢	45¢	

b. ¿De cuántas maneras diferentes puede Sheila devolver 45¢
sin usar monedas de 1¢?

4. Supón que tienes una moneda de 1¢, una moneda de 5¢, otra
de 10¢ y otra de 25¢. ¿Cuántas cantidades distintas de dinero
se pueden obtener con una o varias de estas monedas?

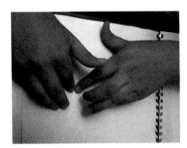

PONTE A PRUEBA

Usa la estrategia "Haz una tabla" para resolver los problemas.

5. Jamal elige cada día unos pantalones y una camiseta.

   a. ¿Cuántas combinaciones distintas de pantalón y camiseta puede formar?

   b. **Discusión** Describe cualquier patrón o atajo que te haya servido para resolver el problema.

6. José sabe que los tres dígitos de la combinación de su candado son 3, 5 y 7, pero ha olvidado el orden exacto. ¿Cuál es el máximo número de combinaciones que tendría que probar para abrir su candado?

POR TU CUENTA

Usa cualquier estrategia para resolver los problemas. Si no hay suficiente información, di qué datos faltan. Muestra todo tu trabajo.

7. Hanon y Oliver reunieron $39 para comprar entradas para el museo de ciencias. La entrada de adulto costaba $7 y la de niños $5. ¿Cuántos adultos y cuántos niños piensan ir al museo?

8. La biblioteca local organizó una venta de libros usados para recaudar fondos. Los libros de bolsillo costaban $.59 y las ediciones de tapa dura $.99. Kim gastó $17.19. ¿Cuántos libros de cada tipo compró?

9. a. Dornville está 15 mi al sur de Chester. Topson está 12 mi al norte de Dornville. Ludberg está 4.5 mi al norte de Topson. ¿Cuál es la distribución de las ciudades de norte a sur?

   b. ¿Qué distancia hay entre Dornville y Ludberg?

10. En un tazón había canicas rojas, verdes, azules y blancas que Gordon iba sacando sin mirar. Se le dijo que parara cuando tuviera una de cada color. ¿Cuál es el menor número de canicas que pudo haber sacado? ¿Y el número mayor?

 La Biblioteca del Congreso fue fundada por el Congreso de Estados Unidos en 1800 y posee actualmente más de 84 millones de piezas (libros, partituras, fotografías, grabaciones, etc.). Es una de las bibliotecas de investigación más grandes del mundo. La Biblioteca del Congreso también dispone de textos en Braille para las personas ciegas.

Fuente: *World Book*

11. En una clase de ciencias se han extraviado varias pesas, y el profesor sólo cuenta con las de 9 mg, 7 mg, 2 mg y 5 mg. ¿Cómo puede usar estas pesas para averiguar si un hilo de cobre pesa 1 mg?

12. El ascensor de un edificio de oficinas salió de la planta baja y, en 10 minutos, hizo lo siguiente: subió 8 pisos, subió 7 más, bajó 3, subió 5, bajó 1, subió 2, subió 8 más y bajó 11. ¿En qué piso estaba el ascensor después de este recorrido?

13. Tras un agitado viaje, Gabriel Garfio llegó a la isla desierta donde muchos años antes había sepultado un tesoro. Allí descubrió con pesadumbre que un malvado animal había mordisqueado los bordes del mapa escondido en una palmera hueca. Afortunadamente, Garfio recordaba que se había alejado de la palmera en dirección a uno de los puntos cardinales (norte, sur, este u oeste) y que luego había girado 90°. El fragmento de mapa indicaba que, para alcanzar su objetivo, debía caminar 12 pasos desde el árbol, girar y avanzar 5 pasos más. ¿En cuántos lugares puede estar enterrado el tesoro?

14. El primer ángulo de un triángulo mide tres veces lo que mide el segundo. Si el tercer ángulo mide el doble de lo que mide el segundo, ¿cuánto mide cada ángulo?

15. ¿Con qué combinaciones de dos o más enteros positivos consecutivos se obtiene la suma 90?

16. **Física** Una pelota cae desde una altura de 16 pies. Cada vez que rebota en el suelo alcanza la mitad de la altura de la que cayó anteriormente. Si alguien la atrapa cuando su rebote es de 2 pies, ¿cuál es la distancia vertical total recorrida por la pelota?

17. **Física** El diagrama de la derecha representa la reflexión de un rayo en un espejo. El ángulo formado por el rayo que incide y la superficie del espejo es congruente con el ángulo formado por el rayo que se refleja y esa misma superficie. Si el ángulo entre un rayo y el otro es de 124°, ¿con qué ángulo se refleja la luz en el espejo?

Repaso **MIXTO**

¿Verdadero o falso?

1. Las pirámides se identifican por la forma de sus caras.

2. El cubo tiene seis caras congruentes.

Escribe el valor absoluto de estos números enteros.

3. −5   **4.** 9

Halla los resultados.

5. 16(−30)

6. −85 ÷ (−5)

7. Entre 1862 y 1866, el científico británico James Glaisher realizó 28 viajes en globo para reunir datos meteorológicos. En un vuelo encontró lluvia, nieve y niebla, y las temperaturas pasaron de 19°C a −8°C. ¿Cuál fue la gama de esas temperaturas?

¡RECUERDA!

Dos números enteros son consecutivos si el segundo es una unidad mayor que el primero.

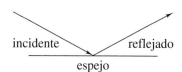

incidente   reflejado

espejo

Ecuaciones de suma y resta

4-8

En esta lección

• Resolver
ecuaciones de un
paso de suma y
resta

VAS A NECESITAR

✓ Fichas de álgebra

PIENSA Y COMENTA

Las ecuaciones son como balanzas. El peso sobre los dos platillos de la balanza debe ser igual para que la balanza quede equilibrada. Para que una ecuación sea válida, los valores de los dos lados (los pesos de los dos platillos) deben ser iguales.

Las cantidades desconocidas (o incógnitas) de una ecuación se representan mediante símbolos llamados **variables**. En una ecuación se usa una letra, como la x, para representar la variable. La ficha verde rectangular representa la variable en el modelo de abajo. Llamamos **solución** al valor de la variable que hace válida o cumple la ecuación.

1. **Discusión** ¿Qué pesas quitarías para conseguir que la variable se quede sola y la balanza se mantenga en equilibrio?

Ciertos problemas son fáciles de resolver a primera vista. Sin embargo, los métodos usados para resolver problemas sencillos ayudan a resolver problemas más complejos. Para hallar el valor de una variable es necesario que ésta se quede sola en un lado del signo de igual. Los modelos que aparecen a continuación representan el proceso seguido para resolver la ecuación $x + 3 = 7$.

2. Completa las ecuaciones representadas por estos modelos.

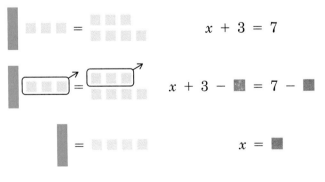

$$x + 3 = 7$$

$$x + 3 - \blacksquare = 7 - \blacksquare$$

$$x = \blacksquare$$

3. Representa y resuelve las ecuaciones. Incluye todos los pasos.

   a. $x + 3 = 5$ **b.** $y + 5 = 8$ **c.** $7 + a = 12$

La balanza más precisa de la historia, la Sartorius 4108, se fabrica en Gottingen, Alemania. Registra diferencias de hasta 350 billonésimas de onza, menos de $\frac{1}{16}$ de lo que pesa la tinta empleada para imprimir el punto final de esta oración.

Fuente: *Guinness Book of Records*

Los modelos pueden ser muy útiles para resolver ecuaciones con números enteros negativos.

Ejemplo 1 Representa y resuelve la ecuación $n - 4 = -1$.

$n - 4 = -1$ **Restar equivale a**
$n + (-4) = -1$ **sumar el número**
opuesto.

Representa la ecuación.

Añade pares de opuestos para que puedan sacarse 4 fichas negativas de cada lado.

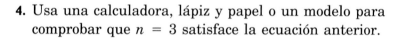

$n = 3$

La tolerancia es el resultado más valioso de la educación.
—Helen Keller
(1880–1968)

4. Usa una calculadora, lápiz y papel o un modelo para comprobar que $n = 3$ satisface la ecuación anterior.

5. Representa, resuelve y comprueba estas ecuaciones.

a. $x - 4 = 5$ **b.** $y - 2 = 8$ **c.** $a - (-5) = -3$

Se puede resolver ecuaciones usando *operaciones inversas*. La suma es la operación inversa de la resta.

Ejemplo 2 Resuelve $-4 = x - 3$. Comprueba el resultado.

$$-4 = x - 3$$
$$-4 + 3 = x - 3 + 3$$ **Suma 3 a ambos lados de la ecuación.**
$$-1 = x$$

Comprueba $-4 = x - 3$
$$-4 = -1 - 3$$ **Sustituye x por −1.**
$$-4 = -4 \checkmark$$

6. Stephen calculó que $x - 5 = -3$ se verifica con $x = -8$. ¿Cómo puede comprobar la solución? Averigua su error.

7. Latonia resolvió $a - 9 = 4$ pensando: "Para dejar la variable a sola, tengo que sumar 9 a ambos lados de la ecuación". ¿Qué solución obtuvo? Comprueba esa solución.

1. Dibuja un diagrama de puntos.

2. Haz una tabla de frecuencia.

Halla los resultados.

3. $54 \div (-9)$

4. $8(-3 + 4)$

5. $-24 \div 3$

6. $4(5)(-3)$

7. Los 16 equipos de la liga de softball de verano celebraron un torneo. Si basta una derrota para que un equipo quede eliminado, ¿cuántos partidos se jugaron en todo el campeonato?

Cuando se suma o resta el mismo número a cada lado de una ecuación se obtiene una **ecuación equivalente.** Las ecuaciones equivalentes tienen la misma solución. Para formar ecuaciones equivalentes mediante la suma o la resta de la misma cantidad se aplican las siguientes propiedades.

Propiedad de igualdad en la suma

A los dos lados de una ecuación se les puede sumar el mismo valor.

Aritmética	**Álgebra**
$5 = 5$	Si $a = b$,
$5 + 3 = 5 + 3$	$a + c = b + c$.

Propiedad de igualdad en la resta

De los dos lados de una ecuación se puede restar el mismo valor.

Aritmética	**Álgebra**
$5 = 5$	Si $a = b$,
$5 - 2 = 5 - 2$	$a - c = b - c$.

8. Di cuál de las propiedades de arriba aplicarías para resolver estas ecuaciones. Aclara después qué valor sumarías o restarías.

    a. $x + 19 = 36$ **b.** $x - 54 = -28$ **c.** $x - (-15) = -42$

PONTE A PRUEBA

Escribe y resuelve la ecuación representada por cada modelo.

9.   **10.**   **11.**

Usa un modelo para resolver las ecuaciones.

12. $x + 4 = 5$ **13.** $x - 3 = -2$ **14.** $x + 1 = -4$

Resuelve.

15. $y + 1 = 9$ **16.** $3 = a - 5$ **17.** $2 + n = -3$

18. $8 = p + 7$ **19.** $x - (-5) = 3$ **20.** $-8 = (-7) + b$

P O R TU CUENTA

Cálculo mental Resuelve las ecuaciones.

21. $x + 6 = -6$ **22.** $x - 6 = -6$ **23.** $x + 6 = 6$ **24.** $x - 6 = 6$

25. $x - 3 = 0$ **26.** $-5 = p + 8$ **27.** $q - 6 = 4$ **28.** $7 = 9 + y$

Elige Usa una calculadora, lápiz y papel o cálculo mental. Resuelve las ecuaciones y comprueba la solución.

29. $n - 35 = 84$ **30.** $166 = m + 97$ **31.** $x + 25 = 16$

32. $-17 = x + 6$ **33.** $r - 54 = 74$ **34.** $8 = 19 + d$

35. Elige A, B, C o D. A Kira le quedaron $58.25 después de comprar una calculadora. ¿Qué ecuación permite hallar la cantidad que tenía antes de la compra si la calculadora le costó $13.45?

    A. $m - \$13.45 = \$58.25$ **B.** $m + \$13.45 = \$58.25$

    C. $m + \$58.25 = \$13.45$ **D.** $\$58.25 - \$13.45 = m$

36. Por escrito Explica el significado del término "operaciones inversas".

37. ¿Son equivalentes las ecuaciones $5 + x = 4$ y $3 + x = 2$? Explica por qué.

38. Negocios La gráfica de barras de la derecha representa las variaciones previstas en el número de puestos de trabajo correspondientes a varios sectores comerciales.

    a. ¿En qué sector se espera el mayor aumento en el número de empleos durante el período de 1988 a 2000? ¿En qué sector se espera una disminución?

    b. Se supone que un sector superará en 1.7 millones de empleos al grupo de "oficinas". ¿Qué ecuación usarías para hallarlo: $n - 2.5 = 1.7$ ó $n + 1.7 = 2.5$?

    c. ¿Qué sector tendrá 1.7 millones de empleos más que el grupo de "oficinas"?

39. Pensamiento crítico Explica cómo podrías resolver $x + 15 = 34$ aplicando la propiedad de la igualdad en la suma.

40. Investigación (pág. 144) Usa tu balanza para resolver $x + 3 = 8$. Coloca una moneda de 1¢ en el punto 3 del brazo izquierdo y otra en el punto 8 del derecho. ¿En qué punto del brazo izquierdo tendrías que colocar una tercera moneda si quisieras equilibrar la balanza?

Cambios previstos en el empleo, 1988-2000

Sectores comerciales

- 2.7 Ejecutivos
- 3.5 Profesionales
- 1.2 Técnicos
- 2.6 Mercadeo y ventas
- 4.2 Servicios
- -0.2 Agricultura
- 2.5 Oficinas

0 1 2 3 4
Millones de empleos

Coloca los números enteros y sus opuestos en una recta numérica.

1. -3 **2.** 5 **3.** -6 **4.** 2 **5.** 4 **6.** -5

Compara. Usa <, > ó =.

7. $|-11|$ ■ $|5|$ **8.** $|-1|$ ■ $|-2|$ **9.** $|7|$ ■ $|-7|$ **10.** $|9|$ ■ $|13|$

Nombra el número entero representado por cada conjunto de fichas.

11. ■ ■ ■
■ ■

12. ■ ■ ■
■ ■ ■ ■

13. ■ ■ ■ ■
■ ■ ■

14. ■ ■ ■
■ ■

Cálculo mental Halla las sumas.

15. $-6 + 2$ **16.** $-5 + 7$ **17.** $13 + (-17)$ **18.** $-9 + (-18)$

Elige Usa una calculadora, lápiz y papel o cálculo mental para hallar las diferencias.

19. $5 - 15$ **20.** $-9 - 13$ **21.** $18 - (-1)$ **22.** $-44 - 72$

23. $-17 - (-8)$ **24.** $-198 - (-105)$ **25.** $265 - (-123)$ **26.** $66 - 0$

Halla el producto o el cociente.

27. $8 \cdot (-3)$ **28.** $-24 \div (-4)$ **29.** $-9(-7)$ **30.** $-54 \div 6$

31. $10 \cdot 7$ **32.** $(7)(-3)(4)$ **33.** $81 \div (-3)$ **34.** $(-13)(-8)(4)$

Halla los resultados.

35. $2(3 - 8) \div 5$ **36.** $(-7)^3$ **37.** $(-1)^{12}$ **38.** -1^{12} **39.** $6(-3) + 5(-2)$

Resuelve y comprueba.

40. $a + 2 = 8$ **41.** $6 = p - 4$ **42.** $q + 3 = -5$ **43.** $y - 2 = -7$

44. $7 + r = -147$ **45.** $23 = n - 4$ **46.** $-2 + n = -56$ **47.** $q - 12 = 5$

48. Elizabeth tiene 16 monedas que suman $1.50. Da dos ejemplos de combinaciones de monedas que podría tener.

Ecuaciones de multiplicación y división

VAS A NECESITAR

✓ Fichas de álgebra

PIENSA Y COMENTA

Un amigo y tú van a lavar las ventanas de un vecino. Cobrarán $10, que dividirán en partes iguales. Si m representa el dinero que obtendrá cada uno, la ecuación $2m = 10$ representa la situación. Puedes resolver esta ecuación usando un modelo.

$2m = 10$ Representa la ecuación.

$\dfrac{2m}{2} = \dfrac{10}{2}$ Divide las fichas de cada lado en dos conjuntos del mismo tamaño.

$m = 5$

1. ¿Cuánto dinero obtendrá cada uno?

Como la multiplicación y la división son *operaciones inversas,* en las ecuaciones se puede usar una división para deshacer una multiplicación.

Ejemplo 1

Resuelve $4b = 48$.

$$4b = 48$$

$$\frac{4b}{4} = \frac{48}{4} \quad \text{Divide ambos lados por 4.}$$

$$b = 12$$

Comprueba $4b = 48$

$$4 \cdot 12 = 48 \quad \text{Sustituye } b \text{ por 12.}$$

$$48 = 48 \checkmark$$

2. Resuelve y comprueba.

   a. $2g = 14$ **b.** $2g = -14$ **c.** $-2g = -14$ **d.** $-2g = 14$

3. Discusión ¿Cómo se puede determinar el signo de la solución antes de resolver la ecuación? (*Pista:* Busca un patrón en las ecuaciones y soluciones de arriba.)

La pasión por el estudio es lo que distingue la juventud de la vejez. Siempre se es joven cuando se está aprendiendo.

—Rosalyn S. Yalow
(1921–)

Se puede usar la multiplicación para resolver ecuaciones de división.

Ejemplo 2 Resuelve $\frac{s}{-4} = -5$.

$$\frac{s}{-4} = -5$$

$$(-4)\frac{s}{-4} = -5(-4)$$ Multiplica por -4 los dos lados de la ecuación.

$$s = 20$$

Comprueba $\frac{s}{-4} = -5$

$$\frac{20}{-4} = -5$$ Sustituye s por 20.

$$-5 = -5 \checkmark$$

4. Resuelve y comprueba.

a. $\frac{x}{8} = 9$ **b.** $\frac{x}{6} = -15$ **c.** $\frac{x}{-5} = -23$

Para obtener ecuaciones equivalentes mediante la división o la multiplicación se aplican las siguientes propiedades.

Propiedad de igualdad en la multiplicación

Los dos lados de una ecuación se pueden multiplicar por el mismo valor.

Aritmética	**Álgebra**
$6 = 6$	Si $a = b$,
$6 \cdot 2 = 6 \cdot 2$	$a \cdot c = b \cdot c$.

Propiedad de igualdad en la división

Los dos lados de una ecuación se pueden dividir por el mismo valor si éste no es cero.

Aritmética	**Álgebra**
$6 = 6$	Si $a = b$,
$6 \div 2 = 6 \div 2$	$a \div c = b \div c, c \neq 0$.

5. Di si aplicarías la propiedad de igualdad en la división o la propiedad de igualdad en la multiplicación para resolver estas ecuaciones.

a. $5x = 95$ **b.** $\frac{x}{-12} = -24$ **c.** $-3x = 42$

6. Frank usó la ecuación $12x = -36$ para estimar la solución de $12x = -38$. ¿Obtuvo así una buena estimación? ¿Por qué?

⬛PONTE⬛ A PRUEBA

Escribe, resuelve y comprueba las ecuaciones representadas por los modelos.

7. ||| = ▪▪▪▪ / ▪▪▪▪ / ▪▪▪▪

8. || = ▫▫▫▫ / ▫▫▫▫

Cálculo mental **Resuelve las ecuaciones.**

9. $2x = 4$

10. $3x = -27$

11. $\dfrac{y}{-4} = -12$

12. $\dfrac{n}{-5} = 11$

13. $-7y = -28$

14. $t \div 6 = -10$

⬛POR⬛ TU CUENTA

Elige **Usa una calculadora, lápiz y papel o cálculo mental para resolver las ecuaciones.**

15. $8n = 112$ **16.** $\dfrac{n}{3} = -42$ **17.** $-4 = -2r$ **18.** $\dfrac{q}{-5} = 30$

19. $\dfrac{t}{8} = 120$ **20.** $-9x = 189$ **21.** $\dfrac{r}{-4} = -104$ **22.** $7 = \dfrac{n}{9}$

Estima las soluciones.

23. $\dfrac{x}{18} = -40$ **24.** $-2x = -61$ **25.** $\dfrac{x}{-78} = -63$ **26.** $19x = -117$

27. Por escrito La solución de Susana para la ecuación $\dfrac{n}{-6} = 12$ es $n = -2$. Explica cómo puede haber alcanzado esta solución y cómo la ayudarías a corregir su error.

28. Pensamiento crítico ¿Qué valores de x hacen válida la ecuación $5|x| = 10$?

29. Elige A, B o C. ¿Qué ecuación usarías para representar el siguiente problema? Un árbol en crecimiento absorbe unas 26 lb de dióxido de carbono al año. ¿Cuántos años, y, tardará en absorber 390 lb de dióxido de carbono?

A. $26 + y = 390$ **B.** $\dfrac{y}{26} = 390$ **C.** $26y = 390$

30. Investigación (pág. 144) Usa tu balanza para resolver $4x = 8$. Coloca una moneda de 1¢ en el 8 del brazo derecho. Determina el punto del brazo izquierdo donde debes colocar 4 monedas de 1¢ para conseguir que la balanza se equilibre.

Nombra la propiedad representada.

1. $3(4 + 8) = 12 + 24$

2. $21 \cdot 1 = 21$

3. $0(17.56) = 0$

4. $3 + 4 = 4 + 3$

Resuelve.

5. $4 + x = -6$

6. $x - 8 = 5$

7. Un reloj se adelanta 4 min cada hora. Si fue puesto en hora a las 9 a.m., ¿cuál es la hora correcta cuando marca la 1:00 p.m.?

Los mineros *excavan cada día unos 625 acres de tierra. También replantan diariamente unos 337 acres.*

Fuente: *In One Day*

4-10 Uso de las ecuaciones

PIENSA Y COMENTA

Las ecuaciones permiten resolver muchos problemas. Una vez identificada la variable hay que convertir las palabras en dos expresiones algebraicas equivalentes unidas por el signo de igual.

Ejemplo 1 Escribe la ecuación correspondiente a "10 es la cuarta parte de un número".

Sea n = el número desconocido. Identifica la variable.

$\frac{n}{4} = 10$ Escribe la ecuación.

1. ¿Qué palabra se convierte en el signo de igual?

Cuando en los problemas aparecen palabras como *más, menos, mayor* o *menor,* hay que examinar con detenimiento las dos partes de la oración unidas por los términos *igual a, equivale a* o *es.*

2. Quince es igual a cierto número más tres.

   a. ¿Qué número está a la izquierda de la frase *es igual a?*

   b. Sea n = el número desconocido. Escribe la expresión correspondiente a la frase situada a la derecha de *es igual a.*

   c. Conecta las dos expresiones en una ecuación.

En muchos casos se puede o debe cambiar el orden de las cantidades en la oración.

3. **Elige A, B o C.** ¿Cuál es la ecuación adecuada para "un número menos tres equivale a quince"?

   A. $15 = 3 - n$ **B.** $15 = n - 3$ **C.** $15 - 3 = n$

4. Escribe una ecuación para cada frase.

   a. Doce es el triple de un número.

   b. Si restas tres de un número obtienes doce.

   c. La suma de tres y un número es igual a doce.

   d. Un número dividido por tres es igual a doce.

No siempre es fácil "traducir" el enunciado de un problema al lenguaje algebraico. Para conseguirlo se puede simplificar el texto formulándolo en una oración que cuente con términos como *igual a, equivale a* o *es.*

Ejemplo 2

Escribe una ecuación para la siguiente situación.

El martes, 478 estudiantes asistieron a la escuela y 80 estaban ausentes. ¿Cuántos estudiantes hay matriculados en la escuela?

- Piensa: 478 estudiantes equivale a 80 menos que el total de los matriculados en la escuela.

- Sea s = el número de estudiantes matriculados en la escuela.   Identifica la variable.

  $478 = s - 80$ Escribe una ecuación.

5. Lee el siguiente problema: La torre CN de Toronto y la torre Sears de Chicago son los dos edificios más altos del mundo. La torre CN mide 553 m. Es 110 m más alta que la torre Sears. ¿Cuánto mide la torre Sears?

   a. Formula de nuevo el problema usando *es* o *igual a.*

   b. Escribe la ecuación correspondiente a la altura de la torre Sears.

   c. Resuelve la ecuación.

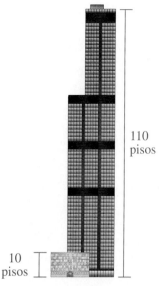

110 pisos

10 pisos

El primer verdadero rascacielos, que antiguamente se le llamaba rascanubes, fue el edificio de la empresa Home Insurance Corporation, construido en Chicago en 1884. Tenía 10 pisos. La torre Sears tiene 110 pisos.

PONTE A PRUEBA

Relaciona cada hecho con una ecuación.

6. Siete es igual a un número menos cuatro.

7. Cincuenta negativo equivale a diez veces un número.

8. Un número menos doce es igual a tres.

9. Veinticinco es tres más que un número.

10. Ocho es igual a un número dividido por dos negativo.

11. El producto de un número y nueve es igual a treinta y seis negativo.

12. Seis más un número es igual a dos.

A. $25 = 3 + n$

B. $8 = \dfrac{n}{-2}$

C. $m - 12 = 3$

D. $9n = -36$

E. $p - 4 = 7$

F. $25 + 3 = n$

G. $10n = -50$

H. $6 + a = 2$

I. $4 - q = 7$

Re**p**a**s**o **MIXTO**

Di si los ángulos son agudos, rectos u obtusos.

1. $m\angle A = 90°$

2. $m\angle B = 122°$

Resuelve.

3. $w \div 13 = 5$

4. $-8z = 56$

5. Un número se multiplica por 4. El producto se divide por 7. Después se resta 11 del cociente y el resultado es 5. ¿Cuál era el número original?

¡RECUERDA!

Las ecuaciones equivalentes tienen la misma solución.

Una vuelta a vapor

Si quiere disfrutar de un viaje maravilloso, suba en el ferrocarril de engranaje que va hasta la cumbre del monte Washington en New Hampshire. Construido en 1869, este tren tarda más o menos una hora en recorrer las tres millas del trayecto.

Su locomotora, que se detiene para cargar agua tras cubrir $\frac{1}{4}$ del ascenso, consume una tonelada de carbón y mil galones de agua por vagón de pasajeros. El agua enfría el carbón ardiente para generar así el vapor que alimenta a la máquina.

¡Ésta es sin duda una manera divertida de visitar el "techo del mundo"!

POR TU CUENTA

13. Por escrito El *Eucalyptus deglupta* es un árbol productor de caucho que crece a gran velocidad. Cathy y Darla escribieron diferentes ecuaciones para hallar el crecimiento anual medio, *g*, de un ejemplar que había alcanzado 150 pies en 15 años. Cathy escribió $15g = 150$. Darla escribió $150 \div 15 = g$. ¿Son equivalentes estas ecuaciones? Explica por qué.

Escribe y resuelve las ecuaciones correspondientes.

14. La suma de 52 y un número es igual a 75.

15. Un número dividido por 6 es igual a 8.

16. Cinco veces un número es igual a 45.

17. Catorce menos que un número es igual a cincuenta y seis.

18. Biología Un panal de abejas contiene 35,000 celdillas. ¿Cuántas celdillas hay en 50 panales?

19. Vas a exhibir 120 vasos en una estantería. En cada estante caben 30 vasos. ¿Cuántos estantes necesitas?

20. Hillary dedica 3 h semanales a la práctica del fútbol. Esto equivale a un tercio del tiempo que dedica a las tareas escolares. ¿Cuánto tiempo dedica a sus tareas?

21. Astronomía Ptolomeo, un astrónomo de la antigüedad, les puso nombre a 48 de las 88 constelaciones que actualmente tienen nombre. ¿A cuántas constelaciones no les puso nombre Ptolomeo?

22. Transporte Entre Albuquerque y Salt Lake City hay 604 mi. Supón que tu auto recorre 50 mi/h.

   a. ¿Aproximadamente cuántas horas tardarás en llegar a Albuquerque desde Salt Lake City.

   b. ¿Cuánto camino te queda si te detienes después de recorrer 238 mi?

Usa el artículo de la izquierda en los ejercicios 23–24. Escribe y resuelve las ecuaciones correspondientes a los siguientes datos.

23. el volumen de agua que se usa por pasajero si en cada vagón viajan 40 pasajeros

24. la edad del ferrocarril de engranaje

• Resolver
ecuaciones de
dos pasos

 Las primeras
anotaciones
matemáticas
conocidas aparecen en unas
300 tablillas de arcilla
procedentes de Babilonia, hoy
día el centro de Irak. Estos
registros, que cuentan con
numerosas ecuaciones
resueltas, fueron grabados
entre el 2100 a. C. y el
300 d. C.

EN EQUIPO

Trabaja con un compañero.

• Escribe una ecuación en la que haya una multiplicación y una suma, por ejemplo $2(3) + 5 = 11$, pero no se la muestres a tu compañero. Escribe de nuevo la ecuación sustituyendo un factor por una variable (por ejemplo, x reemplaza a 3 en $2x + 5 = 11$).

• Muestra la ecuación con la variable a tu compañero y pídele que la resuelva.

• Después de tres turnos cada uno, discutan las estrategias que usaron para hallar las soluciones.

PIENSA Y COMENTA

Para resolver ecuaciones como éstas se puede usar la estrategia de "estimar y comprobar", pero un sistema metódico para resolver ecuaciones de dos pasos resultará bastante más efectivo.

1. a. ¿Qué crees que se debe hacer primero para resolver la siguiente ecuación: restar 1 ficha de cada lado o dividir cada lado en dos conjuntos iguales? Explica tu respuesta.

b. Usa fichas para resolver la ecuación y comprueba la solución.

c. Describe el procedimiento usado para resolver la ecuación.

2. Escribe la ecuación representada por cada modelo y usa fichas de álgebra para resolverla. Escribe la ecuación correspondiente a cada uno de los pasos seguidos. Comprueba luego la solución.

a. 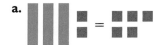   **b.**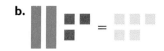

Para resolver ecuaciones de dos pasos sin usar modelos se puede aplicar el concepto de "operaciones inversas". Como se trabaja con dos operaciones, hay que deshacer dos operaciones.

3. Resuelve $5n + 7 = -18$.

    a. ¿Cómo puedes deshacer una suma de 7?

    b. Haz lo mismo en los dos lados de la ecuación. Escribe la ecuación resultante.

    c. ¿Cómo puedes deshacer la multiplicación de n por 5?

    d. ¿Cuál es el valor de n?

    e. Comprueba la solución.

El método empleado para resolver la ecuación anterior puede aplicarse a todas las ecuaciones simples de dos pasos.

Resolución de ecuaciones de dos pasos

1. Deshaz la suma o la resta.

2. Deshaz la multiplicación o la división.

4. ¿Se parece este método al utilizado con los modelos de la página 181? Explica tu respuesta.

5. Resuelve y comprueba $\frac{n}{3} + 2 = 6$.

P O R TU CUENTA

Escribe, resuelve y comprueba la ecuación representada por cada modelo.

6. ▮▮ ◼ = ◼◼◼ ◼
        ◼◼◼

7. ▮▮▮ ◼◼ = ◻◻
             ◻◻

Usa un modelo para resolver cada ecuación. Comprueba después la solución.

8. $2n + 6 = -8$ **9.** $3x + 6 = 12$ **10.** $2y - 10 = -2$

Resuelve las ecuaciones.

11. $8r - 8 = -32$ **12.** $5t + 12 = 67$ **13.** $\frac{m}{-11} + 1 = -10$

14. $\frac{n}{8} + 4 = 13$ **15.** $7r - 6 = -104$ **16.** $\frac{x}{3} + 9 = 9$

17. Calculadora Anota los pasos que seguirías para resolver $5x + 12 = 67$ en la calculadora. Después, resuelve la ecuación con la calculadora.

Cálculo mental **Resuelve las ecuaciones.**

18. $5c + 5 = 0$ **19.** $\frac{n}{4} + 2 = 4$ **20.** $10t - 10 = 90$

21. Elige A, B, C o D. Jeremy compró varios lápices a \$.32 cada uno y un cuaderno de papel cuadriculado por \$1.58. El costo total fue de \$3.82. ¿Qué ecuación usarías para averiguar cuántos lápices compró Jeremy?

A. $382p + 158 = 32$ **B.** $32p + 158 = 382$

C. $158p + 32 = 382$ **D.** $32p + 382 = 158$

Describe una situación que corresponda a cada ecuación.

22. $4g + 7 = 35$ **23.** $\frac{n}{3} + 5 = 10$

24. Por escrito Supón que un amigo no ha venido hoy a clase. Escríbele una nota para explicarle cómo se resuelve la ecuación $5x - 23 = -13$.

 25. Investigación (pág. 144) Usa tu balanza para resolver $2x + 4 = 10$. Explica dónde has colocado las monedas para hallar la solución.

⌜V I S T A Z O A LO APRENDIDO

1. Tienes tres sellos de 29¢ y dos de 23¢. ¿De cuántas cantidades distintas de franqueo dispones?

Resuelve.

2. $-7n = -91$ **3.** $\frac{n}{-4} + 6 = -3$ **4.** $y - (-3) = 4$

5. $\frac{n}{13} = -3$ **6.** $-5 = x + 16$ **7.** $\frac{x}{5} - 8 = 7$

8. Elige A, B, C o D. Kendra quema 14 calorías/min cuando corre. Si ha quemado 154 calorías, ¿qué ecuación te permitiría averiguar cuántos minutos (m) ha corrido?

A. $m + 14 = 154$ **B.** $m - 14 = 154$

C. $m \cdot 14 = 154$ **D.** $\frac{m}{14} = 154$

Re_{paso} MIXTO

Completa.

1. Si un triángulo tiene un ángulo recto es un triángulo ■.

2. Si un triángulo tiene tres lados congruentes es un triángulo ■.

Escribe y resuelve las ecuaciones.

3. Un número dividido por 8 es igual a 9.

4. Quince más un número es igual a 45.

5. En una exposición de animales, todos los gatos blancos tenían el pelo largo, pero sólo la mitad de los gatos negros tenía el pelo largo. La mitad de los gatos de pelo largo eran blancos. Si había 40 gatos negros y 30 blancos, ¿cuántos gatos de pelo largo no eran ni negros ni blancos?

En conclusión

Enteros, opuestos y valor absoluto · 4-1, 4-2

Decimos que dos números son **opuestos** cuando, en la recta numérica, están a la misma distancia de 0 pero en sentido opuesto. El conjunto de los **números enteros** está formado por los números naturales y sus opuestos.

El **valor absoluto** de un número entero equivale a su distancia (una cantidad no negativa) de 0 en la recta numérica.

1. ¿Qué número entero corresponde a 9°F bajo cero?

2. Representa cero dibujando 6 fichas.

3. Escribe el valor absoluto de estos números enteros.
   a. -5 **b.** 2 **c.** -17

4. Ordena de menor a mayor:
   $7 \quad -6 \quad 0 \quad -3 \quad 1$

Compara. Usa $<$, $>$ ó $=$.

5. -7 ■ 7
6. $|-3|$ ■ $|3|$
7. -12 ■ 0
8. $|-9|$ ■ -4
9. 8 ■ -15

10. **Elige A, B, C o D.** ¿Con cuántas fichas se podría representar -5?

   A. 4 fichas   **B.** 9 fichas   **C.** 10 fichas   **D.** 12 fichas

Suma y resta de números enteros · 4-3, 4-4, 4-5

Para sumar números enteros con el *mismo* signo *se suman* sus valores absolutos. La suma tiene el mismo signo que los sumandos.

Para sumar números enteros con *distinto* signo *se restan* sus valores absolutos. La suma tiene el mismo signo que el entero de mayor valor absoluto.

Para restar un número entero se suma su opuesto.

Escribe la expresión numérica correspondiente a cada modelo. Halla la suma o la diferencia.

11.

12.

13.

Halla los resultados.

14. $-4 + 7$
15. $-14 + (-8)$
16. $3 - 8$
17. $17 - (-12)$
18. $15 + (-18)$

El producto o el cociente de dos números enteros con el *mismo* signo es siempre *positivo*.

El producto o el cociente de dos números enteros con *distinto* signo es siempre *negativo*.

Halla cada producto o cociente.

19. $-5 \cdot 6$

20. $-14 \cdot -6$

21. $125 \div -5$

22. $-98 \div -49$

23. Por escrito Explica cómo se determinan los signos correspondientes a la suma y el producto de -5 y 8.

Para resolver una ecuación de suma o resta se resta o suma el mismo valor a los dos miembros de la ecuación.

Para resolver una ecuación de multiplicación o división se dividen o multiplican los dos lados de la ecuación por un mismo valor, siempre que no sea cero.

Usa modelos, una calculadora o lápiz y papel para resolver y comprobar las ecuaciones.

24. $x - (-2) = -4$

25. $2y = 8$

26. $\dfrac{q}{5} = 7$

27. $3m + 4 = -2$

Escribe una ecuación. Luego resuelve y comprueba.

28. La suma de un número y 17 es -24.

29. El cociente de un número dividido por -9 es -6.

Puedes usar la estrategia "Haz una tabla" para resolver problemas.

30. Scott vendió banderines durante una recaudación de fondos para la banda. Los banderines pequeños costaban $1.25 y los grandes $1.75. Si el lunes recaudó $20, ¿cuántos vendió de cada tamaño? Escribe todas las combinaciones que puedas hallar.

PREPARACIÓN PARA EL CAPÍTULO 5

Estima el área de cada figura.

1.

2.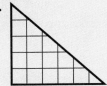

3.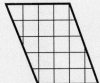

4.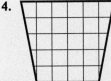

cierra el caso

Una cuestión de equilibrio

Dos niños están jugando en un subibaja como éste.

En los problemas precedidos por la lupa (pág. 173, #40; pág. 177, #30 y pág. 183, #25) has resuelto ecuaciones usando una balanza como modelo. Aplica lo que has aprendido e indica a los niños dónde deben sentarse para que el subibaja quede en equilibrio.

1. Supón que el niño A se sienta a 2 pies del centro. ¿Dónde debería sentarse el niño B?
   a. niño A, 80 lb; niño B, 40 lb
   b. niño A, 100 lb; niño B, 75 lb
2. Si el subibaja tuviera 12 pies de largo, ¿en qué otros puntos se podrían sentar sin alterar el equilibrio?

Extensión: La palabra *equilibrio* y sus derivados se utilizan en muchas situaciones. Explica las siguientes frases. ¿Qué relación tiene cada una con el funcionamiento de una balanza?
   a. Equilibrar el presupuesto.
   b. El equilibrio ecológico.
   c. Equilibrar las ruedas de un auto.
   d. Equilibrar una cuenta bancaria de cheques.
   e. Nuestro gobierno funciona por medio de un sistema de limitar y equilibrar.

Puedes consultar:
   - una enciclopedia

A GRAN ALTURA

Los Juegos Olímpicos modernos se iniciaron en 1896. Ese año, el estadounidense Ellery Clark ganó el salto alto con una marca de 5' 11". Desde entonces, los campeones han ido batiendo uno tras otro los récords previamente establecidos. Averigua cuáles han sido los récords de salto alto en las Olimpiadas modernas y haz una gráfica con esos datos. ¿Crees que alguna vez se conseguirá doblar la marca de Clark? Si es así, ¿cuándo te parece que podría ocurrir esto?

Las mujeres empezaron a participar en las competencias de atletismo en 1928. Ese año, Ethel Catherwood, de Canadá, saltó 5' 2 1/2". Averigua cuáles han sido los récords olímpicos femeninos en salto alto y haz una gráfica con la información. ¿Qué conclusiones puedes sacar al comparar las dos gráficas?

¡FELIZ CUMPLEAÑOS!

¿Cuándo es tu cumpleaños? Escribe las cifras correspondientes a esa fecha (por ejemplo, 1 de enero sería 1/1). Formula un problema usando las cifras de tu cumpleaños y dáselo a un compañero para que lo resuelva.

A nivel continental

En los mapas físicos elaborados por los cartógrafos se representan los grandes desniveles de la superficie terrestre. Allí "se ven" las cimas de las montañas y los valles más profundos. ¿En qué continente se produce la mayor diferencia entre la altura máxima sobre el nivel del mar y la depresión más profunda bajo ese nivel? Halla los datos que necesitas para responder a esta pregunta.

ESTADOS Y GRADOS

El agua es un compuesto natural que sobre la Tierra aparece en tres estados:

sólido—hielo
líquido—agua
gaseoso—vapor

A 32°F el agua pasa del estado líquido al sólido o del sólido al líquido. Esta temperatura es el punto de congelación o de fusión. A 212°F, es decir, en el punto de ebullición o condensación, el agua pasa del estado líquido al gaseoso o del gaseoso al líquido. Hay una gama de 180°F entre el punto de congelación y el punto de ebullición. Halla los puntos de congelación y ebullición del oro, el oxígeno, la sal, el mercurio y una o dos sustancias más. Haz una tabla con esos puntos de congelación y ebullición. ¿Cuál es la diferencia en grados entre las dos temperaturas?

1. Completa con un número entero que cumpla los enunciados.

   a. $-1 < \blacksquare$ **b.** $\blacksquare > -7$

   c. $|-13| > \blacksquare$ **d.** $-17 < \blacksquare$

2. Usa modelos para representar estos números de dos maneras distintas.

   a. 8   **b.** -1 **c.** -5

3. Ordena los siguientes números enteros de menor a mayor: $-2, 5, 0, -7, -3$.

4. Usa modelos para representar las sumas y halla los resultados.

   a. $7 + (-1)$ **b.** $-3 + 2$

   c. $-4 + (-2)$ **d.** $-11 + (-5)$

   e. $-8 + (-5)$ **f.** $5 + (-7)$

5. **Cálculo mental** Evalúa.

   a. $-3 + 5$ **b.** $-2 + (-2)$

   c. $-4 - 9$ **d.** $-11 + 15$

   e. $8 + (-8) + 4$ **f.** $7 - 13 + (-7)$

6. Evalúa.

   a. $6(-11)$ **b.** $-63 \div (-7)$

   c. $48 \div (-3)$ **d.** $-8(-9)$

   e. $22(4) \div -8$ **f.** $(-2 \cdot 8) \div 4$

7. Un levantador de pesas puede levantar 90 kg, sin contar la barra. En el gimnasio hay pesas de 5 kg, 10 kg y 25 kg. Una barra soporta hasta 7 pesas en cada extremo. Considerando que cada lado debe pesar lo mismo, ¿cuántas combinaciones distintas de pesas totalizan 90 kg?

8. Resuelve.

   a. $x + 3 = 9$ **b.** $a - 4 = -1$

   c. $c - 2 = 5$ **d.** $y + 1 = -12$

   e. $n + (-4) = -10$ **f.** $z - (-2) = -8$

9. Escribe y resuelve la ecuación correspondiente a cada oración.

   a. Un número dividido por 7 es igual a 3.

   b. Un número menos seis es igual a 52.

   c. Un número por 6 es igual a -48.

   d. Cinco más que un número equivale a -14.

10. Resuelve.

    a. $6n = -42$ **b.** $m \div 8 = 8$

    c. $\dfrac{q}{2} = -11$ **d.** $-9x = -180$

    e. $-12c = -132$ **f.** $\dfrac{m}{7} = -14$

11. Un submarino estaba a 250 m de profundidad. Después subió 75 m y bajó 20 m. Usa un número entero para representar la ubicación final del submarino.

12. **Por escrito** Explica los pasos que sigues para resolver la ecuación $5y + 2 = 17$.

13. Resuelve.

    a. $4d - 3 = 9$ **b.** $7z + 2 = -19$

    c. $9g + 1 = 82$ **d.** $\dfrac{x}{5} - 8 = -1$

14. **Elige A, B, C o D.** ¿Qué ecuación es equivalente a $5a - 1 = 9$?

    A. $2a - 1 = 3$ **B.** $6a + 4 = 8$

    C. $13a + 1 = 14$ **D.** $10a - 15 = -4$

Repaso general

Elige A, B, C o D.

1. La tienda de videos Zoom cobra $3.75/día por los videos que se devuelven con retraso. Carla tenía que devolver un video el domingo, pero lo hizo el viernes siguiente. ¿Cuánto dinero debe?

   A. $3.75　　　　**B.** $22.50

   C. $18.75　　　**D.** $15

2. Estima para determinar qué suma está entre 21 y 22.

   A. 13.71 + 1.5 + 8.2

   B. 6.75 + 9.02 + 5.838

   C. 5.99 + 2.69 + 15.49

   D. 3.772 + 12.04 + 4.009

3. Nombra un semicírculo de esta figura.

   A. $\overarc{DCB}$　　　**B.** $\overarc{DAB}$

   C. $\overline{AB}$　　　**D.** $\overarc{ABC}$

4. ¿Qué grupo de fichas *no* representa al número entero −2?

   A. ■■■■　　　**B.** ■■■■ ■■■■

   C. ■■　　　　**D.** ■■■■

5. Un triángulo obtusángulo tiene un ángulo de 30°. ¿Cuál es la medida del otro ángulo agudo?

   A. cualquier valor entre 0° y 60°

   B. cualquier valor menor que 90°

   C. cualquier valor entre 30° y 60°

   D. cualquier valor entre 60° y 90°

6. ¿Cuál es la solución de la ecuación −15 = m − 9?

   A. −24　　　　**B.** −6

   C. 24　　　　**D.** 6

7. Supón que *s* representa la cantidad de azúcar (en tazas) que se necesita en una receta. Si la cantidad de harina equivale a media taza más que el doble de la cantidad de azúcar, ¿qué expresión algebraica representa la cantidad de harina?

   A. $\frac{1}{2} + s$　　　**B.** $\frac{1}{2} + \frac{s}{2}$

   C. $\frac{1}{2} + 2s$　　**D.** $2(s + \frac{1}{2})$

8. Redondea 3.8962 a la centésima más cercana.

   A. 3.89　　　　**B.** 3.90

   C. 3.896　　　**D.** 3.9

9. ¿Qué puedes concluir sobre $\triangle ABC$ y $\triangle DEF$?

   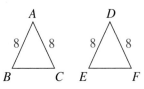

   A. $\triangle ABC \cong \triangle DEF$　　**B.** $\angle A \cong \angle D$

   C. $\overline{BC} \cong \overline{EF}$　　　**D.** $\overline{AB} \cong \overline{DF}$

10. ¿Cuántas combinaciones distintas de sándwich y bebida puede comprar Eric con $3 o menos?

Atún	$2.50
Perro caliente	$1.75
Carne asada	$2.95
Leche	$.60
Limonada	$.50

    A. 3　　**B.** 4　　**C.** 5　　**D.** 6

Medidas

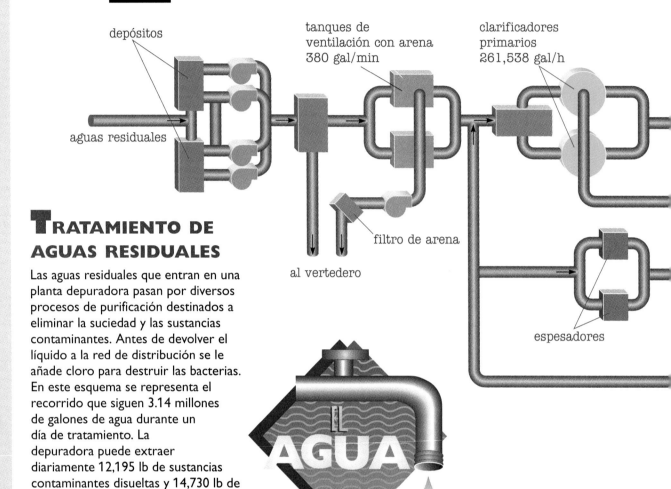

depósitos

aguas residuales

tanques de
ventilación con arena
380 gal/min

clarificadores
primarios
261,538 gal/h

al vertedero

filtro de arena

espesadores

TRATAMIENTO DE AGUAS RESIDUALES

Las aguas residuales que entran en una planta depuradora pasan por diversos procesos de purificación destinados a eliminar la suciedad y las sustancias contaminantes. Antes de devolver el líquido a la red de distribución se le añade cloro para destruir las bacterias. En este esquema se representa el recorrido que siguen 3.14 millones de galones de agua durante un día de tratamiento. La depuradora puede extraer diariamente 12,195 lb de sustancias contaminantes disueltas y 14,730 lb de partículas contaminantes suspendidas.

Fuente: Planta depuradora de Mansfield, MA

EL AGUA

Ahorro de agua con ciertos aparatos			
Aparato convencional	**Galones utilizados***	**Aparato especial**	**Galones utilizados***
Inodoro	4–6 gal	Inodoro con presión de aire	0.5 gal
Ducha	4–6 gal	Ducha de flujo controlado	2.1 gal
Grifos		Grifos de flujo controlado	
Baño	4–6 gal	*Baño*	0.5 gal
Cocina	4–6 gal	*Cocina*	1.5 gal
Lavadora de carga superior	40–55 gal	Lavadora de carga frontal	22–33 gal

*inodoro: gal/descarga ; ducha, grifo: gal/min; lavadora: gal/lavado

Fuente: *EPA Journal*

EN ESTE CAPÍTULO

- usarás fórmulas de medición
- representarás el área superficial de prismas y cilindros
- usarás tecnología para aplicar el teorema de Pitágoras
- resolverás problemas usando la estrategia "estima y comprueba"

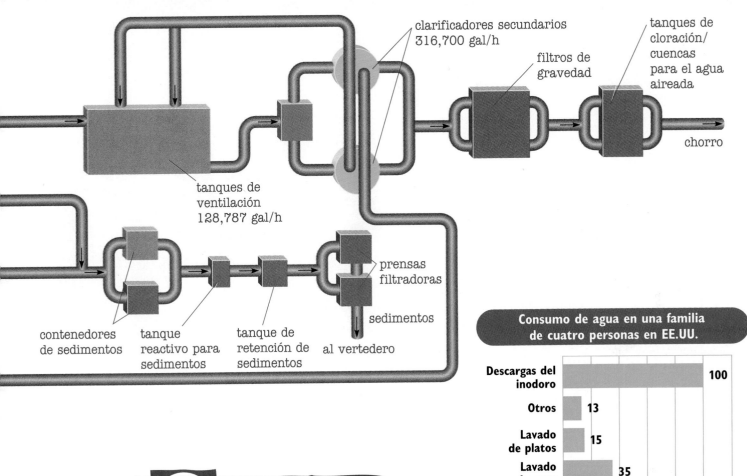

clarificadores secundarios
316,700 gal/h

filtros de gravedad

tanques de cloración/ cuencas para el agua aireada

chorro

tanques de ventilación
128,787 gal/h

prensas filtradoras

sedimentos

contenedores de sedimentos

tanque reactivo para sedimentos

tanque de retención de sedimentos

al vertedero

Consumo de agua en una familia de cuatro personas en EE.UU.

	Galones diarios
Descargas del inodoro	100
Otros	13
Lavado de platos	15
Lavado de ropa	35
Duchas y baños	80

0   20   40   60   80   100   120

Fuente: *Information Please Environmental Almanac*

DE TODO EL MUNDO

Una planta desalinizadora de Kuwait procesa diariamente 5,000,000 de galones de agua marina.

Un vistazo a los Grandes Lagos

	Lago Erie	Lago Hurón	Lago Michigan	Lago Ontario	Lago Superior
Longitud	241 mi	206 mi	307 mi	193 mi	350 mi
Ancho	57 mi	183 mi	118 mi	53 mi	160 mi
Profundidad máxima	210 pies	750 pies	923 pies	802 pies	1,330 pies
Volumen de agua	116 mi^3	850 mi^3	1,180 mi^3	393 mi^3	2,900 mi^3
Superficie	9,910 mi^2	23,000 mi^2	22,300 mi^2	7,550 mi^2	31,700 mi^2

Fuente: *World Almanac*

Proyecto

Informe

Cada año, las compañías privadas sacan al mercado miles de productos nuevos que generalmente se venden en algún tipo de envase o paquete. Muchas empresas contratan ingenieros para diseñar los envases más adecuados para cada mercancía. ¿Pero qué es exactamente lo más adecuado?

Misión: Junto con varios compañeros debes diseñar y construir diferentes envases para un producto que se use en la vida diaria. Los envases pueden variar de forma, tamaño y material. Después, decidan cuál de ellos sería más conveniente para una empresa que quisiera distribuir millones de unidades de ese producto. Expliquen por qué consideran que el diseño que escogieron es el más adecuado.

Sigue Estas Pistas

✓ ¿Qué factores tiene que considerar un fabricante cuando diseña un envase?

✓ Piensa en cosas que te gusta comprar. ¿Qué te atrae de los envases?

• Estimar longitudes, perímetros y áreas

5-1

Estimación de longitudes y áreas

✓ Regla

✓ Cuerda

¿QUÉ? Las medidas de longitud, área y peso tienen historias muy interesantes. Por ejemplo, el acre era antiguamente la superficie de tierra que un campesino con dos bueyes podía arar en un día, lo cual variaba de un lugar a otro. El rey Enrique VIII de Inglaterra estableció finalmente que el acre era una superficie de 660 pies de largo por 66 pies de ancho.

Fuente: *Why Do Clocks Run Clockwise?*

¡RECUERDA!

El perímetro es el largo del contorno de una figura.

EN EQUIPO

Trabaja en un grupo.

• Cada miembro del grupo debe recorrer el salón de clases a lo largo poniendo un pie justo delante del otro. Cuenten el número de pasos.

• Midan su pie y determinen la longitud del salón.

• Calculen un promedio de todas las longitudes halladas.

• Comparen su resultado con los de otros grupos.

PIENSA Y COMENTA

1. ¿Halló tu grupo longitudes muy similares en la actividad anterior?

2. ¿Qué factor explicaría las diferencias entre las medidas halladas en tu grupo y entre los promedios de los distintos grupos?

3. ¿Qué estimación te parece más exacta: las medidas individuales o el promedio de esas medidas? Explica por qué.

Las medidas estimadas, como las exactas, sólo tienen valor si se expresan en una unidad determinada. Por ejemplo, afirmar que un edificio tiene una altura de 12 carece completamente de sentido. Ahora bien, si alguien dice que un edificio tiene 12 pulg de alto, podemos suponer que se trata de una miniatura y no de un edificio real.

4. ¿Qué unidad de medida usarías para estimar estas magnitudes?

   a. el ancho de un lago

   b. la envergadura de las alas en una mariposa

   c. el perímetro de un marco para un cuadro

   d. el perímetro de un parque de atracciones

5. a. ¿Cómo usarías un trozo de cuerda para estimar el perímetro de esta pieza de rompecabezas?

b. Estima el perímetro.

Hallar el **área** de una figura significa hallar el número de unidades cuadradas que ésta contiene.

6. Los cuadrados de la derecha miden 1 cm por 1 cm.

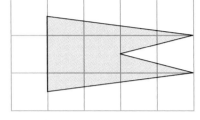

a. ¿Cuál es el área de cada cuadrado?

b. Estima el área del banderín. ¿Cómo la has calculado?

c. En 1 cm hay 10 mm. ¿Cuántos cuadrados de 1 mm por 1 mm hay en un cuadrado de 1 cm por 1 cm?

d. Estima el área del banderín en milímetros cuadrados.

7. Los cuadrados siguientes miden 1 cm por 1 cm.

a. ¿Cómo podrías estimar el área de la figura?

b. Estima el área de la figura.

c. Supón que la figura representa un lago y que cada cuadrado equivale a 25 km². Estima el área del lago.

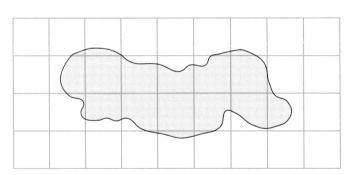

8. ¿Qué unidad cuadrada usarías para estimar el área de un patio de juego? ¿Y el área de tu cocina? ¿Y el área de una uña?

9. Pensamiento crítico El perímetro se mide en unidades de longitud, pero el área se mide en unidades cuadradas. ¿Por qué?

 Los romanos consideraban que la pulgada equivalía al ancho de un pulgar humano, lo cual se aproxima bastante a la magnitud de la pulgada inglesa. El dólar de arriba es la mitad de grande que un billete real. Halla el perímetro de este billete en "anchos de pulgar". **Estima en pulgadas el perímetro de un billete de verdad.**

Fuente: *Why Do Clocks Run Clockwise?*

⌐P·O·R TU CUENTA

Estima las longitudes en pulgadas. _____1 pulg_____

10. ⸻⸻⸻⸻⸻⸻⸻⸻⸻

11. ⸻⸻⸻⸻⸻

Estima las longitudes en centímetros. _____1 cm_____

12. ⸻⸻⸻⸻⸻⸻⸻

13. ⸻⸻⸻⸻⸻⸻⸻⸻⸻⸻

Elige una de las unidades para medir las siguientes longitudes y áreas.

14. la altura de un poste de teléfonos: mm, cm, m, km

15. el perímetro de un marco para fotos: pie, yd, pulg, mi

16. el área de una piscina: pie^2, yd^2, $pulg^2$, mi^2

17. la longitud de un sujetapapeles: mm, cm, m, km

18. el área de un campo de fútbol: cm^2, m^2, km^2

En un campo de fútbol caben más de 51,000 personas.

Fuente: *Comparisons*

19. a. Mide la longitud de tu *paso* (la distancia de un paso normal).

   b. Estima la longitud y el ancho de una habitación de tu casa usando tu paso como unidad de medida. Estima luego el perímetro de la habitación.

   c. Por escrito ¿Qué es más exacto: medir la longitud de la habitación en pasos o calcularla poniendo un pie delante de otro como hiciste en la actividad "En equipo"? ¿Por qué?

20. Los cuadrados de abajo miden 1 cm por 1 cm. Estima estas magnitudes.

   a. el área de la figura   **b.** el perímetro de la figura

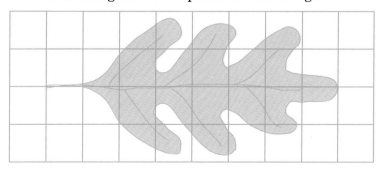

Jardines Tívoli cumplen 150 años

En 1993 se celebró el 150 aniversario de los Jardines Tívoli de Copenhague, Dinamarca, el parque de diversiones más antiguo del mundo. En sus 20 acres de superficie hay 29 restaurantes, pero solamente 25 atracciones.

La montaña rusa fue construida en 1914 y todavía funciona con frenos manuales. En el parque se representan escenas de los cuentos de Hans Christian Andersen.

Cada año se plantan allí unas 400,000 flores, y 110,718 luces de colores iluminan el parque por las noches.

Walt Disney empezó a pensar en su célebre parque después de visitar los Jardines Tívoli en los años 50.

Repaso MIXTO

Simplifica.

1. $-6 + (-6) + 5$
2. $3 + (-4) - (-7)$

Usa las propiedades de la suma para hallar los resultados.

3. $6.2 + 32.5 + 13.8$
4. $15.4 + (4.6 + 12)$

5. Usa la siguiente información para hallar el perímetro del cuadrilátero *ABCD*. La suma de las longitudes de $\overline{AB}$ y $\overline{BC}$ es 15. La suma de las longitudes de $\overline{BC}$ y $\overline{CD}$ es 12. La suma de las longitudes de $\overline{CD}$ y $\overline{DA}$ es 11 y la suma de las longitudes de $\overline{DA}$ y $\overline{AB}$ es 14. (*Sugerencia:* Haz un diagrama.)

21. **a.** Un acre tiene 43,560 pies². ¿Significa esto que su forma es siempre cuadrada? Explica por qué.

   b. Estima el número de pies cuadrados que mide el parque de diversiones más antiguo del mundo.

22. Disneylandia, el primer parque de Walt Disney, tiene 180 acres. ¿Aproximadamente cuántas veces más grande que los Jardines Tívoli es Disneylandia?

23. **a.** Un campo de fútbol americano mide 57,600 pies². ¿Tiene su superficie más de un acre o menos?

   b. ¿A cuántos campos de fútbol equivale aproximadamente la superficie de los Jardines Tívoli?

24. **Archivo de datos #5 (págs. 190–191)** El área de uno de los Grandes Lagos es unas cuatro veces mayor que la de otro. ¿De qué lagos se trata?

Cada cuadrado representa 25 mi². Estima el área de cada región.

25.
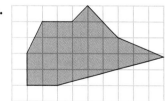

26.
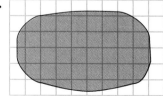

• Hallar áreas y perímetros de rectángulos, cuadrados y otros paralelogramos

✓ Calculadora

Rectángulo

$A = la$

$P = 2(l + a)$

a

l

Cuadrado

$A = l^2$

$P = 4l$

l

 La hoja de papel usada para imprimir cuatro páginas de *USA Today* mide 22 pulg × 27.5 pulg. **¿Cuál es el área de la hoja? Halla el área de la hoja de papel usada para imprimir cuatro páginas de un periódico de tu población.**

5-2 Área de rectángulos y paralelogramos

PIENSA Y COMENTA

A la izquierda aparecen algunas fórmulas ya conocidas para hallar el perímetro y el área de rectángulos y cuadrados.

1. ¿Qué representan *l* y *a*? ¿Qué representa *l* en el segundo caso?

2. ¿Qué relación observas entre la fórmula del cuadrado y la del rectángulo?

3. a. **Cálculo mental** Halla el área del rectángulo.

   b. Halla su perímetro.

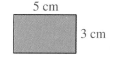
5 cm
3 cm

4. a. **Cálculo mental** Halla el área del cuadrado.

   b. Halla su perímetro.

3 pies

Supón que quieres hallar el área de este paralelogramo no rectangular.

5. ¿Qué figuras se forman si trazas un segmento perpendicular desde un vértice hasta el lado opuesto?

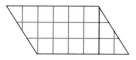

6. a. ¿Qué figura se forma si cortas el paralelogramo por el segmento perpendicular y colocas el trozo cortado en el lugar indicado por el dibujo?

   b. ¿Cuál es el área de esta nueva figura?

   c. ¿Cuál es el área del paralelogramo original? ¿Por qué?

7. a. ¿Cuántas unidades de longitud miden *la base b* y *la altura h* del paralelogramo original?

   b. ¿Qué relación tienen *b* y *h* con la longitud y el ancho del rectángulo formado?

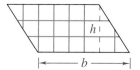
h
b

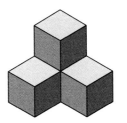

Puedes usar paralelogramos para producir la ilusión de que un dibujo es tridimensional. **¿Tienen todos estos paralelogramos la misma área? ¿Por qué?**

La fórmula para hallar el área de cualquier paralelogramo procede de la utilizada para el rectángulo.

Área de los paralelogramos

$$A = bh$$

Ejemplo 1

Estima el área de este paralelogramo. Hállala después con una calculadora.

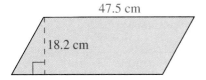

- $A = bh$.

   Estima: $50 \times 20 = 1,000$ cm^2

   47.5 ☒ 18.2 ▤ *864.5*

El área es de 864.5 cm^2.

8. Supón que quieres hallar el perímetro del paralelogramo anterior. ¿Qué información necesitas?

9. a. Calculadora Halla el perímetro del paralelogramo.

   b. Halla el área del paralelogramo.

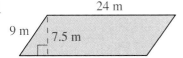

Conociendo el área y una dimensión de un rectángulo o paralelogramo, se puede hallar la otra dimensión.

Ejemplo 2

Un rectángulo tiene un área de 225 m^2. Si su longitud es 18 m, ¿cuál es su perímetro?

- Usa $A = la$ para hallar el ancho.

   $225 = 18a$ **Sustituye A por 225 y l por 18.**

   $\dfrac{225}{18} = \dfrac{18a}{18}$ **Divide ambos lados por 18.**

   225 ÷ 18 ▤ *12.5*

El ancho es 12.5 m.

- $P = 2(l + a)$

   $P = 2(18 + 12.5) = 2(30.5) = 61$

El perímetro es 61 m.

¿Qué les ocurre al área y al perímetro de un rectángulo si se doblan sus dimensiones? ¿Y si se triplican sus dimensiones?

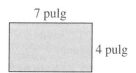

7 pulg

4 pulg

10. Hallen el área y el perímetro de este rectángulo.

11. Copien y completen la tabla de la derecha registrando el área y el perímetro de los rectángulos con las dimensiones indicadas.

l	a	P	A
7 pulg	4 pulg	▨	▨
14 pulg	8 pulg	▨	▨
21 pulg	12 pulg	▨	▨
28 pulg	16 pulg	▨	▨

12. ¿Qué le ocurre al área de un rectángulo cuando se doblan, triplican o cuadruplican sus dimensiones?

13. ¿Qué le ocurre al perímetro de un rectángulo cuando se doblan, triplican o cuadruplican sus dimensiones?

PONTE A PRUEBA

Halla el área de cada cuadrilátero.

14. rectángulo: $l = 8$ cm, $a = 6$ cm

15. paralelogramo: $b = 12$ pulg, $h = 7$ pulg

16. cuadrado: $l = 14$ m

Ben Nicholson pintó este cuadro abstracto en 1937. El lienzo mide 62.75 pulg por 72.25 pulg. ¿Cuál es el perímetro de la obra? ¿Cuál es su área?

POR TU CUENTA

Elige Usa una calculadora, lápiz y papel o cálculo mental para hallar el área y el perímetro de las siguientes figuras.

17. cuadrado

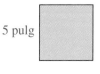

5 pulg

18. rectángulo

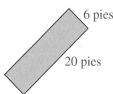

6 pies

20 pies

19. paralelogramo

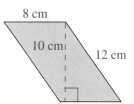

8 cm

10 cm

12 cm

20. paralelogramo

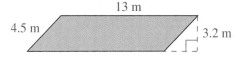

13 m

4.5 m   3.2 m

21. paralelogramo

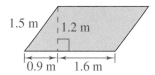

1.5 m   1.2 m

0.9 m   1.6 m

¿Qué unidad es mejor para medir estas magnitudes?

1. el perímetro de tu escritorio: pie, yd, pulg, mi

2. el área del piso de un gimnasio: cm^2, m^2, km^2

Halla los productos.

3. $-8(-7)$ **4.** $6(-4)(3)$

5. Si cada cuadrado sombreado tiene un área de 3.4 $pulg^2$, ¿cúal es el área de la parte no sombreada?

¡RECUERDA!

1 m = 100 cm

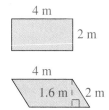

4 m

2 m

4 m

1.6 m   2 m

22. Un cuadrado tiene un perímetro de 28 pulg. ¿Cuál es su área?

23. El área de un rectángulo es 120 cm^2. Si su ancho es 8 cm, ¿cuál es su perímetro?

24. a. Pensamiento crítico ¿Qué ocurre con el área del rectángulo de la actividad "En equipo" cuando se multiplican sus dimensiones por n?

b. ¿Qué le ocurre al perímetro de ese rectángulo cuando se multiplican sus dimensiones por n?

25. ¿Qué áreas rectangulares puedes cercar si tienes 30 m de cerca? Considera las dimensiones en números enteros.

26. a. Archivo de datos #1 (págs. 2–3) ¿Cuál era el área del kwan?

b. Calculadora ¿Cuál era el área del bani? Redondea a la décima de pulgada cuadrada más cercana.

c. Pensamiento crítico ¿Cuáles *podrían* ser las dimensiones del bani?

27. Halla el área y el perímetro de un rectángulo con una longitud de 3 m y un ancho de 50 cm.

28. Un rectángulo tiene un área de 20 $pulg^2$ y un perímetro de 21 pulg. ¿Qué área y qué perímetro tendrá si doblas su longitud y su ancho?

29. Por escrito ¿Por qué es el área del rectángulo de la izquierda mayor que la del paralelogramo, teniendo sus lados la misma longitud?

30. Halla el área y el perímetro de la figura de la derecha.

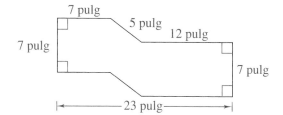

7 pulg

5 pulg

12 pulg

7 pulg

7 pulg

23 pulg

31. Historia La página más grande en la historia del periodismo fue utilizada por el periódico *The Constellation* en 1859: medía 51 pulg por 35 pulg. Las página más pequeña apareció en un diario de Roseberg, Oregon, en 1876: medía 3 pulg por 3.75 pulg. ¿Aproximadamente cuántas veces más grande era la página mayor con respecto a la menor?

Usa cualquier estrategia para resolver los problemas. Muestra tu trabajo.

1. En un juego hay menos de 50 fichas. Las fichas se pueden repartir entre 2, 3 ó 7 equipos de modo que cada uno tenga el mismo número. ¿Cuántas fichas hay en el juego?

2. ¿Cuántos rectángulos hay en esta figura?

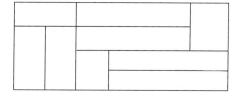

3. Juan, Lynn y Rayquon están encargados de la decoración para el baile de primavera. Van a usar cintas y globos. Si las cintas conectarán seis puntos unos con los otros, ¿cuántas cintas necesitan?

4. La familia de Tyler se fue de vacaciones. En la primera parada, Tyler gastó la mitad de su dinero más $3 para comprar una camiseta y un libro. Después gastó la mitad de lo que le quedaba más $3 para comprar unas postales y varios recuerdos. Si al final le quedaban $3, ¿cuánto dinero llevaba Tyler al empezar el viaje?

5. **a.** Usa los dígitos 4, 5, 6, 7, 8 y 9 para escribir una división cuyo cociente sea el mayor posible al dividir un número de cuatro dígitos por uno de dos dígitos.

   b. Estima el cociente.

6. Sari tarda lo mismo en caminar 3 km que Kim en recorrer 10 km en su bicicleta. ¿Cuánto habrá caminado Sari cuando Kim haya recorrido 30 km?

7. ¿Qué dos números enteros suman −7 y tienen un producto de 12?

8. La longitud de un rectángulo es 8 pies mayor que el ancho. Si el rectángulo tiene un área de 240 pies², ¿cuáles son sus dimensiones?

 Las camisetas empezaron a hacerse populares en Estados Unidos durante la Segunda Guerra Mundial. En 1978 se habían vendido 500 millones de unidades, y hacia 1990 el volumen de ventas había sobrepasado ya los mil millones.

Fuente: *Comparisons*

5-3 # Área de triángulos y trapecios

• Hallar el área de triángulos y trapecios

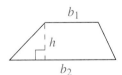 Los trapecios que ves en los circos derivan su nombre de la figura geométrica. Se llamó trapecio antiguamente a un aparato de gimnasia que consistía en una barra suspendida de una viga horizontal por medio de dos cuerdas. La barra y la viga eran los dos lados paralelos; el lado más largo siempre quedaba arriba.

Fuente: *Word Mysteries and Histories*

EN EQUIPO

• Usen papel cuadriculado en centímetros para dibujar dos triángulos congruentes. A la derecha se muestra un ejemplo.

• Recorten ambos triángulos. Júntenlos para formar un paralelogramo.

1. ¿Cuál es el área del paralelogramo?

2. ¿Cuál es el área de cada triángulo? Expliquen sus respuestas.

Usen papel cuadriculado en centímetros para dibujar dos trapecios congruentes. A la derecha se muestra un ejemplo.

• Recorten los dos trapecios. Júntenlos para formar un paralelogramo.

3. ¿Cuál es el área del paralelogramo?

4. ¿Cuál es el área de los trapecios? Expliquen sus respuestas.

PIENSA Y COMENTA

Cualquier lado de un triángulo se puede considerar su *base*, con longitud b. La *altura* h es la longitud del segmento perpendicular a la base desde el vértice opuesto a ella.

Las *bases* de un trapecio son los dos lados paralelos, con longitudes b_1 y b_2. La *altura* h es la longitud de cualquier segmento perpendicular a las bases con un extremo en cada base.

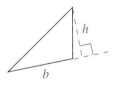

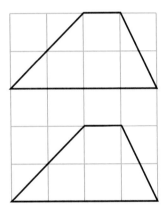

5. a. Si formaras un paralelogramo uniendo dos copias congruentes de este trapecio, ¿qué longitud tendría la base del paralelogramo?

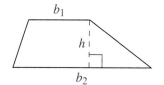

b. ¿Cuál sería la altura del paralelogramo?

c. ¿Qué expresión representaría el área del paralelogramo?

d. ¿Qué expresión representaría el área del trapecio?

Durante la actividad "En equipo" descubriste que las fórmulas para hallar el área del triángulo y el trapecio proceden de la utilizada para deteminar el área del paralelogramo.

Área de triángulos y trapecios

Triángulo: $A = \frac{1}{2}bh$

Trapecio: $A = \frac{1}{2}h(b_1 + b_2)$

Ejemplo 1

Halla el área y el perímetro de este triángulo.

- Usa $A = \frac{1}{2}bh$ para hallar el área.

  $A = \frac{1}{2} \cdot 6 \cdot 5 = 15$

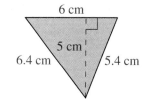

- Suma las longitudes de los lados para hallar el perímetro.

  $P = 6.4 + 6 + 5.4 = 17.8$

El área es 15 cm². El perímetro es 17.8 cm.

6. ¿Por qué no utilizamos la longitud de 5 cm para hallar el perímetro?

7. Cálculo mental Halla el área y el perímetro de este triángulo.

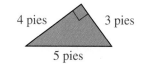

8. Un triángulo tiene un área de 16 pulg² y una altura de 2 pulg.

a. Pensamiento crítico ¿Cómo hallarías la longitud de la base del triángulo?

b. Halla la longitud de la base.

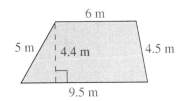

6 m
5 m
4.4 m
4.5 m
9.5 m

Ejemplo 2

Halla el área y el perímetro de este trapecio.

- Usa $A = \frac{1}{2}h(b_1 + b_2)$ para hallar el área.

$$A = \frac{1}{2} \times 4.4(6 + 9.5) \quad \text{Sustituye.}$$

1 ÷ 2 × 4.4 × (6 + 9.5) = *34.1*

- Suma las longitudes de los lados para hallar el perímetro.

9.5 + 4.5 + 6 + 5 = *25*

El área es 34.1 m². El perímetro es 25 m.

9. a. ¿Cuánto miden las bases de este trapecio? ¿Cuál es su altura?

b. Halla el área.

c. Halla el perímetro.

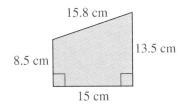

15.8 cm
13.5 cm
8.5 cm
15 cm

10. Este trapecio tiene un área de 90 pies². ¿Cuál es su altura? Comprueba tu respuesta.

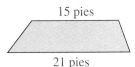

15 pies
21 pies

R^e_pa^s_o MIXTO

1. Escribe el número entero correspondiente a "600 pies sobre el nivel del mar".

2. Halla el perímetro y el área del siguiente rectángulo.

0.83 cm
1.4 cm

Completa.

3. Llamamos ■ al segmento que tiene ambos extremos en un círculo.

4. Un ángulo ■ tiene su vértice en el centro de un círculo.

5. Cuatro estudiantes obtuvieron las siguientes notas: 87, 80, 77 y 83. Una quinta nota hace que la media sea 82. Halla la moda.

⌐PONTE A PRUEBA

Halla el área de cada triángulo o trapecio.

11.
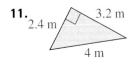
2.4 m
3.2 m
4 m

12.
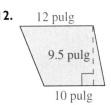
12 pulg
9.5 pulg
10 pulg

13.
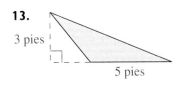
3 pies
5 pies

⌐POR TU CUENTA

Elige Usa una calculadora, lápiz y papel o cálculo mental para hallar el área y el perímetro de cada figura.

14.
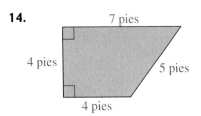
7 pies
4 pies
5 pies
4 pies

15.
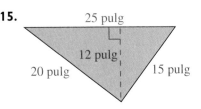
25 pulg
12 pulg
20 pulg
15 pulg

Elige Usa una calculadora, lápiz y papel o cálculo mental para hallar el área y el perímetro de cada figura.

16.
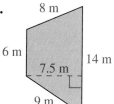
8 m
6 m
14 m
7.5 m
9 m

17.
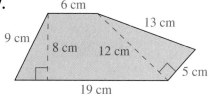
6 cm
13 cm
9 cm
8 cm
12 cm
5 cm
19 cm

18. Elige A, B, C o D. ¿Cuál es el área de la región sombreada?

A. 24 cm² **B.** 64 cm² **C.** 16 cm² **D.** 40 cm²

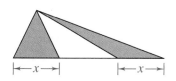
6 cm
8 cm
10 cm

19. a. Usa papel cuadriculado para dibujar un triángulo con un área de 8 unidades cuadradas.

b. Sabes que un triángulo tiene un área de 8 unidades cuadradas y que tanto la altura como la base son números enteros. ¿Cuáles son las longitudes y alturas posibles?

c. Un triángulo tiene un área de 8 unidades cuadradas. Determina una base y una altura posible considerando que al menos una de ellas *no* es un número entero.

20. a. Usa papel cuadriculado para dibujar un trapecio que tenga un área de 3 unidades cuadradas y una altura de 1 unidad.

b. ¿Qué longitudes (en números enteros) pueden tener las bases de un trapecio si su área mide 3 unidades cuadradas y su altura 1 unidad?

c. Por escrito Explica cómo hallaste las longitudes del trapecio de la parte (b).

21. Pensamiento crítico ¿Qué relación hay entre las áreas de las dos regiones sombreadas? Explica tu respuesta.

|←—x—→| |←—x—→|

Sugerencia para resolver el problema

Usa una regla de centímetros.

22. a. Estima el área de este huerto en centímetros cuadrados.

b. Estima el área en metros cuadrados considerando que un centímetro cuadrado representa 2.5 m².

• Hallar la circunferencia y el área de círculos

VAS A NECESITAR

✓ Tres latas de diferentes tamaños

✓ Cuerda

✓ Regla métrica

✓ Calculadora

EN EQUIPO

La **circunferencia** es el largo del contorno de un círculo, del mismo modo que el perímetro es el largo del contorno de un polígono.

• Busquen tres latas de distintos tamaños y usen una cuerda para medir la circunferencia C y el diámetro d de sus bases.

• Usen una calculadora para hallar el cociente $\frac{C}{d}$ en cada lata. Redondeen los cocientes a la décima más cercana.

• Anoten los resultados en una tabla.

¿Qué puede afirmarse sobre los cocientes $\frac{C}{d}$?

PIENSA Y COMENTA

Sea cual sea el tamaño del círculo, la *razón* de su circunferencia a su diámetro es siempre la misma: un número cercano a 3.14. Los matemáticos representan esta razón con el símbolo π (leído "pi").

$$\pi = \frac{C}{d}$$

1. Haz lo siguiente en estos círculos:

• Halla el radio r.

• Estima el área A.

• Usa una calculadora para hallar la razón $\frac{A}{r^2}$.

 La pista de lucha libre tiene un diámetro de 29.5 pies y una circunferencia de unos 92 pies. **Estima la razón entre la circunferencia y el diámetro, redondeada al entero más cercano.**

a.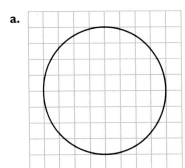

b.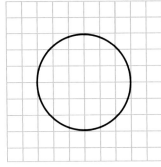

¿Hallaste que el cociente es siempre algo mayor que 3? De hecho, el cociente es igual a π.

$$\frac{A}{r^2} = \pi$$

Si multiplicas ambos lados de $\pi = \frac{C}{d}$ por d y los dos miembros de $\frac{A}{r^2} = \pi$ por r^2 obtendrás las siguientes fórmulas.

Circunferencia y área del círculo
$C = \pi d = 2\pi r$
$A = \pi r^2$

2. **a.** ¿Cómo puedes estimar la circunferencia y el área de un círculo si conoces su radio?

   b. Estima la circunferencia de este círculo.

   c. Estima el área.

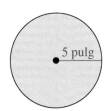

5 pulg

Muchas calculadoras tienen la tecla $\boxed{\pi}$.

3. Aprieta la tecla $\boxed{\pi}$. ¿Qué ocurre?

Ejemplo 1   Un círculo tiene un diámetro de 15 cm. Halla la circunferencia y el área, redondeando a la unidad más cercana. Usa la tecla π de la calculadora.

• Usa $C = \pi d$ para hallar la circunferencia.

   $\boxed{\pi}$ $\boxed{\times}$ 15 $\boxed{=}$ *47.123890*

• Usa $A = \pi r^2$ para hallar el área.

   $r = 15 \div 2 = 7.5$ Primero halla r.

   $\boxed{\pi}$ $\boxed{\times}$ 7.5 $\boxed{x^2}$ $\boxed{=}$ *176.71459*

La circunferencia mide unos 47 cm. El área mide unos 177 cm².

4. **a.** El aro de una canasta de básquetbol tiene un diámetro de 18 pulg. Halla su circunferencia.

   b. ¿Cuál es el área encerrada por el aro?

Los tipis de las tribus Sioux y Cheyenne *solían tener una altura de más de 12 pies. La base circular tenía un diámetro de unos 15 pies.* **¿Cuál era el área de la base?**

Fuente: *Native American Architecture*

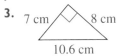

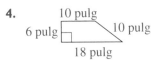

Resuelve.

1. $4x + 1 = -11$

2. $2n - 7 = 13$

Halla las áreas y los perímetros.

3.
7 cm   8 cm
10.6 cm

4.
10 pulg
6 pulg
10 pulg
18 pulg

5. Miguel se detuvo en un escalón cuando había subido un tercio de la escalera. Después de subir tres escalones más llegó al escalón del medio. ¿Cuántos escalones tiene la escalera?

Para hallar el radio o el diámetro de un círculo basta con conocer su circunferencia.

Ejemplo 2   La circunferencia de un círculo mide unas 35 pulg. ¿Cuál es el radio redondeado a la media pulgada más cercana?

$$C = 2\pi r$$

$$35 = 2\pi r \quad \text{Sustituye.}$$

$$\frac{35}{2\pi} = \frac{2\pi r}{2\pi} \quad \text{Divide cada lado por } 2\pi.$$

$$\frac{35}{2\pi} = r$$

35 ÷ 2 ÷ π = 5.570423

El radio mide unas 5.5 pulg (calculado a la media pulgada más cercana).

5. **Calculadora** La circunferencia de un círculo mide unos 50 cm. ¿Cuál es su diámetro redondeado a la unidad más cercana?

PONTE A PRUEBA

Calculadora **Calcula la circunferencia y el área de cada círculo a la unidad más cercana.**

6.
9 m

7.
7 cm

8.
50 cm

POR TU CUENTA

Calculadora **Calcula la circunferencia y el área de cada círculo a la unidad más cercana.**

9.
1.9 cm

10.
3.2 cm

11.
1.2 m

Cálculo mental **Estima la circunferencia y el área de cada círculo con diámetro d o radio r.**

12. $d = 2$ cm

13. $r = 10$ pies

14. $r = 6$ pulg

15. a. Calculadora Usa la tecla $\boxed{\pi}$ para calcular el área de este círculo a la centésima más cercana.

b. Calculadora Calcula el área del círculo a la centésima más cercana sustituyendo π por 3.14.

c. Por escrito Kenny afirma que el área del círculo es aproximadamente 99 m², pero Lynn dice que mide unos 98 m². ¿Quién está en lo cierto? ¿Qué medida darías tú como respuesta? Explica tu razonamiento.

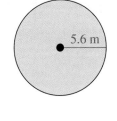

5.6 m

16. a. Estima el área del círculo de la derecha. Cada cuadrado representa 1 cm².

b. Usa la fórmula del área para hallar el área del círculo.

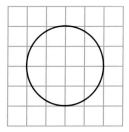

17. Elige A, B, C o D. ¿Qué ocurre con el área de un círculo si se dobla su radio?

A. Permanece igual. **B.** Se dobla.

C. Se triplica. **D.** Se cuadruplica.

Basándote en la circunferencia dada, calcula el radio de cada círculo a la media unidad más cercana.

18. $C \approx 58$ m

19. $C \approx 41$ pies

20. El radio del círculo mayor de la derecha mide 3.6 cm. El radio de cada uno de los círculos menores mide 0.9 cm. Calcula el área de la región sombreada, redondeando a la unidad más cercana.

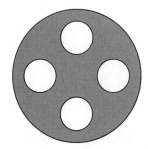

21. Cocina La tortilla más grande del mundo se cocinó en Bélgica en un sartén que tenía 41 pies 1 pulg de diámetro. La tortilla más grande cocinada en Estados Unidos se hizo en un sartén que tenía un diámetro de 30 pies. ¿Aproximadamente cuánto más grande era la tortilla hecha en Bélgica?

22. Deportes En esta pista de carreras, cada carril mide 1 m de ancho.

a. ¿Cuál es la diferencia entre el perímetro interior y el perímetro exterior del primer carril (situado en la parte interna)? ¿Qué relación hay entre esta diferencia y la diferencia entre los perímetros del segundo carril?

b. El corredor del primer carril va a dar una vuelta a la pista. ¿Dónde debería empezar el corredor del segundo carril para recorrer la misma distancia? Explica por qué.

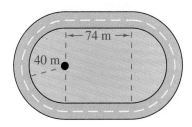

74 m

40 m

23. Investigación (pág. 192) Reúne varias cajas de cartón que no sean idénticas y desármalas. ¿En qué se parecen? ¿En qué se diferencian?

VAS A NECESITAR

✓ Fichas cuadradas

✓ Calculadora

EN EQUIPO

Si hicieran un cuadrado con 3 fichas de lado usarían 9 fichas. En otras palabras: $3^2 = 9$.

• Usen fichas cuadradas para formar cuadrados con 1, 2, . . . , 12 fichas de lado.

• Hagan una tabla que represente el número de fichas empleadas en cada cuadrado. Llamen a las columnas n y n^2.

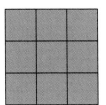

PIENSA Y COMENTA

Un número, como el 9, que es el cuadrado de un número entero, se llama un **cuadrado perfecto.** Hallar la **raíz cuadrada** de un número es la operación inversa a elevar un número al cuadrado. Como $3^2 = 9$, la raíz cuadrada de 9 es 3.

1. ¿Cuál es la longitud de los lados en un jardín cuadrado que tiene un área de 16 pies²?

El símbolo $\sqrt{}$ se utiliza para representar raíces cuadradas no negativas.

2. ¿Cuál es $\sqrt{4}$?

3. a. ¿Cuánto es 7^2? **b.** ¿Cuál es $\sqrt{49}$?

   c. Aparte de 7, ¿qué número al cuadrado es igual a 49?

4. a. Extiende la tabla de la actividad "En equipo" de modo que incluya los cuadrados de 13, 14 y 15.

   b. Nombra 15 cuadrados perfectos.

Puedes usar la tabla para hallar cuadrados y raíces cuadradas, pero procura calcular mentalmente lo más posible.

5. Cálculo mental ¿Cuál es $\sqrt{121}$?

El ajedrez existe desde por lo menos el año 500 d. C. **¿Cuál es el área de un tablero de ajedrez si cada casilla tiene un área de 2.25 cm²?**

Fuente: *Colliers Encyclopedia*

Halla los cuadrados y raíces cuadradas. Procura calcular mentalmente.

6. 8^2 **7.** 13^2 **8.** 15^2 **9.** $\sqrt{16}$ **10.** $\sqrt{81}$

11. $\sqrt{36}$ **12.** $\sqrt{144}$ **13.** $\sqrt{25}$ **14.** $\sqrt{100}$ **15.** $\sqrt{196}$

Halla la longitud de cada lado de un cuadrado que tiene el área dada.

16. 64 cm^2 **17.** 121 km^2 **18.** 9 yd^2 **19.** 225 mm^2

20. Por escrito ¿Qué diferencia hay entre hallar el cuadrado de un número y hallar su raíz cuadrada?

21. Elige A, B, C o D. ¿Cuál de las figuras tiene un área que es el doble del área del cuadrado de la derecha?

 A.   **B.**   **C.** 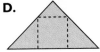 **D.**

22. Hay un número cuyo cuadrado equivale al doble de sí mismo. ¿De qué número se trata?

23. Jardinería Un jardín cuadrado tiene un área de 169 pies². ¿Cuál es su perímetro?

VISTAZO A LO APRENDIDO

Dibuja cada una de estas figuras e indica su base y su altura. Explica cuál es la fórmula para hallar el área de cada figura.

1. triángulo **2.** rectángulo **3.** paralelogramo **4.** trapecio

Halla la circunferencia y el área de cada círculo con radio r o diámetro d. Redondea al número entero más cercano.

5. $r = 16 \text{ cm}$ **6.** $d = 5 \text{ pulg}$ **7.** $r = 13 \text{ pies}$

Halla lo siguiente.

8. $\sqrt{49}$ **9.** $\sqrt{64}$ **10.** $\sqrt{400}$ **11.** 6^2 **12.** 15^2

Repaso MIXTO

Usa la figura siguiente en los ejercicios 1 y 2.

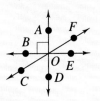

1. Nombra dos pares de ángulos opuestos por el vértice.

2. Nombra dos pares de ángulos complementarios.

Halla el radio y el diámetro. Considera π como 3.14.

3. $C \approx 28$ **4.** $C \approx 47$

5. Seis personas fueron a cinco librerías en cuatro ciudades y compraron tres libros. Si gastaron un total de $24 y cada persona gastó la misma cantidad, ¿cuánto dinero gastó cada una?

• Usar el teorema de Pitágoras

EN EQUIPO

Los dos lados más cortos de un triángulo rectángulo se llaman **catetos.** El lado opuesto al ángulo recto se llama **hipotenusa.**

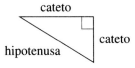

cateto

cateto

hipotenusa

• Usen papel cuadriculado en centímetros para dibujar un triángulo rectángulo con catetos de 3 cm y 4 cm.

• Dibujen un cuadrado sobre cada cateto de tal manera que el cateto sea un lado del cuadrado.

• Usen otro trozo de papel cuadriculado para hacer un cuadrado sobre la hipotenusa como se muesta abajo.

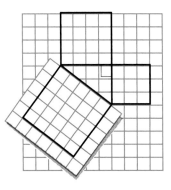

1. a. ¿Qué longitud tiene cada lado del cuadrado hecho sobre la hipotenusa? ¿Cómo hallaron la longitud?

b. ¿Qué área tiene cada uno de los tres cuadrados?

2. Usen papel cuadriculado en centímetros para dibujar un triángulo rectángulo con catetos de 8 cm y 15 cm. Dibujen un cuadrado sobre cada cateto y otro sobre la hipotenusa.

a. ¿Qué longitud tiene cada lado del cuadrado hecho sobre la hipotenusa?

b. ¿Qué área tiene cada uno de los tres cuadrados?

3. Pensamiento crítico Busquen un patrón. ¿Qué relación observan entre las áreas de los tres cuadrados construidos sobre los lados del triángulo rectángulo?

66

Lo más bello del mundo es, precisamente, la unión de aprendizaje e inspiración.
—Wanda Landowska
(1879–1959)

99

Pitágoras, un matemático griego, nació hacia el 500 a. C. Su más célebre descubrimiento es la siguiente relación entre las longitudes de los lados en un triángulo rectángulo.

> ### Teorema de Pitágoras
>
> En cualquier triángulo rectángulo, el cuadrado de la longitud c de la hipotenusa es igual a la suma de los cuadrados de las longitudes a y b de los catetos.
>
> $$c^2 = a^2 + b^2$$

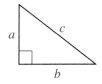

Durante la actividad "En equipo" exploraste dos ejemplos de la aplicación del teorema de Pitágoras.

4. a. ¿Qué magnitudes del primer triángulo que dibujaste en la actividad "En equipo" corresponden a a, b y c del teorema de Pitágoras?

   b. ¿Qué magnitudes corresponden a a, b y c en el segundo triángulo?

Si se conoce la longitud de dos lados de un triángulo rectángulo, se puede aplicar el teorema de Pitágoras para hallar la longitud del tercero.

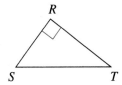

5. a. ¿Cuáles son los catetos de $\triangle RST$?

   b. ¿Qué lado es la hipotenusa?

6. Supón que $\overline{RS}$ tiene 6 m de longitud y que $\overline{RT}$ tiene 8 m.

   a. ¿A cuánto equivale x^2? ¿Por qué?

   b. ¿Cuál es la longitud de $\overline{ST}$? ¿Por qué?

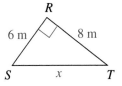

7. Supón que $\overline{RT}$ mide 12 m y $\overline{ST}$ mide 15 m.

   a. Completa: $y^2 + \blacksquare^2 = \blacksquare^2$

   $y^2 + \blacksquare = \blacksquare$

   $y^2 = \blacksquare - \blacksquare = \blacksquare$

   b. ¿Qué longitud tiene $\overline{RS}$?

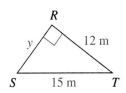

 Los discípulos de Pitágoras asociaban los números con objetos y conceptos. La mente era el 1, la opinión el 2, la justicia el 3 y la perfección el 10. **¿Tienes tú un número favorito?**

Fuente: *Encyclopedia Americana*

8. Explica cómo se puede emplear el teorema de Pitágoras para hallar la longitud de un lado de un triángulo rectángulo si conoces las longitudes de los otros dos lados.

9. Si en un triángulo rectángulo la hipotenusa mide 41 pulg y un cateto 40 pulg, ¿cuál es la longitud del otro cateto?

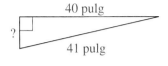

10. **Pensamiento crítico** Supón que los lados de un triángulo rectángulo miden 30 pulg, 50 pulg y 40 pulg. ¿Cuál es la longitud de la hipotenusa? ¿Por qué?

Cuando se conocen las longitudes de los tres lados de un triángulo, la siguiente fórmula permite determinar si el triángulo es o no rectángulo.

Recíproco del teorema de Pitágoras

En cualquier triángulo que tiene lados con longitudes a, b y c, si $a^2 + b^2 = c^2$ entonces el triángulo es rectángulo.

11. ¿Es rectángulo un triángulo cuyos lados miden 7 cm, 25 cm y 24 cm? ¿Por qué?

12. ¿Es rectángulo un triángulo cuyos lados miden 3 pies, 5 pies y 6 pies? ¿Por qué?

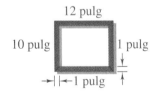
POR TU CUENTA

Halla la magnitud que falta.

13.
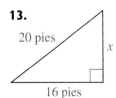

14.
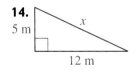

15.
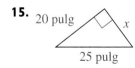

16. Si en un triángulo rectángulo la hipotenusa mide 37 pies y un cateto 35 pies, ¿cuánto mide el otro cateto?

17. Los dos lados más largos de un triángulo rectángulo miden 60 m y 61 m. ¿Cuánto mide el tercer lado?

18. Una casa de campaña grande tiene una barra central ajustable. Una cuerda de 26 pies conecta la punta de la barra con un gancho situado a 24 pies de su base. ¿Cuál es la altura de la barra?

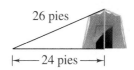

26 pies

24 pies

Determina si cada triángulo es un triángulo rectángulo. Explica por qué.

19.

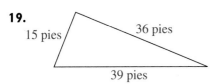

15 pies / 36 pies / 39 pies

20.

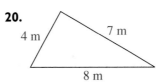

4 m / 7 m / 8 m

21.

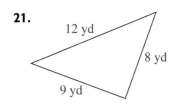

12 yd / 8 yd / 9 yd

22.

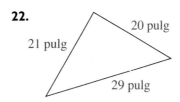

21 pulg / 20 pulg / 29 pulg

23. Los lados de un triángulo miden 28 mm, 53 mm y 45 mm. ¿Es un triángulo rectángulo? Explica tu respuesta.

24. **Historia** Se cree que los antiguos egipcios usaban cuerdas para restablecer los límites de las propiedades tras las inundaciones anuales del río Nilo. Las cuerdas estaban divididas en 12 partes iguales separadas por nudos y con ellas formaban triángulos rectángulos. El ángulo recto les permitía demarcar las esquinas de terrenos adyacentes.

    a. ¿Cuántos nudos hacen falta para dividir la cuerda en 12 partes iguales?

    b. **Por escrito** Explica cómo hacían los egipcios para formar un triángulo rectángulo usando una cuerda con nudos.

25. Una escalera tiene 13 pies de longitud. Su base está a 5 pies de la casa en que se apoya. ¿Qué altura hay entre el suelo y el punto en que la escalera toca la pared?

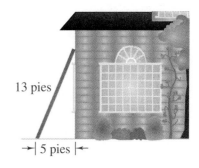

13 pies

5 pies

26. Cada sección rectangular de una cerca está reforzada con una tabla que coincide con la diagonal del rectángulo. La cerca tiene una altura de 6 pies y la diagonal tiene 10 pies de largo. ¿Cuál es la longitud de cada sección rectangular?

En esta lección

- Usar una calculadora para aplicar el teorema de Pitágoras

VAS A NECESITAR

✓ Calculadora

PIENSA Y COMENTA

El agua te salpica cuando desciendes a toda velocidad por el deslizadero de un parque acuático. En cuanto llegas al final, te levantas para lanzarte de nuevo por la pendiente.

1. ¿Qué conocimientos matemáticos te parecen necesarios para diseñar deslizaderos de agua?

2. A la derecha aparece el esquema básico de un deslizadero. ¿Qué triángulo observas?

Supón que quieres hallar x.

3. **a.** Aplica el teorema de Pitágoras. Escribe una ecuación usando las medidas de los lados del triángulo.

   b. Halla x^2.

   c. ¿Es x^2 un cuadrado perfecto? Explica tu respuesta.

   d. Halla dos cuadrados perfectos consecutivos entre los que se encuentra x^2.

   e. Halla dos números enteros consecutivos entre los que se encuentra x.

9 m
(altura)

x
(longitud del deslizadero)

7 m
(longitud horizontal)

Sugerencia para resolver el problema

Si $81 < c^2 < 100$, entonces $9 < c < 10$.

Puedes usar la tecla $\boxed{\sqrt{x}}$ de la calculadora para hallar la raíz cuadrada de cualquier número no negativo.

4. Halla x con la calculadora. Redondea el resultado a la décima de metro más cercana.

5. **a.** ¿Qué cambiarías para reducir la velocidad a la que se baja por el deslizadero?

   b. Dibuja un diagrama de un deslizadero más "lento". Anota las dimensiones que darías a la altura y la longitud horizontal. Halla la longitud del deslizadero.

6. a. Pensamiento crítico ¿Cómo usarías la calculadora para determinar si un número es un cuadrado perfecto?

b. ¿Es 18,769 un cuadrado perfecto? ¿Por qué?

c. ¿Es 7,925 un cuadrado perfecto? ¿Por qué?

Ejemplo Un avión despega siguiendo una trayectoria recta. Después de 1 km ha recorrido una distancia horizontal de 900 m. ¿Cuál es la altura del avión en ese momento? Redondea al metro más cercano.

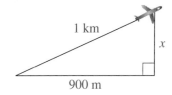

- Usa el teorema de Pitágoras.

$$1,000^2 = 900^2 + x^2 \quad \text{1 km = 1,000 m}$$

$$1,000^2 - 900^2 = x^2$$

1000 $\boxed{x^2}$ $\boxed{-}$ 900 $\boxed{x^2}$ $\boxed{=}$ $\boxed{\sqrt{x}}$ *435.88989*

El avión está a unos 436 m de altura.

PONTE A PRUEBA

Estimación Halla dos números enteros consecutivos entre los que se encuentre cada raíz cuadrada. (No uses la calculadora.)

7. $\sqrt{95}$ **8.** $\sqrt{61}$ **9.** $\sqrt{42}$ **10.** $\sqrt{125}$

Calculadora Halla la longitud de los lados de un cuadrado con el área dada.

11. 841 pulg^2 **12.** 20.25 pies^2 **13.** 1,225 mm^2

Las medidas de abajo corresponden a dos lados de triángulos rectángulos. Calcula la longitud del tercer lado, redondeando a la décima más cercana.

14. catetos: 8 m y 11 m   **15.** cateto: 25 cm; hipotenusa: 35 cm

POR TU CUENTA

Calcula la medida que falta, redondeando a la décima más cercana.

16.

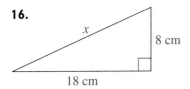

17.

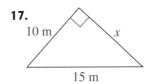

R^{e}paso MIXTO

1. Estima el área de este trapecio.

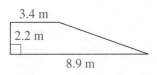

2. Halla la medida que falta.

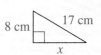

Estima.

3. $-23 \cdot 41$

4. $-84 \div -8$

5. ¿Cuál es el área del círculo más grande que se puede recortar de un cuadrado de 36 pulg^2?

Calcula la medida que falta, redondeando a la décima más cercana.

18.

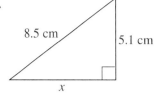

8.5 cm   5.1 cm

x

19.

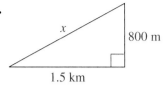

x   800 m

1.5 km

20. Un parque mide 600 m de largo por 300 m de ancho. Carla lo cruzó en diagonal de una esquina a otra. ¿Qué distancia caminó Carla? Redondea al metro más cercano.

21. Un cable tensor está sujeto a la punta de una torre de 60 m y toca el suelo a 25 m de su base. ¿Cuánto mide el cable?

22. Una escalera tiene 6 m de largo. La distancia entre su pie y la pared en que se apoya es 3 m. ¿Cuánta más altura alcanzará la escalera en la pared si su pie se acerca a la pared de modo que quede a 2 m de ella? Calcula la respuesta a la décima de metro más cercana.

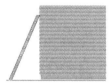

┌ **Sugerencia para**
  resolver el problema

Haz diagramas.

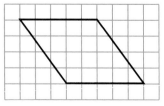
23. **Deportes** El diamante de un campo de softball es un cuadrado que mide 60 pies por 60 pies. El diamante de un campo de béisbol es un cuadrado de 90 pies por 90 pies.

   a. ¿Qué distancia hay entre el "home" y la segunda base en un campo de softball?

   b. ¿Qué distancia hay entre el "home" y la segunda base en un campo de béisbol?

   c. Durante un juego de béisbol, el jardinero derecho atrapa un "fly" en la línea de primera base, 30 pies más allá de la primera base. ¿Qué distancia tira la pelota si la tira a la segunda base?

   d. Durante un juego de béisbol, el jardinero derecho atrapa un "fly" en la línea de primera base, 30 pies más allá de la primera base. ¿Qué distancia tira la pelota si la tira a la tercera base?

24. **a.** Halla el perímetro y el área de este cuadrilátero.

   b. **Por escrito** ¿Cuál es el mejor nombre para este cuadrilátero: cuadrado, paralelogramo, rombo o trapecio? Explica tu respuesta.

25. **a.** $\overline{AC}$ es un diámetro del círculo O. ¿Cuál es la longitud de $\overline{AC}$?

b. Halla la circunferencia y el área del círculo.

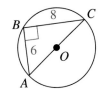

26. $\triangle RSW$ tiene un área de 216 cm². $\triangle TSW$ tiene un área de 540 cm².

a. Halla las longitudes de $\overline{RW}$ y $\overline{WT}$.

b. Halla las longitudes de $\overline{RS}$ y $\overline{ST}$.

c. Halla el perímento de $\triangle RST$.

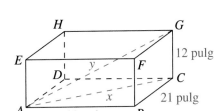

27. **a.** ¿Cuál es el segmento más largo en el prisma rectangular de la derecha?

b. ¿Qué medidas usarías para hallar x? ¿Y para hallar y?

c. Halla x y luego y.

Torre de Pisa demasiado inclinada

Desde que se construyó en 1173, la torre de Pisa se ha hundido unos 2.5 m en la capa arenosa que hay bajo sus cimientos. Durante los 199 años que duró su construcción se observó que el edificio empezaba a inclinarse. Para remediar el problema se colocaron pesados bloques de mármol en su lado estable y se construyó un campanario ligeramente descentrado.

Sin embargo, en los últimos 800 años esta torre de 54 metros y 14,000 toneladas ha seguido inclinándose.

En 1930 se reforzó la base con concreto. Desgraciadamente, esto sólo sirvió para empeorar el problema.

La torre de Pisa atrae a turistas de todo el mundo. Para reducir la carga en su estructura ya no se les permite a los turistas subir los 294 escalones que conducen hasta el campanario.

28. Un objeto que cayera desde la punta de la torre recorrería 53.75 m. ¿A qué distancia caería de la base de la torre?

Área superficial

10 cm
4 cm   3 cm

PIENSA Y COMENTA

Las cajas utilizadas para empaquetar mercancías suelen hacerse doblando patrones de cartón previamente recortados.

1. **Elige A, B o C.** ¿Con qué patrón se forma la caja de la izquierda?

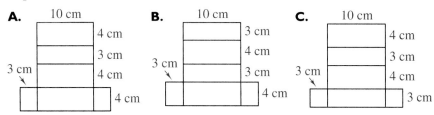

A.
10 cm
3 cm
4 cm
3 cm
4 cm
4 cm

B.
10 cm
3 cm
3 cm
4 cm
3 cm
4 cm

C.
10 cm
3 cm
4 cm
3 cm
4 cm
3 cm

2. ¿Cómo hallaste el patrón correspondiente a la caja?

El **área superficial** de un prisma es la suma de las áreas de sus caras.

3. ¿Cuál es el área superficial de la caja de arriba?

4. ¿Cuántas *caras* tiene un prisma rectangular, como la caja de abajo? ¿Son congruentes algunas de ellas? Explica por qué.

5. **a.** Describe los polígonos que forman las caras de este prisma rectangular.

   b. Halla el área superficial del prisma.

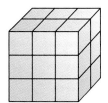

6. Un prisma rectangular mide 8 pulg por 6 pulg por 2 pulg.

   a. ¿Qué dimensiones tiene cada cara?

   b. Halla el área superficial del prisma.

7. Las aristas de un cubo miden 4 pulg.

   a. ¿Qué dimensiones tienen las caras del cubo?

   b. Halla el área superficial del cubo.

El peso de la pintura

DC-10
727-200
727-100
100   200   300   400
Libras de pintura

En esta gráfica se muestra el número de libras añadidas al peso de un avión cuando se pinta su superficie. Cada libra supone un aumento anual de $30 en los gastos de combustible. **Estima el aumento anual de los gastos para cada tipo de avión.**

Fuente: *American Airlines*

8. a. Describan los polígonos que forman las caras de este prisma.

b. ¿Conocen todas las dimensiones que necesitan? Si no es así, ¿sabrían hallarlas?

9. Hallen el área superficial del prisma.

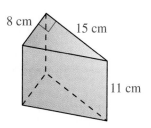

8 cm 15 cm 11 cm

> *El matemático, como el pintor y el poeta, es un fabricante de modelos. Que los modelos del matemático sean más permanentes se debe sólo a que están hechos con ideas.*
> —Godfrey Harold Hardy (1877–1947)

POR TU CUENTA

Elige Usa una calculadora, lápiz y papel o cálculo mental para hallar las áreas superficiales de estos prismas rectangulares.

10.

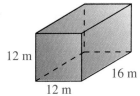

12 m 16 m 12 m

11.

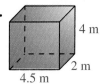

4 m 2 m 4.5 m

12.

5 pulg 4 pulg 4 pulg

13. 10 cm por 20 cm por 8 cm

14. 5 pies por 4 pies por 5 pies

15. 2 m por 1.5 m por 6 m

16. 8 m por 2 m por 50 cm

17. a. Dibuja en papel cuadriculado un patrón que puedas doblar formando un prisma rectangular de 3 unidades por 4 unidades por 7 unidades.

b. Dibuja un patrón diferente que, sin embargo, permita formar el mismo prisma.

c. Pensamiento crítico ¿Por qué sirven ambos patrones para formar la misma figura?

18. a. Las aristas de un cubo miden 8 cm. Halla el área superficial del cubo.

b. Pensamiento crítico ¿Qué ocurre con el área superficial si se dobla la longitud de las aristas?

19. Un cubo tiene un área superficial de 294 pies². ¿Qué longitud tiene cada arista?

20. Elige A, B, C o D. Este prisma rectangular tiene un área superficial de 52,800 pulg². ¿Cuál es el valor de x?

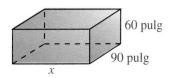

60 pulg 90 pulg x

A. 120 pulg **B.** 130 pulg

C. 140 pulg **D.** 150 pulg

21. **a. Investigación (pág. 192)** Toma una caja vacía y despliégala. ¿Cuál es el área superficial?

   b. Diseña una caja distinta que tenga la misma área. Dibuja el patrón correspondiente, indicando sus dimensiones.

   c. Pensamiento crítico ¿Por qué crees que el fabricante ha elegido precisamente las dimensiones del patrón original?

22. Supón que quieres enviar por correo una caja de 24 pulg por 14 pulg por 10 pulg.

   a. ¿Cuál es el área superficial de la caja?

   b. ¿Podrías envolver la caja usando un trozo de papel de 24 pulg por 48 pulg? ¿Por qué?

23. La piscina de la escuela *North Central* va a ser revestida. La piscina mide 35 pies por 70 pies por 7 pies.

   a. ¿Qué partes tienen que ser revestidas?

   b. ¿Cuántos pies cuadrados hay que revestir?

   c. Los materiales para la obra cuestan $2.15/pie^2. ¿Cuánto cuesta revestir la piscina?

24. Abajo aparecen una lata cilíndrica y el patrón que se usa para hacerla.

5.5 cm
8.8 cm
8.8 cm

   a. Elige A, B, C o D. Si 8.8 cm es una de las dimensiones del rectángulo, ¿cuál es la otra?

   A. 5.5 cm   **B.** $(\pi \cdot 5.5)$cm

   C. 8.8 cm   **D.** $(\pi \cdot 2.75^2)$cm

   b. Por escrito Explica tu respuesta a la parte (a).

   c. Calcula el área superficial del cilindro al centímetro cuadrado más cercano.

R^ep_as_o MIXTO

¿Entre qué dos enteros positivos consecutivos se encuentran estas raíces cuadradas?

1. $\sqrt{40}$ 2. $\sqrt{69}$

3. Las varillas de esta cometa son perpendiculares. Halla el perímetro de la cometa.

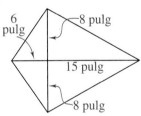

6 pulg
8 pulg
15 pulg
8 pulg

4. Cuatro hombres de negocios se dieron la mano en una reunión. ¿Cuántos apretones de mano se produjeron?

• Hallar el volumen de un prisma rectangular o de un cilindro

✓ Calculadora

Volumen

PIENSA Y COMENTA

El **volumen** de una figura tridimensional es el número de unidades cúbicas necesarias para ocupar el espacio interior de la figura.

1. Nombra algunos objetos comunes que tengan volumen.

2. ¿Para qué sirve conocer el volumen de una figura tridimensional?

El prisma rectangular de abajo mide 10 cm de largo, 4 cm de ancho y 3 cm de altura. Supón que quisieras hallar su volumen llenándolo de cubos con aristas de 1 cm.

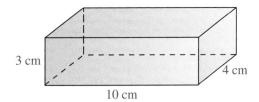

3. ¿Cuántos cubos harían falta para cubrir el fondo del prisma?

4. ¿Cuántas capas de cubos necesitarías para llenar el prisma?

5. ¿Cuántos cubos necesitarías para llenar el prisma?

6. Cada cubo tiene un volumen de 1 cm³. ¿Cuál es el volumen del prisma?

El volumen V de un prisma rectangular se puede expresar como el producto de la longitud l, el ancho a y la altura h.

Volumen de un prisma rectangular
$V = lah$

 Unos 212,000 pies³ de agua caen cada segundo por las cataratas del Niágara. Un cubo que contuviera este volumen de agua tendría aristas de unos 59.6 pies.

Los pioneros viajaban al oeste del Mississippi en carretas cubiertas. Estos vehículos medían unos 4 pies de ancho, 10 pies de largo y 8 pies de alto. En tan pequeño espacio, las familias llevaban sus pertenencias y las provisiones necesarias para sobrevivir durante el largo recorrido hasta sus nuevos hogares.

7. ¿Qué fórmula se utiliza para hallar el volumen de un cubo con aristas de longitud a?

8. **a.** ¿Qué expresión corresponde al área B de la base de un prisma rectangular con longitud l, ancho a y altura h?

   b. Si B representa el área de la base de un prisma rectangular, ¿cuál es la fórmula para hallar el volumen en términos de B?

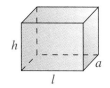

9. **Pensamiento crítico** ¿En qué se parecen un prisma rectangular y un cilindro? ¿En qué se diferencian?

10. **a.** La base de un cilindro tiene 3 cm². Si la altura es 5 cm, ¿cuál es el volumen del cilindro? ¿Por qué?

    b. La base de un cilindro tiene un radio de 1 cm. Si la altura es 5 cm, ¿cuál es el volumen del cilindro? ¿Por qué?

El volumen V de un cilindro se halla multiplicando el área de la base por la altura.

Volumen de un cilindro
$V = \pi r^2 h$

Ejemplo 1   Un cilindro tiene 8.2 m de altura. El radio de su base mide 2.1 m. Estima su volumen. Luego usa la calculadora para hallar el volumen.

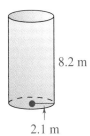

8.2 m

2.1 m

• Usa $V = \pi r^2 h$. Usa 3 como valor de π para estimar.

Estima: $V \approx 3 \cdot 2 \cdot 2 \cdot 8 = 96 \text{ m}^3$

$\boxed{\pi}$ $\boxed{\times}$ 2.1 $\boxed{x^2}$ $\boxed{\times}$ 8.2 $\boxed{=}$ *113.60627*

Tiene un volumen de unos 113.6 m³.

11. Un cilindro tiene un radio de 4.8 cm y una altura de 15 cm. Estima el volumen. Usa después una calculadora para hallarlo.

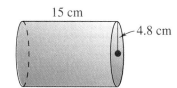

15 cm

4.8 cm

Conociendo el volumen y una dimensión se puede hallar la otra dimensión de la figura.

Ejemplo 2 Un cilindro tiene un volumen de unas 628 pulg³. Su radio mide 4 pulg. Halla la altura.

- $V = \pi r^2 h$

  $628 \approx \pi(4^2)h$ Sustituye.

  628 ⊟÷⊟ π ⊟÷⊟ 4 ⊟x²⊟ ⊟=⊟ *12.493663*

  La altura es de unas 12.5 pulg.

12. ¿Cómo puedes comprobar el resultado anterior?

Un cubo con un volumen de 1 cm³ tiene una *capacidad* de 1 mL. Se puede hallar la capacidad de un recipiente determinando primero el número de centímetros cúbicos correspondientes a su volumen.

Ejemplo 3 ¿Cuántos litros caben en el recipiente de la derecha?

80 cm
60 cm
80 cm

- $V = lah$

  $V = 60 \cdot 80 \cdot 80$

  $V = 384{,}000 \text{ cm}^3$

  384,000 cm³ = 384,000 mL   Convierte a mililitros.

- Divide los mililitros por 1,000 para convertirlos a litros.
  384,000 ÷ 1,000 = 384

  En el recipiente caben 384 L.

¡RECUERDA!

1L = 1,000 mL

13. ¿Qué ventajas tiene expresar la capacidad del recipiente del ejemplo 3 en litros y no en mililitros?

PONTE A PRUEBA

Calcula mentalmente los volúmenes.

14.
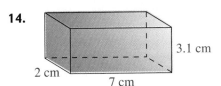
3.1 cm
2 cm
7 cm

15.
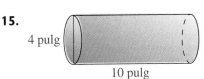
4 pulg
10 pulg

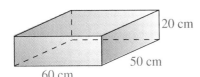

16. a. Halla la capacidad en mililitros del prisma rectangular de la izquierda.

b. Expresa la capacidad en litros.

P O R TU CUENTA

Elige Usa una calculadora, lápiz y papel o cálculo mental para hallar los volúmenes.

17.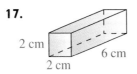
2 cm
6 cm
2 cm

18.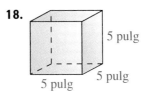
5 pulg
5 pulg
5 pulg

19.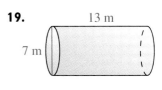
13 m
7 m

20. Elige A, B, C o D. ¿Qué expresión corresponde al volumen del prisma rectangular de la izquierda?

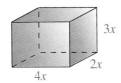
3x
2x
4x

A. $9x$ **B.** $24x$ **C.** $24x^2$ **D.** $24x^3$

Elige Usa una calculadora, lápiz y papel o cálculo mental para hallar la dimensión desconocida.

21. prisma rectangular: $V = 56 \text{ m}^3$, $l = 7$ m, $h = 2$ m, $a = $ ■

22. cilindro: $V \approx 712 \text{ cm}^3$, $r = 4.5$ cm, $h \approx$ ■

23. cilindro: $V \approx 339 \text{ m}^3$, $h = 3$ m, $r \approx$ ■

24. a. Un prisma rectangular tiene un volumen de 60 m^3. Halla todos los conjuntos de tres números enteros que podrían ser dimensiones del prisma. Por ejemplo, 2 m, 3 m y 10 m son tres números posibles.

b. Por escrito Explica cómo resolviste el problema anterior.

25. Halla el volumen de un prisma rectangular que tiene 11 pies de largo, 5 pies de ancho y 2 yd de altura.

26. Calcula al mililitro más cercano la capacidad de un cilindro con un radio de 2 cm y una altura de 4 cm.

27. Un galón de leche ocupa 231 pulg^3. ¿Puede un envase de 15 pulg por 6 pulg por 8 pulg contener 3 galones? ¿Por qué?

El escenario acústico más grande del mundo se construyó en Gran Bretaña en 1976 para la película de James Bond The Spy Who Loved Me. *Mide 336 pies por 160 pies por 40.5 pies.*

Fuente: *The Guinness Book of Records y Eon Productions, Ltd.*

28. a. Archivo de datos #5 (págs. 190–191) Usa las longitudes, anchos y volúmenes para hallar las profundidades *medias* (primero en millas y después en pies) del Lago Michigan y del Lago Ontario. ¿Qué lago tiene la mayor profundidad media?

b. Por escrito Explica la diferencia que hay entre "mayor profundidad media" y "profundidad máxima".

29. a. Investigación (pág. 192) Trata de cambiar el diseño de una caja. Halla su volumen y diseña otra que tenga ese mismo volumen.

b. Compara el área superficial de las dos cajas. ¿Cuál sería más barata de fabricar si en todo lo demás son iguales?

30. a. Un cilindro tiene el diámetro y la altura de 5.5 cm. Un cubo tiene aristas de 5.5 cm. Compara sus volúmenes.

b. Pensamiento crítico ¿Qué causa la diferencia entre los volúmenes?

31. a. Halla el área superficial de este prisma triangular.

b. Por escrito Considerando lo que sabes sobre el volumen del prisma rectangular, explica cómo hallarías el volumen de este prisma triangular. Halla luego el volumen.

32. Archivo de datos #1 (págs. 2–3) ¿Aproximadamente cuántos billetes de un dólar tienen un volumen total de 1 pie³?

¡RECUERDA!

1 mi = 5,280 pies

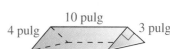

5.5 cm

5.5 cm

5.5 cm   5.5 cm

10 pulg

4 pulg   3 pulg

VISTAZO A LO APRENDIDO

Las medidas de abajo corresponden a dos lados de triángulos rectángulos. Calcula la longitud del tercer lado a la décima más cercana.

1. cateto: 5 cm; hipotenusa: 25 cm   **2.** catetos: ambos 6 pulg

Dibuja las figuras descritas e indica sus dimensiones. Halla luego el área y el volumen de cada una. Usa 3.14 como valor de π.

3. un prisma rectangular con dimensiones de 6 pies, 10 pies y 5 pies

4. un cilindro con un radio de 8 m y una altura de 20 m

5. Elige A, B, C o D. Un cilindro tiene un radio de 1 pie y una altura de 3 pies. Si se dobla el radio, el volumen será ▪.

A. el doble   **B.** el triple   **C.** el cuádruple   **D.** el mismo

Repaso MIXTO

Resuelve.

1. $n + 8 = -10$

2. $n - 5 = 19$

3. $3n - 12 = 6$

4. Halla el área superficial del prisma.

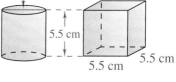

9 pies

4 pies

5 pies

5. Adam puede cortar la hierba del Sr. Pérez el doble de rápido que Pedro. Julita puede cortar la hierba de ese jardín en 45 min. ¿Cuánto tarda Adam en cortar la hierba? ¿Qué información te falta para resolver el problema?

RESOLUCIÓN DE PROBLEMAS

5-10 Estima y comprueba

En esta lección

• Resolver problemas
usando la estrategia
Estima y comprueba

VAS A NECESITAR

✓ Calculadora

¿Cómo resolverías el siguiente problema?

> Un cubo tiene un volumen de 10,648 cm³. ¿Cuál es la longitud de
> cada arista?

A veces, la mejor manera de resolver un problema es estimar la
respuesta y comprobarla después. Lo que descubres comprobando
la primera respuesta te permitirá estimar la respuesta de nuevo,
esta vez con más precisión. El proceso continúa así hasta que
resuelvas el problema.

LEE

Lee y analiza la información
recibida. Resume el problema.

1. Piensa en la información que se te da y en lo que tienes que
   averiguar.

   a. ¿A qué figura tridimensional se refiere el problema?

   b. ¿Qué dimensiones son importantes?

   c. Resume el objetivo del problema.

PLANEA

Elige una estrategia para
resolver el problema.

Estima y comprueba es una buena estrategia en este caso. Puedes
estimar la longitud de las aristas del cubo y luego comprobar la
estimación multiplicando las dimensiones en una calculadora. Si
observas que la estimación fue muy alta o muy baja, haz una
estimación más precisa y verifícala de nuevo. Los resultados se
pueden ordenar en una tabla.

RESUELVE

Prueba con tu estrategia.

2. Supongamos que empiezas con una estimación de 30 cm.

   a. Halla el volumen del cubo.

   b. ¿Es la cantidad demasiado alta, o demasiado baja?

3. **a.** ¿Cuánto estimarías ahora que miden las aristas? ¿Por qué?

   b. ¿Cuál será el volumen del cubo si sus aristas tienen esa
   longitud? Usa una tabla como la siguiente.

Longitud de cada arista	Volumen	¿Muy alto o muy bajo?
30 cm	■	■

Continúa haciendo estimaciones si es necesario.

4. ¿Qué longitud de arista corresponde a un volumen de 10,648 cm³?

5. ¿Cómo te ayudó la estrategia *Estima y comprueba* a resolver el problema?

◀ **COMPRUEBA**

Piensa en cómo has resuelto el problema.

PONTE A PRUEBA

Calcula estimando y comprobando.

6. ¿Qué dos números enteros tienen un producto de 147 y un cociente de 3?

7. ¿Qué número entero es una solución de $x^2 + x = 56$?

POR TU CUENTA

Trata de resolver los problemas. Si no es posible, explica qué datos faltan. Muestra tu trabajo.

8. Añade los dos números siguientes de este patrón.

100, 25, 50, 12.5, 25, ■, ■

9. En un estadio de fútbol hay un puesto de comida. Al terminar un partido, la cajera cuenta un total de 13 billetes. Hay billetes de $1, $5 y $10, que suman un total de $69. ¿Cuántos billetes hay de cada tipo?

10. En una bolsa hay 16 cubos; cada cubo está marcado con un 1, un 2, un 3 ó un 4. Beka sacó cuatro cubos con números que suman 12. ¿Qué números hay en los cubos que sacó de la bolsa?

11. Adam y Eric hicieron una compra en la papelería. Adam compró 1 lápiz y dos plumas por 86¢. Eric compró 2 lápices y 1 pluma por 67¢. ¿Cuánto cuesta 1 lápiz?

12. Un prisma rectangular tiene un volumen de 2,058 cm³. La longitud mide tres veces lo que mide el ancho. La altura es el doble del ancho. Halla el ancho, la longitud y la altura del prisma.

13. La suma de los dígitos de un número de dos dígitos es igual a la raíz cuadrada del número. ¿Cuál es el número?

Repaso MIXTO

1. ¿Cuánto mide un ángulo recto?

2. ¿Cuál es la gama de los grados que puede medir un ángulo agudo?

Halla los volúmenes.

3. 4 pulg, 4 pulg, 4 pulg

4. 30 cm, 15 cm

5. Los nombres de una ingeniera, una profesora y una vendedora son Elicia, Michelle y Cary. Elicia y la ingeniera llevaron a Cary a trabajar el sábado. ¿Quién es la profesora?

14. Jamaal, Kim, Lea y Mark tienen un animal doméstico cada uno. Kim está en la clase de las personas que tienen el perro y el loro. Jamaal y Mark suelen acompañar a la dueña del perro cuando ésta lo pasea. El animal de Mark tiene más años que el gato y que el jerbo, pero es más joven que el animal de Lea. ¿Qué animal tiene cada uno?

15. Erin se acaba de mudar. En el garaje y el sótano de su nuevo hogar hay una gran colección de bicletas y triciclos abandonada por la familia Pedales, los anteriores dueños de la casa. Mientras prepara la venta de la colección, Erin ha calculado que hay un total de 100 vehículos y 239 ruedas. ¿Cuántas bicicletas y cuántos triciclos tenía la familia Pedales?

16. Un rectángulo tiene 4 cm menos de ancho que de largo. Su área es 96 cm². Halla la longitud y el ancho del rectángulo.

17. El Sr. Franklin tiene unas cajas de cartón que miden 3 pies × 2 pies × 6 pulg, y quiere guardarlas en un espacio de 15 pies × 9 pies × 24 pies. Puede amontonarlas unas sobre otras, pero no colocarlas unas dentro de otras. ¿Cuántas cajas puede guardar?

18. Supón que tienes 12 fichas cuadradas que miden 1 pulg de lado. ¿Qué dimensiones tiene el rectángulo de mayor perímetro que se puede formar con las fichas? ¿Y el rectángulo de menor perímetro?

19. Ciencia 1 cm³ de agua tiene una *masa* de 1 gramo.

    a. Si un cubo con aristas de 4 cm está lleno de agua, ¿cuál es la masa del agua?

    b. ¿Cuánto mide cada arista de un cubo donde caben 343 g de agua?

20. a. Usa una calculadora para hallar los siguientes productos.

    15 • 15   25 • 25   35 • 35   45 • 45

    b. Por escrito Describe los patrones que observas en las multiplicaciones de arriba.

    c. Usa los patrones para hallar los siguientes productos sin multiplicar las cantidades.

    55 • 55   65 • 65   75 • 75   85 • 85

21. Jardinería El borde de una rotonda circular del parque se va a adornar con rosales. Si el círculo tiene 12 pies de diámetro y los rosales van a estar plantados a tres pies uno de otro, ¿cuántos rosales hacen falta?

 La masa de 8 cm³ de aluminio equivale a 22 g. El mismo volumen de oro tiene una masa de 154.4 g. Determina las dimensiones de dos prismas rectangulares que tengan un volumen de 8 cm³.

Práctica

Halla el área y el perímetro de cada figura.

1.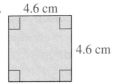
4.6 cm

4.6 cm

2.
15 pulg

8 pulg

3.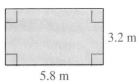
3.2 m

5.8 m

4.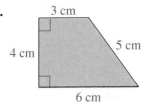
3 cm

4 cm   5 cm

6 cm

5.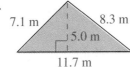
7.1 m   8.3 m

5.0 m

11.7 m

6.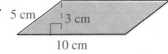
5 cm   3 cm

10 cm

Calcula la circunferencia y el área de cada círculo a la décima más cercana. Usa 3.14 como valor de π.

7. $r = 12.5$ cm

8. $d = 35$ pulg

9. $d = 0.75$ mi

10. $d = 8.6$ m

Usa una calculadora para hallar estas raíces cuadradas. Redondea a la décima más cercana.

11. $\sqrt{552.25}$

12. $\sqrt{3}$

13. $\sqrt{2}$

14. $\sqrt{50}$

Halla la longitud del lado de un cuadrado con el área dada.

15. 400 pies^2

16. 289 cm^2

17. 2,500 mi^2

18. 2.25 pulg^2

Las medidas de abajo corresponden a dos lados de triángulos rectángulos. Calcula la longitud del tercer lado a la décima más cercana.

19. hipotenusa: 60 pulg; cateto: 35 pulg

20. cateto: 10 cm; cateto: 14 cm

Determina si los siguientes triángulos son triángulos rectángulos.

21. 9 m, 40 m, 41 m

22. 12 mi, 15 mi, 25 mi

23. 2.4 cm, 3.2 cm, 4.0 cm

24. Halla el área superficial de un cubo con aristas de 9 cm.

25. Halla el volumen de un prisma rectangular con dimensiones de 5 pies, 6 pies y 8 pies.

26. Halla el volumen de un cilindro con un diámetro de 9 pulg y una altura de 15 pulg.

En esta lección

• Resolver problemas de perímetro, área y área superficial

VAS A NECESITAR

✓ Calculadora

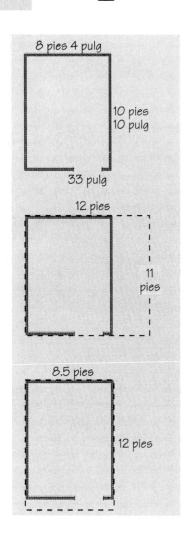

8 pies 4 pulg

10 pies 10 pulg

33 pulg

12 pies

11 pies

8.5 pies

12 pies

EN EQUIPO

Han sido contratados para remodelar un edificio de oficinas. Van a empezar por la habitación que aparece a la izquierda. Tienen que alfombrar el suelo y poner un rodapié a lo largo de todo su perímetro.

Para saber cuánta alfombra necesitan deben medir la longitud y el ancho máximos de la habitación y añadir a cada lado 2 pulg para facilitar el corte. El rollo de alfombra que van a usar tiene 12 pies de ancho.

1. **a.** Si se añaden 2 pulgadas a cada dimensión, ¿qué nuevas dimensiones deben considerarse para determinar el área de la alfombra? Expresen las dimensiones en pies.

   b. Calculadora La alfombra se puede colocar con la trama en el sentido de la dimensión mayor, como se muestra en el segundo dibujo. En ese caso se necesitará un trozo de alfombra de 12 pies por 11 pies. ¿A cuántos pies cuadrados equivale esto?

   c. Calculadora También se puede colocar la alfombra con la trama en el sentido de la dimensión menor (tercer dibujo). En ese caso será necesario un trozo de 12 pies por 8.5 pies. ¿A cuántos pies cuadrados equivale esto?

   d. ¿Qué colocación es más barata? ¿Cuántos pies cuadrados de alfombra se ahorran de esa manera?

   e. Calculadora La alfombra cuesta $15.95 la yarda cuadrada. En una yarda cuadrada hay nueve pies cuadrados. ¿Cuánto dinero se ahorra utilizando la colocación más barata?

2. **a.** ¿Cuál es el perímetro de la sala? Consideren las dimensiones originales.

   b. Las piezas de rodapié que van a usar miden 4 pies. El hueco de la puerta (que no lleva rodapié) mide 33 pulg de ancho. ¿Cuántas piezas necesitan?

PIENSA Y COMENTA

En muchos problemas de la vida diaria (como el de la alfombra y el rodapié) hay que considerar perímetros, áreas o volúmenes. ¿Qué debe hallarse para determinar las siguientes magnitudes: el perímetro, el área o el volumen?

3. la cantidad de pintura que se utilizará en una habitación

4. la cantidad de rodapié de madera que se colocará en una habitación

5. la longitud del marco de una ventana

6. la cantidad de agua que cabe en una piscina

7. la cantidad de papel necesaria para empapelar un cuarto

8. la cantidad de pintura necesaria para pintar un baúl

9. La habitación de la actividad "En equipo" podía alfombrarse con un sólo trozo de alfombra. Una habitación con dos dimensiones que tengan más de 11 pies 10 pulg requerirá más de un trozo. ¿Por qué?

POR TU CUENTA

10. El suelo del cuarto de Sabrina mide 12 pies 5 pulg por 14 pies 4 pulg. La única puerta mide 33 pulg de ancho. Sabrina quiere poner un rodapié nuevo. ¿Cuántas piezas de 4 pies necesita?

11. Archivo de datos #5 (págs. 190–191) La familia Osborne ha decidido instalar en su hogar ciertos aparatos para el ahorro de agua.

a. Si los Osborne descargan el inodoro una media de 15 veces diarias, ¿cuánta agua ahorrarán cada día usando un inodoro con presión de aire?

b. Los Osborne pasan un total de 45 minutos diarios en la ducha. ¿Cuánta agua ahorrarán en una semana si instalan una ducha de flujo controlado?

c. Los Osborne ahorran diariamente 125–225 galones de agua después de instalar en la cocina un grifo de flujo controlado. ¿Durante cuántos minutos al día permanece abierto el grifo de su cocina?

Repaso MIXTO

Añade los tres números que siguen en cada patrón.

1. 2, 5, 8, 11, . . .

2. 3, 5, 9, 15, . . .

Escribe y resuelve las ecuaciones correspondientes.

3. Un número más 6 es igual a 112.

4. Dos menos que 4 veces un número es igual a 13.

5. ¿Cuántos rectángulos de 3 pulg × 2 pulg puedes recortar de un rectángulo de 6 pulg × 5 pulg?

¿QUÉ? La lavadora/secadora de la estación espacial *Freedom* consume 1.1 gal de agua para lavar 1 lb de ropa. Las lavadoras convencionales consumen 7 gal/lb.

Fuente: *Popular Science*

12. Sheila ha comprado un baúl viejo. Ahora quiere restaurarlo y tiene que averiguar cuánto barniz y colorante necesita. El baúl mide 5 pies de largo, 2 pies 6 pulg de ancho y 3 pies de altura.

a. ¿Cuál es el área superficial del baúl?

b. Cada lata de barniz o de colorante permite revestir 45 pies^2. ¿Cuántas latas de cada producto necesita Sheila para restaurar el baúl?

c. Cada lata de colorante cuesta $6.95. Cada lata de barniz cuesta $7.95. ¿Cuánto cuestan el colorante y el barniz?

d. Una vez barnizado el baúl, Sheila piensa protegerlo poniéndole una banda metálica de 2 pulg alrededor de la base. ¿Qué longitud de banda metálica debe comprar? No te olvides de añadir 1 pulg de margen para la conexión de los extremos.

e. Sheila piensa guardar en el baúl las telas que cose. ¿De qué volumen dispone?

UN GRAN FUTURO

Detective

Me gustaría ser detective de la policía. ¿Tengo que ir a una academia de policía para conseguirlo?

Supongo que en esta profesión hay muchos problemas que deben resolverse con cálculos y razonamientos. Si tuviera que averiguar quién cometió un delito, reuniría primero todos los datos posibles. Luego hablaría con los sospechosos y con los testigos. También observaría el escenario del delito y trataría de imaginarme cómo ocurrió.

¿Cómo es el trabajo de un detective de verdad? Seguramente no se parece a lo que vemos en las películas. ¿Qué hace usted un día cualquiera? ¿Quién le asigna los casos? ¿Cuál es el caso más largo y difícil en el que ha trabajado? ¿Cómo lo resolvió?

Evon Burroughs

13. Teo quiere cambiar el rodapié de una sala que mide 20 pies por 16 pies.

Rodapié

Piezas de 8 pies	$1.10/ pie
Piezas de 12 pies	$1.20/ pie

a. Si compra tres piezas de 8 pies, ¿cuántas piezas de 12 pies debe comprar?

b. Si compra dos piezas de 12 pies, ¿cuántas piezas de 8 pies debe comprar?

c. ¿Qué combinación resulta más barata: la de la parte (a) o la de la parte (b)? ¿Cuál es la diferencia?

14. Dina ha decidido pintar las paredes y el techo de su cuarto.

a. Si no pinta la puerta (ni la ventana), ¿cuál es el área de la superficie que va a pintar?

b. Con un galón de la pintura que va a usar se cubren unos 250 pies^2. ¿Cuántos galones necesita para una capa? ¿Y para dos capas?

c. **Por escrito** La pintura cuesta $16.95 el galón. ¿Puede Dina dar una capa por $25? ¿Y dos capas por $50? Explica por qué.

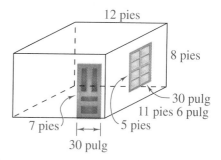

12 pies
8 pies
30 pulg
11 pies 6 pulg
7 pies
5 pies
30 pulg

Querido Evon:

Para ser policía tienes que ir primero a la academia. Después de pasar algún tiempo como agente, puedes hacer un examen para convertirte en detective.

Resolver problemas es una parte muy importante de mi trabajo. Con mucha frecuencia tengo que "trabajar en orden inverso" o "buscar un patrón" para resolver un delito. Durante un día típico hablo con testigos y sospechosos, hago arrestos, declaro en tribunales y manejo información en una computadora. Normalmente me ocupo de casos asignados por mi supervisor o investigo llamadas al 911.

Uno de los casos más complejos en que he trabajado estaba relacionado con el tráfico de drogas. Cuando me preguntaron a qué distancia estábamos mis compañeros y yo de los sospechosos, usé el teorema de Pitágoras para realizar los cálculos. Después tuve que explicar el teorema en el juicio y, claro, me acordé de mis clases de matemáticas.

Ernesto (Tito) Whittington
Detective, Departamento de Policía de Boston

FINGERPRINT IDENTIFICATION

POLICE DEPARTMENT

DETECTIVE

1938

En conclusión

Área y perímetro 5-1, 5-2, 5-3

El **perímetro** es el largo del contorno de una figura. El perímetro se mide en unidades de longitud (pulgadas, metros, pies, etc.).

El **área** es el número de unidades cuadradas contenidas en una figura. El área se mide en unidades cuadradas (pulgadas cuadradas, metros cuadrados, pies cuadrados, etc.).

Halla el perímetro y el área de cada figura.

1.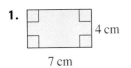
7 cm, 4 cm

2.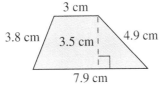
3 cm, 3.8 cm, 3.5 cm, 4.9 cm, 7.9 cm

3.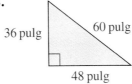
36 pulg, 60 pulg, 48 pulg

4.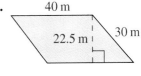
40 m, 22.5 m, 30 m

Circunferencia y área de círculos 5-4

La **circunferencia** es el largo del contorno de un círculo. La **razón** de la circunferencia al diámetro de cualquier círculo es siempre la misma. Ese número, representado por π, es cercano a 3.14.

Halla la circunferencia y el área de cada círculo. Redondea a la décima más cercana.

5.
12 cm

6.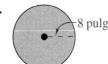
8 pulg

7.
40 pies

8.
9 mm

Cuadrados y raíces cuadradas 5-5, 5-6, 5-7

Llamamos **cuadrado perfecto** al cuadrado de un número entero. Hallar una **raíz cuadrada** es lo contrario de elevar un número al cuadrado. El símbolo de raíz cuadrada es $\sqrt{}$.

9. Estimación ¿Entre qué dos números enteros consecutivos se sitúa el valor de $\sqrt{87}$?

Cálculo mental Halla los valores.

10. 11^2 **11.** 7^2 **12.** $\sqrt{16}$ **13.** $\sqrt{64}$ **14.** $\sqrt{144}$ **15.** $\sqrt{4}$

Teorema de Pitágoras 5-6, 5-7

El **teorema de Pitágoras** establece que si a y b son los catetos de un triángulo rectángulo y c la hipotenusa, $a^2 + b^2 = c^2$. Para determinar si un triángulo es rectángulo se puede utilizar el **recíproco del teorema de Pitágoras.**

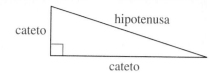

16. **Elige A, B, C o D.** ¿Qué conjunto de longitudes *no* corresponde a los lados de un triángulo rectángulo?

   A. 3 m, 4 m, 5 m
   C. 51 pulg, 85 pulg, 68 pulg
   B. 2 cm, 2 cm, 4 cm
   D. 16 pies, 20 pies, 12 pies

Las medidas de abajo corresponden a dos lados de triángulos rectángulos. Calcula la longitud del tercer lado a la décima más cercana.

17. cateto: 12 mm; hipotenusa: 15 mm   18. catetos: ambos 1 m   19. cateto: 8 m; hipotenusa: 14 m

Área superficial y volumen 5-8, 5-9, 5-11

El **área superficial** de un prisma es la suma de las áreas de sus caras.

El **volumen** de una figura tridimensional es el número de unidades cúbicas necesario para ocupar el espacio interior de la figura.

20. Halla el área y el volumen de un prisma rectangular con 7 pies de largo, 5 pies de ancho y 2.5 pies de altura.

21. Un cilindro tiene un radio de 8 cm y una altura de 14 cm. Halla su volumen.

Aplicaciones y estrategias 5-10

La estrategia *Estima y comprueba* te pemitirá resolver muchos problemas.

22. Un prisma rectangular tiene un volumen de 24 m³ y un área superficial de 52 m². Halla las dimensiones del prisma.

PREPARACIÓN PARA EL CAPÍTULO 6

Halla el número que cumple cada igualdad.

1. $5{,}000 = 5 \times$ ■
2. $4{,}500{,}000 = 4.5 \times$ ■
3. $325{,}000 = 3.25 \times$ ■

4. María y Simón están jugando a "Adivina mi regla". Cuando María aplica su regla a 3, el resultado es 14. Cuando aplica su regla a 5, el resultado es 22. Simón dice que la regla es "multiplicar un número por 3 y sumar 5". ¿Tiene razón? Explica por qué.

APLICA LO QUE SABES

cierra el caso

✓ Usa una hoja de cálculo.
✓ Haz una encuesta.
✓ Diseña un anuncio para el nuevo envase.

Los problemas precedidos por la lupa (pág. 209, #23; pág. 222, #21 y pág. 227, #29) te ayudarán a escribir la carta.

Extensión: Una caja tiene un volumen de 24 pulg³. Haz una lista de sus posibles dimensiones (longitud, ancho y altura). Halla el área superficial correspondiente a cada conjunto de dimensiones. Si dos recipientes tienen el mismo volumen, ¿tienen también la misma área superficial? Explica tu respuesta.

Diseño de envases

Al principio del capítulo elegiste el "mejor" envase o paquete para un determinado producto. Vuelve a examinar tu diseño. Si es necesario, revísalo o diseña un nuevo modelo teniendo en cuenta lo que has aprendido en este capítulo. Cuando estés convencido de que tu envase es el más adecuado, construye un modelo de muestra y escribe una carta al fabricante explicándole por qué debería reemplazar su envase por el tuyo. Las siguientes sugerencias te pueden ayudar a respaldar la propuesta.

PERO AGENTE, SOLO IBA A...

El velocímetro de un automóvil no siempre es exacto: ciertas variables (unas llantas más grandes que las originales, por ejemplo) pueden cambiar la velocidad del vehículo. ¿Cómo se podría comprobar la precisión de un velocímetro? Piensa en un plan, escríbelo y, si es posible, llévalo a cabo.

HORA DIGITAL

Cuatro dígitos bastan para indicar cualquier hora en un reloj digital. Por ejemplo, 12:30 contiene cuatro dígitos. ¿Qué dígito aparece más veces durante un ciclo de 24 h? ¿Por qué? ¿Qué dígito es el segundo en frecuencia?

Con los pelos
DE PUNTA

El cabello crece a una velocidad para nosotros muy lenta y deja de crecer cuando alcanza longitudes que varían según las personas. Usa tus materiales de consulta para hallar estos datos:

✎ ¿A qué velocidad crece el cabello? ¿Es constante esa velocidad?

✎ ¿Cuál es la longitud máxima jamás alcanzada por el cabello?

Con esta información (y suponiendo que tu cabello creciera de forma constante) responde a estas preguntas:

✎ ¿Cuánto tardaría tu cabello en llegar al suelo?

✎ Supón que vivieras hasta los 100 años y nunca te cortaras el cabello. ¿Qué longitud alcanzaría?

✎ Supón que vivieras hasta los 100 años y nunca te cortaras el cabello. ¿Cuánto pesaría?

DE PIES A CABEZA

Las primeras unidades de medida usadas en la historia eran ciertas partes del cuerpo humano. Hoy seguimos usando el pie, el palmo o la braza, pero sus respectivas longitudes son ahora uniformes y convencionales. En esta investigación vas a utilizar unidades no convencionales.

• Recorta un trozo de papel que mida lo mismo que tu pie y mídete la estatura con él. ¿Cuál es tu estatura en "tus pies"?

• Mide con una cuerda la circunferencia de tu cabeza. Usa esta unidad para averiguar tu estatura en "cabezas".

• Mide a diferentes personas de distintas edades con sus propios "pies" y "cabezas". Anota los datos a medida que los vayas reuniendo. Puedes hacer una tabla con una columna para "pies" y otra para "cabezas". ¿Has encontrado datos interesantes? ¿Cuáles?

ENCAJA EL PROBLEMA

¿Qué dimensiones tendría la caja más pequeña en la que pudieras acurrucarte? Usa esas dimensiones para hallar el volumen de la caja. ¿Podría haber otra caja de igual volumen en la que estuvieras más cómodo? ¿Cuántos pies cuadrados de cartón necesitarías para hacer tu caja?

1. **Elige A, B, C o D.** ¿Qué unidad es más adecuada para medir la longitud de un automóvil?

   A. mm   **B.** cm   **C.** m   **D.** km

2. Halla el área y el perímetro de cada figura.

   a. cuadrado: $l = 2.1$ pies

   b. rectángulo: $l = 19$ km, $a = 15$ km

3. Halla el área de cada figura.

   a. triángulo: $b = 12$ cm, $h = 10$ cm

   b. paralelogramo: $b = 14$ m, $h = 9$ m

4. Un terreno rectangular tiene un área de 114 yd^2 y un lado que mide 19 yd. Halla el perímetro.

5. Halla el área y el perímetro de este trapecio.

   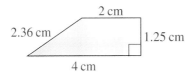

6. Un círculo tiene un diámetro de 21 cm. Calcula su circunferencia y su área a la unidad más cercana.

7. **Cálculo mental** Halla lo siguiente.

   a. 8^2 **b.** 10^2 **c.** $\sqrt{25}$ **d.** $\sqrt{81}$

8. **Calculadora** Halla la longitud del lado de un cuadrado con el área dada. Redondea a la unidad más cercana.

   a. 576 mm^2 **b.** 269 cm^2

   c. 325 pulg^2 **d.** 121 pies^2

9. **Por escrito** Explica cómo se usa el recíproco del teorema de Pitágoras para averiguar si un triángulo es rectángulo.

10. Halla x.

    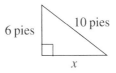

11. Un jardín rectangular mide 40 m de largo por 30 m de ancho. Halla la longitud de un sendero que cruza el jardín en diagonal.

12. **Elige A, B, C o D.** Un cubo tiene un área superficial de 150 cm^2. Halla su volumen.

    A. 15 cm^3 **B.** 30 cm^3

    C. 125 cm^3 **D.** 150 cm^3

13. Las aristas del prisma rectangular A miden 10 cm, 2 cm y 3 cm. Las del prisma rectangular B miden 5 cm, 2 cm y 6 cm. Usa $<$, $>$ ó $=$ para comparar los volúmenes de A y B.

14. **Estimación** El radio de un cilindro mide 9.7 cm. La altura mide 20 cm. ¿Qué valor de π usarías para hacer una estimación mental rápida de su volumen? ¿Qué volumen has estimado?

15. Un tanque cilíndrico tiene 12 pies de alto. Su diámetro mide 18 pies. Calcula el volumen a la unidad más cercana.

16. **Elige A, B, C o D.** Si quisieras estimar el número de ladrillos que caben en un cobertizo, ¿qué deberías saber sobre el cobertizo?

    A. el perímetro   **B.** el área

    C. el área superficial   **D.** el volumen

Elige A, B, C o D.

1. ¿Qué número tiene el valor más alto?

   A. 2^5 **B.** 3^3

   C. 5^2 **D.** 20^1

2. El rectángulo *ABCD* mide 3 pies × 4 pies. ¿Cuáles son su área y su perímetro?

   A. $A = 12$ pies^2, $P = 12$ pies

   B. $A = 12$ pies^2, $P = 14$ pies

   C. $A = 6$ pies^2, $P = 12$ pies

   D. $A = 12$ pies^2, $P = 7$ pies

3. ¿Qué expresión tiene el valor *más cercano* a $3(10 - 2.5)$?

   A. $3(10)$

   B. $2.5(10 - 3)$

   C. $3(5 + 2)$

   D. $2(10 + 1)$

4. ¿Qué números *no* corresponden a los lados de un triángulo rectángulo?

   A. 8, 15, 17   **B.** 10, 24, 26

   C. 15, 35, 40   **D.** 12, 16, 20

5. ¿Qué expresión equivale a 8.23?

   A. $6.584 \div 0.8$ **B.** $74.34 \div 9$

   C. $1{,}152.2 \div 14$ **D.** $57.61 \div 7.1$

6. ¿Qué expresión permite hallar el área de la base del cilindro?

   A. $(2 \cdot \pi \cdot 5)$

   B. $(\pi \cdot 2.5 \cdot 2.5)$

   C. $(\pi \cdot 5 \cdot 5)$

   D. $(2 \cdot \pi \cdot 2.5 \cdot 6)$

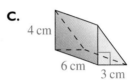

6 pulg

5 pulg

7. ¿Qué expresión equivale a -12?

   A. $-3 \cdot (-4)$ **B.** $-10 + 2$

   C. $-48 \div 3$ **D.** $-16 - (-4)$

8. ¿Qué recipiente tiene el mayor volumen de todos?

   A. 4 cm, 4 cm, 4 cm

   B. 3 cm, 5 cm, 4 cm

   C. 4 cm, 6 cm, 3 cm

   D. 6 cm, 4 cm

9. La mitad más cinco de los pasajeros (p) de un autobús son estudiantes (s). ¿Qué ecuación usarías para representar esta situación?

   A. $\dfrac{p}{2} + 5 = s$ **B.** $(p + 5) \div 2 = s$

   C. $\dfrac{p}{2} - 5 = s$ **D.** $(p - 5) \div 2 = s$

10. ¿Qué expresión *no* tiene el mismo valor que las otras?

    A. $\sqrt{144}$

    B. $\sqrt{36} + \sqrt{36}$

    C. $\sqrt{4} + \sqrt{64}$

    D. $\sqrt{81} + \sqrt{9}$

11. ¿Cuál es el valor de x redondeado a la décima más cercana?

    A. 17.0   **B.** 12.7

    C. 7.0   **D.** 8.5

Patrones y funciones

banda sonora
cadena

FOTOGRAFÍA ANIMADA

Una cámara de cine filma secuencias de imágenes estáticas en una cinta de celuloide. Normalmente registra 24 fotogramas (fotografías) por segundo. El proyector emite también 24 fotogramas/s, pero cada fotografía se proyecta tres veces: nuestros ojos, por lo tanto, ven 72 fotografías de la misma imagen. De este modo se elimina la "intermitencia" y la vista sólo percibe una sucesión continua de escenas "animadas".

Anchos de película	
35 mm	cine
16 mm	televisión
8 mm	películas caseras
Super 8	películas caseras

área de la imagen
fotograma

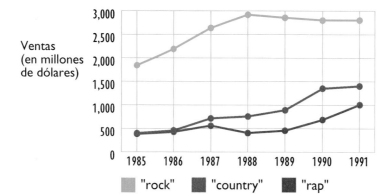

Ventas de tres tipos de música

Ventas (en millones de dólares)

"rock" "country" "rap"

EN ESTE CAPÍTULO

- hallarás y usarás patrones para resolver problemas
- representarás funciones gráficamente
- usarás tecnología para explorar las potencias
- resolverás problemas buscando un patrón

DE TODO EL MUNDO

En 1979 se hicieron 714 películas en la India. Ese mismo año, Japón produjo 335 películas, Francia 234, Estados Unidos 167 y Gran Bretaña 38.

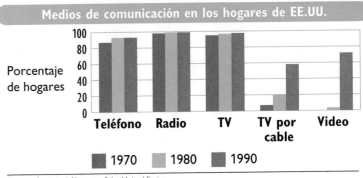

Medios de comunicación en los hogares de EE.UU.

Porcentaje de hogares

- Teléfono
- Radio
- TV
- TV por cable
- Video

■ 1970 ■ 1980 ■ 1990

Fuente: *Statistical Abstract of the United States*

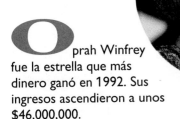

Oprah Winfrey fue la estrella que más dinero ganó en 1992. Sus ingresos ascendieron a unos $46,000,000.

Fuente: *Forbes*

Encuesta de actividades

En esta tabla se recogen los porcentajes de adolescentes que contestaron "sí" a la siguiente pregunta: "En la última semana, ¿has participado en esta actividad?"

Actividad	Porcentaje	
	Muchachos	Muchachas
Leer revistas por placer	66.4	75.7
Leer libros por placer	57.2	72.8
Mirar la televisión	95.7	97.8
Mirar videos	70.8	66.5
Escuchar grabaciones de música	83.3	87.2
Tocar un instrumento musical	34.7	43.2

Fuente: *Teenage Research Unlimited*

Lo que cuesta

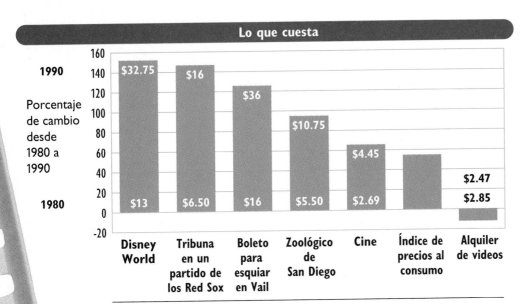

1990

Porcentaje de cambio desde 1980 a 1990

1980

Disney World	Tribuna en un partido de los Red Sox	Boleto para esquiar en Vail	Zoológico de San Diego	Cine	Índice de precios al consumo	Alquiler de videos
$32.75	$16	$36	$10.75	$4.45		$2.47
$13	$6.50	$16	$5.50	$2.69		$2.85

Fuente: *Money*

LO QUE CUESTA

El precio de entrada por día a *Disney World* aumentó durante los años 80 más que el de la mayoría de los entretenimientos familiares.

íNVestigación

Informe

Durante el Renacimiento, algunos artistas trataron de hallar relaciones matemáticas entre las dimensiones del cuerpo humano. Leonardo da Vinci, por ejemplo, dibujó a un hombre perfectamente "inscrito" en un círculo. El cuerpo humano no es tan proporcionado o armónico como creían esos artistas, pero en él se dan ciertas relaciones numéricas muy interesantes.

Misión: Toma las siguientes medidas a los miembros de tu grupo: estatura; distancia entre (1) los extremos de ambas manos (con los brazos extendidos), (2) la muñeca y el codo y (3) el tobillo y la rodilla. Halla las relaciones que se dan entre la estatura y cada una de las distancias medidas (extremos de las manos, muñeca/codo y tobillo/rodilla).

Sigue estas pistas

✓ ¿De qué forma podrías anotar tus datos de modo que se reconocieran fácilmente las relaciones matemáticas?

✓ ¿Qué tipos de relaciones matemáticas esperas encontrar?

✓ ¿Qué pares de medidas parecen más estrechamente relacionadas?

Patrones numéricos

VAS A NECESITAR

✓ **Bloques geométricos**

Figura 1   Figura 2   Figura 3

Figura 1   Figura 2   Figura 3

⚡ **¡RECUERDA!**

Los tres puntos (" . . . ") indican que la sucesión continúa de manera indefinida.

 **EN EQUIPO**

1. a. Usen bloques geométricos para formar las dos figuras siguientes en el patrón de la izquierda.

   b. ¿Cuántos bloques hay que añadir a cada figura para formar la siguiente?

   c. Copien y completen esta tabla.

Figura	1	2	3	4	5	6	7	8
Número de bloques en la figura	■	■	■	■	■	■	■	■

   d. ¿Cuántos bloques tendrá la figura número 12?

2. a. Hagan una tabla como la de arriba para el patrón de la izquierda.

   b. ¿Cuántos bloques habrá en la figura número 12?

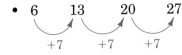 **PIENSA Y COMENTA**

La sucesión de números que aparece en la actividad de arriba es una *progresión*. Llamamos **progresión** a un conjunto de números ordenado según un patrón específico. Esos números reciben el nombre de **términos.** En una **progresión aritmética** cada término es igual al anterior más una cantidad fija.

Ejemplo 1

Escribe la regla correspondiente a la progresión 6, 13, 20, 27, . . . Después halla los tres términos siguientes de la progresión.

• 6   13   20   27
    +7   +7   +7

La regla de esta progresión es: *Empieza con 6 y suma 7 para obtener el término siguiente.*

• 27 + 7 = 34 → 34 + 7 = 41 → 41 + 7 = 48

Los tres términos siguientes son 34, 41 y 48.

3. Escribe la regla de la progresión 35, 24, 13, 2, . . . Halla después los tres términos siguientes.

En una **progresión geométrica** cada término es igual al anterior multiplicado por una cantidad fija.

Ejemplo 2

Escribe la regla correspondiente a la progresión 1, 3, 9, 27, . . . Después halla los tres términos siguientes de la progresión.

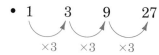

- 1   3   9   27
  ×3   ×3   ×3

La regla de la progresión es: *Empieza con 1 y multiplica por 3 para obtener el término siguiente.*

- $27 \times 3 = 81 \rightarrow 81 \times 3 = 243 \rightarrow 243 \times 3 = 729$

Los tres términos siguientes son 81, 243 y 729.

4. a. ¿Por qué es −2, 4, −8, 16, . . . una progresión geométrica?

b. Escribe la regla de esta progresión.

c. Halla los tres términos siguientes de la progresión.

Algunas progresiones no son ni aritméticas ni geométricas.

Ejemplo 3

Escribe la regla de la progresión 1, 3, 6, 10, . . . y halla los tres términos siguientes.

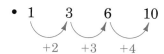

- 1   3   6   10
  +2   +3   +4

La regla de la progresión es: *Empieza con 1 y suma 2, luego suma 3, luego suma 4 y así sucesivamente.*

- Para hallar los tres términos siguientes basta con seguir el patrón.

  $10 + 5 = 15 \rightarrow 15 + 6 = 21 \rightarrow 21 + 7 = 28$

Los tres términos siguientes son 15, 21 y 28.

5. Explica por qué la progresión del ejemplo 3 no es aritmética.

6. Discusión ¿Cómo puedes saber si una progresión es artimética, geométrica o de ninguno de los dos tipos?

P O N T E A PRUEBA

7. A la izquierda aparecen las primeras tres figuras de un diseño de baldosas.

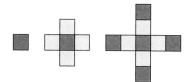

a. ¿Cuántas baldosas rojas habrá en la novena figura?

b. ¿Cuántas baldosas amarillas habrá en la novena figura?

Di si las siguientes progresiones son aritméticas, geométricas o de ninguno de los dos tipos. Después halla los tres términos siguientes de cada una.

8. 5, 10, 15, 20, . . .

9. 2, 6, 18, 54, . . .

10. 600, 300, 150, 75, . . .

11. 63, 54, 45, 36, . . .

12. 2, 5, 10, 17, 26, . . .

13. 1, −3, 9, −27, 81, . . .

14. Algunas personas dibujan el signo de dólar como una S atravesada por una línea. La línea divide la S en cuatro partes, como se ve a la derecha. Otras personas trazan dos líneas, dividiendo la S en siete partes. Supón que dibujaras una S atravesada por 15 líneas verticales. ¿En cuántas partes quedaría dividida?

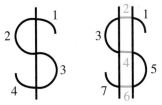

POR TU CUENTA

Di si las siguientes progresiones son geométricas, aritméticas o de ninguno de los dos tipos. Si se trata de una progresión aritmética o geométrica, escribe la regla.

15. 1, 2, 4, 8, . . .

16. −15, −11, −7, −3, . . .

17. 1, 2, 4, 7, 11, . . .

18. 1, −1, 1, −1, . . .

19. 300, 60, 12, 2.4, . . .

20. 1, 4, 9, 16, 25, . . .

21. Supón que el 1 de enero es lunes. ¿En qué fechas caen los demás lunes de enero?

22. A la derecha aparece un patrón de números.

   a. Añade los números correspondientes a las filas 4, 5, 6 y 7.

   b. Halla la suma de los números que hay en cada una de las primeras 7 filas.

   c. Predice la suma de la fila número 20.

   d. Escribe la regla correspondiente a la suma de cada fila en este patrón triangular.

fila 1				1			
fila 2			1	2	1		
fila 3		1	2	3	2	1	

23. **Por escrito** ¿Cómo es la progresión 1, 1, 1, . . . : aritmética, geométrica, de ambos tipos o de ninguno de los dos tipos? Explica por qué.

24. **Elige A, B, C o D.** ¿Cuáles son los dos números siguientes en la progresión 1, 64, 2, 32, 4, 16, . . . ?

   A. 16, 8   **B.** 8, 16   **C.** 8, 8   **D.** 32, 64

En el girasol se produce una progresión Fibonacci natural. El número de vainas de semilla que hay en cada anillo es igual a la suma de las vainas en los dos anillos anteriores.

25. La *progresión Fibonacci* es 1, 1, 2, 3, 5, 8, . . .

    a. Escribe los tres términos siguientes de esta progresión.

    b. ¿Se trata de una progresión aritmética, geométrica o de ninguno de los dos tipos?

26. Pensamiento crítico A la derecha se representan los primeros cuatro términos de una progresión de flechas.

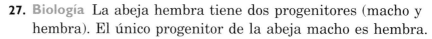

    a. ¿Hacia dónde apuntará la siguiente flecha: izquierda, derecha, arriba o abajo?

    b. ¿Qué longitud tendrá la siguiente flecha?

    c. ¿En qué dirección apuntará la octava flecha?

27. Biología La abeja hembra tiene dos progenitores (macho y hembra). El único progenitor de la abeja macho es hembra.

    a. Haz un "árbol genealógico" que represente a los antepasados de una abeja hembra hasta la séptima generación. Halla el número de antepasados en cada generación.

    b. Las cantidades de antepasados forman una progresión. ¿Se trata de una progresión aritmética, geométrica o de ninguno de los dos tipos?

28. a. Usa papel cuadriculado para dibujar un cuadrado de 16 × 16 como el que aparece en la figura 1. Halla su área.

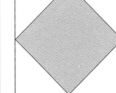  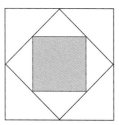

    Figura 1   Figura 2   Figura 3

    b. Une los puntos medios de los lados como se indica en la figura 2. Halla el área del cuadrado interior.

    c. Une los puntos medios de los lados del cuadrado interior como se indica en la figura 3. Halla el área del nuevo cuadrado.

    d. ¿Cuál será el área del cuadrado interior en la sexta figura de la progresión?

29. Negocios Supón que el sueldo inicial de un empleado es de $4/h y que éste aumenta en $.50/h cada seis meses. ¿Qué tipo de progresión es ésta? Escribe la regla correspondiente.

Di si estos ángulos son agudos, rectos, obtusos o llanos.

1. $m\angle A = 100°$

2. $m\angle B = 76°$

Determina si los triángulos con estos lados son triángulos rectángulos.

3. 3, 4, 5   **4.** 12, 13, 17

Escribe cada expresión en forma normal.

5. 5^4 **6.** 2.4^3

7. Darcy tiene $1.35 en monedas de 10¢ y 25¢. ¿Cuántas combinaciones diferentes de monedas puede tener?

6-2 **N**otación científica

En esta lección

• Escribir números mayores que 10 usando notación científica

VAS A NECESITAR

✓ Calculadora

¡RECUERDA!

Las potencias de base 10 son expresiones del tipo 10^5. El exponente 5 indica que la base 10 se usa 5 veces como factor.

$10^5 = 10 \cdot 10 \cdot 10 \cdot 10 \cdot 10$
$= 100,000$

P I E N S A   Y   C O M E N T A

1. a. Copia y completa estas igualdades.

$3 \times 10^1 = 3 \times 10 = ▇$ $3 \times 10^4 = 3 \times ▇ = ▇$

$3 \times 10^2 = 3 \times 100 = ▇$ $3 \times 10^5 = 3 \times ▇ = ▇$

$3 \times 10^3 = 3 \times 1,000 = ▇$ $3 \times 10^6 = 3 \times ▇ = ▇$

b. ¿Qué patrones ves en los resultados de la parte (a)?

Las llamaradas solares son estallidos de partículas de alta energía que pueden desplazarse por el espacio a 3,000,000 km/h. Para escribir cantidades tan grandes como ésta, los investigadores utilizan un sistema de **notación científica** que consta siempre de dos factores. El primero es un número igual o mayor que 1 y menor que 10. El segundo es una potencia de base 10. La velocidad de las partículas en notación científica es de 3×10^6 km/h.

Ejemplo 1   Escribe 51,900,000 en notación científica.

5.1900000	Conviértelo en un número entre 1 y 10.
$5.19 \times 10,000,000$	Mantén el valor original multiplicando por una potencia de 10.
5.19×10^7	Escribe la potencia de 10 en forma exponencial.

2. a. Explica por qué 51,900,000 *no* es 519×10^5 en notación científica.

b. Escribe 396,000,000 en notación científica.

Para pasar de la notación científica a la **forma normal** hay que multiplicar las cantidades.

Ejemplo 2   La distancia media entre la Tierra y el Sol es de unos 1.5×10^8 km. Escribe este número en forma normal.

• $1.5 \times 10^8 = 1.5 \times 100,000,000$
               $= 150,000,000$

La distancia media es de unos 150,000,000 km.

 La distancia entre la Tierra y el Sol varía entre 1.47×10^8 km y 1.52×10^8 km.

Fuente: *Atlas of the Solar System*

La tecla *exponente* de una calculadora científica permite registrar cantidades en notación científica. Por ejemplo, 7.36×10^{11} se registraría como sigue.

secuencia de teclas: 7.36 **EXP** 11 → en el visor: *7.36 11*

PONTE A PRUEBA

Explica por qué estos números *no* están en notación científica.

3. 35.4×10^6 **4.** 8×2^{10} **5.** 0.387×10^7

Escribe los números siguientes en notación científica.

6. 490,000,000,000   **7.** 75 millones   **8.** 125

Escribe los números siguientes en forma normal.

9. 8.6×10^7 **10.** 5×10^{11} **11.** 7.02×10^1

12. Cálculo mental El primer globo aerostático que transportó pasajeros pesaba 1.6×10^3 lb. Escribe este número en forma normal.

 El primer viaje en un globo de aire caliente tuvo lugar en Francia el 21 de noviembre de 1783. El globo alcanzó una altura de 3,000 pies y recorrió $5\frac{1}{2}$ mi en 23 min.

Fuente: *Encyclopedia Britannica*

UN GRAN FUTURO

Piloto de aerolínea

Me gustaría ser piloto cuando sea mayor. Me encantaría pilotar un 747 a través del Atlántico. Me gusta volar porque cuando vuelas tienes la sensación de flotar en el aire. Una razón por la que quiero ser piloto es que he pilotado un pequeño Cessna 172, y fue algo muy divertido. Disfruto mucho cuando el aparato avanza en línea recta, sin doblar. Sé que tendré que estudiar y entender bien muchos conceptos matemáticos. Por ejemplo, si uno no entiende bien las posiciones en grados de longitud y latitud es muy probable que acabe llegando a sitios equivocados. Me gustan las matemáticas y saco notas bastante buenas.

Joshua Gitersonke

Escribe estos números en notación científica. Regístralos luego en una calculadora científica y anota lo que aparece en el visor.

13. En la Tierra hay unas 350,000 plantas distintas.

14. Un año luz es la distancia que recorre la luz en el vacío durante un año. Equivale a 5,880 billones de millas (5,880,000,000,000,000 mi).

15. Los dinosaurios aparecieron sobre la Tierra hace unos 190 millones de años.

Escribe las cantidades en forma normal.

16. A principios del siglo próximo, la población mundial será de 6.127×10^9.

17. La distancia media entre Marte y el Sol es de 2.277×10^8 km.

18. **Por escrito** Explica cómo hallaste la potencia de 10 al escribir 725,000,000 en notación científica.

Repaso MIXTO

Halla la media, la moda y la mediana de cada conjunto.

1. 2, 17, 18, 9, 13, 15, 17

2. 71, 75, 75, 78, 79, 75

Halla los tres términos siguientes de cada progresión.

3. 5, 7, 9, 11, . . .

4. 1, 3, 9, 27, . . .

5. Los seis miembros de la familia Estrella caminaron un total de 60 mi en 5 días. ¿Cuál es la distancia media diaria recorrida por cada miembro de la familia?

Querido Joshua:

Estoy encantado de poder explicarte algunas cosas sobre el aprendizaje de esta profesión. Tienes razón cuando afirmas que las matemáticas son muy importantes, pues para pilotar aviones tendrás que manejar números de forma rápida y exacta. Como decías en tu carta, es fundamental conocer en todo momento la posición en que uno se encuentra. En los aviones he utilizado las tablas de multiplicación que aprendí en la escuela muchas más veces de lo que te puedas imaginar. Los números me indican dónde estoy, adónde voy, qué tiempo hace en el lugar de destino e incluso cuál es el estado del aparato. No podría volar si no entendiera y usara las matemáticas. Por eso, estudia mucho, especialmente matemáticas. ¡Quizá algún día nos encontremos entre las nubes!

    Louis Smith
    Piloto y presidente de *Future American Pilots*

En esta lección

6-3

Busca un patrón

• Resolver problemas
buscando un patrón

A veces se puede resolver un problema de aspecto complicado resolviendo varios problemas más simples y buscando en ellos un patrón.

¿Cuál es el dígito de las unidades en la forma normal de 2^{50}?

LEE

Lee y analiza la información que recibes. Resume el problema.

1. Piensa en la información que se te da.

   a. ¿Qué significa la expresión 2^{50}?

   b. ¿Por qué no es práctico evaluar 2^{50} con lápiz y papel?

   c. ¿Qué ocurre cuando tratas de evaluar 2^{50} con una calculadora?

PLANEA

Decide qué estrategia usarás para resolver el problema.

Ni papel y lápiz ni la calculadora sirven para resolver este problema. Considera en cambio los cálculos que harías utilizando los siguientes métodos.

2. ¿Qué significa la expresión 2^1?

3. ¿Cómo se evalúa 2^2, 2^3, 2^4, etc.?

RESUELVE

Prueba con la estrategia.

Como debes resolver varios problemas simples, conviene que ordenes los resultados en una tabla.

4. Copia y completa la tabla de la derecha.

   a. Haz un círculo alrededor del dígito de las unidades en cada número de la columna "Valor". ¿Qué patrón observas?

   b. ¿Cuál será el término número 50 del patrón?

   c. ¿Cuál es el dígito de las unidades en 2^{50}?

Potencia del 2	Valor
2^1	■
2^2	■
2^3	■
2^4	■
2^5	■
2^6	■
2^7	■
2^8	■
2^9	■
2^{10}	■

5. ¿Cómo te ayudó el patrón a resolver el problema?

6. Explica cómo se puede hallar el dígito de las unidades del 2 elevado a cualquier potencia entera positiva.

◄ **COMPRUEBA**

Piensa en cómo has resuelto el problema.

PONTE A PRUEBA

Busca patrones para resolver los problemas. Muestra tu trabajo.

7. a. Halla el patrón correspondiente al dígito de las unidades en las potencias de 3. Describe el patrón que has hallado.

   b. ¿Cuál es el dígito de las unidades en 3^{21}?

8. Discusión En los casos anteriores, el dígito de las unidades se repite cada cuatro números. ¿Se cumple este patrón en las potencias de todos los números enteros? Explica tu respuesta.

9. Halla la suma de los primeros cien enteros impares. Es decir, halla la suma $1 + 3 + 5 + 7 + \cdots + 199$.

10. ¿Cuál es el valor de $(-1)^{427}$?

11. a. Las figuras de la derecha representan los tres primeros *números pentagonales*. ¿Cuántos puntos (incluidos los extremos) tendrá cada lado en la cuarta figura?

   b. ¿Cuál es el sexto número pentagonal?

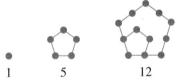

1   5   12

POR TU CUENTA

Usa cualquier estrategia para resolver estos problemas. Muestra tu trabajo.

12. Si se tarda dos minutos en cortar un tronco, ¿cuánto se tardará en dividir un tronco de diez pies de largo en cuatro trozos iguales?

13. Autos Los compradores de un auto pueden elegir entre cinco colores para el exterior del vehículo y tres colores para el interior. ¿Cuántas combinaciones de colores son posibles?

14. Nita, una niña de seis años, ha aprendido a subir dos escalones a la vez. ¿De cuántas maneras puede subir los seis escalones del frente de su casa usando cualquier combinación de uno o dos escalones?

**Compara usando <, >
ó =.**

1. 4.5 ■ 4.493

2. 72.013 ■ 72.13

**Escribe estos números
en notación científica.**

3. 57,000,000,000

4. 14,500,000,000,000

**Escribe estos números
en forma normal.**

5. 3×10^5 6. 4.7×10^8

7. Supón que tardas
18 min en cortar una tabla
en 6 trozos. ¿Cuánto
tardarías en cortarla en
8 trozos?

15. Muestra cómo se puede cortar una pizza redonda en once
trozos con cuatro cortes rectilíneos.

16. Seis cubos de juguete tienen aristas de 1 cm, 2 cm, 3 cm, 4 cm,
5 cm y 6 cm respectivamente. ¿Se pueden hacer dos torres de
la misma altura usando todos los cubos? Explica tu respuesta.

17. **Archivo de datos #1 (págs. 2–3)** Supón que una familia es
muy aficionada al cine. ¿Cuándo crees que gastó más dinero
en entradas: en 1980 o en 1990? Explica por qué.

18. **Elige A, B, C o D.** ¿Qué longitud tiene cada lado del séptimo
cuadrado en este patrón?

225 unidades cuadradas	196 unidades cuadradas	169 unidades cuadradas	144 unidades cuadradas

A. 121   **B.** 81   **C.** 40.5   **D.** 9

19. En una clase de 30 estudiantes, 18 estudian español, 15
francés y 5 no estudian ni español ni francés. ¿Cuántos
estudian español y también francés?

20. Cinco peras pesan lo mismo que tres manzanas y dos fresas.
Una manzana pesa lo mismo que 21 fresas. ¿Cuántas fresas
pesan lo mismo que una pera?

VISTAZO A LO APRENDIDO

**Di si cada progresión es aritmética, geométrica o de
ninguno de los dos tipos. Escribe la regla correspondiente
a cada progresión aritmética y geométrica. Después halla
los tres términos siguientes de cada una.**

1. 0.2, 0.4, 0.8, 1.6, . . .   2. 0.2, 0.4, 0.6, 0.8, . . .

3. 13, 5, −3, −11, . . .   4. 2, 8, 10, 18, 28, . . .

Escribe estos números en notación científica.

5. 66.1×10^2 6. 738,000,000   7. 88.8×10^6

8. **a.** Escribe los números correspondientes a la fila 6 del patrón
de la izquierda.

   b. ¿En qué fila sumarán los números 1,024?

fila 1				1	1		
fila 2			1	2	1		
fila 3		1	3	3	1		
fila 4	1	4	6	4	1		

Uso de exponentes

En esta lección

• Usar hojas de cálculo y calculadoras para explorar el interés bancario

VAS A NECESITAR

✓ Computadora

✓ Hoja de cálculo

✓ Calculadora

 El valor actual de esta moneda de oro (una "doble águila" de $20 acuñada en 1865 pero nunca puesta en circulación) es de $32,000. Este valor corresponde a un aumento anual de entre $.05 y $.06 por dólar.

PIENSA Y COMENTA

¡El dinero no crece en los árboles, pero puede crecer en un banco! Si ahora hicieras un depósito de $1,000, el año que viene tendrías más de $1,000 en tu cuenta. Los bancos pagan *intereses* por el dinero depositado, porque lo invierten en diversos negocios.

Imagina que el día en que naciste alguien hubiera depositado $1,000 en una cuenta a tu nombre. Supongamos también que el *tipo* de interés aplicado por el banco fuera de $.05 anuales por dólar. Para saber cuánto dinero habrá en la cuenta cuando cumplas 18 años puedes usar una hoja de cálculo como la siguiente.

	A	B	C	D	E
1	Año	Principio de año	Tasa	Interés	Final de año
2	1º	$1,000.00	0.05	$50.00	$1,050.00
3	2º	$1,050.00	0.05	$52.50	■

1. a. ¿Cómo se ha calculado la cantidad de la celdilla D2?

b. ¿Cómo se ha calculado la cantidad de E2?

c. ¿Por qué es la cantidad de B3 igual a la de E2?

d. ¿Por qué es la cifra de C3 igual a la de C2?

e. ¿Cómo se ha calculado la cantidad de D3?

f. Calcula la cantidad correspondiente a la celdilla E3.

2. Computadora Prepara una hoja de cálculo como la de arriba.

a. ¿Cuánto dinero habría en la cuenta después de 18 años?

b. ¿En qué año se doblaría la cantidad inicial de $1,000?

3. a. Supón que el banco pagara un interés anual de $.06 por dólar depositado. ¿Cuánto dinero habría en la cuenta después de 18 años?

b. Utiliza los resultados de las preguntas 2(a) y 3(a) para determinar la diferencia entre los intereses acumulados después de 18 años con tasas anuales de $.05 y de $.06 por dólar depositado.

La siguiente fórmula también permite hallar la cantidad acumulada en una cuenta.

$$C = p(1 + i)^n$$

En esta fórmula, C es la cantidad final, p es la cantidad inicial (llamada *principal*) e i es la tasa o porcentaje de interés expresado como un decimal. Si el banco paga cada año la tasa de interés i, el exponente n indica el número de años.

4. Supón que haces un depósito de $1,000 en un banco que paga un interés anual de $.05 por dólar depositado. Usa la fórmula de arriba para hallar la cantidad acumulada en 18 años.

   a. ¿Qué valores darás a p, i y n?

   b. Escribe la secuencia que registrarás en la calculadora para hallar la cantidad acumulada en 18 años.

   c. **Calculadora** Calcula la cantidad acumulada en 18 años.

   d. Compara la cantidad hallada mediante la fórmula con la cantidad hallada en la pregunta 3 usando la hoja de cálculo.

5. **Calculadora** Halla las cantidades finales en los casos siguientes.

   a. Haces un depósito de $1,000 por 21 años. El banco paga interés anual de $.05 por dólar.

   b. Haces un depósito de $1,500 por 18 años a un interés anual de $.06 por dólar.

Los jóvenes estadounidenses de entre 13 y 19 años de edad obtuvieron en 1992 ingresos de unos $70 mil millones procedentes de trabajos, asignaciones familiares y regalos. Unos $9 mil millones se destinaron a ahorros.

Fuente: *Rand Youth Poll*

EN EQUIPO

6. Trabajen en grupos. Consideren de nuevo el problema original: se depositan $1,000 por 18 años en un banco que paga un interés anual de $.05 por dólar depositado.

   a. Sin hacer cálculos, determinen cuál de estos cambios aumenta más la cantidad final.

   • doblar la cantidad inicial de $1,000 a $2,000

   • incrementar el interés anual a $.10 por dólar

   • mantener el dinero 36 años en vez de 18

   b. **Computadora/Calculadora** Comprueben sus predicciones con una hoja de cálculo o mediante la fórmula estudiada. ¿Qué cambio aumenta más la cantidad final?

Finanzas **Usa la calculadora o la computadora.**

7. Has depositado $500 en un banco que paga una tasa de interés anual de $.04 por dólar. ¿Cuánto dinero tendrás en la cuenta después de tres años?

8. Has invertido $100 en una acción cuyo valor se dobla cada año.

   a. Halla el valor de tu acción al final de cada uno de los primeros cuatro años.

   b. ¿Cuánto tardará tu acción en valer $1,000,000?

9. Algunas cuentas proporcionan intereses mensuales. Para hallar la cantidad final también se puede usar la fórmula $C = p(1 + i)^n$. En este caso, i es el interés obtenido con cada dólar en un mes, y n es el número de meses.

   a. Has depositado $1,000 en un banco que paga $.01 por dólar al mes. ¿Cuál es la cantidad final después de un año?

   b. **Por escrito** El Banco de Mucho Crédito ofrece estos dos planes de ahorro. ¿Cuál elegirías? ¿Por qué?

PLAN ANUAL	PLAN MENSUAL
Interés = $.12 al año por dólar depositado	Interés = $.01 al mes por dólar depositado

Usa el artículo de la derecha para responder a estas preguntas.

10. Cuando Lisa nació, sus padres depositaron $1,000 en una cuenta que paga anualmente $.06 por dólar. Los padres añaden $1,000 en cada uno de sus cumpleaños.

    a. Copia y completa la table siguiente para averiguar cuánto dinero se habrá acumulado cuando Lisa haya cumplido 18 años. Incluye el depósito realizado al cumplir ella 18 años.

Edad	Principio de año	Tasa	Interés	Final de año
0	$1,000.00	0.06	$60.00	$1,060.00
1	$2,060.00	0.06	$123.60	■

    b. ¿Cuánto dinero le falta a Lisa para pagarse los estudios en una universidad pública? ¿Y en una universidad privada?

Haz una tabla arborescente.

1. 34 46 50 48 53 32 33
   20 44 48 45 34 56 41

2. 9.6 9.2 7.3 8.1 7.4
   8.1 7.8 7.5 8.5 9.6

Simplifica las expresiones.

3. $|-3| + 9 + (-1)$

4. $-17 + (-3) + (-1)$

5. Halla dos números enteros cuya suma sea 23 y cuyo producto sea 132.

Costos universitarios aumentan

En 1975, el costo de la educación superior variaba entre $7,000* por cuatro años en una universidad pública y $16,000 por igual período en una universidad privada. Los analistas financieros predicen que para el año 2000—cuando los 3.6 millones de estadounidenses nacidos en 1982 estén en edad universitaria—el costo variará entre $40,000 y $100,000. A los padres que desean enviar a sus hijos a la universidad se les aconseja que adopten un plan de ahorro casi desde el nacimiento de sus hijos.

Los costos citados se refieren a matrícula, alojamiento y comida.

Representación de funciones

VAS A NECESITAR

✓ Papel cuadriculado

✓ Cronómetro o reloj con segundero

P I E N S A Y C O M E N T A

Supón que tu familia está planeando hacer un viaje en auto a una velocidad media de 50 mi/h. Para decidir dónde pasarán cada noche quieren averiguar las distancias que recorrerán en diferentes períodos de tiempo.

1. ¿Cuántas millas recorrerán en 1 h? ¿Y en 2 h?

2. ¿Cuántas horas tardarán en recorrer 200 mi?

Ya sabes que hay una relación entre la cantidad de tiempo que se conduce y la distancia que se recorre. Para representar esta relación puedes pensar en una *máquina* como la de la derecha. La duración del viaje es la *entrada* de la máquina. El número de millas recorridas es la *salida*.

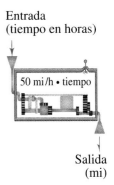

Entrada
(tiempo en horas)

50 mi/h • tiempo

Salida
(mi)

3. ¿Cuál es la salida si la entrada es 3?

4. ¿Cuál es la entrada si la salida es 300?

Entrada t (horas)	Salida d (millas)
1	■
2	■
3	■
4	■
5	■
6	■
7	■
8	■

Para representar la relación entre el tiempo de viaje y la distancia recorrida también se puede usar una *tabla*.

5. a. Copia y completa la tabla de la izquierda.

   b. ¿A qué tipo de progresión pertenecen los patrones numéricos de cada columna?

La siguiente *regla* expresa la relación que se da entre el tiempo de viaje y la distancia recorrida.

$$\text{distancia} = 50 \cdot \text{tiempo}$$
$$d = 50t \quad \leftarrow \text{Las variables representan la entrada y la salida.}$$

6. Usa esta regla para hallar el número de millas que se recorren en 3.5 h.

Para representar la relación entre la distancia y el tiempo, también se puede hacer una *gráfica*. En la que aparece a la derecha cada punto corresponde a un tiempo conectado con una distancia determinada. Si trazas una recta vertical desde "4 h" y otra horizontal desde "200 mi", las líneas se cortarán en un punto que representa la relación entre 4 h de viaje y una distancia de 200 mi.

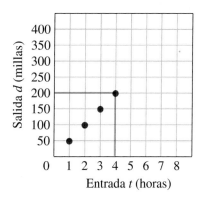

7. Copia la gráfica en papel cuadriculado. Añade los puntos correspondientes a las filas restantes de la tabla que hiciste en la pregunta 5.

8. ¿Tendría sentido marcar el "punto cero" de la gráfica? Explica por qué.

9. **a.** Conecta los puntos de tu gráfica con una recta.

   b. ¿Qué representación gráfica es más adecuada para la correspondencia entre la distancia y el tiempo: los puntos aislados o la recta? Explica por qué.

   c. Usa la gráfica para estimar el número de millas recorrido en 6.5 h.

   d. Usa la gráfica para estimar el número de horas que se tarda en recorrer 225 mi.

Está claro que la distancia recorrida depende del tiempo que se conduce a una cierta velocidad. Decimos, por lo tanto, que la distancia es una *función* del tiempo. Las funciones aparecen constantemente en la vida diaria.

10. **Empleos** La máquina de la derecha indica que el sueldo de Tim es una función del número de horas que trabaja.

   a. Supón que Tim trabaja seis horas (entrada). ¿Cuál es su sueldo (salida)?

   b. Haz una tabla para representar diez entradas y salidas en esta máquina.

   c. Haz una gráfica de la función con los datos de la tabla.

   d. Escribe una regla para la función.

Cuando desciende a toda velocidad, un esquiador se desplaza a 31 m/s. *¿Qué distancia recorre en 2 s a esta velocidad? ¿Y en 3 s? ¿Y en 5 s?*

Fuente: *Science World*

Entrada
(tiempo en horas)

$3.50 /h • tiempo

Salida
(dólares)

La mayoría de las personas pueden contener la respiración durante 1 min aproximadamente. Los buceadores expertos llegan a contenerla durante $2\frac{1}{2}$ min. Los castores pueden permanecer bajo el agua durante unos 15 min.

Fuente: *Encyclopedia Britannica*

Entrada p (Precio del producto)	Salida c (Cambio de $5.00)
$ .50	
$1.00	
$1.50	
⋮	⋮
$5.00	

EN EQUIPO

• Trabajen en pareja. Cuenten el número de veces que su compañero respira en un minuto. Anoten la cantidad.

• Repitan el experimento cuatro veces más.

• Hallen la media de los cinco resultados.

11. **a.** Copien esta tabla. Usen la cantidad media de respiraciones por minuto para completar la tabla.

Entrada t (minutos)	1	2	3	4	5	6	7	8
Salida r (número de respiraciones)								

b. Hagan una gráfica con los datos de la tabla.

c. Escriban una regla para la función.

POR TU CUENTA

12. **a.** Copia y completa la tabla de la función de la izquierda.

b. Haz una gráfica con los datos de la tabla.

c. Escribe una regla para la función.

d. Escribe otros tres pares de valores (entradas/salidas) correspondientes a esta función.

13. **Negocios** Los taxímetros son un tipo de "máquina de función" que fijan precios de acuerdo con tarifas como la que aparece a la derecha.

a. Haz una tabla de precios por distancias empezando con 0 y aumentando en intervalos de 0.2 mi hasta llegar a 2 mi.

b. Carmen y Brian hicieron gráficas con los datos de la tarifa del taxi. ¿Cuál de las dos gráficas usarías para hallar el costo de un recorrido de 0.5 mi? ¿Por qué?

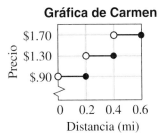

Gráfica de Carmen

Gráfica de Brian

14. Autos En la gráfica de la derecha se muestra la relación entre la distancia y el tiempo en un auto que se mueve a velocidad constante.

   a. ¿Cuál es la velocidad?

   b. Escribe la regla correspondiente a esta función.

   c. Haz una tabla con al menos ocho pares de entradas/salidas correspondientes a esta función.

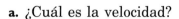

Distancia (mi) vs Tiempo (h)

15. Por escrito Escribe un párrafo explicando a un amigo tres procedimientos para representar la función que se produce en la máquina de la derecha.

Entrada
(tiempo en horas)

$4.25/h • tiempo

Salida
(dólares)

16. Archivo de datos #6 (págs. 242–243) Haz una tabla de valores que represente la correspondencia entre cada uno de los años y el volumen de ventas de música rock.

17. Mediante la fórmula $A = l^2$ se representa el área del cuadrado como una función de la longitud de un lado.

   a. Copia la tabla de la derecha y aplica la fórmula para completarla.

   b. Haz una gráfica con los valores de la tabla.

   c. Describe tu gráfica.

18. Usa la máquina de la derecha como referencia.

   a. Haz una tabla de entradas/salidas con valores de entrada entre -5 y 5.

   b. ¿Qué dos entradas tienen como resultado una salida de 22?

   c. Usa los datos de la tabla para hacer una gráfica de la función.

19. Investigación (pág. 244) Halla el cociente de cada par de medidas de cada miembro de tu equipo. Describe los patrones que observes.

Re paso

Evalúa con $x = 3$.

1. $5x - 2$

2. $2x^2 + 4$

3. Has depositado $2,000 en un banco que paga un interés anual de $.05 por dólar. ¿Cuánto habrá en la cuenta después de 5 años? Usa la fórmula $C = p(1 + i)^n$.

4. Estás tratando de hallar un número situado entre 10 y 50. Tu primera estimación, 30, es demasiado baja. ¿Cuál será tu siguiente estimación? ¿Por qué?

Entrada l (unidades)	Salida A (unidades cuadradas)
1	▪
2	▪
3	▪
4	▪

Entrada

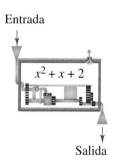

$x^2 + x + 2$

Salida

Práctica: Resolver problemas

ESTRATEGIAS PARA RESOLVER PROBLEMAS

Haz una tabla
Razona lógicamente
Resuelve un problema más sencillo
Decide si tienes suficiente información, o más de la necesaria
Busca un patrón
Haz un modelo
Trabaja en orden inverso
Haz un diagrama
Estima y comprueba
Simula el problema
Prueba con varias estrategias
Escribe una ecuación

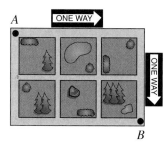

A

ONE WAY

ONE WAY

B

¿QUÉ?

Caminar es el deporte que en Estados Unidos ha registrado el mayor aumento en el número de participantes. Casi 30 millones de personas caminan para mantenerse en forma.

Fuente: *Mayo Clinic Family Health Book*

Resuelve. A la izquierda se mencionan algunas de las estrategias que puedes usar.

1. **Negocios** Un empleado tiene que empacar objetos que pesan 2, 5, 10, 11, 13, 16, 19 y 23 lb para enviárselos a un cliente. ¿Cómo podría colocarlos en dos cajas que pueden soportar un máximo de 50 lb cada una?

2. Un papel cuadrado se dobla por la mitad. El perímetro del rectángulo así formado es de 24 pulg. Halla el área del cuadrado original.

3. Halla valores para a y b siendo $ab + b = ba$.

4. **Dinero** Las entradas de adulto para un concierto cuestan $8 y las de estudiante $3. Charlie vendió 20 entradas y reunió $100. ¿Cuántas entradas de adulto vendió?

5. En cierta sección de Gridville todas las calles son de "one way", es decir, se puede transitar por ellas sólo en una dirección (este o sur). El plano de la izquierda representa seis cuadras de esa ciudad. ¿De cuántas maneras se puede llegar a B partiendo de A?

6. El último viernes de un mes cae en 30. ¿Cuál es la fecha del primer viernes de ese mes?

7. Lupe y dos amigos han creado un club de computadoras. Cada uno recluta dos socios nuevos al mes, y cada socio debe hacer luego lo mismo. Al final del primer mes hay tres miembros fundadores y seis nuevos. ¿Cuántos socios habrá después de cuatro meses?

8. **Negocios** Un frutero usa tres pesas para pesar en una balanza cualquier cantidad entera situada entre 1 lb y 13 lb. ¿Qué pesas tiene?

9. **Salud** Supón que una persona que pesa 125 lb quema 110 calorías caminando a 2 mi/h, 180 calorías caminando a 3 mi/h y 260 calorías caminando a 4 mi/h. ¿Cuántas calorías quemará caminando a 5 mi/h?

Funciones

EN EQUIPO

A la derecha aparece una tabla de función. Considera estas tres reglas.

> **I.** Salida = 2 × Entrada
>
> **II.** Salida = Entrada + 1
>
> **III.** Salida = 2 × Entrada − 1

Entrada	Salida
1	2
2	3
3	4
4	5

1. ¿Qué regla(s) describe(n) la relación entre la primera entrada y la primera salida?

2. ¿Qué regla(s) describe(n) la relación entre la entrada y la salida cuando la entrada es 2?

3. ¿Qué regla(s) describe(n) la relación entre la entrada y la salida en todas las filas?

4. ¿Cuál de las reglas es apropiada para esta función?

5. Usa la variable n para simbolizar cualquier entrada. Escribe una expresión algebraica que represente la salida correspondiente.

PIENSA Y COMENTA

Entrada	Salida
1	4
2	5
3	6
4	7

La tabla de la izquierda corresponde a una función. Su regla se puede expresar así: *La salida es tres unidades mayor que la entrada.* Lo anterior podría resumirse como sigue:

$$\text{SALIDA} = \text{ENTRADA} + 3$$

Los matemáticos expresarían esta regla mediante un sistema aún más breve denominado *notación de función.*

> Se escribe: $f(n) = n + 3$
>
> Se lee: f de n es igual a n más 3

En $f(n) = n + 3$, la variable n representa cualquier entrada. La expresión variable $n + 3$ representa la salida correspondiente.

Este tipo de notación también se usa para expresar correspondencias específicas de entrada/salida. Para la función de arriba se escribiría lo siguiente:

$$f(1) = 4 \qquad f(2) = 5 \qquad f(3) = 6 \qquad f(4) = 7$$

 Las fractales como la de arriba se crean mediante una "cadena" de operaciones en la que cada salida se utiliza como entrada del "eslabón" siguiente. Por ejemplo, supón que $n = 0.8$ es el primer valor de n en $f(n) = n^2$. La salida 0.64 sería el valor de n en la segunda entrada. **¿Cuál sería el valor de n en la tercera entrada?**

Fuente: *The Beauty of Fractals*

Ejemplo 1 La regla de una función es $f(n) = -3n + 5$. Halla $f(1), f(2), f(3)$ y $f(4)$. Haz luego la tabla correspondiente.

- Usa la expresión $-3n + 5$.
  Sustituye n por 1, 2, 3 y 4.

  $f(1) = -3(1) + 5 = -3 + 5 = 2$
  $f(2) = -3(2) + 5 = -6 + 5 = -1$
  $f(3) = -3(3) + 5 = -9 + 5 = -4$
  $f(4) = -3(4) + 5 = -12 + 5 = -7$

  La tabla de la función aparece a la derecha.

n	$f(n)$
1	2
2	−1
3	−4
4	−7

6. Usa la regla de la función del ejemplo 1. Halla $f(5)$.

Buscando patrones en la tabla de una función se puede hallar la regla de la función.

Ejemplo 2 Escribe una regla para la función representada en la tabla de la derecha.

- Cada número de la segunda columna equivale al número de la primera multiplicado por −4.

  $1 \times (-4) = -4 \qquad 2 \times (-4) = -8$
  $3 \times (-4) = -12 \qquad 4 \times (-4) = -16$

  Por lo tanto, la regla de la función es $f(n) = n \times (-4)$, ó $f(n) = -4n$.

n	$f(n)$
1	−4
2	−8
3	−12
4	−16

A veces son necesarios dos pasos para hallar el patrón de una función.

Ejemplo 3 Escribe una regla para la función representada en la tabla de la derecha.

- Si 1, 2, 3 y 4 se multiplican por 3, los resultados serán 3, 6, 9 y 12.

  Los números de la segunda columna equivalen a estos múltiplos de 3 menos uno.

  $(3 \times 1) - 1 = 2 \qquad (3 \times 2) - 1 = 5$
  $(3 \times 3) - 1 = 8 \qquad (3 \times 4) - 1 = 11$

  Por lo tanto, la regla de la función es $f(n) = 3n - 1$.

n	$f(n)$
1	2
2	5
3	8
4	11

7. a. ¿Cuáles son los resultados cuando 1, 2, 3 y 4 se multiplican por 4?

b. Escribe una regla para la función representada en la tabla de la izquierda.

n	$f(n)$
1	5
2	9
3	13
4	17

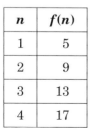

Usa la fórmula $f(n) = 2n + 7$. Halla estas funciones.

8. $f(3)$ **9.** $f(0)$ **10.** $f(-1)$ **11.** $f(-4)$ **12.** $f(0.5)$

13. La regla de una función es $f(n) = 12 - n$. Halla $f(1)$, $f(2)$, $f(3)$ y $f(4)$.

Escribe una regla o fórmula para la función representada por cada tabla.

14.

n	f(n)
1	−5
2	−6
3	−7
4	−8

15.

n	f(n)
1	8
2	15
3	22
4	29

16.

n	f(n)
1	1
2	4
3	9
4	16

17. En la biblioteca hay que pagar \$.05 por cada día de retraso en la devolución de un libro. Considera n como el número de días de retraso. Escribe la regla de la función correspondiente a la cantidad que se debe pagar.

POR TU CUENTA

Haz una tabla para la función correspondiente a cada regla. Halla $f(1)$, $f(2)$, $f(3)$ y $f(4)$.

18. $f(n) = n + 2$ **19.** $f(n) = 12 - 2n$ **20.** $f(n) = n^2 + 1$

21. a. Haz una tabla de entradas/salidas para la gráfica de la derecha.

b. Usa la tabla para escribir la regla de la función.

22. La fórmula de una función es $f(n) = n + 5$. Halla $f(1)$, $f(2)$, $f(3)$ y $f(4)$. Haz después la gráfica de la función.

Escribe una regla o fórmula para la función representada por cada tabla.

23.

n	f(n)
1	−2
2	−1
3	0
4	1

24.

n	f(n)
1	−8
2	−16
3	−24
4	−32

25.

n	f(n)
1	5
2	8
3	11
4	14

Re**pa**s**o** MIXTO

Resuelve.

1. $4x - 9 = 7$

2. $12x + 1 = -23$

Haz una tabla de entradas/salidas.

3. Representa las distancias recorridas de 1 a 4 h a una velocidad media de 12 mi/h.

4. Representa la cantidad ganada de 1 a 5 h si el sueldo es de \$4.75/h.

5. La longitud de un rectángulo es el doble de su ancho. Su área es de 32 cm². Halla las dimensiones del rectángulo.

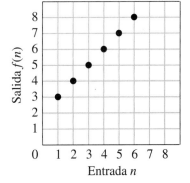

Sugerencia para resolver el problema

Estima y comprueba.

26. Por escrito Explica brevemente los métodos que puedes usar para representar una función. Da un ejemplo de cada uno.

27. Dinero Supón que en tu alcancía metes $.50 el 1 de enero, $1.00 el 2 de enero, $1.50 el 3 de enero, $2.00 el 4 de enero, etc. Considera *n* como la fecha. Escribe la regla de la función correspondiente a la cantidad que pones cualquier día de enero.

28. Investigación (pág. 244) Busca fotografías de adultos en revistas. Mide su estatura y la longitud de su cabeza. Halla el cociente de las dos medidas y describe los patrones que observes.

29. a. Supón que sabes cuántos puntos tienen los lados más cortos de los patrones rectangulares que aparecen a la izquierda. ¿Cómo puedes determinar el número de puntos del lado más largo?

b. Elige A, B o C. ¿Cuál es la regla de la función correspondiente al total de puntos que hay en cada patrón de la izquierda si *n* representa el número de puntos del lado más corto?

A. $f(n) = n^2$ **B.** $f(n) = n(n + 1)$ **C.** $f(n) = n(n - 1)$

VISTAZO A LO APRENDIDO

1. Un queso cuesta $4/lb.

a. Copia y completa la tabla de la izquierda.

b. Usa los datos de la tabla para hacer una gráfica de la función.

2. Si depositas $600 en un banco que paga un interés anual de $.04 por dólar, ¿cuál será la cantidad acumulada después de dos años?

Escribe una regla o fórmula para la función representada por cada tabla.

Número de libras	Costo total (en dólares)
1	
2	
3	
4	

3.

n	f(n)
1	-12
2	-24
3	-36
4	-48

4.

n	f(n)
1	-4
2	-3
3	-2
4	-1

5.

n	f(n)
1	1
2	4
3	7
4	10

Di si cada progresión es aritmética, geométrica o de ninguno de los dos tipos. Después halla los tres términos siguientes de cada progresión.

1. 23, 19, 15, 11, . . .

2. 1, 4, 16, 64, . . .

3. 0.4, 0.45, 0.5, 0.55, . . .

4. 400, 200, 100, 50, . . .

5. 5, 7, 11, 17, . . .

6. 0, 2, 8, 18, . . .

Escribe estos números en notación científica.

7. 57,000

8. 90,000,000

9. 112,000

10. 603,000,000

11. 72

Escribe estos números en forma normal.

12. 4×10^5

13. 1.49×10^2

14. 5.7×10^6

15. 1.07×10^{11}

16. 8×10^1

17. ¿Cuál es el dígito de las unidades en 8^{41}?

18. Las figuras de la derecha representan los tres primeros *números triangulares.* ¿Cuál es el octavo número triangular?

1   3   6

19. Has depositado $400 en un banco que paga un interés anual de $.03 por dólar. ¿Cuánto dinero habrá en la cuenta al final del quinto año? Usa la fórmula $C = p(1 + i)^n$.

20. a. Por cortar hierba te pagan $5.50 por hora. Haz una tabla de función para representar la cantidad que ganarías si trabajaras 1 h, 2 h, 3 h y 4 h.

b. Escribe una regla o fórmula para esta función.

Halla $f(-1)$ para la función representada por cada fórmula.

21. $f(n) = n + 6$

22. $f(n) = -3n$

23. $f(n) = n^2$

24. $f(n) = 7n - 4$

Escribe una regla o fórmula para la función representada por cada tabla.

25.

n	f(n)
1	-9
2	-18
3	-27
4	-36

26.

n	f(n)
1	-5
2	-4
3	-3
4	-2

27.

n	f(n)
1	5
2	9
3	13
4	17

28.

n	f(n)
1	0
2	2
3	4
4	6

6-7 **I**nterpretación de gráficas

VAS A NECESITAR

✓ **Cilindro transparente**

✓ **Varias vasijas o jarras**

✓ **Agua, arena o arroz**

✓ **Taza graduada**

✓ **Regla métrica**

✓ **Papel cuadriculado**

E N E Q U I P O

En este experimento van a explorar la relación que se da entre el volumen y la altura de una sustancia contenida en un recipiente. Utilicen primero una jarra o vasija cilíndrica transparente. Trabajen en pareja.

• Viertan en el recipiente una taza graduada de agua, arena, arroz o cualquier sustancia similar.

• Midan la altura de la sustancia en el recipiente.

• Viertan varias tazas más. Midan la altura después de cada añadidura.

• Anoten los datos en una tabla.

• Hagan una gráfica con los datos de la tabla (usen la figura de la derecha como modelo).

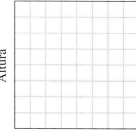

Número de tazas

1. ¿Qué pasaría en la gráfica si usaran una taza en la que cupiera

   a. exactamente la mitad?   **b.** exactamente el doble?

2. **Discusión** ¿Creen que se pueden "conectar los puntos" de la gráfica? Expliquen por qué.

3. Supongan que llenan la vasija de la izquierda con arena. ¿Cuál de estas gráficas representa mejor la relación entre la altura y el número de tazas de arena? ¿Por qué?

A.

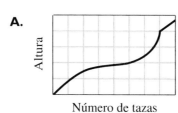

Número de tazas

B.

Número de tazas

• Elijan una jarra o vasija que no sea cilíndrica. Predigan cómo será su gráfica cuando esté totalmente llena. Repitan luego el experimento de arriba. ¿Fue acertada su predicción?

PIENSA Y COMENTA

4. Leandro, Paulo y María caminaron seis cuadras desde la escuela hasta la biblioteca. Las gráficas siguientes representan los tiempos y distancias correspondientes a cada persona.

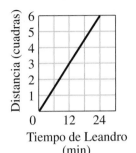
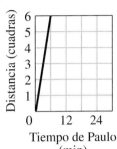
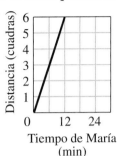

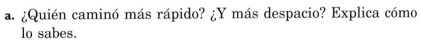

a. ¿Quién caminó más rápido? ¿Y más despacio? Explica cómo lo sabes.

b. ¿Qué relación hay entre la inclinación de la recta y la velocidad?

5. Tonnjo vive a seis cuadras de la escuela. Las gráficas I y II representan sus caminatas de regreso a casa un día de sol y un día lluvioso.

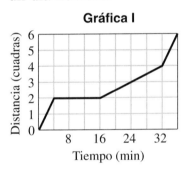

a. ¿Qué representa el tramo horizontal de la línea en la gráfica I?

b. ¿Qué gráfica representa el día soleado? ¿Y el día lluvioso? Explica tu razonamiento.

6. a. Un día, su hermana Anique llevó a Tonnjo en auto parte del camino a la escuela. Tonnjo se bajó del auto y esperó a su amigo Minos. Luego, los dos amigos cubrieron a pie el trecho que quedaba hasta la escuela. Haz una gráfica para representar el viaje de Tonnjo a la escuela ese día.

b. **Discusión** Compara tu gráfica con las de tus compañeros. ¿En qué se parecen? ¿En qué se diferencian?

7. Haz una gráfica para representar tu viaje de regreso de la escuela a casa ayer.

Halla las sumas.

1. 16.98 + 7.7

2. 2.88 + 17.5634 + 3.6

Haz una tabla de entradas/salidas para cada función.
Usa $n = 3, 4, 5$ **y** 6**.**

3. $f(n) = 2n - 3$

4. $f(n) = 3n^2 + 1$

5. Los lados de un triángulo rectángulo miden 6 pulg, 8 pulg y 10 pulg. ¿Cuál es el área del triángulo?

Noria

POR TU CUENTA

Las gráficas I, II, III y IV representan los cuatro hechos descritos abajo. Asocia cada gráfica con el hecho correspondiente. Explica tu razonamiento.

I.
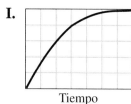
Tiempo

II.
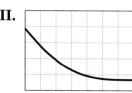
Tiempo

III.
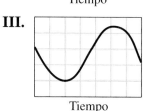
Tiempo

IV.
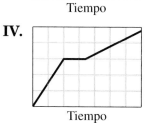
Tiempo

8. distancia recorrida durante una carrera de vallas, con una caída en una de las vallas

9. temperatura atmosférica durante un período de 24 h comenzando a medianoche

10. estatura de una persona desde su nacimiento hasta los 20 años

11. peso de una persona que está a dieta

12. **Deportes** La gráfica de la derecha representa los resultados de una carrera de 50 m en la que Edwin salió con una ventaja de 15 m sobre Carl.

    a. ¿Quién ganó la carrera?

    b. ¿Por cuántos segundos ganó?

    c. Predice lo que ocurriría en otra carrera si Edwin no saliera con ventaja.

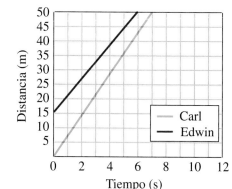

13. Representa en una gráfica las alturas sucesivas por las que pasa una vagoneta de noria a lo largo de tres vueltas. Puedes usar una moneda para simular el giro del aparato.

14. Por escrito Describe una situación que podría representarse con la gráfica de la derecha.

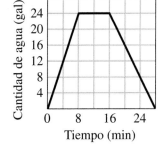
Tiempo (min)

15. Investigación (pág. 244) Usa los datos que has reunido sobre tus compañeros. Dibuja una gráfica para cada uno de los pares de medidas. Registra una medida en el eje horizontal y otra en el vertical. ¿Qué pares de medidas parecen funciones? ¿Por qué?

16. Para ir de la biblioteca a su casa, Janette corrió durante las primeras tres cuadras y luego caminó las 5 restantes. Dibuja una gráfica que represente su recorrido.

17. Estimación La gráfica de la derecha representa lo que ocurre cuando se lanza una pelota al aire.

   a. ¿Cuál es la mayor altura que alcanza la pelota?

   b. ¿Cuánto tarda la pelota en llegar al suelo?

   c. ¿Cuál es la altura de la pelota 1 s después del lanzamiento?

   d. ¿Por qué hay dos tiempos distintos que corresponden a la altura de 20 pies? ¿Cuáles son esos tiempos?

   e. ¿Por qué *no* es 0 la altura de la pelota cuando el tiempo es 0?

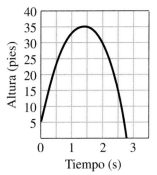
Tiempo (s)

La explosión demográfica

Desde el año 1 d.C al 1650 d.C., la población mundial creció en unos 300 millones. Esto supone un aumento medio de unos 180,000 habitantes al año o, en otras palabras, de 21 personas por hora. Hoy, sin embargo, nacen nueve niños y mueren tres personas cada dos segundos, lo que significa un aumento de unos 10,800 habitantes por hora, 259,200 al día, 1.8 millones a la semana, 7.2 millones al mes y 86.4 millones al año. Para el año 2000 la población aumentará en 94 millones al año y en el 2020 el aumento será de 98 millones al año.

18. a. Explica cómo la gráfica de la derecha refleja los datos del artículo.

   b. ¿En qué período histórico se aceleró notablemente el crecimiento de la población?

Población mundial

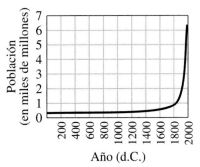
Año (d.C.)

En conclusión

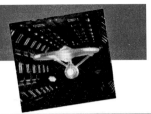

Patrones numéricos

Una **progresión** es un conjunto de números ordenados de acuerdo con un patrón.

En una **progresión artimética** cada término se halla sumando al anterior una cantidad fija.

En una **progresión geométrica** cada término se halla multiplicando al anterior por una cantidad fija.

Di si cada progresión es aritmética, geométrica o de ninguno de los dos tipos. Después halla los tres términos siguientes de cada una.

1. 7, 11, 15, 19, . . .　　**2.** 48, 24, 12, 6, . . .　　**3.** 3, −9, 27, −81, . . .　　**4.** 20, 16, 11, 5, . . .

5. Escribe la regla correspondiente a las progresiones de los ejercicios 2 y 3.

6. Elige A, B, C o D. ¿Cuál es el séptimo término de la progresión 1, 3, 7, 15, . . . ?

　A. 127　　　**B.** 99　　　**C.** 64　　　**D.** 101

Exponentes y notación científica

Los números escritos en **notación científica** constan de dos factores. El primero es igual o mayor que 1 y menor que 10. El segundo es una potencia de 10.

Utilizando **exponentes** se puede calcular la cantidad acumulada en una cuenta que produce intereses. La fórmula utilizada es $C = p(1 + i)^n$.

Escribe los siguientes números usando notación científica.

7. 1,524,000,000　　**8.** 250,000　　**9.** 383 millones　　**10.** 87,600

11. Si depositas $1,500 en un banco que paga un interés anual de $.05 por dólar, ¿cuánto habrá en la cuenta después de 5 años? Usa la fórmula $C = p(1 + i)^n$.

12. Por escrito ¿Ganarías más dinero si el banco del ejercicio 11 pagara un interés mensual de $0.005 por dólar? Explica tu razonamiento.

13. Estados Unidos tenía en 1990 unos 2.49×10^8 habitantes. Escribe este número en forma normal.

Para representar una *función* se puede usar una tabla, una
fórmula o una gráfica.

14. Escribe la fórmula
correspondiente a la
función representada
en la tabla de la derecha.

n	f(n)
1	4
2	6
3	8
4	10

15. Haz una tabla de
entradas/salidas
para la gráfica de
la derecha. Escribe
después la fórmula
correspondiente
a la función.

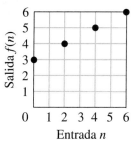

16. Una función tiene esta regla: $f(n) = 2n + 5$. Halla $f(-1)$, $f(0)$,
$f(1)$ y $f(2)$.

Interpretación de gráficas 6-7

Las gráficas se pueden usar para representar situaciones de la
vida real.

17. Describe un hecho que podría estar
representado por esta gráfica.

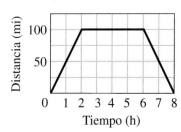

18. Tani camina a una velocidad de unas
3 mi/h. Hoy ha caminado durante 3 h, se
ha detenido 1 h para comer y después
ha seguido andando 1 h más. Haz una
gráfica que represente la distancia
recorrida a lo largo de las 5 h.

Estrategias y aplicaciones 6-3

Ciertos problemas se pueden resolver buscando un patrón.

19. Por escrito Halla y describe el patrón correspondiente al
dígito de las unidades en las potencias de 7.

PREPARACIÓN PARA EL CAPÍTULO 7

Divide los números de abajo por 2, 3, 5, 9 y 10. ¿Con qué divisores
no queda residuo?

1. 34   **2.** 216   **3.** 45   **4.** 648   **5.** 1,080   **6.** 70

APLICA LO QUE SABES

cierra el caso

La figura humana

Hay profesores de arte que no están de acuerdo con Leonardo da Vinci en que se dan relaciones matemáticas entre las medidas del cuerpo humano. La Asociación de Amigos de da Vinci ha salido en defensa del pintor y busca pruebas para respaldar su idea. Escribe una carta a ese grupo resumiendo tus hallazgos sobre las proporciones matemáticas que existen en el cuerpo humano. Las siguientes sugerencias te ayudarán a representar esas relaciones.

✓ Usa patrones numéricos.
✓ Usa gráficas.
✓ Usa funciones.

Los problemas precedidos por la lupa (pág. 261, #19; pág. 266, #28 y pág. 271, #15) pueden ayudarte a escribir la carta.

Extensión: Usa la media de las medidas que hallaste para escribir una fórmula que permita hallar lo siguiente:

a. estatura en relación a la distancia entre los extremos de las manos
b. estatura en relación a la distancia entre la muñeca y el codo
c. estatura en relación a la distancia entre el tobillo y la rodilla

Mide las distancias que se dan entre los extremos de las manos, entre la muñeca y el codo y entre el tobillo y la rodilla en un estudiante que no pertenezca a tu grupo. Usa tus fórmulas para hallar la estatura del estudiante. Después mide su estatura para averiguar con qué fórmula has obtenido el resultado más exacto.

$$$ ¡ERES RICO! $$$

La mayoría de la gente sueña con poseer un millón de dólares. Supón que tienes un millón de dólares y que gastas $1 cada minuto. ¿Qué edad tendrás cuando te quedes sin dinero? ¿Cuánto dinero deberías gastar cada minuto para agotar un millón de dólares en un año? ¿Qué harías con el dinero?

LA CUADRULADORA

En los visores de la mayoría de las calculadoras aparecen 8 dígitos. ¿Cuántos cuadrados perfectos pueden registrarse en tu calculadora de 8 dígitos? ¿Cuál es el mayor? ¿Y el menor?

¿Cuántos cubos perfectos se pueden registrar? ¿Cuál es el mayor? ¿Y el menor?

A TODA MARCHA

A veces se organizan marchas o carreras con objeto de recaudar dinero para diversos fines. Los patrocinadores de estas actividades por lo general dan cantidades de dinero que dependen de las distancias cubiertas por los participantes. Planea una marcha para recaudar fondos en tu comunidad. Fija un objetivo: ¿Cuánto dinero quieres conseguir? Obtén un mapa y marca el recorrido. ¿Cuánto tardarán los participantes en completarlo? ¿Cuánto dinero conseguirá cada participante si los patrocinadores pagan 10¢ por milla? ¿Cuántos participantes necesitas para alcanzar tu objetivo?

1. Di si cada progresión es aritmética, geométrica o de ninguno de los dos tipos. Halla luego los tres términos siguientes de cada una.

   a. 1, 3, 9, 27, . . .   b. 4, 9, 14, 19, . . .

   c. 3, 4, 6, 9, . . .   d. 10, 8, 6, 4, . . .

   e. −1, 3, 7, 11, . . .   f. 1.5, 3, 6, 12, . . .

2. Escribe reglas para las progresiones aritméticas y geométricas del ejercicio 1.

3. Escribe estos números en notación científica.

   a. 175,000,000   b. 600

   c. 9,600,000,000   d. 22 millones

4. Supón que depositas $1,000 en una cuenta que paga un interés anual de $.06 por dólar depositado. ¿Cuánto habrá en la cuenta después de tres años? Usa la fórmula $C = p(1 + i)^n$.

5. Escribe estos números en forma normal.

   a. 4×10^2 b. 6.72×10^7

6. Haz una tabla de entradas/salidas para estas funciones.

   a. el precio acumulado de 1 a 5 libros que cuestan $2.95 cada uno

   b. el perímetro de un cuadrado con lados de 5 pulg, 6 pulg, 7 pulg, 8 pulg y 9 pulg

7. Halla $f(-2)$, $f(0)$ y $f(5)$ en las funciones representadas por cada fórmula.

   a. $f(n) = n - 5$ b. $f(n) = 9 + n$

   c. $f(n) = 2n + 1$ d. $f(n) = n^2 - 1$

8. **Elige A, B, C o D.** ¿Qué salida(s) *no* corresponde(n) a $f(n) = 2n^2 - 5$?

   A. −3   **B.** 45   **C.** 27   **D.** −8

9. **Por escrito** Tori gana $4.50/h. ¿Qué función serviría para averiguar cuánto gana en un número determinado de horas?

10. Escribe una fórmula para la función representada por cada tabla.

a.

n	f(n)
1	3
2	6
3	9
4	12

b.

n	f(n)
1	3
2	5
3	7
4	9

11. Usa la gráfica para responder a las preguntas siguientes.

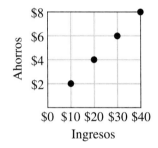

   a. Usa la gráfica para hacer una tabla de entradas/salidas.

   b. Escribe la regla de esta función.

   c. Halla cuánto dinero se ahorra cuando se ganan $100.

12. La entrada individual a un parque de atracciones cuesta $12/persona, pero el precio es más bajo si se va en grupo. Para cuatro personas es de $40, para cinco de $49, para seis de $57, para siete de $64, etc. ¿Cuánto ahorra cada miembro de un grupo de doce con el precio especial de grupo?

Elige A, B, C o D.

1. ¿Qué número está escrito en notación científica?

   A. 0.2×10^9　　　**B.** 9.14×2^5

   C. 10×10^8　　　　**D.** 7.12×10^{11}

2. ¿Qué ecuación está representada por este modelo?

   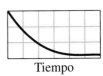

   A. $x + 3 = 2$　　　**B.** $-3x = -2$

   C. $x - 3 = -2$　　　**D.** $x + 3 = -2$

3. El hotel Panorama cobra $88/día por una habitación para dos, más $7 por cada huésped adicional. ¿Con qué ecuación hallarías lo que les cuesta una noche en una habitación a tres o más personas?

   A. $C = 88 + n(7)$

   B. $C = 2(88) + n(7)$

   C. $C = (n + 2)(88 + 7)$

   D. $C = 2(88) + (n + 2)(7)$

4. ¿Qué podría representar la gráfica siguiente?

   Tiempo

   A. la altura de una pelota t segundos después de haber sido lanzada hacia arriba

   B. la temperatura de un horno t minutos después de ser encendido

   C. el valor de un auto nuevo t años después de la compra

   D. la distancia que ha recorrido un auto a 45 mi/h después de t horas

5. Gabe gana $16/semana. ¿Qué ecuación usarías para saber cuántas semanas ha tardado en ganar $400?

   A. $16 + w = 400$　　　**B.** $16w = 400$

   C. $\dfrac{16}{w} = 400$　　　　**D.** $\dfrac{16}{400} = w$

6. Halla la mediana de los valores que aparecen en la tabla arborescente.

7	0	0	5	8	
8	1	5	6	9	9
9	4				

   9|4 representa 94

   A. 81.7　　**B.** 89

   C. 85　　　**D.** 83

7. ¿Qué expresión tiene el valor más alto?

   A. $32 - (-12)$　　　**B.** $32 - |-12|$

   C. $-32 - (-12)$　　　**D.** $|-32 - (-12)|$

8. Halla dos números que tengan una suma de 10 y un producto de -24.

   A. -6 y 4　　　**B.** 12 y -2

   C. -8 y -3　　　**D.** 6 y -4

9. ¿Qué tipo de gráfica representaría mejor estos datos sobre los millones de personas que miran televisión durante las horas de mayor audiencia?

   Lunes: 91.9　　　　　Martes: 89.8
   Miércoles: 93.9　　　Jueves: 93.9
   Viernes: 78.0　　　　Sábado: 77.1
   Domingo: 87.7

   A. lineal　　　　　**B.** de doble línea

   C. de barras　　　**D.** de doble barra

10. ¿Qué expresión tiene el mismo valor que $(-1)^{57} \cdot x^4$?

    A. $(-x)^4$　　**B.** $-x^4$　　**C.** x^{57}　　**D.** $-x^{57}$

IMAGEN PERFECTA

DE TODO EL MUNDO

Los hermanos Lumière, de nacionalidad francesa, inventaron en 1903 el primer sistema eficaz para el revelado de fotos en colores.

anillo de enfoque

anillo del diafragma (la abertura del diafragma se mide en grados de abertura útil, o "f-stop")

$$\frac{\text{longitud focal}}{\text{f-stop}} = \text{diámetro de abertura}$$

regulador del tiempo de exposición

EN ESTE CAPÍTULO

- analizarás el concepto de fracción
- representarás y escribirás fracciones y decimales
- usarás tecnología para explorar patrones de números fraccionarios
- resolverás problemas complejos resolviendo problemas más sencillos

¿Cuántos rollos de película usa cada año una familia estadounidense?

Más de 26
13%

No respondió
1%

Menos de 5
20%

16–25
16%

5–9
22%

10–15
28%

La media es de 15 rollos.

Fuente: *Wolfman Report*

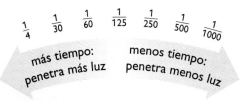

$\frac{1}{4}$ $\frac{1}{30}$ $\frac{1}{60}$ $\frac{1}{125}$ $\frac{1}{250}$ $\frac{1}{500}$ $\frac{1}{1000}$

más tiempo: penetra más luz

menos tiempo: penetra menos luz

En muchas cámaras hay un anillo que regula el tiempo de exposición. Los números que en él aparecen representan las fracciones de segundo que permanece abierto el obturador, dejando expuesta la película a la luz. Por ejemplo, el número 4 significa que el obturador permanecerá abierto $\frac{1}{4}$ s.

Fuente: *Scholastic Math*

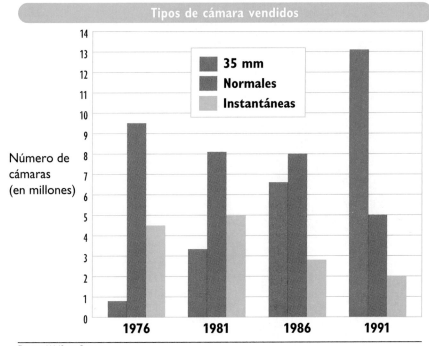

Tipos de cámara vendidos

- 35 mm
- Normales
- Instantáneas

Número de cámaras (en millones)

1976 1981 1986 1991

Fuente: *Wolfman Report*

Tiempos de exposición

En esta tabla se muestran los tiempos de exposición recomendados para fotografiar escenas en movimiento con una película de velocidad 100.

Persona caminando $\frac{1}{125}$

Persona corriendo $\frac{1}{500}$

Ciclista $\frac{1}{250} - \frac{1}{1000}$

Caballo al galope $\frac{1}{250} - \frac{1}{1000}$

Deportes $\frac{1}{500}$

Vehículo $\frac{1}{250} - \frac{1}{1000}$

Fuente: *Usborne Guide to Photography*

Proyecto

Informe

"La Mesa Mesera" es una empresa dedicada a la venta de mesas desmontadas. En cada juego de piezas para una mesa rectangular se incluye la cantidad exacta de azulejos cuadrados y congruentes necesaria para cubrir la superficie de la mesa. Los diseñadores han observado que cualquiera de sus mesas rectangulares se puede cubrir con cuadrados de diferentes tamaños. Una mesa de 18 por 27 pulg, por ejemplo, se puede cubrir con cuadrados de 1, 3 ó 9 pulg de lado (las magnitudes tienen que ser números enteros). La compañía siempre escoge los cuadrados más grandes para incluir en sus juegos de piezas. Para las mesas de 18 por 27 pulg, proporciona a sus clientes azulejos de 9 pulg.

Misión: Para representar las mesas, recorta rectángulos de papel cuadriculado. Halla todas las maneras posibles de cubrir los rectángulos con cuadrados. Determina el tamaño de los azulejos que la compañía elegiría para cada tablero. Mantén un registro de todas tus pruebas y resultados.

Sigue estas pistas

✓ ¿En qué tipo de rectángulos debes concentrar tus esfuerzos: los pequeños o los grandes?

✓ ¿Qué patrones observas en las dimensiones de los rectángulos y los cuadrados?

En esta lección

7-1

El significado de las fracciones

• Relacionar
fracciones con
modelos

VAS A NECESITAR

✓ Bloques geométricos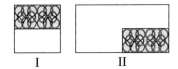

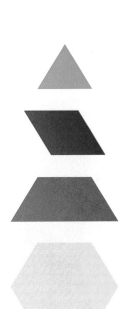

⌐P I E N S A Y C O M E N T A

Las fracciones nos permiten representar muchos tipos de
situaciones distintas. Las fracciones se usan al medir, para
describir las partes de un entero y para describir los elementos
de un conjunto.

1. Describe cada situación representada abajo.

a.
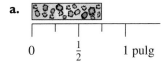

0 $\frac{1}{2}$ 1 pulg

b.

c.

2. **a.** Mide las figuras de la izquierda. ¿Qué se puede afirmar
sobre las áreas de los rectángulos amarillos?

b. ¿A qué fracción de cada figura corresponde el rectángulo
amarillo?

c. ¿Por qué usamos fracciones distintas para referirnos a los
rectángulos amarillos?

⌐E N E Q U I P O

Pueden usar bloques geométricos para explorar las fracciones que
forman parte de un entero.

3. Usen 4 triángulos verdes para formar un triángulo equilátero
grande. Consideren que éste último representa un entero.

a. ¿Qué parte del entero representa el trapecio rojo?

b. ¿Qué parte del entero representa el rombo azul?

También pueden usar los bloques para explorar las fracciones
mayores que un entero.

4. ¿Qué número mixto está representado por el triángulo grande
de la pregunta 3 si el trapecio rojo es el entero?

5. Formen un triángulo equilátero grande con 3 triángulos verdes
y un hexágono amarillo. ¿Qué número mixto está representado
por el triángulo grande si el rombo azul es el entero?

Cuadrado A

Cuadrado B

Cuadrado C

Cuadrado D

Combinando telas y colores se pueden crear los hermosos patrones de las piezas que forman una colcha de retazos. Éstas suelen estar compuestas por cuadrados creados agrupando piezas separadas.

6. a. ¿Qué fracción de cada cuadrado de la izquierda es azul?

   b. Diseñen un cuadrado de colcha que tenga $\frac{1}{3}$ rojo.

   c. Diseñen un cuadrado de colcha que tenga $\frac{3}{8}$ verde.

POR TU CUENTA

Escribe la fracción correspondiente a cada representación.

7.
$0 \qquad \frac{1}{2} \qquad$ 1 pulg

8.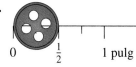

9.

10. Por escrito El hermano pequeño de Cora describió la región sombreada de la derecha como $\frac{1}{3}$ de pastel. ¿Tenía razón? ¿Por qué?

UN GRAN FUTURO

Dibujante

El motivo por el que quisiera ser dibujante de caricaturas es que me encanta dibujar animales o personas en situaciones cómicas. Ya he adquirido algo de experiencia, pues dibujo caricaturas en la clase de arte y por mi cuenta. Siempre llevo conmigo un cuaderno en el que hago todo tipo de garabatos y bocetos. Creo que esto es sumamente útil para mi aprendizaje. Espero ir algún día a una buena escuela de arte y trabajar después como dibujante o ilustradora profesional. De ese modo podría vivir de algo que realmente me gusta: dibujar.

Amanda Johnson

Forma estos modelos con bloques geométricos. Escribe el número mixto correspondiente a cada modelo. El entero es un rombo azul.

11.

12.

Escribe la fracción o el número mixto representado por las barras de fracciones.

13.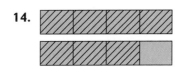

14.

15. **a.** Dibuja un rectángulo cuya longitud y ancho no sean iguales. Traza las dos diagonales de la figura.

   b. ¿Equivale cada triángulo formado por las diagonales a $\frac{1}{4}$ del área del rectángulo? Explica por qué.

16. **a.** Diseña un cuadrado de colcha usando al menos cuatro colores diferentes. Haz tres copias y junta las piezas para formar una "colcha" de papel.

   b. ¿A qué fracción de la "colcha" equivale cada color?

R^epaso MIXTO

Escribe la expresión algebraica correspondiente a cada frase.

1. el doble de un número menos cuatro

2. tres más que la mitad de un número

Compara. Usa $<$, $>$ ó $=$.

3. $5 - (-8)$ ■ 3^2

4. $7 - 11$ ■ $3.5(-3)$

5. Rhea empezó a caminar hacia el lugar donde la esperaba Erin. Seis cuadras y 10 min más tarde se detuvo para hablar con Jason durante 4 min. Después corrió las últimas 8 cuadras del camino en 10 min. Haz una gráfica para representar el trayecto de Rhea.

Querida Amanda:

¡Creo que estás avanzando por el camino adecuado! Muchos de los grandes dibujantes empezaron como tú. Tener un cuaderno a mano para dibujar a la menor oportunidad permitirá que tus ideas fluyan libremente y que tus técnicas y destrezas mejoren. Yo enseño dibujo a jóvenes de tu edad y siempre les recuerdo las tres reglas básicas del buen dibujante: PRÁCTICA, PRÁCTICA y PRÁCTICA.

Para ejercitarte y adquirir más experiencia puedes aportar tu trabajo al periódico o la revista anual de la escuela. Colaborando en esas u otras publicaciones verás tu obra en papel impreso, algo que te resultará sin duda muy gratificante.

¡Buena suerte en tu trabajo!

Joe Duffy
Presidente de la Asociación Nacional de Dibujantes

7-2 Fracciones equivalentes

EN EQUIPO

Trabaja con un compañero.

1. Dibujen en papel cuadriculado todos los rectángulos posibles que tengan un área de 24 unidades cuadradas.

2. Dibujen en papel cuadriculado todos los rectángulos posibles que tengan un área de 7 unidades cuadradas.

PIENSA Y COMENTA

Decimos que un número es **factor** de otro si al dividir el segundo por el primero no queda residuo.

3. Usa los rectángulos de la actividad anterior.

   a. Haz una lista de las dimensiones de los rectángulos con áreas de 24 unidades.

   b. ¿Qué relación hay entre esas dimensiones y los factores del número 24?

   c. Escribe todos los factores de 24 de menor a mayor.

   d. Escribe los factores de 7.

4. ¿Se puede decir que ambos 9 y 5 son factores de 40? ¿Por qué?

Llamamos **múltiplo** de un número al producto de ese número y un entero cualquiera que no sea cero.

5. a. Escribe cuatro factores de 6.

   b. Escribe cuatro múltiplos de 6.

6. Describe la relación que hay entre 15, 5 y 3 usando las palabras "factor" y "múltiplo".

7. ¿Qué número es factor de todos los demás números?

8. Un número n es múltiplo de 2. ¿Es $n + 1$ múltiplo de 2? Explica tu razonamiento con ejemplos.

Las fracciones que tienen el mismo valor se llaman **fracciones equivalentes.** Para hallar fracciones equivalentes podemos utilizar modelos.

9. ¿Indican los modelos de la derecha que $\frac{2}{3} = \frac{4}{6}$? Explica por qué.

10. Dibuja un modelo de la fracción $\frac{1}{4}$ y úsalo para hallar otra fracción que sea equivalente.

También se hallan fracciones equivalentes multiplicando el numerador y el denominador de una fracción por el mismo número.

$$\frac{2 \cdot 2}{3 \cdot 2} = \frac{4}{6}$$

Para hallar fracciones equivalentes a una fracción dada se puede hacer una tabla de múltiplos similar a las tablas de multiplicar.

Ejemplo 1
Usa una tabla de múltiplos para hallar tres fracciones equivalentes a $\frac{3}{4}$.

- Escribe varios múltiplos de 3 y 4.

	×2	×3	×4
3	6	9	12
4	8	12	16

Con los múltiplos de cada columna se forman fracciones equivalentes a $\frac{3}{4}$.

Las fracciones $\frac{6}{8}$, $\frac{9}{12}$ y $\frac{12}{16}$ son equivalentes a $\frac{3}{4}$.

11. Halla otras dos fracciones equivalentes a $\frac{3}{4}$.

Para hallar fracciones equivalentes también se puede dividir el numerador y el denominador por un mismo número que no sea cero. Este número que se usa como divisor se determina hallando los factores comunes.

Ejemplo 2
Halla tres fracciones equivalentes a $\frac{24}{30}$.

Factores de 24: 1, 2, 3, 4, 6, 8, 12, 24

Factores de 30: 1, 2, 3, 5, 6, 10, 15, 30

Los factores comunes distintos de 1 son 2, 3 y 6.
Ahora divide para obtener las fracciones equivalentes.

$$\frac{24 \div 2}{30 \div 2} = \frac{12}{15} \qquad \frac{24 \div 3}{30 \div 3} = \frac{8}{10} \qquad \frac{24 \div 6}{30 \div 6} = \frac{4}{5}$$

Las fracciones $\frac{12}{15}$, $\frac{8}{10}$ y $\frac{4}{5}$ son equivalentes a $\frac{24}{30}$.

12. Halla dos fracciones equivalentes a $\frac{30}{36}$ por medio de división.

¡RECUERDA!

En la fracción $\frac{2}{3}$ el numerador es 2 y el denominador es 3.

Cálculo mental **Escribe todos los factores de cada número.**

13. 17   **14.** 18   **15.** 32   **16.** 42

17. ¿Qué dos fracciones equivalentes están representadas abajo?

18. a. Escribe los primeros cinco múltiplos de 8 y 12.

    b. Escribe tres fracciones equivalentes a $\frac{8}{12}$.

19. a. Escribe los factores de 8 y de 12.

    b. ¿Qué factores tienen 8 y 12 en común?

    c. Halla dos fracciones equivalentes a $\frac{8}{12}$ usando los factores comunes de 8 y 12.

┌
POR TU CUENTA

20. a. Escribe los primeros cinco múltiplos de 9 y 15.

    b. ¿Cuál es el menor múltiplo que 9 y 15 tienen en común?

21. a. Escribe los factores de 9 y de 15.

    b. ¿Qué factores tienen 9 y 15 en común?

22. En la clase del Sr. Quaid hay 24 estudiantes y en la de la Sra. Carlson hay 30. Cada clase está dividida en equipos y todos los equipos de las dos clases tienen el mismo número de miembros. ¿Cuál es el número máximo de miembros que puede tener cada equipo?

23. Elige A, B, C o D. ¿Qué cuadrado *no* tiene sombreada $\frac{1}{4}$ de su área?

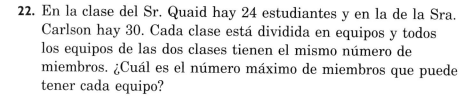

   A   **B**   **C**   **D**

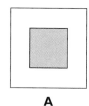

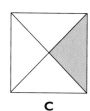

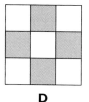

¿DÓNDE? Las fracciones juegan un importante papel en instrumentos musicales como la guitarra. Si una cuerda suena en do mayor, basta reducir su longitud en $\frac{1}{2}$ para conseguir que el tono sea una octava más agudo. El guitarrista acorta la longitud oprimiendo la cuerda contra los *trastes,* unos salientes que están en el mástil del instrumento.

Fuente: *Mathematics*

Elige A, B, C o D. ¿Qué fracción *no* es equivalente a la primera?

24. $\frac{21}{24}$ **A.** $\frac{14}{16}$ **B.** $\frac{7}{8}$ **C.** $\frac{42}{48}$ **D.** $\frac{5}{6}$

25. $\frac{2}{7}$ **A.** $\frac{6}{20}$ **B.** $\frac{4}{14}$ **C.** $\frac{10}{35}$ **D.** $\frac{8}{28}$

26. $\frac{5}{9}$ **A.** $\frac{20}{36}$ **B.** $\frac{15}{27}$ **C.** $\frac{15}{45}$ **D.** $\frac{10}{18}$

27. $\frac{1}{2}$ **A.** $\frac{9}{18}$ **B.** $\frac{19}{40}$ **C.** $\frac{4}{8}$ **D.** $\frac{12}{24}$

28. $\frac{28}{48}$ **A.** $\frac{1}{2}$ **B.** $\frac{7}{12}$ **C.** $\frac{14}{24}$ **D.** $\frac{35}{60}$

29. $\frac{27}{30}$ **A.** $\frac{18}{20}$ **B.** $\frac{9}{10}$ **C.** $\frac{54}{60}$ **D.** $\frac{7}{10}$

30. Nombra dos fracciones representadas por este modelo.

31. **Archivo de datos #7 (págs. 278–279)** Para cada año de la tabla, estima la fracción correspondiente a las cámaras de 35 mm sobre el total de cámaras vendidas.

Usa la siguiente tabla de multiplicar. Halla el valor que verifica la igualdad.

	1	2	3	4	5	6	7	8	9
5	5	10	15	20	25	30	35	40	45
6	6	12	18	24	30	36	42	48	54
7	7	14	21	28	35	42	49	56	63
8	8	16	24	32	40	48	56	64	72

32. $\frac{5}{6} = \frac{20}{\blacksquare}$

33. $\frac{25}{40} = \frac{\blacksquare}{8}$

34. $\frac{7}{8} = \frac{35}{\blacksquare}$

35. $\frac{\blacksquare}{72} = \frac{30}{48}$

36. El padre de Simone comió cuatro trozos del pastel que ella había horneado. Su hermano comió dos trozos. Simone y su madre comieron un trozo cada una. Si no sobró ningún trozo, ¿qué fracción del pastel comió cada miembro de la familia?

37. **Por escrito** Beth comió $\frac{2}{8}$ de un sándwich de mantequilla de cacahuate. Juana comió $\frac{1}{4}$ de otro sándwich de mantequilla de cacahuate, pero Juana comió más que Beth. Explica cómo es esto posible si $\frac{2}{8}$ es equivalente a $\frac{1}{4}$.

1. Dibuja un modelo para representar la fracción $\frac{7}{8}$.

2. Dibuja un modelo para representar la fracción $1\frac{1}{3}$.

Halla $f(-1)$ y $f(2)$.

3. $f(n) = 2n + 5$

4. $f(n) = n^2 - 3$

5. Escribe 4,560,000 en notación científica.

6. **Calculadora** Halla la raíz cuadrada de 1,225.

7. Halla la longitud de la hipotenusa en un triángulo rectángulo con catetos de 5 cm y 12 cm.

7-3 **S**implificación de fracciones

Encuesta sobre políticos del mundo

Político	Frecuencia
François Mitterrand	16
Carlos Salinas	20
Yitzhak Rabin	15
Rey Hussein	12
Bill Clinton	24
Nelson Mandela	18
Jean Crétien	21

┌**P**┐**I**┌**E**┐┌**N**┐┌**S**┐┌**A**┐ **Y** ┌**C**┐┌**O**┐┌**M**┐┌**E**┐┌**N**┐┌**T**┐┌**A**┐

Jeremías tenía que hacer una encuesta para un trabajo de estudios sociales y pidió a 24 personas que identificaran la nacionalidad de los políticos de la tabla de la izquierda. La columna de frecuencias muestra el número de las respuestas correctas.

1. Jeremías ha utilizado $\frac{12}{24}$ como fracción correspondiente a las personas que saben que Hussein es rey de Jordania. Su hermano, sin embargo, opina que la fracción $\frac{1}{2}$ es más adecuada. ¿Qué fracción debería usar Jeremías? ¿Por qué?

Para simplificar una fracción se puede dividir el numerador y el denominador por un mismo número distinto de cero. La fracción está simplificada o reducida a su **mínima expresión** cuando 1 es el único factor común del numerador y el denominador.

Ejemplo 1   Simplifica $\frac{12}{24}$.

$$\frac{12 \div 2}{24 \div 2} = \frac{6}{12} \qquad \text{Divide el numerador y el denominador por un factor común.}$$

$$\frac{6 \div 6}{12 \div 6} = \frac{1}{2} \qquad \text{Si es posible, divide de nuevo por otro factor común.}$$

La mínima expresión de $\frac{12}{24}$ es $\frac{1}{2}$.

2. ¿Qué fracción de los encuestados conoce la nacionalidad de Carlos Salinas? ¿Y de Nelson Mandela? Escribe cada fracción en su mínima expresión.

Para simplificar fracciones podemos utilizar pruebas de divisibilidad. Un número es *divisible* por otro si el residuo de la operación es cero. Combinando estas pruebas se pueden crear pruebas de divisibilidad para otros números.

3. a. Usa las pruebas de divisibilidad para explicar por qué 54 es divisible por 2 y por 3.

   b. Completa: Si 54 es divisible por 2 y 3, también es divisible por ■.

4. Escribe una prueba de divisibilidad para 15.

⚡ ¡RECUERDA!

Número	Prueba de divisibilidad
2	el dígito de las unidades es 0, 2, 4, 6 u 8
3	la suma de los dígitos es divisible por 3
5	el dígito de las unidades es 0 ó 5
9	la suma de los dígitos es divisible por 9
10	el dígito de las unidades es 0

Las pruebas de divisibilidad para 4 y 8 se pueden determinar mediante patrones.

5. **a.** **Calculadora** ¿Cuáles de estos números son divisibles por 4?

         6   16   26   36   106   116   126   136

   b. Completa: Si los últimos ■ dígitos forman un número divisible por 4, el número es divisible por 4.

6. **a.** **Calculadora** ¿Cuáles de estos números son divisibles por 8?

        16   36   56   116   136   156   1,016   1,036   1,056

   b. Completa. Si los últimos ■ dígitos forman un número divisible por 8, el número es divisible por 8.

7. **Pensamiento crítico** Escribe una prueba de divisibilidad para 12.

Las pruebas de divisibilidad se pueden usar para hallar factores comunes.

Una persona adulta tiene 206 huesos. Sólo en los pies, los tobillos, las muñecas y las manos hay 106. **¿Qué fracción del total corresponde a los huesos de los pies, los tobillos, las muñecas y las manos? ¿Qué prueba de divisibilidad te puede ayudar a simplificar esa fracción?**

Ejemplo 2 Simplifica $\frac{24}{39}$.

- Halla un factor común de 24 y 39.

  $2 + 4 = 6; 3 + 9 = 12$

  Ya que 6 y 12 son divisibles por 3, 24 y 39 también lo son.

- $\frac{24 \div 3}{39 \div 3} = \frac{8}{13}$

8. ¿Es $\frac{8}{13}$ la mínima expresión de $\frac{24}{39}$? ¿Cómo lo sabes?

El **máximo común divisor** o **M.C.D.** de dos o más números es el factor más alto que esos números tienen en común. Si se divide el numerador y el denominador de una fracción por su M.C.D., el resultado será una fracción en su mínima expresión.

Ejemplo 3 Escribe $\frac{28}{42}$ en su mínima expresión.

- Escribe los factores de 28 y 42 para hallar su M.C.D.

  Factores de 28: 1, 2, 4, 7, ⑭, 28

  Factores de 42: 1, 2, 3, 6, 7, ⑭, 21, 42

- Divide el numerador y el denominador por 14, su M.C.D.

  $\frac{28 \div 14}{42 \div 14} = \frac{2}{3}$

9. Escribe $\frac{15}{45}$ en su mínima expresión usando el M.C.D. de 15 y 45.

Calcula mentalmente.

1. (48)(6)   2. (103)(−7)

3. Escribe tres fracciones equivalentes a $\frac{4}{5}$.

4. Escribe tres fracciones equivalentes a $\frac{16}{24}$.

Resuelve.

5. −12 + n = 3

6. 10 + 7t = −18

7. Halla el área de un rectángulo que tiene un perímetro de 84 cm y un lado que mide 15 cm.

Itzhak Perlman es un célebre violinista que a los 10 años realizó su primera actuación individual. En Estados Unidos ha llevado a cabo numerosas giras y ha tocado con las principales orquestas.

P O N T E A PRUEBA

10. Es 2,268 divisible por 2? ¿Y por 3? ¿Y por 4? ¿Y por 5? ¿Y por 6? ¿Y por 8? ¿Y por 9? ¿Y por 10?

11. ¿Cuál de estas fracciones está reducida a su mínima expresión: $\frac{9}{16}$, $\frac{10}{24}$, $\frac{14}{35}$? ¿Cómo lo sabes?

Usa las pruebas de divisibilidad para escribir estas fracciones en su mínima expresión. Di qué pruebas usaste.

12. $\frac{38}{40}$ 13. $\frac{35}{100}$ 14. $\frac{28}{48}$ 15. $\frac{42}{87}$

Halla el M.C.D. del numerador y el denominador. Después escribe cada fracción en su mínima expresión.

16. $\frac{16}{36}$ 17. $\frac{21}{28}$ 18. $\frac{36}{49}$ 19. $\frac{12}{75}$

P O R TU CUENTA

Escribe todos los factores en cada conjunto de números. Halla luego el M.C.D. de cada conjunto.

20. 54, 80   21. 22, 121   22. 16, 80   23. 10, 85

Escribe estas fracciones en su mínima expresión.

24. $\frac{22}{24}$ 25. $\frac{30}{48}$ 26. $\frac{35}{95}$ 27. $\frac{42}{72}$

28. $\frac{18}{30}$ 29. $\frac{17}{51}$ 30. $\frac{21}{105}$ 31. $\frac{36}{90}$

32. Diversiones Larry ha encuestado a 30 compañeros de clase para averiguar sus gustos musicales. Ha descubierto que 18 prefieren la música rock, 8 la música country y 4 la música clásica. Ahora quiere convertir los datos en fracciones para incluirlos en un artículo que publicará el periódico de la escuela. ¿Qué fracciones debe usar?

Estimación Di si cada fracción está más cerca de 0, de $\frac{1}{2}$ ó de 1.

33. $\frac{275}{312}$ 34. $\frac{153}{302}$ 35. $\frac{518}{634}$ 36. $\frac{141}{1,500}$

37. Por escrito Violeta ha escrito lo siguiente en su cuaderno de matemáticas: "14 se puede dividir por 4, pero 14 no es divisible por 4". ¿Tiene razón? Explica por qué.

38. Pensamiento crítico Alan tiene tres tablas de madera que miden 63, 84 y 105 pulg de largo. Si necesita cortarlas en piezas de la misma longitud, ¿cuál será la longitud máxima de las piezas que corte?

 39. Investigación (pág. 280) Para cada mesa que hayas diseñado halla el M.C.D. de la longitud y el ancho. Piensa en el cuadrado más grande que puede usarse para cubrir su superficie. ¿Qué observas?

La aldea global

Considera la Tierra como una aldea global habitada por 1,000 personas. De éstas, 584 vivirían en Asia, 124 en África, 95 en Europa, 84 en América Latina, 52 en Norteamérica, 6 en Australia y Nueva Zelanda, y 55 en la antigua Unión Soviética. Solamente 60 personas tendrían más de 65 años, y 330 serían niños.

40. ¿Qué fracción de la población global corresponde a cada zona? Escribe las fracciones en su mínima expresión.

41. ¿Qué fracción corresponde a los niños? ¿Y a los adultos menores de 65 años? ¿Y a los mayores de 65 años?

V I S T A Z O A LO APRENDIDO

¿Qué parte de cada figura es verde?

1.

2.

3.

Escribe estas fracciones en su mínima expresión.

4. $\dfrac{36}{48}$ 5. $\dfrac{42}{63}$ 6. $\dfrac{30}{45}$ 7. $\dfrac{18}{20}$

8. Elige A, B, C o D. ¿Qué fracción equivale a $\frac{1}{5}$?

A. $\dfrac{1+3}{5+3}$ B. $\dfrac{15}{55}$ C. $\dfrac{1 \cdot 3}{5 \cdot 3}$ D. $\dfrac{17}{95}$

Descomposición en factores primos

• Identificar números como primos o compuestos y descomponerlos en factores primos

• Usar la descomposición en factores primos para escribir fracciones en su mínima expresión

VAS A NECESITAR

✓ Papel cuadriculado

✓ Calculadora

EN EQUIPO

Trabaja con un compañero.

1. Usen papel cuadriculado para dibujar cinco rectángulos con las áreas indicadas abajo.

   a. 11   **b.** 12   **c.** 13   **d.** 14   **e.** 15

2. Si es posible, dibujen otro rectángulo con cada una de las áreas anteriores. (Tengan en cuenta que una figura de 3×4 es idéntica a una de 4×3.)

3. **a.** ¿Qué áreas se pueden representar con varios rectángulos distintos?

   b. ¿Qué áreas se pueden representar sólo con un rectángulo?

PIENSA Y COMENTA

Llamamos **primo** al número cuyos únicos factores son 1 y el número mismo. Los números **compuestos** tienen más de dos factores. Los números que en la actividad anterior se podían representar con sólo un rectángulo son primos.

4. Di si los siguientes números son primos o compuestos.

   a. 11   **b.** 12   **c.** 13   **d.** 14   **e.** 15

5. **Calculadora** Usa las pruebas de divisibilidad y una calculadora para hallar los factores de cada número. Di si es un número primo o compuesto.

   a. 123   **b.** 125   **c.** 127   **d.** 129

6. ¿Son compuestos todos los números pares? Explica por qué.

7. Nombra dos números enteros que no son ni primos ni compuestos.

C. Goldbach afirmó en 1742 que todos los números pares mayores que 2 equivalen a la suma de dos números primos. **¿Qué dos números primos suman 8? ¿Y 10? ¿Y 12?**

Cuando un número compuesto se expresa como el producto de sus **factores primos,** decimos que hemos *descompuesto* el número en sus factores primos. Los factores primos pueden hallarse mediante un *árbol de factorización.*

 Los códigos cifrados actuales se basan en números compuestos enormes. Descifrarlos es prácticamente imposible porque para ello habría que descomponerlos en sus factores primos y hoy día se conocen números primos con más de 100 dígitos.

Fuente: *Think of a Number*

Ejemplo 1   Representa 171 como el producto de sus factores primos.

• Representa el número compuesto como un producto de dos factores.

• Haz lo mismo con cualquier factor compuesto que quede.

• Detente cuando todos los factores sean primos.

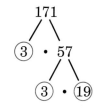

$171 = 3 \cdot 3 \cdot 19$, ó $3^2 \cdot 19$

8. a. Usa un árbol de factorización para hallar los factores primos de 28.

   b. Expresa la descomposición en factores primos de 28 usando exponentes.

9. Calculadora Halla el número cuya descomposición en factores primos es $2 \cdot 3^2 \cdot 5^2$.

Para hallar el M.C.D. de dos números puedes usar su descomposición en factores primos.

Ejemplo 2   Halla el M.C.D. de 90 y 72.

• Descompón cada número en sus factores primos.

   $90 = 2 \cdot 3^2 \cdot 5$ $72 = 2^3 \cdot 3^2$

• Identifica los factores comunes.

   2 y 3^2 son factores de ambos números.

• El M.C.D. es el producto de los factores comunes.

   $2 \cdot 3^2 = 18$

El M.C.D. de 90 y 72 es 18.

10. a. Descompón 28 y 42 en sus factores primos.

   b. Halla el M.C.D. de 28 y 42.

11. a. ¿Cuál es el M.C.D. de dos números primos?

   b. Halla dos números compuestos cuyo M.C.D. sea 1.

   c. ¿Es el M.C.D. de un número primo y un número compuesto siempre 1? Explica por qué.

Otro método de escribir fracciones en su mínima expresión es hallar la descomposición en factores primos del numerador y el denominador y dividirlos después por los factores comunes.

Ejemplo 3

Escribe $\frac{42}{105}$ en su mínima expresión.

$$\frac{42}{105} = \frac{2 \cdot 3 \cdot 7}{3 \cdot 5 \cdot 7}$$ Descompón el numerador y el denominador en sus factores primos.

$$= \frac{2 \cdot 3^1 \cdot 7^1}{5 \cdot 3_1 \cdot 7_1}$$ Divide el numerador y el denominador por los factores comunes.

$$= \frac{2}{5}$$ Escribe la fracción en su mínima expresión.

12. Éste es el método que Alex siguió para escribir $\frac{54}{64}$ en su mínima expresión.

$$\frac{54}{64} = \frac{54^1}{64_1} = \frac{5}{6}$$

¿Crees que simplificó correctamente? Explica por qué.

13. Escribe $\frac{18}{48}$ en su mínima expresión descomponiendo sus términos en factores primos.

■P■O■N■T■E■ A PRUEBA

14. Dibuja en papel cuadriculado el mayor número posible de rectángulos con áreas de 9 y 11 unidades. Los rectángulos prueban que 9 es compuesto y 11 primo. Explica por qué.

Cálculo mental Di si cada número es primo o compuesto.

15. 104   **16.** 141   **17.** 165   **18.** 47

Sal   **Marla**

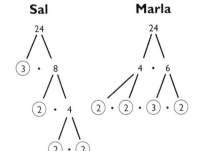

19. Sal y Marla hicieron estos dos árboles de factorización para hallar los factores primos de 24. ¿Son ambos válidos? Explica.

20. Escribe el numerador y el denominador de $\frac{60}{96}$ usando la descomposición en factores primos de 60 y 96. Escribe después la fracción en su mínima expresión.

Usa un árbol de factorización para descomponer cada número en factores primos.

21. 45   **22.** 64   **23.** 84   **24.** 111

25. ¿Es 1,971 primo o compuesto? ¿Cómo lo sabes?

POR TU CUENTA

26. Haz una lista de todos los números primos menores que 50.

Usa un árbol de factorización para descomponer cada número en factores primos. Usa exponentes si es posible.

27. 100   **28.** 52   **29.** 65   **30.** 132

Calculadora Halla el número correspondiente a cada descomposición en factores primos.

31. $5^2 \cdot 7^2$ **32.** $2^4 \cdot 3$ **33.** $2 \cdot 5^3 \cdot 13$

Halla el M.C.D. de cada grupo de números descomponiéndolos en factores primos.

34. 75, 90   **35.** 38, 76   **36.** 98, 105

Escribe estas fracciones en su mínima expresión.

37. $\frac{75}{125}$ **38.** $\frac{108}{120}$ **39.** $\frac{63}{81}$ **40.** $\frac{125}{200}$

41. a. Por escrito ¿Cómo simplificarías la fracción $\frac{375}{1,000}$: escribiendo todos los factores de los términos o descomponiéndolos en factores primos? ¿Por qué?

     b. Escribe $\frac{375}{1,000}$ en su mínima expresión usando tu método preferido.

Di si cada afirmación es verdadera o falsa. Explica tus conclusiones y respáldalas con ejemplos.

42. El producto de tres números enteros consecutivos cualesquiera es siempre divisible por 3.

43. El M.C.D. de dos números enteros consecutivos cualesquiera es siempre 1.

44. Si el producto de dos números es divisible por 6, uno de los números tiene que ser divisible por 6.

45. Archivo de datos #3 (págs. 90–91) ¿A qué fracción del total de campeonatos corresponden los campeonatos ganados por los Lakers? ¿Y los ganados por los Bulls?

46. Investigación (pág. 280) Descompón en factores primos las longitudes y anchos de las mesas que has diseñado. Usa las descomposiciones en factores primos para determinar todos los tamaños de azulejos cuadrados (además de 1 × 1) que se pueden usar para cubrir cada mesa.

Repaso MIXTO

Escribe estas fracciones en su mínima expresión.

1. $\frac{24}{32}$ **2.** $\frac{18}{48}$

3. $\frac{20}{24}$ **4.** $\frac{13}{52}$

Simplifica.

5. $-(-8)$ **6.** $-|10|$

7. La Sra. Hidalgo vive retirada en la Florida donde sus hijos la visitan regularmente. Juan va a verla cada tres meses, Lana cada cuatro meses y Hillary cada cinco meses. Si todos sus hijos fueron en junio, ¿cuántos meses tardarán en visitarla todos de nuevo durante el mismo mes?

En esta lección

• Resolver problemas usando un problema más sencillo

Resuelve un problema más sencillo

En una escuela hay 1,000 estudiantes y 1,000 armarios. Los armarios están numerados del 1 al 1,000 y los estudiantes entran en la escuela de uno en uno. El primer estudiante abre todos los armarios. El segundo cierra todos los armarios con números pares, empezando por el número 2. El tercero abre las puertas cerradas o cierra las puertas abiertas de los armarios cuyos números son múltiplos de 3 (comenzando por el número 3). El cuarto estudiante hace lo mismo con todos los armarios cuyos números son múltiplos de 4 (empezando por el número 4). El patrón continúa así hasta que todos los estudiantes han pasado por los armarios. ¿Cuáles están abiertos después de que el último estudiante haya terminado su recorrido?

LEE

Lee y analiza la información que recibes.

1. Piensa en la información que se te da.

   a. ¿Qué armarios quedan abiertos después de que el segundo estudiante haya cerrado todos los armarios pares?

   b. ¿Cómo está la puerta del tercer armario después de que haya pasado el segundo estudiante: abierta o cerrada?

   c. ¿Se producirá algún otro cambio en el armario 3 después de que haya pasado el tercer estudiante?

   d. ¿Cómo está la puerta del armario 4 antes de que pase el cuarto estudiante: abierta o cerrada? ¿Y después de que pase el cuarto estudiante?

   e. ¿Se producirá algún otro cambio en el armario 4 después de que haya pasado el cuarto estudiante?

2. Haz una predicción. ¿Cómo estará la puerta del armario número 12 después de que haya pasado el estudiante número 12: abierta o cerrada?

PLANEA

Decide qué estrategia usarás para resolver el problema.

Cuando en un problema parece haber una cantidad abrumadora de elementos, conviene resolver antes un problema similar más sencillo. Éste, en particular, puede plantearse con 20 armarios y 20 estudiantes. Después se busca un patrón que permita resolver el problema original.

3. Copia y completa la tabla siguiente.

◀ RESUELVE

Prueba con la estrategia.

Estudiante	Armario 1	2	3	4	5	6	7	8	9
1	A	A	A	A	A	A	A	A	A
2	A	C	A	C	A	C	A	C	A
3	A	C	C	C	A	A	A	C	C
4	■	■	■	■	■	■	■	■	■
5	■	■	■	■	■	■	■	■	■
6	■	■	■	■	■	■	■	■	■

Clave

A   Abierto
C   Cerrado

4. a. ¿Qué armarios ha cambiado el estudiante número 3?

   b. ¿De qué número son múltiplos esos números de armario?

5. a. ¿Qué estudiantes abrieron o cerraron la puerta del armario 6?

   b. ¿De qué número son factores esos números de estudiante?

6. Amplía la tabla hasta incluir 20 estudiantes y 20 armarios.

   a. ¿Qué armarios (de los 20 primeros) quedan abiertos después de que hayan pasado 20 estudiantes?

   b. ¿Qué patrón observas en los números de los armarios que quedan abiertos?

7. Di si los siguientes armarios están abiertos o cerrados después de que haya pasado el último estudiante.

   a. Armario 24   **b.** Armario 25

   c. Armario 49   **d.** Armario 1,000

8. a. Elige tres puertas cerradas y tres abiertas. ¿Cuántos factores tienen los números de las puertas cerradas? ¿Y los de las abiertas?

   b. Ahora mira tu tabla. ¿Qué relación hay entre el número de factores y el número de veces que una puerta se abre o se cierra?

◀ COMPRUEBA

Busca más relaciones entre los números.

⌐PONTE A PRUEBA

Resuelve usando problemas más sencillos.

9. Las casas de la Calle Mayor están numeradas del 1 al 140. ¿En cuántos números aparece el dígito 6 al menos una vez?

Las aristas de un cubo miden 14 pulg de largo cada una.

1. Halla el volumen.

2. Halla el área superficial.

Expresa estos números como productos de factores primos.

3. 540   4. 144

Resuelve.

5. $-3 + c = 19$

6. $d - 5 = -9$

7. Traza un segmento de 16 mm y construye después su mediatriz.

 Las flores que se venden cada año en Estados Unidos alcanzan un valor total de $12,900 millones. **¿Cuántas flores se pueden comprar con $12,900 millones si el precio medio de una flor es $1.50?**

Fuente: *Society of American Florists*

10. Te han dado la tarea de programar el torneo de básquetbol de tu comunidad. Hay 32 equipos y una derrota supone la eliminación automática. ¿Cuántos partidos deben celebrarse para determinar el campeón?

POR TU CUENTA

Usa cualquier estrategia para resolver estos problemas.

11. Cada uno de los 15 miembros del club de matemáticas le da la mano a cada uno de los 12 miembros del club de ciencias. ¿Cuántos apretones de mano se producen?

12. Dos luces de neón intermitentes se encienden al mismo tiempo. Una brilla cada 10 s y la otra cada 6 s. ¿Cuántas veces por minuto brillan a la vez?

13. Jeff produce 22 unidades en 15 min; José produce 18 unidades en 12 min. ¿Qué trabajador es más productivo? Explica tu respuesta.

14. Ramona numeró a mano las 248 entradas para la obra teatral de la clase. ¿Cuántos dígitos escribió?

15. Amrita tiene un libro abierto. Con los números de las dos páginas enfrentadas se obtiene un producto de 930. ¿Cuáles son los dos números de las páginas?

16. Trevor tiene $8 en su cuenta de ahorros y añade $1 cada semana. Aretha tiene $12 en su cuenta de ahorros y añade $3 cada semana. ¿Cuántas semanas tardará Aretha en tener el doble de dinero que Trevor?

17. Escoge un número cualquiera de tres dígitos y conviértelo en uno de seis repitiendo los dígitos. Si eliges 123, por ejemplo, el nuevo número será 123,123. Averigua si 7, 11, 13, 77, 91, 143 y 1,001 son factores del número que has escrito. Sigue este proceso de nuevo con otro número. ¿A qué conclusión puedes llegar?

18. A una florista que tarda 14 min en preparar un adorno le han encargado 124 adornos para un banquete. ¿Cuánto tiempo tardará en hacerlos? Redondea a la hora más cercana.

Escribe la fracción correspondiente a cada parte sombreada.

1.

2.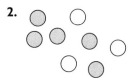

3.

4.

Dibuja un modelo para cada fracción o número mixto.

5. $\frac{1}{2}$ 6. $\frac{4}{9}$ 7. $\frac{2}{3}$ 8. $\frac{4}{12}$ 9. $1\frac{1}{3}$ 10. $2\frac{3}{5}$

Escribe los cinco primeros múltiplos de cada número.

11. 5   12. 8   13. 18   14. 4   15. 24   16. 7

Escribe dos fracciones equivalentes a la fracción dada.

17. $\frac{12}{30}$ 18. $\frac{20}{45}$ 19. $\frac{48}{72}$ 20. $\frac{21}{84}$ 21. $\frac{16}{56}$ 22. $\frac{92}{100}$

Di si cada número es primo o compuesto.

23. 2   24. 25   25. 17   26. 63   27. 111   28. 59

Di si cada número es divisible por 4, 8 ó 9.

29. 192   30. 190   31. 120   32. 315   33. 221   34. 216

Halla el M.C.D. de cada par de números.

35. 30, 54   36. 25, 30   37. 48, 72   38. 36, 51   39. 27, 33   40. 16, 120

41. 15, 28   42. 32, 56   43. 10, 95   44. 81, 90   45. 36, 100   46. 24, 300

Usa un árbol de factorización para descomponer cada número en factores primos.

47. 36   48. 56   49. 45   50. 128   51. 84   52. 75

Escribe estas fracciones en su mínima expresión.

53. $\frac{12}{15}$ 54. $\frac{10}{25}$ 55. $\frac{48}{84}$ 56. $\frac{21}{36}$ 57. $\frac{14}{50}$ 58. $\frac{36}{96}$

59. $\frac{36}{40}$ 60. $\frac{32}{40}$ 61. $\frac{81}{108}$ 62. $\frac{70}{100}$ 63. $\frac{54}{90}$ 64. $\frac{30}{500}$

En esta lección

• Convertir una fracción impropia en número mixto y un número mixto en fracción impropia

VAS A NECESITAR

✓ Tijeras

¡RECUERDA!

$2\frac{5}{8} = 2 + \frac{5}{8}$

¡RECUERDA!

El numerador de una *fracción impropia* es mayor o igual que el denominador.

7-6 Números mixtos y fracciones impropias

EN EQUIPO

Trabaja con un compañero.

Dibujen varios círculos del mismo tamaño, recórtenlos y dividan cada uno en ocho secciones iguales como se muestra a la derecha.

1. Usen los círculos para representar los siguientes números mixtos.

   a. $2\frac{5}{8}$ **b.** $1\frac{3}{8}$ **c.** $1\frac{7}{8}$ **d.** $3\frac{1}{8}$

2. ¿Cuántas secciones de $\frac{1}{8}$ hay en cada modelo?

PIENSA Y COMENTA

Durante la actividad anterior has hallado el número de octavos que hay en varios números mixtos. En $2\frac{5}{8}$ hay 21 octavos ó $\frac{21}{8}$. Para convertir un número mixto en fracción impropia puedes dibujar un modelo o usar fracciones equivalentes.

Ejemplo 1   Convierte $2\frac{5}{8}$ en fracción impropia.

$$2\frac{5}{8} = 2 + \frac{5}{8}$$ Expresa el número mixto como una suma.

$$= \frac{2}{1} + \frac{5}{8}$$ Convierte el número entero en fracción.

$$= \frac{16}{8} + \frac{5}{8}$$ Escribe una fracción equivalente y suma los numeradores.

$$2\frac{5}{8} = \frac{21}{8}$$

3. ¿Por qué fue conveniente elegir $\frac{16}{8}$ como fracción equivalente a $\frac{2}{1}$?

4. Explica cómo convertirías $1\frac{3}{4}$ en fracción impropia.

5. Convierte cada número mixto en fracción impropia.

   a. $1\frac{3}{4}$ **b.** $2\frac{3}{4}$ **c.** $3\frac{3}{4}$ **d.** $4\frac{3}{4}$

6. Describe el patrón que se observa en las fracciones impropias del ejercicio 5.

7. Janet ha creado un método para convertir números mixtos en fracciones impropias. Observa cómo lo ha aplicado a $2\frac{3}{4}$.

- Multiplica el número entero por el denominador.

    $2 \cdot 4 = 8$

- Suma el producto al numerador.

    $8 + 3 = 11$

- Utiliza la suma como numerador de la fracción impropia.

    $\frac{11}{4}$

a. Convierte $3\frac{4}{5}$ en fracción impropia siguiendo el método de Janet.

b. ¿Crees que el método de Janet funciona en todos los casos? Explica por qué.

Para convertir una fracción impropia en número mixto se divide el numerador por el denominador. El residuo se utiliza como parte fraccionaria del número mixto.

Ejemplo 2 Convierte $\frac{30}{8}$ en un número mixto reducido a su mínima expresión.

- $\begin{array}{r} 3 \leftarrow \textbf{número entero} \quad \text{Divide.} \\ 8\overline{)30} \\ \underline{24} \\ 6 \leftarrow \textbf{numerador} \end{array}$

- $3\frac{6}{8} = 3\frac{3}{4}$ Escribe la fracción en su mínima expresión.

    Por lo tanto, $\frac{30}{8} = 3\frac{3}{4}$.

8. Convierte $\frac{12}{5}$ en número mixto.

PONTE A PRUEBA

9. ¿Cómo se puede determinar si una fracción es o no impropia?

10. Escribe el número mixto y la fracción impropia correspondientes a este modelo.

11. a. Dibuja un modelo para $2\frac{1}{4}$.

b. Usa el modelo para convertir $2\frac{1}{4}$ en fracción impropia.

12.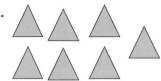

13.

a. ¿Cuál es la fracción impropia representada si cada triángulo equivale a $\frac{1}{4}$ de unidad?

b. ¿Cuál es el número mixto representado?

a. ¿Cuál es la fracción impropia representada si el hexágono es la unidad?

b. ¿Cuál es el número mixto representado?

14. a. En una fiesta escolar se sirvieron $\frac{205}{4}$ galones de ponche. Convierte esta fracción en número mixto.

b. Cada una de las pizzas que había en la fiesta estaba dividida en 8 secciones iguales. Al final de la fiesta quedó una pizza con 2 secciones, otra con 5 y dos más con 3 secciones cada una. Escribe el número mixto correspondiente a la cantidad de pizza que sobró.

POR TU CUENTA

Convierte estos números en fracciones impropias.

15. $2\frac{5}{8}$ **16.** $5\frac{3}{4}$ **17.** $1\frac{1}{12}$ **18.** $4\frac{3}{5}$

19. $1\frac{3}{7}$ **20.** $4\frac{5}{8}$ **21.** $3\frac{2}{5}$ **22.** $2\frac{7}{12}$

Convierte estas fracciones impropias en números enteros o en números mixtos en su mínima expresión.

23. $\frac{17}{3}$ **24.** $\frac{21}{3}$ **25.** $\frac{42}{4}$ **26.** $\frac{31}{12}$

27. $\frac{37}{8}$ **28.** $\frac{49}{6}$ **29.** $\frac{84}{7}$ **30.** $\frac{45}{10}$

31. a. ¿Cuál es la fracción impropia representada si el trapecio es 1 unidad?

b. ¿Cuál es el número mixto representado?

32. Escribe la fracción de valor más alto que puede obtenerse con los dígitos 2, 5 y 9. Conviértela después en número mixto.

R^{e}pa^{s}o MIXTO

¿Podrían ser congruentes estos pares de triángulos?

1. un triángulo rectángulo y un triángulo equilátero

2. un triángulo escaleno y un triángulo rectángulo

Suma o resta.

3. 2.009 + 1 + 53.75

4. 295.6 − 290.074

5. Los edificios de una calle están numerados de forma consecutiva. ¿Cuántos edificios hay en el lado de los números impares de una cuadra que empieza en el 107 y acaba en el 189?

33. Cocina En una clase de cocina se prepararon $25\frac{1}{4}$ barras de pan de plátano para un desayuno del profesorado. Cada barra se cortó en ocho rebanadas iguales. ¿Cuántas rebanadas había?

34. Usa una fracción impropia y un número mixto para representar la longitud de este segmento.

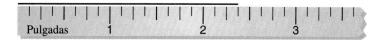

35. Elige A, B, C o D. Un objeto mide entre 3 y $3\frac{1}{4}$ pies de largo. Elige la fracción que cumple con esta descripción y conviértela en número mixto.

A. $\frac{26}{7}$ **B.** $\frac{11}{3}$ **C.** $\frac{25}{8}$ **D.** $\frac{18}{5}$

Convierte estas fracciones impropias en números enteros o en números mixtos escritos en su mínima expresión.

36. $\frac{18}{4}$ **37.** $\frac{21}{9}$ **38.** $\frac{33}{12}$ **39.** $\frac{48}{8}$

40. Pensamiento crítico Una receta requiere $1\frac{3}{4}$ tz de harina. Darrel y Tanisha sólo tienen una medida de un cuarto de taza. ¿Cuántas veces la llenarán para obtener la cantidad requerida?

41. Carpintería Daniel y Alisha han medido la misma tabla. Daniel afirma que su longitud es de $5\frac{1}{4}$ pies, y Alisha que es de $5\frac{6}{12}$ pies. ¿Coinciden estas medidas? Explica por qué.

42. Por escrito Explica cómo se convierte el número mixto $4\frac{5}{9}$ en fracción impropia.

43. Transporte Los hermanos Brook tardaron 3 h 45 min en ir a la casa de sus primos el Día de Acción de Gracias. Convierte ese tiempo en número mixto y escribe luego la fracción en su mínima expresión.

44. Carpintería Perla dedicó un total de 345 min a su proyecto de carpintería. Usa un número mixto para representar las horas que Perla trabajó.

45. Investigación (pág. 280) Haz una lista de productos que, como las mesas cubiertas de azulejos, consistan en un conjunto de cuadrados o rectángulos adyacentes.

Las piezas de madera se suelen medir "en bruto" antes de pulir su superficie. Una tabla de 2 por 4 (2 pulg por 4 pulg en bruto) medirá aproximadamente $1\frac{1}{2}$ pulg por $3\frac{1}{2}$ pulg una vez pulida.
Fuente: *Reading the Numbers*

Exploración de patrones de fracciones

En esta lección

• Usar hojas de cálculo para representar patrones de fracciones

VAS A NECESITAR

✓ Computadora

✓ Hoja de cálculo

✓ Programa de gráficas

PIENSA Y COMENTA

La próxima vez que escuches a tu grupo favorito pon atención al patrón del ritmo. Los patrones son la base de la música. Hasta las notas mismas siguen un patrón matemático.

Como se ve en la tabla, las notas son fracciones de un sonido entero.

Símbolo	Nombre	Valor	Modelo
	redonda	1	
	blanca	$\frac{1}{2}$	
	negra	$\frac{1}{4}$	
	corchea	$\frac{1}{8}$	
	semicorchea	■	■
	fusa	■	■

La semifusa (con valor de $\frac{1}{64}$) es una nota que aparece en pasajes muy rápidos. **¿Con qué símbolo crees que se representa la semifusa?**

1. a. Anota los denominadores que aparecen en la tabla. ¿Qué patrón observas?

b. Basándote en el patrón de la tabla, ¿cuáles crees que son los valores de las dos últimas notas?

c. Copia y completa las dos últimas filas. Puedes dibujar o describir los modelos.

2. a. Computadora Copia y extiende la hoja de cálculo hasta el décimo número del patrón.

	A	B	C
1	**Numerador**	**Denominador**	**Valor decimal**
2	1	2	0.500
3	1	4	0.250
4	1	8	▪

b. ¿Qué fórmula usarías para hallar el valor de la celdilla C2?

c. En la gráfica de barras de la derecha se representan las columnas B y C de la hoja de cálculo de arriba. Copia y completa la gráfica incluyendo todos los datos de las columnas B y C de tu hoja de cálculo.

d. ¿Cómo cambia la altura de las barras a medida que aumenta el valor de los denominadores?

e. ¿Podría haber una barra de altura cero? Explica por qué.

3. a. Las primeras cinco unidades fraccionarias son $\frac{1}{2}$, $\frac{1}{3}$, $\frac{1}{4}$, $\frac{1}{5}$, $\frac{1}{6}$. ¿Cuáles son las tres unidades fraccionarias siguientes?

b. Supón que hubieras relacionado en una gráfica los valores decimales y los denominadores de las unidades fraccionarias anteriores. ¿Cómo cambiarían las alturas de las barras en comparación con las que aparecen en la gráfica del ejercicio 2?

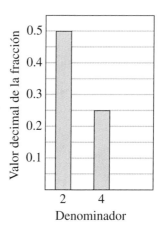

⌐EN EQUIPO

4. Respondan a las preguntas de abajo considerando estos conjuntos de fracciones.

I. $\frac{1}{2}$ $\frac{2}{4}$ $\frac{3}{8}$ $\frac{4}{16}$ II. $\frac{1}{1}$ $\frac{2}{4}$ $\frac{3}{9}$ $\frac{4}{16}$

a. ¿Qué patrones observan en los numeradores?

b. ¿Qué patrones observan en los denominadores?

c. Añadan las tres fracciones siguientes en cada grupo.

d. Calculadora Hallen los valores decimales de las fracciones de ambos grupos. ¿Qué parecidos y diferencias observan?

5. Invéntense un patrón de fracciones y pidan a los miembros de otro grupo que añadan tres fracciones a la serie.

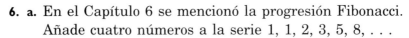
6. a. En el Capítulo 6 se mencionó la progresión Fibonacci. Añade cuatro números a la serie 1, 1, 2, 3, 5, 8, . . .

b. El primer par de números de la progresión de la parte (a) está formado por 1 y 1. El segundo par está formado por 1 y 2. El tercer par por 2 y 3. ¿Cuáles son los seis pares siguientes?

c. Construye fracciones convirtiendo el primer número de cada par en denominador y el segundo en numerador. Las primeras tres fracciones son $\frac{1}{1}$, $\frac{2}{1}$ y $\frac{3}{2}$. ¿Cuáles son las seis siguientes?

d. Calculadora Halla los decimales correspondientes a cada una de esas fracciones. Escribe todos los dígitos que aparezcan en el visor de la calculadora. ¿Qué observas?

e. Supón que hubieras hallado los números que quedan en los lugares 20 y 21 de la progresión. ¿Cuál crees que sería su equivalente decimal redondeado a la centésima más cercana?

7. a. Por escrito Explica cómo hallarías el numerador y el denominador de la quinta fracción de este patrón.

$$\frac{2}{2}, \frac{6}{4}, \frac{10}{8}, \frac{14}{16}, \cdots$$

b. ¿Qué tipo de progresión forman los numeradores? ¿Y los denominadores?

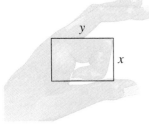

 Las fracciones formadas por pares de números consecutivos en la progresión Fibonacci se acercan a un valor conocido como razón de oro. Tú tienes tu propia razón de oro. Dobla un índice como se indica en el dibujo y mide las longitudes x e y. **Halla el valor decimal de $\frac{y}{x}$.**

VISTAZO A LO APRENDIDO

Di si cada número es primo o compuesto.

1. 159   **2.** 2,018   **3.** 181   **4.** 51

5. Halla el M.C.D. de 81 y 45.

6. Escribe la fracción $\frac{12}{54}$ en su mínima expresión descomponiéndola en factores primos.

Convierte estas fracciones en números enteros o en números mixtos en su mínima expresión.

7. $\frac{29}{6}$ **8.** $\frac{82}{5}$ **9.** $\frac{24}{8}$ **10.** $\frac{45}{6}$

Convierte en fracciones impropias.

11. $2\frac{5}{6}$ **12.** $4\frac{1}{9}$ **13.** $3\frac{1}{8}$ **14.** $1\frac{9}{10}$

Práctica: Resolver problemas

LEE
PLANEA
RESUELVE
COMPRUEBA

ESTRATEGIAS PARA RESOLVER PROBLEMAS

Haz una tabla
Razona lógicamente
Resuelve un problema más sencillo
Decide si tienes suficiente información, o más de la necesaria
Busca un patrón
Haz un modelo
Trabaja en orden inverso
Haz un diagrama
Estima y comprueba
Simula el problema
Prueba con varias estrategias
Escribe una ecuación

 Tres cuartos de los adultos estadounidenses dan dinero a organizaciones benéficas, y un quinto trabajan de voluntarios en obras de caridad.

Fuente: *Statistical Abstract*

Trata de resolver el problema. Si no es posible, di qué información falta. A la izquierda aparecen algunas de las estrategias que puedes usar.

1. En un laboratorio escolar hay un frasco con bacterias cuyo número se dobla cada día. Si el frasco se llenó el día número 28, ¿qué día estaba medio lleno?

2. Los tres dígitos de un número son múltiplos de 3. Halla el valor más alto de este número de modo que ningún dígito se repita.

3. En una clase de 35 estudiantes, tres de cada cinco trabajaron en la venta de pasteles. ¿Cuántos estudiantes trabajaron en la venta?

4. A una conferencia estudiantil han acudido 32 delegados de una escuela, 40 de otra y 48 de una tercera. Los organizadores quieren dividir todas las delegaciones en grupos del mismo tamaño. ¿Cuál es el grupo más numeroso posible?

5. Susana terminó una carrera de natación en 1 min 35 s. Tamara terminó 8 s antes que Susana; Janine terminó 15 s después que Tamara, y Mavis 4 s antes que Janine. Halla el tiempo de cada nadadora.

6. La suma de cuatro números enteros consecutivos es 78. ¿Cuáles son los números?

7. La escuela decidió lavar autos para recaudar dinero. BJ lavó el doble de autos que Jayda; Jayda lavó tres menos que Tony, y Tony uno más que Kim. ¿Cuántos autos lavó Kim?

8. Supón que tres estudiantes tardan ocho minutos en llenar cuatro cestas de comida para los necesitados. ¿Cuántas cestas pueden llenar cuatro estudiantes en 12 minutos?

9. A Clovis le gusta cambiar diariamente de recorrido. Tiene cuatro caminos distintos para ir a la escuela y dos para ir a la biblioteca desde la escuela (cosa que hace todos los días). ¿Cuántos días escolares pasarán antes de que tenga que repetir un recorrido?

En conclusión

El significado de las fracciones   7-1

Las fracciones se utilizan para representar o describir situaciones muy diversas (medidas, las partes de un entero, los elementos de un conjunto, etc.).

1. Si el hexágono es el entero, ¿qué fracción representa el triángulo? ¿Y el rombo?

2. Dibuja modelos para representar las siguientes fracciones.

a. $\frac{3}{4}$ b. $\frac{3}{5}$ c. $\frac{2}{3}$

Fracciones equivalentes y simplificación   7-2, 7-3

Las fracciones que tienen el mismo valor son **fracciones equivalentes.** Para formar fracciones equivalentes se multiplica o divide el numerador y el denominador por un mismo número que no sea cero.

Una fracción está reducida a su **mínima expresión** cuando el único factor común del numerador y el denominador es 1.

3. Escribe todos los factores de cada número.

a. 16   b. 28   c. 57

4. Por escrito Explica cómo hallar una fracción en su mínima expresión equivalente a $\frac{12}{18}$.

5. Escribe estas fracciones en su mínima expresión.

a. $\frac{24}{48}$ b. $\frac{33}{132}$ c. $\frac{54}{72}$

6. Elige A, B o C. ¿Qué fracción *no* es equivalente a $\frac{4}{7}$?

A. $\frac{24}{42}$ B. $\frac{48}{74}$ C. $\frac{16}{28}$

Descomposición en factores primos   7-4

Los dos únicos factores de un número **primo** son 1 y el número mismo. Decimos que un número es **compuesto** cuando tiene más de dos factores.

La **descomposición en factores primos** de un número compuesto es ese número expresado como producto de sus factores primos.

7. Di si cada número es primo o compuesto.

a. 73   b. 87   c. 121

8. Descompón cada número en sus factores primos.

a. 68   b. 72   c. 110

En una *fracción impropia* el numerador es mayor o igual que el denominador.

Las fracciones impropias se pueden escribir como números mixtos o enteros. Los números mixtos se pueden escribir como fracciones impropias.

9. Convierte estos números mixtos en fracciones impropias.

a. $4\frac{5}{8}$ **b.** $2\frac{3}{5}$ **c.** $5\frac{7}{9}$ **d.** $3\frac{2}{3}$ **e.** $5\frac{1}{4}$ **f.** $1\frac{5}{6}$

10. Convierte estas fracciones impropias en números enteros o en números mixtos en su mínima expresión.

a. $\frac{15}{8}$ **b.** $\frac{23}{5}$ **c.** $\frac{32}{4}$ **d.** $\frac{28}{6}$ **e.** $\frac{16}{3}$ **f.** $\frac{39}{6}$

Puedes investigar los patrones numéricos que se dan en las fracciones.

11. Añade las tres fracciones siguientes de este patrón.

$$\frac{3}{4}, \frac{5}{8}, \frac{7}{16}, \frac{9}{32}, \cdots$$

Resolviendo problemas sencillos podemos hallar patrones que nos ayudan a resolver problemas más complejos.

12. Un tendero quiere formar una pirámide escalonada con cajas de cereal. Si en la punta hay una sola caja y cada hilera tiene una caja menos que la situada debajo, ¿cuántas cajas necesita para formar 20 hileras?

PREPARACIÓN PARA EL CAPÍTULO 8

Compara usando <, > ó =.

1. $\frac{5}{8}$ ■ $\frac{7}{8}$ **2.** $2\frac{7}{12}$ ■ $2\frac{5}{12}$ **3.** $\frac{8}{16}$ ■ $\frac{5}{10}$ **4.** $\frac{9}{14}$ ■ $\frac{9}{20}$

Escribe de nuevo estas fracciones usando el mismo denominador.

5. $\frac{3}{4}, \frac{1}{2}$ **6.** $\frac{2}{3}, \frac{5}{6}$ **7.** $\frac{3}{8}, \frac{1}{4}$ **8.** $\frac{5}{8}, \frac{7}{12}$

cierra el caso

Azulejos y mesas

El jefe de diseño de "La Mesa Mesera" te ha pedido que escribas las normas que utilizarán los diseñadores para determinar el tamaño de los azulejos correspondientes a cada mesa. Fija esas normas basándote en lo que has aprendido a lo largo de este capítulo. Podrías incluir los siguientes elementos.

✔ modelos de mesas en papel cuadriculado
✔ una tabla con dimensiones de azulejos y dimensiones superficiales de mesas
✔ instrucciones para calcular las dimensiones de los azulejos

Los problemas precedidos por la lupa (pág. 291, #39; pág. 295, #46 y pág. 303, #45) te ayudarán a realizar la investigación.

Extensión: En las diferentes etapas de un proceso de fabricación hay que tomar decisiones y llegar a compromisos. "La Mesa Mesera", por ejemplo, debe seleccionar azulejos con dimensiones que faciliten los cálculos. Haz una lista de otros factores que una compañía podría considerar al tomar una decisión.

Puedes consultar:

• al dueño de una empresa

Matemagia

Dile a un amigo que elija un número y lo escriba en un papel (tú no puedes verlo). Después pídele que

☞ le sume 3,

☞ multiplique el resultado por 4,

☞ le reste 12 al resultado

☞ y te diga el resultado final.

En cuanto oigas el resultado, divídelo mentalmente por 4 y anuncia el número obtenido. Tu compañero se quedará sorprendido porque habrás adivinado el número original.

¿Cuál es el truco? Cuando lo hayas averiguado podrás crear tu propia secuencia de operaciones mágicas.

Mucha gente mira la televisión para informarse y entretenerse. El dinero que las emisoras cobran a los patrocinadores de sus programas ayuda a cubrir los costos de producción y transmisión.

Los patrocinadores, por su parte, emiten anuncios para vender sus productos o servicios a los consumidores.

¿Qué fracción del tiempo que pasas mirando la televisión corresponde a los anuncios? Haz una estimación, mira después tu programa favorito y mide el tiempo ocupado por los anuncios. ¿Fue acertada tu estimación?

¿Crees que hay alguna relación entre la cantidad de anuncios y el tipo de programa que se emite? Diseña un experimento para investigar la cuestión.

¡Tizas en el aire!

Las tizas son cilíndricas, pero se venden en cajas rectangulares. ¿Qué fracción de una caja de tizas nueva crees que ocupa el aire? Halla la fracción y muestra tu razonamiento.

EL TIEMPO VUELA

¿Cómo estimas el tiempo? Pídele a un compañero que te mida con un reloj de segundero una estimación de $\frac{1}{2}$ minuto. Empieza cuando él te lo señale y usa la mano para indicar que ha pasado $\frac{1}{2}$ minuto. ¿Sabrías estimar $\frac{1}{3}$ ó $\frac{1}{4}$ de minuto? Mide con el reloj las estimaciones de tu compañero. Traten de estimar períodos de uno o dos minutos.

1. ¿Qué fracción representa la parte sombreada del modelo?

2. Dibuja modelos para representar la fracción y el número mixto.

   a. $\frac{3}{4}$ **b.** $2\frac{3}{5}$

3. Escribe dos fracciones equivalentes a cada una de éstas.

   a. $\frac{1}{3}$ **b.** $\frac{15}{24}$ **c.** $\frac{4}{5}$ **d.** $\frac{16}{28}$

4. Escribe todos los factores de 27.

5. Escribe los primeros cuatro múltiplos de 27.

6. El dígito que falta hace que el número sea divisible por 3. ¿Cuál es?

$$3{,}12\blacksquare{,}451$$

7. **Por escrito** Explica cómo se puede escribir la fracción $\frac{57}{69}$ en su mínima expresión usando pruebas de divisibilidad.

8. Halla el M.C.D. de 32 y 40.

9. ¿Cuál sería una prueba de divisibilidad para 6? ¿Y para 4?

10. **Estimación** Di si cada fracción está más cerca de 0, de $\frac{1}{2}$ ó de 1.

    a. $\frac{24}{26}$ **b.** $\frac{16}{30}$ **c.** $\frac{5}{19}$ **d.** $\frac{59}{64}$

11. Di si cada número es primo o compuesto.

    a. 17   **b.** 75   **c.** 49   **d.** 83

12. Usa un árbol de factorización para descomponer 42 en factores primos.

13. Escribe la fracción $\frac{36}{96}$ en su mínima expresión descomponiéndola en factores primos.

14. Los tripulantes de la nave *A Cada Uno lo Suyo* descubrieron un barco pirata hundido que contenía un cofre con 168 monedas de oro y 200 de plata. Tras el reparto no sobró ninguna moneda y todos recibieron la misma cantidad de cada tipo. ¿Cuál es el mayor número posible de tripulantes entre los cuales se pueden repartir las monedas en partes iguales? ¿Cuántas monedas de cada tipo recibiría cada uno?

15. **Elige A, B, C o D.** ¿Qué afirmación es *siempre* cierta?

    A. Dos es un número compuesto.

    B. El cuadrado de un número tiene una cantidad impar de factores.

    C. Un número es divisible por 8 si sus dos últimos dígitos forman una cantidad divisible por 8.

    D. Cualquier factor de un número entero es mayor que cualquier múltiplo de un número entero.

16. Convierte estos números mixtos en fracciones impropias.

    a. $5\frac{2}{3}$ **b.** $4\frac{5}{6}$ **c.** $8\frac{7}{10}$

17. Convierte estas fracciones impropias en números mixtos o números enteros.

    a. $\frac{12}{5}$ **b.** $\frac{30}{9}$ **c.** $\frac{48}{12}$

18. Añade los dos números siguientes de este patrón.

$$\frac{1}{3},\ \frac{2}{3},\ 1\frac{1}{3},\ 2\frac{2}{3},\ 5\frac{1}{3},\ \ldots$$

Repaso general

Elige A, B, C o D.

1. ¿Qué fracción *no* es equivalente a $\frac{9}{12}$?

A. $\frac{24}{32}$ **B.** $\frac{6}{8}$ **C.** $\frac{15}{20}$ **D.** $\frac{16}{24}$

2. ¿Cuál es el área de la figura de la derecha?

A. 14 m² **B.** 16 m²

C. 21 m² **D.** 44 m²

3. ¿Qué medida *no* se puede hallar sabiendo que $m\angle 1 = m\angle 3$ y que $m\angle 1 = 30°$?

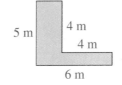

A. $m\angle 2$ **B.** $m\angle 3$ **C.** $m\angle 4$ **D.** $m\angle 5$

4. ¿Cuál es la quinta fracción del patrón $\frac{1}{2}, \frac{3}{4}, \frac{9}{8}, \frac{27}{16}, \ldots$?

A. $\frac{36}{24}$ **B.** $\frac{81}{32}$ **C.** $\frac{54}{48}$ **D.** $\frac{40}{25}$

5. ¿Qué triángulo tiene la misma área que el trapecio?

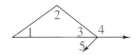

A.

B.

C.

D.

6. ¿Qué dos ángulos no son ni complementarios ni suplementarios?

A. 75° y 15° **B.** 90° y 90°

C. 80° y 120° **D.** 144° y 36°

7. ¿Qué afirmación es *falsa*?

A. El M.C.D. de dos números primos es 1.

B. Una fracción con números compuestos en el numerador y el denominador *no* está en su mínima expresión.

C. Más de la mitad de los números entre 1 y 100 son compuestos.

D. El M.C.D. de un número y el doble de ese número es el número mismo.

8. Vas a comprar dos boletos de avión que normalmente cuestan $354 cada uno. ¿A qué compañía se los comprarías?

Aerolínea	Oferta
A	"Compre un boleto y el segundo se lo ofrecemos a $\frac{1}{2}$ de precio."
B	"Descontamos $\frac{1}{4}$ en nuestros boletos."
C	"Pague $\frac{1}{2}$ si el boleto es más de $400."
D	"Descontamos $89 en todos los boletos."

9. ¿Qué fracción impropia está representada si el trapecio es el entero?

A. $\frac{11}{3}$ **B.** $\frac{3}{2}$ **C.** $\frac{7}{3}$ **D.** $\frac{8}{3}$

10. Un rectángulo tiene un perímetro de 18 cm y lados cuyas medidas son números enteros. ¿Cuál podría ser el área del rectángulo?

A. 10 cm² **B.** 20 cm²

C. 30 cm² **D.** 40 cm²

Aplicaciones de fracciones

Manuel Mendes es el cocinero en jefe en la academia militar de West Point, Nueva York. Con sus ayudantes, prepara tres comidas al día para 4,500 estudiantes. Cada estudiante necesita un promedio de 3,200 calorías/d. La cocina está abierta 24 h/d, 7 d/semana. Éstos son los ingredientes que utiliza para hacer *Sloppy Joes*.

Sloppy Joes de West Point
(para 100 personas)

41 lb carne molida   2 lb cebolla
$7\frac{1}{2}$ lb hongos $4\frac{3}{4}$ oz chile en polvo
$2\frac{1}{2}$ lb pimientos verdes $1\frac{2}{3}$ oz ajo en polvo
$11\frac{1}{2}$ lb puré de tomate $3\frac{1}{4}$ oz azúcar
$3\frac{1}{4}$ oz líq vinagre $7\frac{1}{2}$ lb kétchup
$1\frac{1}{2}$ lb pimientos rojos

DE TODO EL MUNDO

En 1978, un ciudadano de Taiwan consumía un promedio de 86 lb de carne al año. En 1988, la cantidad había aumentado a 132 lb anuales.

En el otoño de 1991, la empresa de investigaciones sociales *Teenage Research Unlimited* preguntó a adolescentes de entre 12 y 15 años si habían realizado determinadas actividades durante los siete días anteriores a la encuesta. Éstos son los porcentajes de las respuestas afirmativas.

Jóvenes cocineros		
Actividad	**Muchachos**	**Muchachas**
Preparar comida para mi familia	35.0%	53.5%
Prepararme la comida	62.6%	71.1%
Hornear	25.5%	44.9%
Usar el microondas	83.7%	87.8%
Comer en un restaurante de comida rápida	79.1%	77.6%

Fuente: Teenage Research Unlimited

EN ESTE CAPÍTULO

- representarás operaciones con fracciones
- resolverás ecuaciones con fracciones
- usarás tecnología para explorar las relaciones entre fracciones
- resolverás problemas trabajando en orden inverso

LA PIRÁMIDE DE ALIMENTOS
Guía para la alimentación diaria

Consumo de carne y pescado en EE.UU.

Libras por persona por año

	aves	carne roja	pescado y mariscos
1966	30.9	122.3	10.9
1991	58.1	112	14.8

Fuente: Departamento de Agricultura de EE.UU.

Clave
- Grasa (en los alimentos o añadida)
- Azúcares (añadidos)

grasas, aceites y dulces con moderación

leche, yogur y queso
2-3 porciones

carne de ave o de res, pescado, legumbres, huevos y nueces
2-3 porciones

verduras
3-5 porciones

frutas
2-4 porciones

pan, cereales, arroz y pasta
6-11 porciones

(in)vestigación

Informe

Tú y los demás miembros del Club de Jóvenes Inversionistas han recaudado $500 vendiendo dulces y esperan aumentar sus ingresos negociando con acciones. Hay que aprender muchas cosas antes de invertir en la bolsa de valores. El objetivo de quienes invierten en la bolsa es comprar cuando los valores están bajos y vender cuando están altos. Por ejemplo, si se compran acciones a $33 cada una y se venden a $43, se obtiene una ganancia de $10 por acción. Naturalmente, se pierde dinero si se compra cuando los valores están altos y se vende cuando están bajos. Incluso los mejores expertos llegan a perder dinero en la bolsa.

Misión: Investiga las posibles inversiones que el club podría realizar en la bolsa de valores. Muchos periódicos informan diariamente del precio máximo, mínimo y de cierre de las acciones en bolsa. Los periódicos que contienen esta información se pueden encontrar en bibliotecas y puestos de prensa.

Sigue Estas Pistas

✓ ¿Qué debes saber sobre una acción antes de comprarla?

✓ ¿Cómo puedes obtener información sobre una compañía cuyas acciones estás pensando comprar?

✓ ¿Qué información sobre una empresa te indicaría que sus acciones van a subir de precio?

Comparación y orden de las fracciones

VAS A NECESITAR

✓ Barras de fracciones

 ¿QUÉ? Las personas
recuerdan:

• tres cuartos
de lo que dicen.

• una décima de lo que oyen.

• nueve décimas de lo que
hacen.

PIENSA Y COMENTA

1. Nombra las fracciones representadas
por las barras de fracciones de la
derecha.

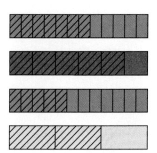

2. ¿Cuál es la fracción correspondiente a
la barra con más espacio sombreado?
¿Y a la barra con menos?

3. Escribe las cuatro fracciones en orden
de menor a mayor.

Las fracciones que tienen el mismo denominador se comparan
tomando en cuenta sólo sus numeradores.

Ejemplo 1

Considera los datos de la izquierda. ¿Qué recuerdan
mejor las personas: lo que oyen o lo que hacen?

• Compara $\frac{1}{10}$ con $\frac{9}{10}$.

Como $1 < 9$, $\frac{1}{10} < \frac{9}{10}$ ó $\frac{9}{10} > \frac{1}{10}$.

Recuerdan mejor lo que hacen que lo que oyen.

 **¡RECUERDA!**

El mínimo común múltiplo
(m.c.m.) de dos números es
el menor de los múltiplos
que ambos tienen en común.

múltiplos de 4:

4, 8, 12, 16, ⑳, 24, . . .

múltiplos de 10:

10, ⑳, 30, 40, 50, . . .

El m.c.m. de 4 y 10 es 20.

Para comparar dos fracciones con distinto denominador se utiliza
su *mínimo común denominador*. El **mínimo común denominador
(m.c.d.)** de dos fracciones es el mínimo común múltiplo de sus
denominadores.

Ejemplo 2

¿Qué recuerdan mejor las personas: lo que dicen o lo
que hacen?

• Compara $\frac{3}{4}$ con $\frac{9}{10}$.

• El m.c.m. de 4 y 10 es 20; por lo tanto, su m.c.d.
es 20.

• Halla fracciones equivalentes.

$$\frac{3}{4} = \frac{3 \cdot 5}{4 \cdot 5} = \frac{15}{20} \qquad \frac{9}{10} = \frac{9 \cdot 2}{10 \cdot 2} = \frac{18}{20}$$

Como $15 < 18$, $\frac{15}{20} < \frac{18}{20}$ y $\frac{3}{4} < \frac{9}{10}$.

Recuerdan mejor lo que hacen que lo que dicen.

4. Usa barras de fracciones para comparar las fracciones del
ejemplo 2.

 Muchas compañías venden acciones (es decir, pequeñas participaciones en el capital) para obtener el dinero que necesitan. Los inversionistas suelen negociar con ellas en el mercado y su valor cambia según los vaivenes de la oferta y la demanda. La mayor ampliación de capital de la historia (55 millones de acciones a la venta) fue realizada por la compañía General Motors el 12 de mayo de 1992.

Fuente: *Guinness Book of Records*

El m.c.d. también se puede usar para ordenar tres o más fracciones.

Ejemplo 3   Ordena $\frac{3}{4}$, $\frac{3}{8}$ y $\frac{5}{6}$ de menor a mayor.

- 4, 8, 12, 16, 20, ㉔   Halla el m.c.d. enumerando múltiplos de los denominadores.

 8, 16, ㉔

 6, 12, 18, ㉔

- $\frac{3}{4} = \frac{3 \cdot 6}{4 \cdot 6} = \frac{18}{24}$ Usa el denominador 24 para hallar fracciones equivalentes.

 $\frac{3}{8} = \frac{3 \cdot 3}{8 \cdot 3} = \frac{9}{24}$

 $\frac{5}{6} = \frac{5 \cdot 4}{6 \cdot 4} = \frac{20}{24}$

- $\frac{9}{24} < \frac{18}{24} < \frac{20}{24}$ Ordena las fracciones equivalentes según sus numeradores.

De menor a mayor, el orden es $\frac{3}{8}, \frac{3}{4}, \frac{5}{6}$.

5. Una acción de la compañía Pantalones Pleno valía el lunes $\$7\frac{1}{4}$, el martes $\$7\frac{5}{8}$ y el miércoles $\$7\frac{1}{2}$.

   a. Ordena los valores de menor a mayor.

   b. ¿Qué día alcanzó la acción el valor más alto?

PONTE A PRUEBA

Escribe las dos fracciones representadas y compáralas.

6.

7.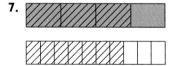

Halla el m.c.d. Escribe luego las fracciones usando el mismo denominador.

8. $\frac{3}{4}$ y $\frac{1}{5}$ 9. $\frac{2}{3}$ y $\frac{7}{9}$ 10. $\frac{5}{8}$ y $\frac{1}{6}$

Compara usando <, > ó =.

11. $\frac{3}{8}$ ■ $\frac{5}{8}$ 12. $\frac{2}{3}$ ■ $\frac{3}{5}$ 13. $11\frac{1}{2}$ ■ $11\frac{3}{8}$

Ordena de menor a mayor.

14. $\frac{3}{4}, \frac{2}{3}, \frac{5}{6}$ 15. $\frac{3}{8}, \frac{1}{4}, \frac{2}{3}$ 16. $\frac{8}{9}, \frac{4}{5}, \frac{7}{12}, \frac{3}{4}$

Compara usando <, > ó =.

17. $\frac{1}{8}$ ■ $\frac{3}{16}$ **18.** $\frac{3}{4}$ ■ $\frac{3}{10}$ **19.** $\frac{4}{5}$ ■ $\frac{2}{3}$ **20.** $\frac{1}{6}$ ■ $\frac{2}{9}$

21. Quieres clavar en la pared una tabla que mide $\frac{1}{2}$ pulg de grueso. Puedes elegir entre clavos de $\frac{3}{8}$ pulg y clavos de $\frac{3}{4}$ pulg. ¿Qué clavos escogerías? Explica por qué.

22. En la fiesta de séptimo grado había números iguales de pizzas de queso, pizzas de verduras y pizzas de carne. Al final de la fiesta sobraron $\frac{5}{8}$ de una pizza de queso, $\frac{2}{3}$ de una pizza de verduras y $\frac{3}{4}$ de una pizza de carne. ¿Qué tipo de pizza se consumió más? Explica por qué.

23. Por escrito Explica un método sencillo de comparar dos fracciones con el mismo *numerador* $\left(\frac{4}{5}\text{ y }\frac{4}{7}\text{, por ejemplo}\right)$.

24. Archivo de datos #8 (págs. 314–315) ¿Qué cantidad de pimientos rojos es menos que la cantidad requerida en la receta de *Sloppy Joes* para 100 personas?

*En Estados Unidos se consume cada día una "extensión" de pizza equivalente a 75 acres o a 60 campos de fútbol americano. **Escribe el número mixto correspondiente al número de acres de un campo de fútbol americano.***

Fuente: *In One Day*

A. $1\frac{1}{5}$ lb   **B.** $1\frac{3}{4}$ lb   **C.** $1\frac{4}{5}$ lb   **D.** $1\frac{1}{2}$ lb

Estimación Asocia cada fracción con un punto de la recta numérica.

25. $\frac{3}{8}$ **26.** $\frac{11}{12}$ **27.** $\frac{3}{4}$ **28.** $\frac{3}{16}$

¿Qué fracción preferirías? Explica por qué.

29. $\frac{2}{3}$ ó $\frac{2}{5}$ de una manzana   **30.** $2\frac{1}{2}$ ó $2\frac{3}{4}$ h de tarea escolar

31. $\frac{9}{10}$ ó $\frac{3}{4}$ de dólar de una deuda que tienes   **32.** $\frac{1}{6}$ ó $\frac{1}{12}$ de año para vacaciones

33. Investigación (pág. 316) Busca la sección de finanzas de un periódico y elige dos acciones. Durante las próximas dos semanas anota en una tabla sus valores diarios al cierre del mercado.

Re**pas**o **MIXTO**

Resuelve.

1. $6n = 72$

2. $\frac{n}{2} = -13$

Halla las sumas.

3. $-3 + 7$ 4. $5 + (-2)$

5. Las ruedas de una bicicleta tienen un diámetro de 60 cm. Estima el número de vueltas que da una rueda en un recorrido de 8,000 m.

8-2

Fracciones y decimales

PIENSA Y COMENTA

La pelota de softball se te aproxima a toda velocidad. Tu cuerpo se inclina, tus brazos y muñecas giran, el bate golpea la pelota... ¡Bam! Conectas un lineazo al jardín central. ¡Es un *hit*!

Esto no ocurre siempre que se batea. De hecho, muy pocos jugadores consiguen un *hit* más de $\frac{1}{3}$ de las veces.

UCLA SOFTBALL — LAS 5 MEJORES BATEADORAS 1992

Jugadora	Hits	Veces al bate	Fracción de veces que hizo hit
Lisa Fernández	71	177	$\frac{71}{177}$
Kathi Evans	69	190	$\frac{69}{190}$
Yvonne Gutiérrez	69	170	$\frac{69}{170}$
Jo Alchin	51	158	$\frac{51}{158}$
Jenny Brewster	28	92	$\frac{28}{92}$

 ¿QUÉ? El equipo de softball femenino de UCLA ha ganado 7 campeonatos en 11 años. Dos de los años en que no ganaron terminaron en segundo lugar. **¿Qué fracción de esos 11 años ha alcanzado uno de los dos primeros puestos?**

Fuente: *Sports Illustrated Sports Almanac*

1. ¿En qué orden aparecen las jugadoras?

2. ¿Quién tiene más veces al bate: Yvonne Gutiérrez o Kathi Evans?

3. ¿Quién hizo *hit* en una fracción mayor de sus veces al bate: Yvonne Gutiérrez o Kathi Evans? ¿Cómo lo sabes?

4. ¿Qué jugadora ha sido más efectiva bateando: Yvonne Gutiérrez o Kathi Evans? Explica por qué.

5. Pon las fracciones de la tabla en orden. Usa este orden para poner a las jugadoras en orden.

El promedio de bateo se suele expresar en decimales. Para hallarlo se convierte la fracción $\frac{hits}{veces\ al\ bate}$ en un decimal.

6. a. Calculadora Convierte la fracción de cada jugadora en un decimal. Redondea los promedios a la milésima más cercana.

   b. Pon a las jugadoras en orden según sus promedios de bateo (de mayor a menor).

   c. ¿Con qué promedio te resultó más fácil la comparación: con el decimal o con la fracción? ¿Por qué?

Cuando se convierte una fracción en un número decimal pueden aparecer decimales periódicos.

7. a. Calculadora Convierte las fracciones de abajo en decimales. Indica con una barra los decimales periódicos.

Jugador	Hits	Veces al bate	Fracción
A	32	96	$\frac{32}{96}$
B	75	270	$\frac{75}{270}$
C	57	190	$\frac{57}{190}$
D	52	250	$\frac{52}{250}$

   b. Pon las fracciones en orden de mayor a menor.

Los decimales pueden convertirse en fracciones escribiéndolos como numeradores sobre una potencia de 10. Supón que Billy Crane, el mejor bateador de un equipo de béisbol, tiene un promedio de bateo de .325. Para convertir esta cantidad en fracción, considera que Billy tiene un promedio de trescientas veinticinco *milésimas.* Como el denominador es *1,000,* la fracción se escribe así: $\frac{325}{1,000}$.

$$\frac{325}{1,000} = \frac{325 \div 25}{1,000 \div 25} = \frac{13}{40} \quad \text{Usa el M.C.D., que es 25, para simplificar la fracción.}$$

Billy consigue unos 13 *hits* en cada 40 veces al bate.

8. Julián Jonrón tiene un promedio de bateo de .285. Convierte esta cantidad en una fracción en su mínima expresión.

⚡ **¡RECUERDA!**

Para convertir una fracción en decimal se divide el numerador por el denominador.

Ejemplo: $\frac{3}{5} = 3 \div 5 = 0.6$

⚡ **¡RECUERDA!**

Para indicar que un decimal es periódico se coloca una barra sobre los dígitos que se repiten. Ejemplos:

$\frac{1}{3} = 0.3333\ldots = 0.\overline{3}$

$4\frac{2}{11} = 4.181818\ldots = 4.\overline{18}$

1. Halla la media, la mediana y la moda de las siguientes calificaciones: 93, 80, 77, 93, 69, 90, 85 y 88.

2. En un triángulo rectángulo un ángulo mide 60°. ¿Cuánto mide el otro ángulo agudo?

Compara usando >, < ó =.

3. $\frac{3}{4}$ ■ $\frac{5}{16}$ **4.** $\frac{3}{5}$ ■ $\frac{2}{3}$

5. El ancho y la altura de una portería de fútbol suman 32 pies. ¿Cuáles son las dimensiones de la portería si la diferencia entre el ancho y la altura es de 24 pies?

Tipo de semilla	Cantidad de brotes	Cantidad sembrada
A	15	48
B	5	20
C	22	44
D	17	35
E	18	52
F	21	63
G	14	55
H	18	35
I	8	15

9. Un botánico hizo un experimento con semillas silvestres. A la izquierda se registran las cantidades sembradas y los brotes obtenidos.

   a. Calculadora Escriban las fracciones $\frac{\text{cantidad de brotes}}{\text{cantidad sembrada}}$ y conviértanlas en decimales redondeados a la centésima más cercana.

   b. Clasifiquen las semillas en tres grupos: las que germinan aproximadamente $\frac{1}{2}$ de las veces, las que germinan aproximadamente $\frac{1}{3}$ de las veces y las que germinan aproximadamente $\frac{1}{4}$ de las veces.

   c. En las fracciones en cada grupo, ¿aproximadamente cuántas veces mayor es el denominador que el numerador?

POR TU CUENTA

Elige Usa una calculadora, lápiz y papel o cálculo mental para convertir cada fracción en decimal. Pon una barra sobre los decimales periódicos.

10. $\frac{2}{5}$ **11.** $\frac{5}{6}$ **12.** $\frac{3}{20}$ **13.** $\frac{3}{8}$ **14.** $\frac{11}{12}$ **15.** $\frac{3}{2}$

16. Archivo de datos #11 (págs. 456–457) ¿Qué fracción de los icebergs desprendidos de Groenlandia acaba flotando a la deriva por el Océano Atlántico? Simplifica la fracción y conviértela en decimal.

17. Por escrito Describe algunas situaciones de la vida real en las que se necesite convertir fracciones en decimales.

Convierte cada decimal en una fracción en su mínima expresión.

18. 0.6   **19.** 0.125   **20.** 0.66   **21.** 2.5   **22.** 3.75

Estado	Población total (millares)	Menores de 18 años (millares)
ME	1,235	310
NY	18,055	4,366
OH	10,939	2,819
CA	30,380	8,163
MD	4,860	1,201
KY	3,713	959
OK	3,175	875
WY	460	154
AK	570	180
FL	13,277	2,998

Fuente: *Statistical Abstract of the United States*

23. La tabla de la izquierda recoge la población de diez estados y el número de menores de 18 años que en ellos viven.

   a. ¿En qué estado hay algo más de un $\frac{1}{3}$ de menores de 18 años?

   b. ¿Qué fracción correspondería a la población de menores de 18 años en la mayoría de los estados: $\frac{1}{2}$, $\frac{1}{3}$ ó $\frac{1}{4}$?

   c. Calculadora Ordena los estados de menor a mayor según la fracción de su población que son menores de 18 años.

8-3 Estimación con fracciones

• Estimar sumas, diferencias, productos y cocientes de fracciones y números mixtos

¡RECUERDA!

Una fracción está cerca de:

• 0 cuando el numerador es muy pequeño en comparación con el denominador.

• $\frac{1}{2}$ cuando el denominador equivale aproximadamente al doble del numerador.

• 1 cuando el numerador y el denominador son casi equivalentes.

PIENSA Y COMENTA

Puedes estimar sumas o restas de fracciones determinando si cada una está más cerca de 0, de $\frac{1}{2}$ ó de 1.

Ejemplo 1 Estima la suma $\frac{7}{8} + \frac{4}{9}$.

$$\frac{7}{8} + \frac{4}{9}$$
$$\downarrow \quad \downarrow$$
$$1 + \frac{1}{2} = 1\frac{1}{2}$$

1. ¿Crees que la suma exacta es *mayor que* $1\frac{1}{2}$ ó *menor que* $1\frac{1}{2}$? Explica por qué.

2. **Pensamiento crítico** Nombra dos fracciones que sean cada una menor que 1 y que sumen un poco más que 1.

Cuando en una suma o en una resta hay números mixtos, se puede obtener una estimación razonable redondeando al entero más cercano.

Ejemplo 2 Estima la diferencia $8\frac{1}{6} - 4\frac{1}{2}$.

$$8\frac{1}{6} - 4\frac{1}{2}$$
$$\downarrow \quad \downarrow$$
$$8 - 5 = 3$$

Si la parte fraccionaria es mayor o igual que $\frac{1}{2}$, redondea hacia arriba.

Para estimar el producto de números mixtos también se redondea al entero más cercano.

Ejemplo 3 Estima el producto $2\frac{2}{5} \cdot 6\frac{1}{9}$.

$$2\frac{2}{5} \cdot 6\frac{1}{9}$$
$$\downarrow \quad \downarrow$$
$$2 \cdot 6 = 12$$

3. ¿Crees que el producto exacto en este caso es *mayor que* 12 ó *menor que* 12? Explica por qué.

4. Estima el producto de $5\frac{1}{3}$ y $3\frac{3}{4}$.

¡RECUERDA!

Decimos que dos números son compatibles cuando es fácil dividirlos mentalmente.

¡RECUERDA!

Aplicando la propiedad conmutativa,
$$\frac{1}{8} \cdot 72 = 72 \cdot \frac{1}{8}.$$
$$72 \cdot \frac{1}{8} = 72 \div 8$$

En la montaña Waialeale, situada en la isla de Kauai, Hawaii, llueve 350 días al año. La precipitación media es de 410 pulgadas anuales. **Escribe la fracción correspondiente a la media diaria.**

Fuente: *The Dorling Kindersley Science Encyclopedia*

Para estimar el cociente de números mixtos puedes utilizar números compatibles.

Ejemplo 4   Estima el cociente $43\frac{1}{4} \div 5\frac{7}{8}$.

$$43\frac{1}{4} \div 5\frac{7}{8} \qquad 5\frac{7}{8} \text{ se redondea a 6.}$$
$$\downarrow \qquad \downarrow$$
$$42 \div 6 = 7 \qquad \begin{array}{l} 42 \text{ y } 6 \text{ son} \\ \text{números compatibles.} \end{array}$$

A veces se usan números compatibles para estimar productos en los que intervienen fracciones.

Ejemplo 5   Estima $\frac{1}{8}$ de 74.

$$\frac{1}{8} \text{ de } 74 \text{ equivale a } \frac{1}{8} \cdot 74.$$

$$\frac{1}{8} \cdot 74 \rightarrow \frac{1}{8} \cdot 72 = 9$$

5. Explica por qué 74 se ha redondeado a 72 en el ejemplo 5.

6. En el ejemplo 5, ¿te parece que el resultado exacto de la operación anterior sería mayor o menor que 9? Explica por qué.

PONTE A PRUEBA

Estima las sumas y diferencias.

7. $\frac{1}{7} + \frac{3}{8}$ **8.** $\frac{2}{3} + \frac{9}{10}$ **9.** $9\frac{1}{11} - 3\frac{7}{9}$ **10.** $5\frac{3}{5} + 3\frac{2}{3}$

Estima los productos y cocientes.

11. $\frac{1}{4}$ de 55   **12.** $13\frac{1}{2} \cdot \frac{1}{3}$ **13.** $10\frac{7}{8} \div 3\frac{1}{9}$ **14.** $7\frac{3}{5} \div 1\frac{1}{2}$

15. **El tiempo** La precipitación media en Nashville, Tennesse, es de unas $48\frac{1}{2}$ pulg al año. Estima la media mensual.

16. a. Estima la suma de $\frac{1}{8}$ y $\frac{1}{3}$ determinando si los sumandos están más cerca de 0, de $\frac{1}{2}$ ó de 1.

b. Haz la estimación redondeando al entero más cercano.

c. **Discusión** ¿Por qué es la estimación de la parte (a) más precisa que la de la parte (b)?

17. Por escrito Escribe un párrafo explicando las ventajas de la estimación en operaciones con fracciones.

18. Cocina Para hacer una barra de pan se requieren $2\frac{3}{4}$ tz de harina. Tú quieres hacer tres barras y tienes dos libras de harina que, según se indica en el paquete, equivalen a unas 7 tz. ¿Tienes suficiente harina? Explica por qué.

19. Cocina Tienes 4 tz de pasta y quieres hacer tres ensaladas. Una de las ensaladas require $2\frac{1}{3}$ tz. Otra requiere $\frac{3}{4}$ tz. La tercera requiere $1\frac{2}{3}$ tz. ¿Tienes pasta suficiente? Explica por qué.

Estima los resultados.

20. $5\frac{1}{8} - 2\frac{6}{7}$

21. $\frac{1}{9} \cdot 33\frac{1}{2}$

22. $\frac{5}{6} + \frac{7}{9}$

23. $16\frac{1}{7} \div 3\frac{3}{5}$

24. $4\frac{2}{3} \cdot 5\frac{1}{3}$

25. $7\frac{1}{6} + \frac{8}{10}$

26. $\frac{8}{9} \cdot \frac{19}{20}$

27. $6\frac{2}{9} - 5\frac{9}{10}$

28. $29\frac{5}{6} \cdot \frac{13}{25}$

29. $20\frac{7}{8} \div 1\frac{1}{12}$

30. $\frac{49}{50} - \frac{1}{2}$

31. $9\frac{3}{5} + \frac{1}{2}$

32. a. Pensamiento crítico Estima $\frac{1}{5}$ de 248.

    b. Usa el resultado de la parte (a) para estimar $\frac{3}{5}$ de 248.

    c. Explica cómo estimarías $\frac{5}{8}$ de 55.

33. Supón que has dado $16\frac{1}{4}$ vueltas a una pista que mide 125 yardas alrededor. ¿Has recorrido más de una milla? Explica por qué.

34. Sian y Alex van a vender mantelitos individuales en la feria de la escuela. Tienen una pieza de tela que mide $89\frac{3}{4}$ pulg de largo, y cada mantelito requiere $14\frac{3}{4}$ pulg. ¿Aproximadamente cuántos mantelitos pueden hacer?

35. Elige A, B, C o D. ¿Qué valor está entre 6 y 7?

    A. $\frac{1}{2}$ de $14\frac{1}{2}$ **B.** $2 \cdot 3\frac{15}{16}$ **C.** $5\frac{11}{12} + \frac{24}{25}$ **D.** $7\frac{8}{9} - \frac{1}{2}$

36. Investigación (pág. 316) Haz una gráfica de doble barra con los valores de cierre de las acciones (tabla del ejercicio 33, pág. 319). Amplía la gráfica con los datos que reúnas cada día.

Re**pa**s**o** MIXTO

Añade los tres términos siguientes.

1. 1, 4, 7, 10, . . .

2. −2, 8, −32, 128, . . .

Convierte cada decimal en una fracción en su mínima expresión.

3. 0.33   **4.** 5.125

Halla dos fracciones equivalentes.

5. $\frac{3}{12}$ **6.** $\frac{2}{9}$

7. En la tienda de la escuela los cuadernos cuestan $1.75, los lápices $.05, las plumas $1 y las carpetas $.75. ¿Cuánto cuestan 2 cuadernos y 4 lápices?

¡RECUERDA!

1 mi = 1,760 yd

8-4

Suma y resta de fracciones

• Sumar y restar
fracciones y números
mixtos

VAS A NECESITAR

✓ Barras de fracciones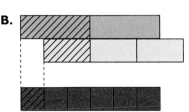

PIENSA Y COMENTA

Para representar una suma o una resta de fracciones puedes usar
barras de fracciones.

A. 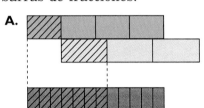　　　　**B.**

1. ¿Qué modelo corresponde a la suma? ¿Y a la resta?

2. Escribe el enunciado numérico correspondiente a cada modelo.

Para sumar dos fracciones con distinto denominador hay que
hallar antes su m.c.d.

Ejemplo 1　Halla la suma $\frac{4}{5} + \frac{2}{3}$.

Estima: $\frac{4}{5} + \frac{2}{3} \approx 1 + \frac{1}{2} = 1\frac{1}{2}$

$\frac{4}{5} + \frac{2}{3} = \frac{4 \cdot 3}{5 \cdot 3} + \frac{2 \cdot 5}{3 \cdot 5}$　El m.c.d. es 15.

$= \frac{12}{15} + \frac{10}{15}$　Suma los numeradores.

$= \frac{22}{15}$

$= 1\frac{7}{15}$　Convierte el resultado en número mixto.

¿QUIÉN? Los antiguos
egipcios
representaban
todas las fracciones, excepto
$\frac{2}{3}$, como sumas de *unidades
fraccionarias* (fracciones cuyo
numerador es 1). Por
ejemplo, $\frac{3}{4}$ se representaba
como $\frac{1}{2} + \frac{1}{4}$. **Expresa $\frac{3}{5}$
como una suma de dos
unidades fraccionarias.**

Cuando se suman números mixtos puede ser necesario
reformular el resultado.

Ejemplo 2　Halla la suma $2\frac{7}{8} + 7\frac{1}{4}$.

Estima: $2\frac{7}{8} + 7\frac{1}{4} \approx 3 + 7 = 10$

$2\frac{7}{8} + 7\frac{1}{4} = 2\frac{7}{8} + 7\frac{2}{8}$　El m.c.d. es 8.

$= 9\frac{9}{8}$

$= 9 + 1\frac{1}{8}$

$= 10\frac{1}{8}$

También se usa el m.c.d para restar fracciones con distinto denominador.

Ejemplo 3   Halla la diferencia $\frac{2}{3} - \frac{7}{12}$.

Estima: $\frac{2}{3} - \frac{7}{12} = \frac{1}{2} - \frac{1}{2} = 0$

$\frac{2}{3} - \frac{7}{12} = \frac{2 \cdot 4}{3 \cdot 4} - \frac{7}{12}$ **El m.c.d. es 12.**

$= \frac{8}{12} - \frac{7}{12}$ **Resta los numeradores.**

$= \frac{1}{12}$

3. Halla la diferencia del ejemplo 3 usando barras de fracciones.

Cuando se restan números mixtos puede ser necesario reformular los números antes de restar.

Ejemplo 4   Halla la diferencia $6\frac{1}{8} - 2\frac{3}{4}$.

Estima: $6\frac{1}{8} - 2\frac{3}{4} \approx 6 - 3 = 3$

$6\frac{1}{8} - 2\frac{3}{4} = 6\frac{1}{8} - 2\frac{6}{8}$ **El m.c.d. es 8.**

$= 5\frac{9}{8} - 2\frac{6}{8}$ $6\frac{1}{8} = 5 + 1\frac{1}{8} = 5\frac{9}{8}$.

$= 3\frac{3}{8}$

▛EN EQUIPO

Trabaja con un compañero. Los ■ de la suma que aparece a la derecha pueden sustituirse por 1, 3, 4, 6, 7 u 8. Cada dígito se puede usar sólo una vez en cada suma. Hallen dos fracciones que cumplan cada condición.

$\frac{\blacksquare}{\blacksquare} + \frac{\blacksquare}{\blacksquare}$

4. Su suma es la más alta posible.

5. Su suma es la más alta posible siendo ambas fracciones menores que 1.

6. Su suma es la más alta posible siendo menor que 1.

7. Su suma es la más baja posible siendo mayor que 0.

8. Pensamiento crítico La suma equivale aproximadamente a $\frac{1}{2}$.

Escribe el enunciado numérico correspondiente a cada modelo.

9.  10.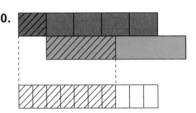

Usa un modelo para hallar la suma o la diferencia.

11. $\dfrac{3}{4} - \dfrac{1}{3}$ 12. $\dfrac{1}{5} + \dfrac{3}{10}$ 13. $\dfrac{2}{3} - \dfrac{1}{2}$ 14. $\dfrac{7}{12} + \dfrac{1}{6}$

15. Casey había caminado $1\dfrac{3}{4}$ mi cuando llegó a un lugar donde el sendero por el que caminaba se dividía en dos. Desde allí caminó otras $2\dfrac{1}{2}$ mi hasta alcanzar una cascada.

   a. ¿Cuánto había caminado Casey cuando llegó a la cascada?

   b. ¿Cuánto más largo que el primer tramo es el segundo?

Halla la suma o la diferencia.

16. $\dfrac{1}{2} - \dfrac{1}{8}$ 17. $4\dfrac{1}{5} + 3$ 18. $\dfrac{7}{12} + \dfrac{5}{12}$

19. $9\dfrac{3}{10} - 4\dfrac{1}{10}$ 20. $14 - 5\dfrac{1}{5}$ 21. $\dfrac{7}{10} + 2\dfrac{1}{6}$

Dibuja o usa un modelo para hallar estas sumas y diferencias.

22. $\dfrac{3}{10} + \dfrac{2}{5}$ 23. $\dfrac{3}{4} - \dfrac{1}{8}$ 24. $2\dfrac{1}{3} + \dfrac{3}{4}$ 25. $1\dfrac{1}{2} - \dfrac{5}{6}$

Ponche de limón y frambuesa

$1\dfrac{1}{2}$ ct limonada

$2\dfrac{1}{4}$ ct gaseosa

$1\dfrac{2}{3}$ ct sorbete de limón

$\dfrac{1}{2}$ ct jugo de frambuesa

26. ¿Tiene una jarra de 6 ct suficiente capacidad para contener el volumen de ponche indicado a la izquierda? Explica por qué.

27. **Aficiones** Emma está trenzando un borde para colocarlo alrededor de un taburete rectangular que mide $14\dfrac{5}{8}$ pulg de largo por $9\dfrac{3}{4}$ pulg de ancho.

   a. Explica cómo estimarías la longitud total del borde.

   b. Halla la longitud exacta del borde.

28. **Por escrito** Explica los pasos que seguirías para hallar $3\dfrac{2}{3} + 4\dfrac{1}{2}$.

Halla las sumas o diferencias.

29. $8\frac{2}{5} - 5\frac{3}{5}$

30. $\frac{2}{3} + \frac{3}{4}$

31. $4\frac{2}{3} - \frac{5}{6}$

32. $2\frac{1}{8} + 4\frac{7}{8}$

33. $10 - \frac{5}{6}$

34. $3\frac{5}{8} + 2\frac{1}{4}$

Convierte cada período de tiempo en una fracción en su mínima expresión.

Ejemplo: 7:00 a.m. a 8:20 a.m.

El tiempo transcurrido es de 1 h 20 min.

Esto puede expresarse como $1\frac{20}{60}$ h ó $1\frac{1}{3}$ h.

35. 6:00 a.m. a 6:30 a.m.

36. 3:05 p.m. a 3:50 p.m.

37. 1:15 p.m. a 2:25 p.m.

38. 7:45 a.m. a 10:00 a.m.

39. Empleos Simón trabaja en una lavandería. El sábado empezó a trabajar a las 8:45 a.m. y terminó a las 4:15 p.m.

a. ¿Cuántas horas trabajó antes del mediodía?

b. ¿Cuántas horas trabajó después del mediodía?

c. Simón dedicó $\frac{3}{4}$ h al almuerzo. ¿Cuántas horas trabajó el sábado?

Halla los resultados.

40. $4\frac{2}{3} + 6 + 3\frac{1}{3}$

41. $8\frac{2}{5} - 3\frac{2}{3} + 2$

Pensamiento crítico Usa tus conocimientos sobre la suma de números enteros para predecir si cada suma será positiva, negativa o igual a cero. Explica tus razonamientos.

42. $-\frac{2}{3} + \frac{5}{6}$

43. $-\frac{4}{5} + \frac{8}{10}$

44. $-\frac{7}{8} + \frac{3}{4}$

45. Calculadora Para sumar $5\frac{1}{2} + 4\frac{3}{4}$ en la calculadora puedes usar la tecla de fracción y la siguiente secuencia.

5 $\boxed{a^{b/c}}$ 1 $\boxed{a^{b/c}}$ 2 $\boxed{+}$ 4 $\boxed{a^{b/c}}$ 3 $\boxed{a^{b/c}}$ 4 $\boxed{=}$ $10\_\ 1\lrcorner\ 4$

La fracción de calculadora $10\_\ 1\lrcorner\ 4$ representa $10\frac{1}{4}$.

a. Escribe la secuencia de teclas que usarías para restar $4\frac{1}{8} - 1\frac{3}{4}$.

b. Usa la secuencia para hallar $4\frac{1}{8} - 1\frac{3}{4}$.

Re**pa**s**o** MIXTO

Resta.

1. $17 - (-13)$

2. $-15 - 18$

Estima los resultados.

3. $12\frac{1}{2} - 5\frac{2}{3}$

4. $16\frac{1}{2} \div 4\frac{3}{4}$

Resuelve.

5. $x + 2 = 7$

6. $x - 3 = -12$

7. De los 20 estudiantes que asisten a la clase de francés de la Sra. Okimoto, $\frac{3}{5}$ han estudiado francés anteriormente. ¿Cuántos no han estudiado nunca francés?

Ecuaciones de suma y resta

• Resolver
ecuaciones de un
paso mediante la
suma y la resta de
fracciones

VAS A NECESITAR

✓ Barras de fracciones

PIENSA Y COMENTA

1. A la derecha se representa una de las ecuaciones de abajo. ¿Cuál es?

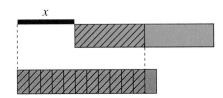

I. $x + \dfrac{11}{12} = \dfrac{1}{2}$ II. $x + \dfrac{1}{2} = \dfrac{11}{12}$ III. $x - \dfrac{1}{2} = \dfrac{11}{12}$

2. ¿Cuál es la solución de la ecuación representada arriba?

3. a. ¿En qué se diferencia el modelo de la derecha del modelo de arriba?

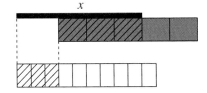

 b. Completa la ecuación $x - \blacksquare = \blacksquare$ usando el modelo como referencia.

 c. ¿Cuál es la solución de la ecuación?

4. Representa y resuelve la ecuación $x + \dfrac{1}{4} = \dfrac{5}{6}$.

⚡ **¡RECUERDA!**

La suma y la resta son operaciones inversas. La resta "deshace" la suma, y la suma "deshace" la resta.

Para resolver ecuaciones con fracciones se usa el álgebra como en las ecuaciones con números enteros. Si la ecuación tiene una resta, puedes "deshacerla" usando la suma.

Ejemplo 1   Resuelve $n - \dfrac{1}{2} = 4\dfrac{3}{4}$.

$$n - \frac{1}{2} = 4\frac{3}{4}$$

$$n - \frac{1}{2} + \frac{1}{2} = 4\frac{3}{4} + \frac{1}{2} \quad \text{Suma } \tfrac{1}{2} \text{ a cada lado.}$$

$$n = 4\frac{3}{4} + \frac{2}{4} \quad \text{Halla un denominador común.}$$

$$n = 4\frac{5}{4} = 5\frac{1}{4} \quad \text{Convierte } 4\tfrac{5}{4} \text{ en } 5\tfrac{1}{4}.$$

5. ¿Por qué se suma $\dfrac{1}{2}$ a cada lado de la ecuación del ejemplo 1?

6. ¿Qué sumarías a cada lado de la ecuación para resolver $x - \dfrac{2}{5} = \dfrac{5}{6}$?

Si una ecuación tiene una suma, puedes usar la resta para "deshacerla".

Ejemplo 2   Resuelve $s + \frac{1}{3} = 2\frac{1}{6}$.

$$s + \frac{1}{3} = 2\frac{1}{6}$$

$s + \frac{1}{3} - \frac{1}{3} = 2\frac{1}{6} - \frac{1}{3}$ Resta $\frac{1}{3}$ de cada lado.

$s = 2\frac{1}{6} - \frac{2}{6}$ Halla un denominador común.

$s = 1\frac{7}{6} - \frac{2}{6}$ Convierte $2\frac{1}{6}$ en $1\frac{7}{6}$ y resta después.

$s = 1\frac{5}{6}$

Las ecuaciones con fracciones permiten resolver muchos problemas de la vida real.

Ejemplo 3   Derek necesita $2\frac{3}{4}$ lb de pescado para preparar un guiso. Como en la tienda sólo queda $1\frac{1}{4}$ lb de pez espada, ha decidido completar la cantidad con cherna. ¿Cuántas libras debe comprar?

• Usa c para representar las libras de cherna.

libras de cherna	más	libras de pez espada	es igual a	total de libras
c	$+$	$1\frac{1}{4}$	$=$	$2\frac{3}{4}$

$c + 1\frac{1}{4} = 2\frac{3}{4}$ Resuelve la ecuación.

$c + 1\frac{1}{4} - 1\frac{1}{4} = 2\frac{3}{4} - 1\frac{1}{4}$ Resta $1\frac{1}{4}$ de cada lado.

$c = 1\frac{2}{4}$ Simplifica $1\frac{2}{4}$.

$c = 1\frac{1}{2}$

Derek tiene que comprar $1\frac{1}{2}$ lb de cherna.

La pesca de bacalao es una actividad muy importante en Alaska. Entre 1980 y 1990 el peso total de la pesca pasó de 20 millones a 544 millones de libras. *¿Aproximadamente cuántas veces más grande fue la cantidad pescada en 1990 que la pescada en 1980?*

Fuente: *Statistical Abstract of the United States*

⌐EN EQUIPO

• Trabaja con dos o tres compañeros. Escriban un problema para cada ecuación.

7. $m + \frac{1}{2} = 1\frac{3}{4}$ **8.** $m - 1\frac{3}{4} = \frac{1}{2}$ **9.** $m - \frac{1}{2} = 1\frac{3}{4}$

• Examinen los problemas de otro grupo y hallen la ecuación correspondiente a cada uno.

R^epa^so MIXTO

Ordena de menor a mayor.

1. 0.438, 0.4381, 0.4, 0.43

2. 11.2, 11.02, 11.201, 11.1

Halla las diferencias.

3. $\frac{1}{2} - \frac{1}{4}$ **4.** $9\frac{2}{3} - 4\frac{5}{9}$

Convierte en fracciones impropias.

5. $3\frac{1}{2}$ **6.** $5\frac{2}{3}$

7. ¿Cuál es el mayor número primo formado por dos dígitos que son también primos?

Hace 18,000 años (durante la última glaciación) el nivel del mar era unos 400 pies más bajo que el actual. Desde entonces 17 millones de mi³ de agua se han añadido a los océanos al derretirse los casquetes polares.

Fuente: *Ice Ages*

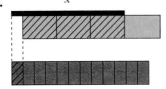

PONTE A PRUEBA

Escribe y resuelve la ecuación correspondiente a cada modelo.

10.

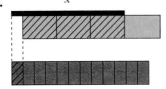

11.

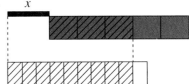

Resuelve las ecuaciones.

12. $q - \frac{1}{4} = 2\frac{1}{8}$ **13.** $2\frac{1}{5} + t = 4\frac{3}{10}$ **14.** $\frac{1}{4} = b + \frac{1}{3}$

15. Rebeca tenía el año pasado una estatura de $51\frac{1}{2}$ pulg. Este año mide $52\frac{1}{4}$ pulg.

  a. Escribe una ecuación para hallar las pulgadas que ha crecido.

  b. ¿Cuántas pulgadas ha crecido Rebeca durante el último año?

Cálculo mental Resuelve las ecuaciones mentalmente.

16. $y + \frac{1}{2} = 1$ **17.** $k - \frac{3}{8} = \frac{5}{8}$ **18.** $\frac{3}{4} + a = \frac{3}{4}$

19. El nivel del agua en el estanque de los Bailey ha disminuido $1\frac{3}{4}$ pies durante la reciente sequía. El estanque tiene actualmente $10\frac{1}{3}$ pies de agua. Escribe y resuelve una ecuación para hallar la profundidad de agua que tenía antes de la sequía.

20. Estimación ¿A qué cantidad se aproxima la solución de $r - \frac{4}{7} = \frac{2}{99}$: a 0, a $\frac{1}{2}$ ó a 1? Explica tu razonamiento.

POR TU CUENTA

Resuelve cada ecuación.

21. $j + \frac{3}{4} = \frac{7}{8}$ **22.** $p - \frac{4}{5} = 6\frac{1}{5}$ **23.** $\frac{1}{2} + d = 7\frac{5}{6}$

24. $z + \frac{7}{9} = 4$ **25.** $4\frac{3}{4} = v - 1\frac{1}{2}$ **26.** $s - \frac{2}{9} = \frac{1}{3}$

27. a. Escribe una ecuación de suma y otra de resta que tengan $\frac{2}{5}$ como solución.

  b. Escribe un problema para cada una de las ecuaciones de la parte (a).

28. **Elige A, B o C.** ¿En qué ecuación es n menor que 1?

   A. $\frac{3}{4} + n = 1\frac{4}{5}$ **B.** $n + 1\frac{2}{7} = 1\frac{4}{9}$ **C.** $2\frac{3}{4} - n = 1\frac{3}{5}$

Resuelve cada problema escribiendo y resolviendo una ecuación.

29. Carlos tenía una tabla que medía $5\frac{1}{4}$ pies de largo. Para reparar una valla ha cortado un trozo de $3\frac{3}{4}$ pies. ¿Cuál es la longitud del trozo que le queda?

30. **Medio ambiente** En un hogar promedio de EE.UU. se recicla aproximadamente $\frac{1}{10}$ de la basura producida. En un hogar japonés se recicla aproximadamente $\frac{1}{2}$. ¿En cuánto debería aumentar el promedio estadounidense para igualar al japonés?

31. **Deportes** En un estadio de béisbol los asientos se reparten de la siguiente forma: $\frac{1}{10}$ de palco, $\frac{2}{3}$ de "admisión general", $\frac{1}{10}$ de grada y el resto corresponde a los asientos de lujo. ¿Qué parte del total corresponde a los asientos de lujo?

32. **Por escrito** ¿En qué se parece resolver ecuaciones con fracciones y números mixtos a resolver ecuaciones con números enteros? ¿En qué se diferencian los procedimientos?

En Fenway Park (arriba), el estadio de los Red Sox de Boston, caben 34,182 espectadores, cantidad que lo convierte en el estadio con menos capacidad entre los utilizados por los equipos profesionales de béisbol. El de mayor capacidad es el de los Indians de Cleveland, que cuenta con 74,483 asientos.

▌V I S T A Z O ▐ A LO APRENDIDO

Compara usando <, > ó =.

1. $\frac{8}{9}$ ■ $\frac{2}{9}$ 2. $\frac{7}{10}$ ■ $\frac{5}{6}$ 3. $3\frac{1}{4}$ ■ $3\frac{1}{5}$

4. Convierte $\frac{5}{11}$ en decimal.   5. Convierte 0.72 en fracción.

Estima los resultados.

6. $8\frac{1}{3} \cdot 2\frac{4}{5}$ 7. $\frac{1}{8} + \frac{5}{12}$ 8. $4\frac{2}{5} - 1\frac{1}{4}$

Halla cada suma o diferencia.

9. $\frac{3}{4} + \frac{7}{8}$ 10. $\frac{4}{5} + 3\frac{2}{3}$ 11. $7\frac{1}{2} - 3\frac{3}{7}$

Resuelve las ecuaciones.

12. $\frac{3}{8} = t - \frac{3}{4}$ 13. $n + 2\frac{1}{3} = 3\frac{4}{5}$ 14. $3\frac{1}{2} + a = 5\frac{3}{10}$

• Multiplicar
fracciones y números
mixtos

8-6 **M**ultiplicación de fracciones

✓ Lápices de colores

✓ Papel rayado

✓ Bloques geométricos

✓ Calculadora

⌐PIENSA Y COMENTA

1. **a.** Dobla una hoja de papel para dividirla en cuatro secciones verticales iguales. Colorea $\frac{1}{4}$ de la hoja.

   b. Ahora dobla la hoja de modo que quede dividida en tres secciones horizontales iguales. Colorea $\frac{1}{3}$ de la hoja usando un lápiz de otro color.

   c. Cuenta los rectángulos formados por las secciones. ¿En cuántos coinciden los dos colores? ¿A qué fracción del total equivale esto?

   d. Usa este modelo para completar el enunciado $\frac{1}{4} \cdot \frac{1}{3} = $ ■.

Para multiplicar dos fracciones se multiplican los numeradores y se multiplican los denominadores.

Ejemplo
1

Halla el producto $\frac{7}{8} \cdot \frac{2}{3}$.

$$\frac{7}{8} \cdot \frac{2}{3} = \frac{7 \cdot 2}{8 \cdot 3}$$

$$= \frac{14}{24} \qquad \text{Escribe } \frac{14}{24} \text{ en su mínima expresión.}$$

$$= \frac{7}{12}$$

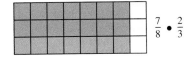

2. ¿Por qué es el modelo de la izquierda una representación del producto del ejemplo 1?

3. Haz un modelo para hallar el producto $\frac{1}{2} \cdot \frac{1}{3}$.

Las fracciones se pueden simplificar antes de multiplicar si un numerador y un denominador tienen un divisor común.

Ejemplo
2

Halla el producto $\frac{7}{8} \cdot \frac{2}{3}$.

$$\frac{7}{8} \cdot \frac{2}{3} = \frac{7}{\overset{}{\underset{4}{8}}} \cdot \frac{\overset{1}{2}}{3} \qquad \text{Divide el numerador y el denominador por el m.c.d., que es 2.}$$

$$\frac{7 \cdot 1}{4 \cdot 3} = \frac{7}{12}$$

4. Halla el producto $\frac{5}{6} \cdot \frac{3}{4}$.

Para multiplicar una fracción por un número entero se convierte el entero en una fracción con 1 como denominador.

Ejemplo 3 Halla el producto $\frac{3}{7} \cdot 28$.

Estima: $\frac{3}{7} \cdot 28 \approx \frac{1}{2} \cdot 28 = 14$

$$\frac{3}{7} \cdot 28 = \frac{3}{7} \cdot \frac{28}{1}$$

$$= \frac{3 \cdot 28}{7 \cdot 1}$$

$$= \frac{84}{7} = 12$$

5. Muestra cómo se puede simplificar en el ejemplo 3 antes de multiplicar.

Para multiplicar fracciones en la calculadora se utiliza la tecla de fracción. Esta secuencia, por ejemplo, permite hallar el producto del ejemplo 3.

$$3 \;\boxed{\mathsf{a^{b/c}}}\; 7 \;\boxed{\mathsf{X}}\; 28 \;\boxed{=}\quad \mathit{12}$$

Para multiplicar números mixtos, conviértelos primero en fracciones impropias.

Ejemplo 4 Halla el producto $2\frac{3}{5} \cdot 4\frac{1}{2}$.

Estima: $2\frac{3}{5} \cdot 4\frac{1}{2} \approx 3 \cdot 5 = 15$

$$2\frac{3}{5} \cdot 4\frac{1}{2} = \frac{13}{5} \cdot \frac{9}{2}$$

$$= \frac{13 \cdot 9}{5 \cdot 2}$$

$$= \frac{117}{10} = 11\frac{7}{10}$$

Para multiplicar números mixtos en la calculadora se usa la tecla de fracción, $\boxed{\mathsf{a^{b/c}}}$. La secuencia de abajo permite hallar $2\frac{3}{5} \cdot 4\frac{1}{2}$.

$$2 \;\boxed{\mathsf{a^{b/c}}}\; 3 \;\boxed{\mathsf{a^{b/c}}}\; 5 \;\boxed{\mathsf{X}}\; 4 \;\boxed{\mathsf{a^{b/c}}}\; 1 \;\boxed{\mathsf{a^{b/c}}}\; 2 \;\boxed{=}\quad \mathit{11\_\;7\lrcorner\;10}$$

La fracción de calculadora $\mathit{11\_\;7\lrcorner\;10}$ representa $11\frac{7}{10}$.

Si consideras que $\frac{3}{5}$ equivale a 0.6 y que $\frac{1}{2}$ equivale a 0.5, puedes usar la siguiente secuencia.

$$2.6 \;\boxed{\mathsf{X}}\; 4.5 \;\boxed{=}\quad \mathit{11.7}$$

6. Halla $3\frac{1}{2} \cdot 1\frac{3}{4}$ con la calculadora.

¡RECUERDA!

Para convertir un número mixto en fracción impropia:

• Se multiplica el entero por el denominador de la fracción.

• Se suma el numerador al producto.

• Se coloca la suma sobre el denominador.

$$2\frac{1}{5} = \frac{2 \cdot 5 + 1}{5} = \frac{11}{5}$$

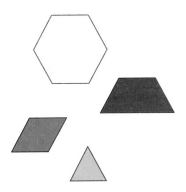

Trabaja con un compañero. Usen los bloques geométricos que aparecen a la izquierda.

Ejemplo: Representa $\frac{1}{3} \cdot 1\frac{1}{2} = \frac{1}{2}$.

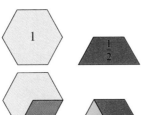

Representen $1\frac{1}{2}$ usando un hexágono como entero y un trapecio como $\frac{1}{2}$.

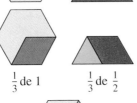

$\frac{1}{3}$ de 1 $\frac{1}{3}$ de $\frac{1}{2}$

Hallen una figura que represente $\frac{1}{3}$ del hexágono y otra que represente $\frac{1}{3}$ del trapecio.

Muestren la parte del entero (el hexágono) ocupada por estas dos figuras.

7. Usen bloques geométricos para representar cada producto.

   a. $\frac{1}{2} \cdot 1\frac{1}{3} = \frac{2}{3}$ **b.** $\frac{2}{3} \cdot 2 = 1\frac{1}{3}$ **c.** $\frac{1}{3} \cdot 2\frac{1}{2} = \frac{5}{6}$

Haz una tabla arborescente con cada grupo de datos.

1. 39, 37, 47, 50, 56, 58

2. 2.43, 2.44, 2.48, 2.57, 2.49

Resuelve las ecuaciones.

3. $p - \frac{4}{7} = 5\frac{1}{14}$

4. $3\frac{1}{2} = x - 1\frac{3}{4}$

5. En una tienda de videos $\frac{1}{4}$ de las películas son comedias, $\frac{1}{6}$ son melodramas y $\frac{1}{2}$ son de aventuras. ¿Qué fracción de las películas no son de ninguno de estos tres tipos?

Escribe el enunciado de multiplicación correspondiente a cada modelo.

8.

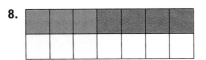

9.

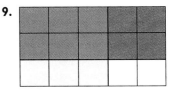

Dibuja o usa un modelo para hallar los productos.

10. $\frac{1}{2} \cdot \frac{1}{3}$ **11.** $\frac{1}{4} \cdot \frac{3}{5}$ **12.** $\frac{2}{3} \cdot \frac{3}{4}$ **13.** $\frac{1}{3} \cdot 2\frac{1}{2}$

14. Quieres hacer un adorno pegando una fila de cinco caracoles a lo largo de una tabla. La tabla tiene una longitud de $16\frac{1}{2}$ pulg y cada caracol mide $3\frac{3}{8}$ pulg.

   a. Estima la longitud total de los cinco caracoles. ¿Crees que cabrán en la tabla? Explica por qué.

   b. Halla la longitud total de los caracoles. ¿Caben a lo largo de la tabla?

Cálculo mental Multiplica usando la propiedad distributiva.

Ejemplo: $2 \cdot 3\frac{1}{2} = 2 \cdot \left(3 + \frac{1}{2}\right)$

$= 2 \cdot 3 + 2 \cdot \frac{1}{2}$

$= 6 + 1 = 7$

15. $4 \cdot 5\frac{1}{4}$ **16.** $1\frac{1}{3} \cdot 12$ **17.** $10 \cdot 1\frac{4}{5}$ **18.** $\frac{1}{2} \cdot 6\frac{1}{2}$

Elige Usa una calculadora, lápiz y papel o cálculo mental para hallar los productos.

19. $3 \cdot 2\frac{3}{8}$ **20.** $\frac{3}{4} \cdot \frac{1}{5}$ **21.** $6\frac{2}{5} \cdot 3\frac{1}{3}$ **22.** $2 \cdot 3\frac{2}{3}$

23. $\frac{1}{3} \cdot 2\frac{2}{5}$ **24.** $\frac{7}{8} \cdot 32$ **25.** $\frac{1}{2} \cdot \frac{4}{5}$ **26.** $3\frac{1}{6} \cdot 4\frac{3}{4}$

27. Por escrito Describe la diferencia que hay entre el proceso de multiplicar dos fracciones y el proceso de sumar dos fracciones.

28. Halla el perímetro y el área de la figura que aparece a la derecha.

29. Escribe dos secuencias de teclas en la calculadora que permitan hallar $1\frac{1}{4} \cdot 3\frac{1}{5}$.

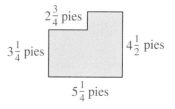

$2\frac{3}{4}$ pies

$3\frac{1}{4}$ pies $4\frac{1}{2}$ pies

$5\frac{1}{4}$ pies

Pensamiento crítico Predice si los productos serán positivos o negativos. Luego, halla los productos.

30. $-\frac{1}{5} \cdot \frac{5}{7}$ **31.** $-\frac{4}{9} \cdot \left(-\frac{3}{8}\right)$ **32.** $2\frac{1}{4} \cdot \left(-\frac{1}{6}\right)$

¿Qué hay en la Tierra?

La Tierra tiene una superficie de casi 200 millones de millas cuadradas, de los que siete décimos pertenecen al mar. ¿Y el resto? El resto es sólido, por supuesto, pero casi un quinto de la tierra firme está ocupado por desiertos. El más grande es el del Sahara, que tiene $3\frac{1}{2}$ millones de millas cuadradas. ¡La superficie del Sahara es aproximadamente igual a la de Estados Unidos!

33. a. ¿Cuántas millas cuadradas de la superficie de la Tierra corresponden a tierra firme?

b. ¿Cuál es la fracción de la superficie de la tierra no ocupada por mares o desiertos?

ESTRATEGIAS PARA RESOLVER PROBLEMAS

Haz una tabla
Razona lógicamente
Resuelve un problema
más sencillo
Decide si tienes suficiente
información, o más de
la necesaria
Busca un patrón
Haz un modelo
Trabaja en orden inverso
Haz un diagrama
Estima y comprueba
Simula el problema
Prueba con varias estrategias
Escribe una ecuación

Resuelve. A la izquierda aparecen algunas de las estrategias que puedes usar.

1. Kim, Chan, María y Helmer son los miembros de un equipo de carreras de relevos. ¿En qué órdenes pueden correr?

2. Chloe y LaTanya empezaron a trabajar el mismo día. Chloe ganará $28,000 el primer año y recibirá un aumento anual de $4,000. LaTanya ganará inicialmente $41,000, pero su aumento anual será de $1,500. ¿En qué año será mayor el salario de Chloe que el de LaTanya?

3. En la clase del Sr. Smith hay tres estudiantes más que en la del Sr. Lightfoot. El producto de ambas cantidades es 1,054. ¿Cuántos estudiantes hay en cada clase?

4. Diez estudiantes están en fila y de pie. A la primera señal se sientan los de número par. A la segunda señal se sientan los que están de pie y se levantan los que están sentados. A la tercera señal, los estudiantes número tres, seis y nueve se sientan o se levantan (contrario a la posición en que estaban). A la última señal, los estudiantes de número impar se levantan (o se quedan de pie si ya estaban levantados). ¿Cuántos estudiantes hay sentados después de la última señal?

5. Durante un acto benéfico al que acudieron 150 personas se recaudaron $2,000. Supongamos que 25 asistentes no dieron ningún dinero. ¿Cuál fue la donación media de los asistentes que sí dieron dinero?

6. Jerome ató una cuerda a una estaca clavada en el suelo. Después caminó $4\frac{1}{2}$ pies, puso otra estaca en el suelo y sujetó allí la cuerda. Entonces giró 90°, avanzó 9 pies, clavó otra estaca y volvió a sujetar la cuerda. Finalmente ató el extremo libre de la cuerda a la primera estaca. ¿Cuántos pies cuadrados encierra la cuerda?

7. Halla $\frac{1}{2} + \frac{1}{4} + \frac{1}{8} + \frac{1}{16} + \frac{1}{32} + \frac{1}{64} + \frac{1}{128}$.

• Dividir fracciones y números mixtos

División de fracciones

VAS A NECESITAR

✓ Bloques geométricos

✓ Calculadora

PIENSA Y COMENTA

Dividir 4 por $\frac{1}{3}$ significa averiguar cuántos tercios hay en cuatro enteros.

1. Completa estos enunciados.

$$4 \div \frac{1}{3} = \blacksquare \qquad 4 \cdot 3 = \blacksquare \qquad 4 \div \frac{1}{3} = 4 \cdot \blacksquare$$

2. a. ¿Cuántos "dos tercios" hay en cuatro enteros?

b. Completa estos enunciados.

$$4 \div \frac{2}{3} = \blacksquare \qquad 4 \cdot \frac{3}{2} = \blacksquare \qquad 4 \div \frac{2}{3} = 4 \cdot \blacksquare$$

¡RECUERDA!

Dos números son recíprocos si su producto es 1.

$$\frac{5}{6} \cdot \frac{6}{5} = 1$$

$\frac{5}{6}$ y $\frac{6}{5}$ son recíprocos.

Para hallar el recíproco de una fracción se invierten las posiciones del numerador y el denominador.

$$\frac{5}{6} \bowtie \frac{6}{5}$$

Para dividir fracciones, multiplica por el *recíproco* del divisor.

Ejemplo 1 Halla $\frac{2}{3} \div \frac{5}{6}$.

• $\frac{2}{3} \div \frac{5}{6} = \frac{2}{3} \cdot \frac{6}{5}$ El recíproco de $\frac{5}{6}$ es $\frac{6}{5}$.

$= \frac{2 \cdot \overset{2}{\cancel{6}}}{\underset{1}{\cancel{3}} \cdot 5}$ Escribe el cociente en su mínima expresión.

$= \frac{4}{5}$

Para dividir una fracción por un entero, empieza por convertir el entero en una fracción con denominador 1.

Ejemplo 2 Halla el cociente $\frac{3}{5} \div 2$.

• $\frac{3}{5} \div 2 = \frac{3}{5} \div \frac{2}{1}$ Convierte 2 en $\frac{2}{1}$.

$= \frac{3}{5} \cdot \frac{1}{2}$ El recíproco de $\frac{2}{1}$ es $\frac{1}{2}$.

$= \frac{3 \cdot 1}{5 \cdot 2}$

$= \frac{3}{10}$

Cuando una división contiene números mixtos, empieza por convertir los números mixtos en fracciones impropias.

Ejemplo 3   Juana tiene una cuerda que mide $13\frac{1}{2}$ yd de largo. ¿Cuántos trozos de $2\frac{1}{4}$ yd puede obtener?

- Hay que hallar el cociente $13\frac{1}{2} \div 2\frac{1}{4}$.

Estima: $13\frac{1}{2} \div 2\frac{1}{4} \approx 14 \div 2 = 7$

$$13\frac{1}{2} \div 2\frac{1}{4} = \frac{27}{2} \div \frac{9}{4} \quad \text{Convierte los números mixtos en fracciones impropias.}$$

$$= \frac{27}{2} \cdot \frac{4}{9} \quad \text{Escribe el recíproco de } \frac{9}{4}.$$

$$= \frac{\overset{3}{27} \cdot \overset{2}{4}}{\underset{1}{2} \cdot \underset{1}{9}}$$

$$= 6$$

Juana puede obtener seis trozos de cuerda.

Para dividir fracciones en la calculadora se utiliza la tecla de fracción. Usa esta secuencia para hallar $2\frac{1}{2} \div \frac{5}{6}$.

2 $\boxed{a^{b/c}}$ 1 $\boxed{a^{b/c}}$ 2 $\boxed{\div}$ 5 $\boxed{a^{b/c}}$ 6 $\boxed{=}$ 3

3. **Calculadora** Describe la secuencia que usarías para hacer la división del ejemplo 3.

⌐EN EQUIPO

Trabaja con un compañero. Usen los bloques geométricos de la izquierda para representar cada división. ¿Cuáles son los cocientes?

4. $4\frac{1}{2} \div \frac{1}{2}$ 5. $2 \div \frac{1}{3}$ 6. $\frac{1}{2} \div \frac{1}{6}$ 7. $2\frac{1}{3} \div \frac{1}{6}$

⌐PONTE A PRUEBA

Halla el recíproco de cada número.

8. $\frac{3}{4}$ 9. 5   10. $\frac{1}{7}$ 11. $\frac{5}{4}$ 12. $4\frac{5}{8}$

13. **a.** Una porción de cereal equivale a $1\frac{1}{2}$ oz. Estima el número de porciones que hay en una caja de $19\frac{1}{2}$ oz.

   b. Halla el número exacto de porciones que hay en la caja.

1

$\frac{1}{2}$

$\frac{1}{3}$

$\frac{1}{6}$

Halla los cocientes.

14. $\dfrac{4}{5} \div \dfrac{1}{4}$ **15.** $6 \div \dfrac{1}{7}$ **16.** $1\dfrac{7}{8} \div 3$ **17.** $\dfrac{2}{9} \div 2\dfrac{2}{3}$

18. a. Discusión ¿Qué número positivo es su propio recíproco?

  b. ¿Qué número no tiene recíproco? Explica por qué.

POR TU CUENTA

Cálculo mental Divide mentalmente.

Ejemplo: $4 \div \dfrac{1}{5} = 4 \cdot \dfrac{5}{1} = 4 \cdot 5 = 20$

19. $8 \div \dfrac{1}{2}$ **20.** $5 \div \dfrac{1}{3}$ **21.** $2 \div \dfrac{1}{9}$ **22.** $10 \div \dfrac{1}{10}$

23. a. Por escrito Explica la característica que facilita el cálculo mental en divisiones como las de los ejercicios 19–22.

  b. Inventa y resuelve cuatro problemas con fracciones que puedan dividirse mentalmente. Luego, resuélvelos.

Elige Usa una calculadora, lápiz y papel o cálculo mental para hallar los cocientes.

24. $2\dfrac{1}{6} \div \dfrac{5}{6}$ **25.** $\dfrac{3}{4} \div 3$ **26.** $\dfrac{1}{4} \div \dfrac{2}{3}$ **27.** $4\dfrac{3}{4} \div 1\dfrac{1}{4}$

28. $8\dfrac{2}{5} \div \dfrac{3}{10}$ **29.** $\dfrac{7}{9} \div \dfrac{1}{4}$ **30.** $11 \div \dfrac{1}{9}$ **31.** $8\dfrac{1}{3} \div 2\dfrac{1}{2}$

32. Biología Una orca puede recorrer 40 mi en $1\dfrac{1}{4}$ h. ¿Qué distancia puede cubrir en 1 h nadando a esa velocidad?

33. Mapas/Planos Usa el mapa de la derecha para responder a las preguntas.

  a. Kim vive a la misma distancia de Bob que de Max. ¿A qué distancia vive de cada uno?

  b. La distancia que hay entre la casa de Bob y la escuela equivale a un tercio de la que hay entre las casas de Bob y de Kim. ¿A qué distancia vive Bob de la escuela?

  c. ¿Cuál es la distancia más corta entre la escuela y la biblioteca?

  d. Bob salió de su casa y fue primero a la de Max, después al campo de fútbol y luego a la biblioteca. Finalmente volvió a su casa por el camino más corto. ¿Qué distancia recorrió?

Repaso MIXTO

Determina si el ángulo es agudo, recto, obtuso o llano.

1. $m\angle A = 90°$

2. $m\angle B = 166°$

Halla los productos.

3. $3 \cdot 4\dfrac{5}{8}$

4. $2\dfrac{1}{2} \cdot 3\dfrac{3}{4}$

5. Entre Mark y María hay tres años de diferencia. La suma de sus edades es 55. Halla sus edades.

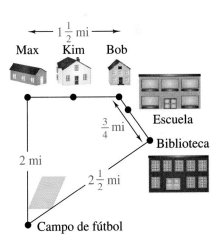

8-8 **T**rabaja en orden inverso

Para resolver algunos problemas es necesario trabajar en orden inverso.

> La Sra. Ruiz va a salir a cenar con su hijo Javier y con unos amigos de éste. Después los llevará a un concierto que empieza a las 8:00 p.m. Tardará $\frac{3}{4}$ h en recoger a los amigos, y la cena durará $1\frac{1}{4}$ h. Si quieren llegar al teatro 15 min antes de que empiece el concierto, ¿a qué hora deben salir de casa?

LEE

Lee y analiza la información que recibes. Resume el problema.

1. Piensa en la información que se te da.

    a. ¿A qué hora empieza el concierto?

    b. ¿Qué actividades van a realizarse antes de que comience el concierto?

    c. ¿Cuánto tiempo se dedicará a cada actividad?

    d. Resume el objetivo del problema usando tus propias palabras.

PLANEA

Decide qué estrategia usarás para resolver el problema.

Sabiendo que varias actividades deben *terminar* a las 8:00 p.m., lo razonable es utilizar esa hora como punto de partida y trabajar en orden inverso para determinar el momento en que las actividades deben *empezar*. Imagínate cada hora en la esfera de un reloj.

RESUELVE

Prueba con tu estrategia.

2. a. Escribe la hora correspondiente a cada hecho.

El concierto comienza.   Llegan al teatro.   Comienzan la cena.   Salen de casa.

    b. ¿Cuál es la solución del problema?

COMPRUEBA

Piensa en cómo resolviste el problema.

3. Muestra cómo comprobarías la solución siguiendo el orden cronológico de los hechos.

4. a. Considera 15 min como $\frac{1}{4}$ h. Suma $\frac{3}{4} + 1\frac{1}{4} + \frac{1}{4}$.

    b. ¿Cómo podrías usar tu respuesta a la parte (a) para resolver el problema de una manera distinta?

Resuelve los problemas trabajando en orden inverso.

5. Vuelve a examinar el problema de la página anterior.

   a. Si el concierto empezara a las 8:30 p.m., ¿a qué hora deberían salir de casa la Sra. Ruiz y Javier?

   b. Supón que el concierto empezara a las 8:00 p.m., pero solamente se tardara 20 min en recoger a los amigos de Javier. ¿A qué hora deberían salir de casa la Sra. Ruiz y su hijo?

6. a. **Espectáculos** La película estrenada ayer era tan aburrida que $\frac{1}{2}$ de los espectadores se fueron del cine durante los primeros 45 min. En los siguientes 15 min se fueron $\frac{1}{2}$ de las personas que quedaban. Durante el siguiente $\frac{1}{4}$ h se fueron 18 personas más. Sólo 36 personas vieron la película entera. ¿Cuántas personas había en el cine al principio de la película?

   b. **Discusión** ¿Qué datos no son necesarios para resolver el problema anterior?

7. a. Un número más 5 multiplicado por 7 es igual a 133. ¿Cuál es el número?

   b. ¿Qué operaciones usaste para resolver este problema?

   c. ¿Qué relación hay entre las operaciones que usaste y las que se mencionan en el problema?

Usa cualquier estrategia para resolver estos problemas. Muestra tu trabajo.

8. Darren se gastó en almorzar un tercio del dinero que llevaba. Durante la comida, un amigo le pagó $2.50 que le debía. Después se gastó $3.25 en una entrada de cine y $.75 en una golosina. Si al final le quedaban $4.90, ¿cuánto dinero tenía Darren antes del almuerzo?

9. Isabel tiene diez monedas que suman un total de $.65. Si ninguna vale más de 25 centavos, ¿cuáles son las monedas?

10. La Sra. Jacobs piensa construir una rampa para sillas de ruedas en la entrada de su tienda. La puerta está a 2 pies del suelo, y la rampa empezará a 30 pies de la base del edificio. Calcula la longitud de la rampa a la centésima de pie más cercana.

Halla las sumas.

1. $-11 + (-23)$

2. $14 + (-17)$

Calcula.

3. $\sqrt{121}$ 4. $\sqrt{225}$

5. Una ficha de transporte urbano que cuesta $.55 se paga con un billete de un dólar. ¿De cuántas maneras puede darse el cambio sin utilizar monedas de 1¢?

Por razones de seguridad, las rampas para sillas de ruedas no deben tener más de 1 pie de altura por cada 12 pies de longitud horizontal.

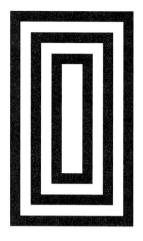

11. **a. Negocios** El director de un gran almacén quiere construir una sección de juegos electrónicos sobre una superficie que mide 12 pies de ancho por 20 pies de largo. Para revestir el suelo reproducirá el diseño de la izquierda con unas baldosas cuadradas que miden 1 pie de lado. ¿Cuántas baldosas negras necesita? ¿Cuántas baldosas blancas?

b. ¿Cómo comprobarías la exactitud de tus cálculos usando la fórmula para hallar el área del rectángulo?

12. **Jardinería** Nina quiere plantar un jardín triangular a la sombra de un manzano. Un lado, orientado exactamente hacia el norte, tendrá $8\frac{1}{2}$ pies. Otro lado, orientado exactamente hacia el este, tendrá 9 pies. Halla el área del jardín.

13. **Finanzas** En el registro bancario de abajo aparecen los depósitos y pagos realizados entre el 3 y el 4 de octubre. ¿Cuánto dinero había en la cuenta al principio del período?

FECHA	TRANSACCIÓN	PAGO	DEPÓSITO	BALANCE
10 / 3	Compañía de electricidad	$37.65		
10 / 3	Dr. Freidrich	$65.00		
10 / 4	Sueldo		$147.50	
10 / 4	Talleres Autosano	$863.15		$246.11

14. **Dinero** Lidia se fue de compras con $35 en la cartera. Encontró un suéter que le gustó y que estaba en venta a la mitad de su precio normal. También tenía un cupón con el que podía obtener un descuento adicional de $5. Después de pagar por el suéter, le quedaron $10.50. ¿Cuánto pagó Lidia por el suéter?

15. Entre dos fracciones con distinto denominador hay una diferencia de $\frac{1}{6}$. El denominador de la fracción mayor es un número par menor que 8. Su numerador es 5. El denominador de la segunda fracción es impar y equivale a la mitad del otro denominador. ¿Cuáles son las fracciones?

16. **Dinero** Rosita ha ahorrado $60 para comprar tarjetas de béisbol aprovechando la oferta que se anuncia a la izquierda. ¿Cuál es la manera más barata de comprar cinco tarjetas?

17. **Deportes** Meytal ha dedicado 28 h a practicar gimnasia esta semana. Si cada día ha practicado una hora más que el anterior, ¿cuántas horas le dedicó a la gimnasia el quinto día?

En esta lección

• Convertir unidades de longitud, peso y capacidad en el sistema angloamericano

VAS A NECESITAR

✓ Calculadora

Peso del cuadro: $4\frac{1}{4}$ lb
Precio: $179.99

Peso del cuadro: 76 oz
Precio: $195.95

8-9 **M**edidas angloamericanas

PIENSA Y COMENTA

Piensas comprar una bicicleta de montaña. Sabes que mientras más liviano el cuadro, mejor. ¿Cuál de las bicicletas anunciadas a la izquierda tiene el cuadro más liviano?

Antes de decidirte debes comparar los pesos. Una forma de hacerlo es convertir $4\frac{1}{4}$ lb en onzas. Para convertir de una unidad mayor a una menor, se *multiplica*.

Ejemplo 1

Convierte $4\frac{1}{4}$ lb en onzas.

• Piensa en la relación entre la libra y la onza: 1 lb = 16 oz
  $\times 16$

• Para convertir $4\frac{1}{4}$ lb en onzas se multiplica $4\frac{1}{4}$ por 16.

$$4\frac{1}{4} \cdot 16 = \frac{17}{\cancel{4}_1} \cdot \frac{\cancel{16}^4}{1}$$
$$= 68$$

$$4\frac{1}{4} \text{ lb} = 68 \text{ oz}$$

También se puede hacer la comparación convirtiendo 76 oz en libras. Para convertir de una unidad menor a una mayor, se *divide*.

Ejemplo 2

Convierte 76 oz en libras.

• Piensa en la relación entre la onza y la libra: 16 oz = 1 lb
  $\div 16$

• Para convertir 76 oz en libras se divide 76 por 16.

76 ⌹ 16 ▤ 4.75 Usa una calculadora.

$$76 \text{ oz} = 4.75 \text{ lb} = 4\frac{3}{4} \text{ lb}$$

1. a. ¿Qué peso es menor: el de $4\frac{1}{4}$ lb ó el de 76 oz? ¿Cuál es la diferencia en onzas? ¿Y en libras?

b. ¿Qué bicicleta tiene el cuadro más liviano?

Unidades angloamericanas

Longitud

12 pulgadas (pulg) = 1 pie

3 pies = 1 yarda (yd)

5,280 pies = 1 milla (mi)

Peso

16 onzas (oz) = 1 libra (lb)

2,000 libras = 1 tonelada (T)

Capacidad

8 onzas líquidas (oz líq) = 1 taza (tz)

2 tazas = 1 pinta (pt)

2 pintas = 1 cuarto (ct)

4 cuartos = 1 galón (gal)

Cuando se suma o resta una medida expresada en dos unidades distintas, puede ser útil convertir la medida en un número mixto que la exprese en términos de una sola unidad.

Ejemplo 3 Sara tiene una tabla de 10 pies de largo. Va a cortar de ella un trozo de 5 pies 3 pulg. ¿Cuál será la longitud del trozo que queda?

- Hay que restar 5 pies 3 pulg de 10 pies. Expresa la medida 5 pies 3 pulg en pies y resta.

$$5 \text{ pies } 3 \text{ pulg} = 5\frac{3}{12} \text{ pies} = 5\frac{1}{4} \text{ pies} \qquad \leftarrow 12 \text{ pulg} = 1 \text{ pie}$$

$$10 \text{ pies} - (5 \text{ pies } 3 \text{ pulg}) = 10 - 5\frac{1}{4}$$

$$= 9\frac{4}{4} - 5\frac{1}{4} \qquad \text{Convierte 10 en } 9\frac{4}{4}.$$

$$= 4\frac{3}{4}$$

El trozo que queda medirá $4\frac{3}{4}$ pies de largo.

2. Supón que Sara cortara un trozo de 8 pies 5 pulg de la tabla de 10 pies. ¿Cuál sería la longitud del trozo restante?

3. ¿Crees que obtendrías el mismo resultado con el problema del ejemplo 3 si convirtieras todas las medidas en pulgadas? Explica tu razonamiento.

EN EQUIPO

Cocina Trabaja con un compañero. Supón que tú y tu compañero dirigen un servicio de comidas preparadas. Para cocinar sopa de chícharos se basan en una receta para ocho porciones. Copien y completen la tabla de abajo ajustando las cantidades para 16, 24, 32 y 48 porciones. Cuando sea posible, expresen las cantidades en unidades mayores.

	Ingrediente	8	16	24	32	48
		Número de porciones				
4.	chícharos	$2\frac{1}{4}$ tz	▪	▪	▪	▪
5.	agua	2 ct	▪	▪	▪	▪
6.	cebolla picada	$\frac{3}{4}$ tz	▪	▪	▪	▪
7.	apio picado	1 tz	▪	▪	▪	▪
8.	jamón	2 lb	▪	▪	▪	▪
9.	zanahorias en rodajas	$\frac{1}{4}$ lb	▪	▪	▪	▪

PONTE A PRUEBA

Di si _multiplicarías_ o _dividirías_ para hacer las siguientes conversiones.

10. libras en toneladas   **11.** cuartos en pintas   **12.** yardas en pies

Cálculo mental Completa los enunciados.

13. $10 \text{ ct} = \blacksquare \text{ gal}$ **14.** $3\frac{1}{2}\text{ T} = \blacksquare \text{ lb}$ **15.** $2\frac{1}{3}\text{ yd} = \blacksquare \text{ pies}$

16. Yung Mi tiene tres paquetes de nueces que pesan 12 oz, 32 oz y $1\frac{1}{2}$ lb. ¿Cuántas libras de nueces tiene en total?

17. Aficiones Para hacer una prenda, Jim necesita $1\frac{3}{4}$ yd de tela de 60 pulg. En unas rebajas encuentra un retazo de 60 pulg que mide $5\frac{1}{2}$ pies. ¿Es suficiente esta cantidad? Explica por qué.

Elige Usa una calculadora, lápiz y papel o cálculo mental para hallar las equivalencias.

18. $5\frac{1}{4}\text{ gal} = \blacksquare \text{ ct}$ **19.** $5{,}250 \text{ lb} = \blacksquare \text{ T}$ **20.** $4 \text{ yd} = \blacksquare \text{ pulg}$

21. Discusión ¿Qué unidad te parece más adecuada para medir las siguientes cantidades? Explica por qué.

a. la longitud de un pasillo de la escuela

b. el peso de una cebra

c. la capacidad de una bañera

POR TU CUENTA

Elige Usa una calculadora, lápiz y papel o cálculo mental para hallar las equivalencias.

22. $26 \text{ pulg} = \blacksquare \text{ pies}$ **23.** $4 \text{ tz} = \blacksquare \text{ oz líq}$ **24.** $68 \text{ oz} = \blacksquare \text{ lb}$

25. $3\frac{1}{2}\text{ mi} = \blacksquare \text{ pies}$ **26.** $16 \text{ pies} = \blacksquare \text{ yd}$ **27.** $4\frac{1}{2}\text{ ct} = \blacksquare \text{ tz}$

28. ¿Se pueden obtener 64 porciones de 1 tz con 4 galones de leche? Explica por qué.

29. El Amazonas es un río de América del Sur que tiene unas 4,000 mi de longitud. ¿A cuántos pies equivale esto?

Repaso MIXTO

Dibuja un diagrama de puntos para cada grupo de datos.

1. 8, 12, 11, 11, 9, 12, 10

2. 8, 3, 5, 4, 7, 7, 3, 5, 8

Halla el volumen. Redondea a la décima más cercana.

3. Cubo: $h = 7.5$ cm

4. Cilindro: $r = 2.2$ cm, $h = 9$ cm

5. Un número tiene 8 factores. Dos de los factores son 15 y 7. ¿Cuál es el número?

 La cuenca del Amazonas contiene $\frac{1}{5}$ del agua fluvial y $\frac{1}{3}$ de los bosques que hay en el mundo. Es posible que produzca hasta $\frac{1}{2}$ del oxígeno que se incorpora a la atmósfera cada año.

Fuente: _Curious Facts_

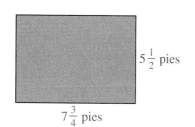

5½ pies

7¾ pies

30. La figura de la izquierda es un rectángulo.

    a. ¿Cuál es su perímetro en pies? ¿Y en pulgadas?

    b. ¿Cuál es el área en pies cuadrados? ¿Y en pulgadas cuadradas?

31. Archivo de datos #9 (págs. 362–363) Halla el área de la sala y los dos dormitorios representados en el plano.

32. a. Calculadora Los habitantes de Estados Unidos desechan diariamente unas 200,000 T de comida. Supón que en un camión de basura cupieran 12,000 lb de desechos. ¿Cuántos camiones se necesitarían para transportar toda esa comida?

    b. Supón que la longitud de cada camión fuera de 25 pies y que todos los camiones cargados de comida desechada se colocaran en fila. ¿Cuántas millas de carretera ocuparían?

33. Por escrito Explica con ejemplos por qué se multiplica para cambiar de una unidad mayor a una unidad menor y se divide para cambiar de una unidad menor a una unidad mayor.

13,796 pies
nivel del mar

19,204 pies

Mauna Kea

29,028 pies

nivel del mar

Monte Everest

Del cielo al suelo

¿Cuál es la montaña más alta del mundo? Quizás te sorprenda saber que *no* se trata del Monte Everest. Es cierto que esta montaña, situada en la frontera entre Tíbet y Nepal, tiene el récord de altura por encima del nivel del mar. Pero, como puede comprobarse a la izquierda, el Mauna Kea de Hawaii es *en realidad* la montaña más alta del mundo, aunque buena parte de su masa esté sumergida en las aguas del Océano Pacífico.

    *¿Y cuál es la depresión *más*

baja del planeta? Para los habitantes de tierra firme es el Mar Muerto, lago de agua salada situado entre Israel y Jordania a 1,312 pies bajo el nivel del mar. La depresión oceánica más honda es la Fosa de las Marianas, que alcanza 36,198 pies de profundidad bajo la superficie del Océano Pacífico. Si el Everest estuviera en la Fosa de las Marianas, su cima quedaría aproximadamente 1⅓ mi por debajo del nivel del mar.

34. Geografía física ¿Cuántas millas de altura tiene el Mauna Kea?

35. Geografía física ¿Aproximadamente cuántas millas más alto que el Everest es el Mauna Kea?

36. Geografía física ¿Aproximadamente cuántas millas de distancia vertical hay entre el punto más alto y el punto más bajo del planeta?

• Resolver ecuaciones de un paso con multiplicación o división

¡RECUERDA!

La multiplicación y la división son operaciones inversas. La división "deshace" la multiplicación, y la multiplicación "deshace" la división.

¿QUÉ? Todo el papel moneda de Estados Unidos se imprime en un papel especial que fabrica una compañía de Massachusetts usando una mezcla secreta de algodón, lino y otros materiales. Para impedir las falsificaciones se añaden pequeños filamentos rojos y azules.

PIENSA Y COMENTA

Durante una visita a la Casa de la Moneda, Rita descubrió que producir doce billetes de $100 cuesta $.30. Ahora se pregunta cuánto cuesta fabricar un solo billete, y para averiguarlo ha escrito esta ecuación.

Una docena	por	costo de un billete	es igual a	costo total
12	×	c	=	30

Ejemplo 1 Resuelve $12c = 30$.

$$12c = 30$$

$$\frac{12c}{12} = \frac{30}{12} \qquad \text{Divide ambos lados por 12.}$$

$$c = \frac{30}{12} \qquad \text{Convierte la solución en un número mixto en su mínima expresión.}$$

$$c = \frac{5}{2}$$

$$c = 2\frac{1}{2}$$

1. ¿Cuánto cuesta producir un billete de $100?

Rita también averiguó que el papel moneda se imprime en láminas de 32 billetes y que los inspectores examinan una lámina de cada cuatro. Durante su visita se examinaron 44 láminas, y ahora Rita quiere saber cuántas se imprimieron. Para hallarlo, escribió esta ecuación.

un cuarto	de	las láminas impresas	es igual a	láminas examinadas
$\frac{1}{4}$	×	l	=	44

Ejemplo 2 Resuelve $\frac{1}{4}l = 44$.

$$\frac{l}{4} = 44 \qquad \text{Expresa } \tfrac{1}{4}l \text{ como } \tfrac{l}{4}.$$

$$4 \cdot \frac{l}{4} = 4 \cdot 44 \qquad \text{Multiplica ambos lados por 4.}$$

$$l = 176$$

2. ¿Cuántas láminas se imprimieron?

La solución de una ecuación puede ser una fracción menor que uno.

Ejemplo 3 Resuelve $14h = 6$.

- $14h = 6$

$$\frac{14h}{14} = \frac{6}{14} \qquad \text{Divide ambos lados por 14.}$$

$$h = \frac{6}{14} \qquad \text{Escribe la solución en su mínima expresión.}$$

$$h = \frac{3}{7}$$

3. Explica cómo podrías comprobar la solución del ejemplo 3.

PONTE A PRUEBA

Resuelve las ecuaciones.

4. $3w = 14$ **5.** $\frac{d}{8} = 36$ **6.** $\frac{1}{5}t = 25$ **7.** $36m = 4$

8. Negocios El encargado de una tienda observó que 65 clientes (un quinto de los que hubo ese día) habían comprado al menos ocho productos cada uno. Escribe y resuelve una ecuación para hallar el total de clientes que hubo ese día.

Cálculo mental Resuelve las ecuaciones mentalmente.

9. $\frac{x}{6} = 2$ **10.** $4p = 9$ **11.** $12f = 2$ **12.** $\frac{1}{3}b = 12$

13. Estimación Carl y Ed estimaron la solución de $20g = 49$. Carl concluyó que es $\frac{2}{5}$, y Ed que es $2\frac{1}{2}$.

   a. ¿Qué estimación es correcta? ¿Cómo crees que está hecha?

   b. ¿Qué error crees que cometió la persona equivocada?

POR TU CUENTA

Elige Usa una calculadora, lápiz y papel o cálculo mental para resolver estas ecuaciones.

14. $\frac{k}{5} = 16$ **15.** $9a = 20$ **16.** $48q = 36$ **17.** $28 = \frac{1}{4}z$

18. $14n = 60$ **19.** $\frac{1}{8}s = 128$ **20.** $88 = 22c$ **21.** $\frac{w}{7} = 628$

Repaso MIXTO

Resuelve.

1. $x - 3 = -24$

2. $y + 13 = -42$

Completa.

3. $8\,\text{tz} = \blacksquare\,\text{pt}$

4. $5\,\text{lb} = \blacksquare\,\text{oz}$

5. La Tierra está a 93 millones de millas del Sol. La luz solar tarda 8 min 20 s en llegar a la Tierra. ¿Cuál es la velocidad de la luz en mi/s?

Estimación **Estima las soluciones y explica cómo has hecho cada estimación.**

22. $23q = 4$ **23.** $10a = 121$ **24.** $\frac{n}{21} = 12$ **25.** $82 = \frac{1}{9}t$

26. Por escrito ¿En qué se parece el proceso de resolver la ecuación $4y = 24$ al de resolver $24y = 4$? ¿En qué se diferencia?

Halla la respuesta a cada problema escribiendo una ecuación y luego resolviéndola.

27. Geografía Aproximadamente un octavo de la superficie de la región de New England está cubierto de agua. Esto equivale a unas 9,000 mi². ¿Cuál es el área de New England?

28. Deportes Arnetha tardó 3 h en recorrer un sendero de montaña que tiene $4\frac{1}{2}$ mi de longitud. ¿Cuál fue su velocidad media?

29. El Monte McKinley, la montaña más alta de Norteamérica, tiene 20,320 pies de altura. La Torre Sears de Chicago, el edificio de oficinas más alto del mundo, tiene 1,454 pies de altura. ¿Aproximadamente cuántas veces más alto que la Torre Sears es el Monte McKinley?

30. Repasa los ejemplos de la página 349. Escribe dos ecuaciones diferentes que tengan $5\frac{1}{2}$ como solución. Una tiene que parecerse a la del ejemplo 1 y la otra a la del ejemplo 2.

De los rascacielos más altos del mundo, $\frac{1}{3}$ están en Chicago (arriba), aproximadamente $\frac{1}{6}$ en Nueva York (centro) y $1\frac{1}{7}$ en Houston (abajo).

Fuente: *The World Book Encyclopedia*

VISTAZO A LO APRENDIDO

Halla el producto o el cociente.

1. $\frac{4}{5} \cdot \frac{5}{8}$ **2.** $\frac{1}{3} \div \frac{4}{9}$ **3.** $\frac{5}{6} \div 6\frac{2}{3}$ **4.** $7\frac{1}{2} \cdot 3\frac{4}{7}$

5. Alicia tiene una entrevista de trabajo a las 8:30 a.m. Necesita 15 min para desayunar, $\frac{1}{2}$ h para vestirse y 40 min para llegar al lugar de la entrevista. ¿A más tardar a qué hora debe levantarse?

Completa.

6. 28 pulg = ■ pies **7.** $8\frac{1}{2}$ lb = ■ oz **8.** 15 ct = ■ gal

Resuelve las ecuaciones.

9. $\frac{1}{4}t = \frac{7}{8}$ **10.** $12p = 78$ **11.** $\frac{x}{7} = 3$ **12.** $15 = 18d$

Compara usando <, > ó =.

1. $\frac{2}{9}$ ■ $\frac{8}{9}$ **2.** $\frac{4}{7}$ ■ $\frac{4}{15}$ **3.** $\frac{5}{16}$ ■ $\frac{3}{8}$ **4.** $\frac{1}{2}$ ■ $\frac{24}{49}$ **5.** $\frac{13}{20}$ ■ $\frac{5}{8}$

Convierte las fracciones en decimales y los decimales en fracciones en su mínima expresión.

6. $\frac{3}{5}$ **7.** $\frac{3}{11}$ **8.** 0.92 **9.** 0.4 **10.** $\frac{7}{10}$ **11.** 0.875 **12.** $\frac{7}{12}$

Estima la suma, diferencia, producto o cociente.

13. $4\frac{1}{2} - 1\frac{24}{25}$ **14.** $138 \cdot \frac{1}{7}$ **15.** $22\frac{7}{8} \div 3\frac{5}{6}$ **16.** $\frac{5}{11} + \frac{1}{15}$ **17.** $8\frac{1}{11} \cdot 5\frac{11}{12}$

Halla la suma, diferencia, producto o cociente. Escribe las respuestas en su mínima expresión.

18. $\frac{3}{4} + \frac{5}{6}$ **19.** $4\frac{1}{5} \cdot \frac{6}{7}$ **20.** $2\frac{1}{3} + 7\frac{3}{4}$ **21.** $\frac{3}{8} \div \frac{1}{12}$ **22.** $15 - 5\frac{2}{7}$

Resuelve estas ecuaciones.

23. $m - \frac{3}{10} = \frac{4}{5}$ **24.** $8y = 28$ **25.** $9\frac{1}{3} = k + \frac{3}{4}$ **26.** $\frac{d}{4} = 16$ **27.** $15w = 6$

Completa las equivalencias.

28. $9 \text{ pt} = $ ■ ct **29.** $8\frac{1}{3} \text{ yd} = $ ■ pies **30.** $84 \text{ oz} = $ ■ lb **31.** $2\frac{3}{4} \text{ tz} = $ ■ oz líq

32. En el recorte de la derecha se muestran los precios de una acción de cierta compañía a lo largo de cierto día. El precio de apertura está arrancado.

   a. ¿Cuál era el precio de apertura?

   b. ¿Qué valor tenían 25 acciones de esa compañía a las 12:00 del mediodía?

33. El perrito de Keino pesaba $4\frac{3}{4}$ lb en marzo y $5\frac{7}{8}$ lb en agosto. ¿Cuánto aumentó de peso?

34. Marta recorre en bicicleta las $4\frac{1}{2}$ mi que hay entre su casa y la escuela. Regresa por el mismo camino y suele detenerse en un parque que está $2\frac{3}{10}$ mi de la escuela. ¿A qué distancia está el parque de su casa?

8:00 a.m. (Precio de apertura)	
10:00 a.m.	$+\frac{1}{4}$
12:00 MEDIODÍA	$-\frac{3}{8}$
2:00 p.m.	$-\frac{1}{2}$
4:00 p.m. (Precio de cierre)	$21\frac{3}{8}$

8-11 **U**so de fracciones y decimales

En esta lección

• Resolver problemas con fracciones y decimales

VAS A NECESITAR

✓ Calculadora

▛ PIENSA Y COMENTA

Las fracciones y los decimales aparecen en muchos problemas de la vida real. Por ejemplo, para saber el dinero que te ahorrarías comprando el tocadiscos anunciado a la izquierda tienes que hallar $\frac{1}{4}$ de $329.29.

Siempre conviene empezar por hacer una estimación.

$$\frac{1}{4} \text{ de } \$329.29 \approx \frac{1}{4} \text{ de } \$320 = \$80$$

1. ¿Por qué se hace la estimación redondeando $329.29 a $320?

Usa una calculadora para hallar la cantidad exacta.

$$\frac{1}{4} \cdot \$329.29 \rightarrow 0.25 \; \boxed{\times} \; 329.29 \; \boxed{=} \quad \mathit{82.3225}$$

ó

$$\$329.29 \div 4 \rightarrow 329.29 \; \boxed{\div} \; 4 \; \boxed{=} \quad \mathit{82.3225}$$

2. Explica por qué se puede hallar $\frac{1}{4}$ de $329.29 multiplicando 0.25×329.29.

3. Explica por qué se puede hallar $\frac{1}{4}$ de $329.29 dividiendo $329.29 \div 4$.

4. ¿Cuál es la cantidad ahorrada, redondeada al centavo más cercano?

5. ¿Cuál es el precio rebajado del tocadiscos?

Puedes hallar el precio rebajado de otra manera si tienes en cuenta que la rebaja de *un cuarto* significa que pagas *tres cuartos*.

6. Si el precio rebajado de un producto equivale a dos tercios del precio original, ¿qué fracción corresponde a la rebaja?

7. ¿Cómo estimarías tres cuartos de $329.29?

8. Usa una calculadora para hallar $\frac{3}{4} \cdot$ $329.29. ¿Cuál es el precio rebajado?

9. **a.** Describe dos métodos para hallar el precio rebajado del órgano eléctrico anunciado a la izquierda. Halla después el precio rebajado.

   b. Discusión ¿Qué método prefieres? Explica por qué.

Resuelve.

1. $15x = 3$ 2. $\frac{y}{4} = 34$

3. $6m = 22$ 4. $\frac{1}{9}b = 81$

Halla la longitud que falta.

5.

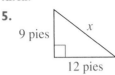

9 pies x

12 pies

6. Un cubo tiene un volumen de 1,728 cm³. ¿Cuál es la longitud de cada arista?

┌POR TU CUENTA

10. Para hacerse un vestido, Pamela tiene que comprar una cremallera que cuesta $1.98 y $2\frac{3}{4}$ yd de una tela que cuesta $5.59 la yarda. ¿Cuál será el costo total del vestido?

11. Durante una liquidación, un estéreo que costaba $229.95 estaba marcado "$\frac{1}{4}$ de rebaja".

    a. ¿Cuál era el precio rebajado?

    b. El último día de la liquidación, el estéreo se vendía con $\frac{1}{3}$ rebajado del precio al que estaba marcado al principio de la liquidación. ¿Cuál era el precio final?

12. **Por escrito** Tu primito dice que si "$\frac{1}{2}$ de rebaja" es lo mismo que "dos por el precio de uno", "$\frac{1}{3}$ de rebaja" equivale a "tres por el precio de uno". ¿Tiene razón? Explica por qué.

13. **Pensamiento crítico** Una tienda anuncia: "¡Compre 2 y llévese el tercero gratis!". ¿Equivale esto a $\frac{1}{2}$ de rebaja? Explica tu razonamiento con ejemplos.

UN GRAN FUTURO

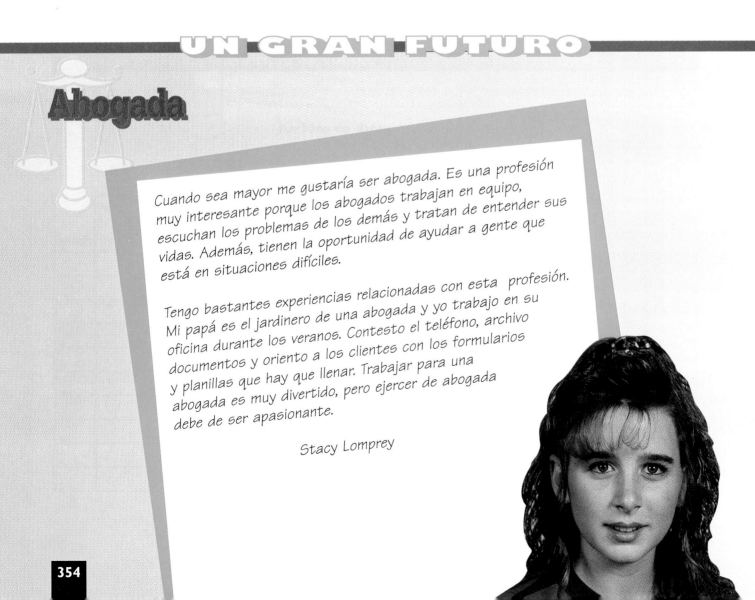

Abogada

Cuando sea mayor me gustaría ser abogada. Es una profesión muy interesante porque los abogados trabajan en equipo, escuchan los problemas de los demás y tratan de entender sus vidas. Además, tienen la oportunidad de ayudar a gente que está en situaciones difíciles.

Tengo bastantes experiencias relacionadas con esta profesión. Mi papá es el jardinero de una abogada y yo trabajo en su oficina durante los veranos. Contesto el teléfono, archivo documentos y oriento a los clientes con los formularios y planillas que hay que llenar. Trabajar para una abogada es muy divertido, pero ejercer de abogada debe de ser apasionante.

Stacy Lomprey

14. a. Investigación (pág. 316) Los precios de una acción cotizada en bolsa se expresan en dólares y en mitades, cuartos y octavos de dólar. Elena compró 15 acciones a 27\frac{5}{8}$ cada una y 25 acciones a 32\frac{1}{2}$ cada una. ¿Cuánto invirtió en total?

b. Calcula el valor de cierre que tienen hoy 15 acciones de dos compañías que estés siguiendo.

15. a. Observa el anuncio de la derecha. ¿Cuál es el precio de una chaqueta que antes costaba $75?

b. ¿Qué cuesta menos después de la rebaja: la chaqueta anterior o un abrigo con un precio original de $100? ¿Cuál es la diferencia?

c. ¿Cuánto cuestan en total dos pares de zapatos con precios originales de $24.98 y $35?

d. Pensamiento crítico Adam ha pagado $171.75 por un abrigo. ¿Cuál era el precio original?

La Nueva Moda

Chaquetas: $\frac{1}{4}$ de rebaja

Abrigos: $\frac{1}{3}$ de rebaja

Zapatos: Compre un par y llévese otro* a mitad de precio.
*de igual o menor precio

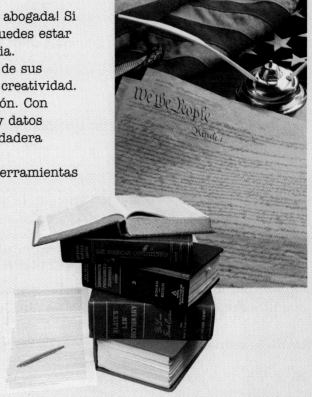

Querida Stacy:

¡Es maravilloso que te guste tanto trabajar con una abogada! Si te gusta el trabajo relacionado con una profesión, puedes estar segura de que esa profesión te resultará satisfactoria.

Para hacer frente a las complicadas situaciones de sus clientes, los abogados tienen que usar la lógica y la creatividad. A veces, los problemas legales no tienen fácil solución. Con frecuencia hay que examinar montañas de hechos y datos antes de que surjan con claridad los asuntos de verdadera importancia.

La lectura, la escritura y las matemáticas son herramientas que los abogados utilizamos a diario. Sin ellas sería difícil cumplir con nuestras responsabilidades. El trabajo que realizarás puede tener importantes consecuencias en la vida de la gente. Por eso, tanto si trabajas sola como si lo haces en equipo, debes estar siempre atenta a los detalles del caso y a las necesidades de tus clientes.

Veronica C. Boda
Presidenta de la Asociación
Nacional de Abogadas

En conclusión

Comparación, orden y estimación 8-1, 8-3

Para comparar fracciones se halla primero un denominador común.

Ordena de menor a mayor.

1. $\frac{3}{8}, \frac{1}{2}, \frac{1}{4}$

2. $\frac{3}{4}, \frac{7}{12}, \frac{1}{6}$

3. $\frac{2}{5}, \frac{1}{3}, \frac{7}{15}$

4. $\frac{6}{10}, \frac{4}{5}, \frac{8}{20}$

Estima los resultados.

5. $\frac{5}{8} + 1\frac{2}{3}$

6. $5\frac{1}{4} - 2\frac{2}{5}$

7. $3\frac{1}{8} \cdot 9\frac{9}{10}$

8. $12\frac{2}{5} \div 3\frac{8}{9}$

Fracciones y decimales 8-2

Para convertir un decimal en fracción se utilizan los dígitos decimales como numerador y una potencia de diez como denominador. Después se escribe la fracción en su mínima expresión.

Para convertir una fracción en decimal se divide el numerador por el denominador. Los dígitos periódicos se indican colocando una barra sobre ellos.

Convierte cada decimal en fracción o en número mixto en su mínima expresión.

9. 0.10

10. 0.5

11. 0.24

12. 3.75

13. 2.96

Convierte estas fracciones en decimales.

14. $\frac{3}{5}$

15. $\frac{75}{100}$

16. $\frac{7}{8}$

17. $\frac{1}{3}$

18. $\frac{5}{6}$

19. Por escrito Describe una situación en la que usarías una fracción y otra en la que usarías un decimal.

Suma y resta de fracciones 8-4

Para sumar o restar fracciones se halla primero un denominador común y después se suman o restan los numeradores.

Halla la suma o la diferencia.

20. $2\frac{1}{3} + \frac{3}{4}$

21. $16\frac{4}{5} - 9\frac{2}{3}$

22. $8\frac{1}{6} + 7\frac{3}{12}$

23. $11\frac{5}{6} - 5\frac{3}{8}$

Multiplicación y división de fracciones

Para multiplicar fracciones se multiplican los numeradores y se multiplican los denominadores. Para dividir fracciones se multiplica por el recíproco del divisor. Por ejemplo, $\frac{2}{3} \div \frac{5}{6}$ equivale a $\frac{2}{3} \cdot \frac{6}{5}$.

Halla los productos o cocientes.

24. $\frac{3}{5} \cdot 1\frac{1}{2}$

25. $2\frac{2}{3} \cdot 3\frac{3}{8}$

26. $5\frac{1}{4} \div \frac{7}{8}$

27. $\frac{4}{5} \div 1\frac{1}{3}$

Resolución de ecuaciones

Para resolver ecuaciones se usan las propiedades de la igualdad.

28. $1\frac{7}{8} + n = 3\frac{3}{4}$

29. $q - 3\frac{1}{5} = 5\frac{3}{10}$

30. $5p = 18$

31. $\frac{x}{5} = 7\frac{1}{4}$

Escribe una ecuación para resolver cada problema.

32. Los 70 estudiantes que se gradúan son $\frac{1}{5}$ de todos los estudiantes de la escuela. ¿Cuántos estudiantes hay en la escuela?

33. Juan tenía en junio $68\frac{1}{2}$ pulg de estatura. Si durante el año ha crecido $1\frac{5}{8}$ pulg, ¿cuál era su estatura a principio de año?

Medidas angloamericanas

Para convertir medidas se *multiplica* si se cambia de una unidad mayor a una unidad menor y se *divide* si se cambia de una unidad menor a una unidad mayor.

Completa.

34. 30 pulg = ■ pies

35. 54 oz = ■ lb

36. 20 yd = ■ pies

37. $3\frac{1}{2}$ tz = ■ oz líq

Estrategias y aplicaciones

Algunos problemas hay que resolverlos en orden inverso.

38. Lien quiere estar en la escuela a las 7:30 a.m. Si tarda $\frac{3}{4}$ h en vestirse, $\frac{1}{2}$ h en desayunar y 15 min en llegar a la escuela, ¿a qué hora tiene que levantarse?

39. Juan compró un par de zapatos que tenían $\frac{1}{4}$ de descuento. Su precio original era de $34. Si después de pagar le quedaban $14.26, ¿cuánto dinero llevaba?

PREPARACIÓN PARA EL CAPÍTULO 9

¿Qué fracción no es equivalente a las demás en cada conjunto?

1. $\frac{1}{2}, \frac{8}{16}, \frac{4}{6}$

2. $\frac{3}{4}, \frac{15}{24}, \frac{5}{8}$

3. $\frac{10}{18}, \frac{4}{9}, \frac{15}{27}$

4. $\frac{24}{30}, \frac{8}{10}, \frac{3}{5}$

APLICA LO QUE SABES

cierra el caso

Acciones en acción

El Club de Jóvenes Inversionistas quiere comprar acciones y te ha pedido que recomiendes una compañía. Prepara un informe oral o escrito que incluya la siguiente información.

✓ una descripción de la compañía
✓ una gráfica del precio de las acciones durante cierto período de tiempo
✓ un análisis sobre las ganancias posibles con esas acciones

Los problemas precedidos por la lupa (pág. 319, #33; pág. 325, #36 y pág. 355, #14) te ayudarán a realizar la investigación.

LA HAMBURGUESA ASTRONÓMICA

Una cadena internacional de comida rápida asegura haber servido más de 90,000 millones de hamburguesas. Si todas estas hamburguesas se colocaran en fila, ¿rodearían la Tierra por el ecuador? ¿Llegarían a la Luna si formaran una columna? Una hamburguesa mide aproximadamente 4 pulg de diámetro y $1\frac{1}{4}$ pulg de altura.

Galletitas de avena

$\frac{3}{4}$ tz manteca vegetal

$1\frac{1}{4}$ tz azúcar moreno

$\frac{1}{4}$ tz azúcar granulado

1 huevo

$\frac{1}{3}$ tz agua

1 cucharadita vainilla

3 tz avena sin cocinar

1 tz harina

1 cucharadita sal

$\frac{1}{2}$ cucharadita bicarbonato sódico

Pon el horno a 350°F. Bate en un recipiente la manteca, los azúcares, el huevo, el agua y la vainilla. Añade el resto de los ingredientes y mézclalos bien. Con una cuchara, coloca porciones redondeadas de esta masa en una plancha de hornear galletitas, untada con mantequilla o aceite. Ponla al horno de 12 a 15 min. Salen 5 docenas.

Los reposteros suelen doblar o triplicar las cantidades indicadas en una receta. ¿Qué harías para conseguir que todos tus compañeros de clase tuvieran seis galletitas cada uno? Haz una lista con las cantidades de cada ingrediente que usarías.

Fracciones al azar

Dos o más jugadores

Materiales: Dado de 10 ó 6 caras, o ruleta numerada del 1 al 10; lápiz y papel

$$\frac{\square}{\square} + \frac{\square}{\square}$$

Instrucciones:

1) Cada jugador copia el diagrama de la derecha.

2) Un jugador cualquiera tira el dado.

3) Cada jugador anota el número que salga en un cuadro cualquiera del diagrama (sin que lo vean los demás).

4) Se lanza el dado tres veces más y se van anotando los números hasta que los cuatro cuadros del diagrama tengan un número.

5) Los jugadores suman las fracciones y el que obtenga el número mayor se anota un punto. En caso de empate, los jugadores empatados se anotan un punto cada uno. Gana el primero en conseguir 4 puntos.

Variaciones: A) Añadan dos cuadros para formar tres fracciones. B) Resten, multipliquen o dividan las fracciones. C) El resultado más cercano a cero se anota un punto.

1. **Por escrito** Explica cómo se ordenan las fracciones $\frac{1}{2}$, $\frac{3}{4}$, $\frac{2}{5}$ y $\frac{9}{10}$ de menor a mayor.

2. **Elige A, B, C o D.** ¿Qué fracción está más cerca de 0.92?

   A. $\frac{14}{15}$ **B.** $\frac{9}{10}$ **C.** $\frac{11}{12}$ **D.** $\frac{19}{20}$

3. Escribe 0.84 como una fracción en su mínima expresión.

4. Convierte $\frac{5}{9}$ en decimal.

5. Has dado $8\frac{1}{2}$ vueltas a una manzana de tu vecindario que tiene un perímetro de 770 yd. ¿Aproximadamente cuántas millas has recorrido? (1 mi = 1,760 yd)

6. Halla la suma o la diferencia.

   a. $8\frac{2}{5} + 5\frac{3}{5}$ **b.** $7\frac{5}{8} - 4\frac{1}{8}$

   c. $4\frac{3}{4} + 5\frac{1}{5}$ **d.** $9\frac{3}{8} - 5\frac{1}{4}$

   e. $1\frac{2}{3} - \frac{3}{4}$ **f.** $4\frac{2}{3} + 1\frac{5}{6}$

7. **Elige A, B, C o D.** ¿En qué ecuación tiene x un valor menor que 1?

   A. $\frac{3}{8} = x - \frac{3}{4}$ **B.** $x - \frac{1}{3} = \frac{3}{4}$

   C. $x - 1\frac{1}{3} = 2\frac{1}{3}$ **D.** $x + 1\frac{1}{5} = 1\frac{3}{5}$

8. Jaime trabajó $12\frac{1}{2}$ h a \$6.50 la hora. Cuando cobró se gastó \$24.99 en unos pantalones. Ahora tiene \$389.23. ¿Cuánto dinero tenía antes de cobrar?

9. Un rectángulo mide $4\frac{3}{4}$ pies de largo y $2\frac{1}{2}$ pies de ancho. ¿Cuál es su perímetro?

10. Las acciones de Genex S.A. han abierto a $2\frac{7}{8}$ y han cerrado a $1\frac{1}{4}$. Si fueras dueño de 100 acciones, ¿en cuánto habría disminuido hoy el valor de tu inversión?

11. Halla el producto o el cociente.

    a. $\frac{4}{5} \cdot \frac{1}{4}$ **b.** $\frac{4}{5} \div \frac{1}{4}$

    c. $1\frac{2}{3} \cdot 1\frac{1}{4}$ **d.** $1\frac{2}{3} \div 1\frac{1}{4}$

    e. $150 \div 2\frac{2}{3}$ **f.** $5\frac{3}{8} \cdot 3\frac{3}{4}$

12. Completa.

    a. 38 pulg = ■ pies   **b.** 60 oz = ■ lb

    c. $3\frac{3}{4}$ ct = ■ tz   **d.** $1\frac{2}{3}$ mi = ■ pies

13. Resuelve.

    a. $15y = 33$ **b.** $12 = 8x$

    c. $\frac{y}{12} = 2\frac{1}{2}$ **d.** $\frac{1}{4}y = 10$

    e. $w + 4\frac{3}{5} = 6\frac{1}{2}$ **f.** $k - 2\frac{3}{4} = 9$

14. En la tienda donde trabajas se venden todos los artículos con $\frac{1}{3}$ de descuento. Considerando que a los empleados se les hace un descuento adicional de $\frac{1}{5}$, ¿cuánto pagarías por una chaqueta cuyo precio original es \$60?

15. Compara usando $<$, $>$ ó $=$.

    a. 5.4 ■ $\frac{26}{5}$ **b.** $\frac{5}{6}$ ■ $\frac{24}{25}$

16. Los catetos de un triángulo rectángulo miden $1\frac{1}{2}$ pies y 2 pies. ¿Cuánto mide la hipotenusa?

Elige A, B, C o D.

1. Estima $6\frac{3}{4} \cdot 3\frac{1}{5}$.

   A. 18   **B.** 21   **C.** 24   **D.** 27

2. ¿Qué progresión *no* es ni aritmética ni geométrica?

   A. 3, 6, 12, 21, . . .   **B.** 3, 6, 9, 12, . . .

   C. 3, 6, 12, 24, . . .   **D.** 3, 9, 15, 21, . . .

3. Tienes $21 para comprarle un regalo de cumpleaños a tu hermano pequeño. Sabes que vas a pagar aproximadamente $1 de impuestos. ¿Qué puedes comprar?

   A. un libro y un video

   B. un modelo y un video

   C. un libro y una pelota de fútbol

   D. un modelo y una pelota de fútbol

Artículo	Precio
Libro	$7.95
Modelo	$8.99
Video	$11.49
Pelota de fútbol	$12.50

4. Halla el valor de $\frac{xy}{x-y}$ si $x = -3$ e $y = -6$.

   A. -6 **B.** -3 **C.** 6   **D.** 3

5. Un rectángulo tiene un área de 12 pies^2 y un lado de $3\frac{3}{8}$ pies. ¿Qué ecuación podrías usar para hallar la longitud del otro lado?

   A. $x + 3\frac{3}{8} = 12$

   B. $x\left(3\frac{3}{8}\right) = 12$

   C. $2x + 2 \cdot 3\frac{3}{8} = 12$

   D. $\frac{x}{3\frac{3}{8}} = 12$

6. ¿Qué función se representa en la gráfica de la derecha?

   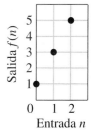

   A. $f(n) = n$

   B. $f(n) = 2n$

   C. $f(n) = n + 1$

   D. $f(n) = 2n + 1$

7. ¿Qué decimal *no* equivaldría a 4.01 si estuviera redondeado a la centésima más cercana?

   A. 4.0086   **B.** 4.0049

   C. 4.0149   **D.** 4.0140

8. Ordena los números 0.361×10^7, 4.22×10^7 y 13.5×10^6 de menor a mayor.

   A. 13.5×10^6, 0.361×10^7, 4.22×10^7

   B. 4.22×10^7, 13.5×10^6, 0.361×10^7

   C. 0.361×10^7, 13.5×10^6, 4.22×10^7

   D. 13.5×10^6, 4.22×10^7, 0.361×10^7

9. Enrique quiere hacer una escalera para poder subir a la buhardilla de su casa. La entrada de la buhardilla está a $8\frac{1}{2}$ pies del suelo y cada escalón no puede tener más de $7\frac{3}{4}$ pulg de alto. Si el último escalón tiene que quedar al mismo nivel que la entrada de la buhardilla, ¿cuál es el menor número de escalones posible?

   A. 11   **B.** 12

   C. 13   **D.** 14

10. ¿Qué suma está más cerca de 1?

    A. $\frac{1}{3} + \frac{1}{5}$ **B.** $\frac{5}{8} + \frac{5}{9}$

    C. $\frac{2}{3} + \frac{3}{11}$ **D.** $\frac{3}{4} + \frac{3}{5}$

Razonamiento con proporciones

ESTADO DE POBREZA

- El número de niños que viven en la pobreza en Estados Unidos aumentó un 16% en los años 80.
- Hay 13.4 millones de niños pobres en Estados Unidos.
- Hay 5.5 millones de niños en Estados Unidos que pasan hambre.
- Una familia de tres personas necesita $964 al mes para vivir en Estados Unidos.

Fuente: *U.S News and World Report*

Encuesta a jóvenes

	"Sí"
Me llevo muy bien con mis hermanos.	75%
Me llevo muy bien con un hermano pero no con los demás.	27%
Mi padre o mi madre les hace más caso a mis hermanos que a mí.	20%
Me gustaría ser hijo único o hija única.	15%
Mis padres esperan demasiado de mí en cuanto a ayudarlos con mis hermanos.	13%

Fuente: *Seventeen*

Menos miembros en las familias norteamericanas

Año	Número de familias	Número de personas/familia
1930	29,905,000	4.11 personas
1940	34,949,000	3.67 personas
1950	43,554,000	3.37 personas
1960	52,799,000	3.33 personas
1970	63,401,000	3.14 personas
1980	80,776,000	2.76 personas
1990	93,347,000	2.63 personas
1991	94,312,000	2.63 personas

Fuente: *Information Please Almanac*

DE TODO EL MUNDO

Hoy día, el 12% de los niños japoneses viven en hogares que incluyen los abuelos y los padres. En 1960, el 25% vivían en ese tipo de familia.

DORMITORIO
9 PIES-8 PULG
X
11 PIES-3 PULG

DORMITORIO PRINCIPAL
11 PIES-8 PULG
X
11 PIES-3 PULG

EN ESTE CAPÍTULO

- representarás y escribirás porcentajes
- usarás proporciones para resolver problemas
- usarás tecnología para explorar el porcentaje de cambio
- resolverás problemas usando varias estrategias

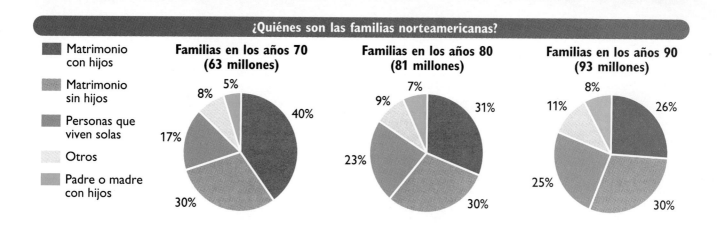

¿Quiénes son las familias norteamericanas?

- Matrimonio con hijos
- Matrimonio sin hijos
- Personas que viven solas
- Otros
- Padre o madre con hijos

Familias en los años 70 (63 millones)
40%, 5%, 8%, 17%, 30%

Familias en los años 80 (81 millones)
31%, 7%, 9%, 23%, 30%

Familias en los años 90 (93 millones)
26%, 8%, 11%, 25%, 30%

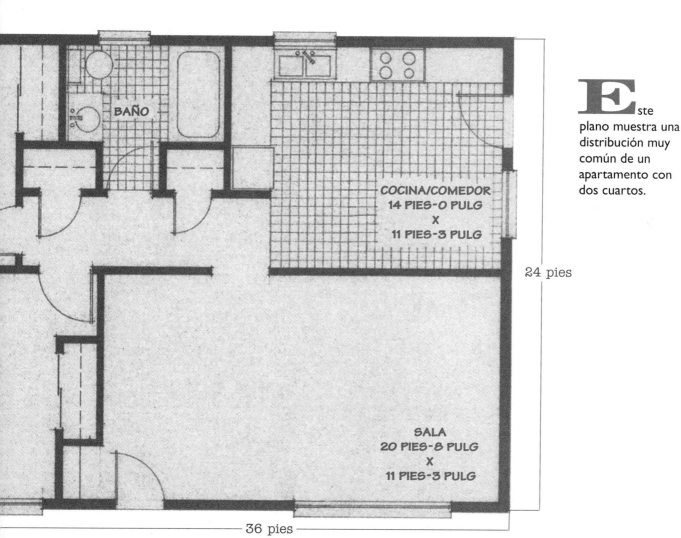

BAÑO

COCINA/COMEDOR
14 PIES-0 PULG
X
11 PIES-3 PULG

SALA
20 PIES-8 PULG
X
11 PIES-3 PULG

24 pies

36 pies

Este plano muestra una distribución muy común de un apartamento con dos cuartos.

investigación

Proyecto

Informe

El vicepresidente del departamento de desarrollo de nuevos productos de la empresa Tijeras Tijereta recibió una carta de un cliente que no estaba satisfecho. La carta decía que aunque las tijeras Tijereta son las mejores del mercado, no sirven para las personas zurdas. Para los zurdos, estas tijeras son muy difíciles de usar e incluso les lastiman los dedos debido al diseño especial de las agarraderas. Después de leer la carta, el vicepresidente empezó a preguntarse: ¿Habrá un mercado para tijeras de zurdos?

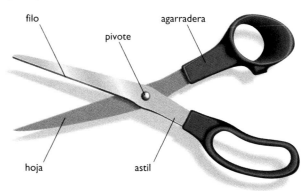

Tijeras para zurdos

filo
pivote
agarradera
hoja
astil

Misión: Haz una investigación para ayudar al vice-presidente a decidir si hay mercado para tijeras de zurdos. Escribe una carta al vice-presidente de la empresa Tijeras Tijereta describiendo tu investigación y explicando tu recomendación.

Sigue estas pistas

✓ ¿Cuántos zurdos hay en tu grupo? ¿Y en tu clase?

✓ ¿Necesitan los zurdos de tu clase tijeras para zurdos?

✓ ¿Qué otros objetos puedes diseñar para zurdos?

Exploración de las razones

PIENSA Y COMENTA

La Oficina del Censo de los Estados Unidos estima que en el año 2000 habrá 96 personas de sexo masculino por cada 100 personas de sexo femenino. Se puede comparar el número de personas de sexo masculino con el de personas de sexo femenino escribiendo una **razón**, que es una comparación entre dos números. Una razón se puede escribir de tres maneras.

$$96 \text{ a } 100 \qquad 96 : 100 \qquad \frac{96}{100}$$

La tabla siguiente muestra la razón de varones a mujeres o niñas en distintos años y por edades.

Razón de varones a mujeres o niñas, por edades
(Las cantidades dan el número de varones por cada 100 mujeres o niñas.)

Año	de 10 a 14 años	de 30 a 34 años	de 60 a 64 años
1970	104 (a 100)	97	88
1980	104	99	86
1990	105	100	87

Fuente: *Statistical Abstract of the United States*

La Oficina del Censo predice que en el año 2000 habrá unos 48 millones de personas menores de 18 años y unos 45 millones de personas de 65 años o más en Estados Unidos. **Con esta información, escribe una razón de tres maneras distintas.**

1. Mira las razones para el grupo de 10 a 14 años. ¿Cuál era la razón de varones a niñas en 1970? ¿Y en 1990?

2. Escribe la razón de hombres a mujeres en el grupo de 60 a 64 años en 1990 de las tres maneras posibles.

3. La Oficina del Censo de Estados Unidos predice que en el año 2000 habrá 57 hombres por cada 100 mujeres de 75 años y mayores.

   a. Un estudiante escribió que la razón de hombres a mujeres era 100 : 57. ¿Es correcto eso? Explica por qué.

   b. **Discusión** ¿Qué importancia tiene el orden de los números cuando se escribe una razón?

4. En la tabla de la página anterior, ¿cómo cambia la razón de varones a mujeres o niñas a medida que la gente se hace mayor?

5. **Pensamiento crítico** ¿Cómo crees que un fabricante de pantalones vaqueros usaría la información de la tabla de la página anterior?

Para hallar razones iguales, multiplicas o divides cada término por el mismo número, siempre que no sea cero.

$$\frac{12}{15} \overset{\times 2}{\underset{\times 2}{=}} \frac{24}{30} \qquad \frac{12}{15} \overset{\div 3}{\underset{\div 3}{=}} \frac{4}{5}$$

Las razones $\frac{12}{15}$, $\frac{24}{30}$ y $\frac{4}{5}$ son iguales.

6. ¿Cuál de las tres razones anteriores está en su mínima expresión? ¿Cómo lo sabes?

7. Escribe tres razones iguales a $\frac{10}{16}$. Incluye la mínima expresión.

8. Halla la razón de varones a niñas en tu clase.

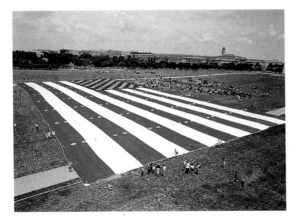

*La bandera más grande de Estados Unidos se exhibe en la Elipse en Washington, D.C., el Día de la Bandera. Pesa 3,000 lb. **Estima el número de personas que crees que se necesitan para sujetar la bandera. Explica tu razonamiento.***

Fuente: *The Boston Globe*

A veces expresamos las razones como decimales. El decimal se compara siempre a 1. Por ejemplo, la razón de la longitud al ancho de una bandera oficial de Estados Unidos es 1.9 (lo que significa 1.9 a 1).

Longitudes y anchos relativos de las banderas de Estados Unidos						
Longitud	1.9	4.37	8.74	■	28.5	■
Ancho	1	2.3	■	5.4	■	100

9. **Calculadora** Copia la tabla. Usa una calculadora para hallar los valores que faltan.

10. La bandera más grande de Estados Unidos mide 505 pies por 244 pies.

   a. ¿Cuál es la razón de la longitud de la bandera a su ancho? Redondea tu respuesta a la décima más cercana.

   b. ¿Es la bandera más grande de Estados Unidos una bandera oficial? Explica por qué.

11. **a.** Hagan una encuesta en la clase para averiguar el mes en que nació cada estudiante.

   b. Escriban la razón del número de personas nacidas cada mes al número de personas en la clase.

   c. Discusión ¿Cómo creen que podrían usar sus datos para estimar el número de estudiantes de la escuela que nacieron en agosto?

POR TU CUENTA

Escribe la razón de cada situación de tres maneras diferentes.

12. Aproximadamente 24 de cada 25 californianos viven en un área metropolitana.

13. Aproximadamente 1 de cada 5 personas en Estados Unidos es de edad escolar.

14. Aproximadamente 1 de cada 3 personas nada al menos seis veces al año.

15. Halla la razón del área que ocupa la piscina al área pavimentada en el dibujo de la derecha.

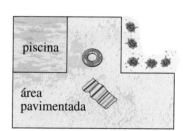

16. **Investigación (pág. 364)** Pregúntales a 25 personas si son diestras o zurdas. Escribe la razón de zurdos a diestros y la razón de zurdos al número total de personas en tu encuesta.

17. Usa la siguiente tabla.

Salón número	Niñas	Varones
101	12	16
104	9	20
107	9	12

   a. ¿Qué dos salones de clases tienen la misma razón de niñas a varones?

   b. Los estudiantes de los salones 101 y 104 tienen una clase juntos. ¿Cuál es la razón de niñas a varones en esta clase? Escribe la razón en su mínima expresión.

Repaso MIXTO

Estima.

1. 412 · (−83)

2. 654 ÷ 48

Redondea a la centésima más cercana.

3. 4.883 4. 6.1252

5. Un traje de baño que vale $38.00 tiene un descuento de $\frac{1}{4}$. ¿Cuál es el precio rebajado?

6. ¿Cuánto más baja es la temperatura −2°F que la temperatura 86°F?

Anticongelante (ct)	Agua (ct)
8	4
7.5	3
12	8
3.5	1
9	18

18. **Elige A, B, C o D.** En una bolsa hay canicas rojas, azules y amarillas. La razón de canicas rojas a canicas azules es 1 : 4. La razón de canicas azules a canicas amarillas es 2 : 5. ¿Cuál es la razón de canicas rojas a canicas amarillas?

A. 1 : 5　　**B.** 1 : 10　　**C.** 1 : 2　　**D.** 1 : 12

Elige Usa una calculadora, lápiz y papel o cálculo mental.

19. **Deportes** Un diamante de softball mide 65 pies por 65 pies. Un diamante de béisbol mide 90 pies por 90 pies.

　a. Halla la razón de la longitud de un lado de un diamante de softball a la de un lado de un diamante de béisbol. Escribe la razón en su mínima expresión.

　b. Halla la razón del área de un diamante de softball al área de un diamante de béisbol. Escribe la razón en su mínima expresión.

　c. Por escrito ¿Por qué crees que la razón de los lados y la razón de las áreas no son iguales?

20. **Por escrito** En la clase de matemáticas de Sara había 15 niñas y 10 varones. Sara dijo que la razón de niñas a varones era 3 a 2. Llegaron a la clase 2 estudiantes nuevos, un varón y una niña. Sara dijo que la razón seguía siendo 3 a 2. ¿Estaba en lo cierto? ¿Por qué?

21. **Autos** Un gato de un auto requiere una fuerza de 120 lb para levantar un auto de 3,000 lb. ¿Cuál es la razón del peso del auto a la fuerza necesaria para levantar el auto? Escribe la razón en su mínima expresión.

22. **Autos** Los dueños de autos usan anticongelante para que los radiadores de sus autos no se hielen ni se calienten demasiado. El anticongelante Prestone recomienda que se mezclen al menos dos partes de anticongelante con 1 parte de agua para proteger el auto hasta −82°F.

　a. En la tabla de la izquierda, ¿qué razones de anticongelante y agua ofrecen protección hasta −82°F?

　b. Pensamiento crítico El radiador de un auto tiene capacidad para 15 ct. ¿Cuánto anticongelante y cuánta agua hay que poner para protegerlo hasta −82°F?

23. **Archivo de datos #8 (págs. 314–315)** Escribe como un decimal la razón del consumo de carne roja al consumo de pescado y mariscos en 1991. Redondea a la décima más cercana.

9-2 **R**elaciones y más relaciones

EN EQUIPO

Supón que quieres hacer una prueba para un anuncio de radio. Buscan a alguien que hable con mucha claridad pero *muy* rápido.

• Túrnate con un compañero para leer en voz alta durante dos minutos lo más rápido que puedan.

• Después de los dos minutos, cuenten el número de palabras que leyeron.

PIENSA Y COMENTA

Para saber quién lee más rápido, el director del anuncio de radio escribe las relaciones de lectura. Una **relación** es una razón que compara dos cantidades medidas con diferentes unidades. Supón que leíste 233 palabras en dos minutos. Tu relación de lectura sería $\frac{233 \text{ palabras}}{2 \text{ min}}$.

1. ¿Cuál es tu relación de lectura? ¿Y la de tu compañero?

Una **relación unitaria** es la relación por cada unidad de una cantidad dada.

$$\frac{\text{palabras}}{\text{minutos}} \longrightarrow \underset{\div 2}{\overset{\div 2}{\frac{233}{2}}} = \frac{116.5}{1}$$

La relación unitaria es $\frac{116.5 \text{ palabras}}{1 \text{ min}}$, ó 116.5 palabras/min (palabras por minuto).

2. a. Halla tu relación unitaria de lectura y la de tu compañero.

   b. Supón que tú y tu compañero continuaran leyendo durante 5 minutos. ¿Aproximadamente cuántas palabras leería cada uno?

   c. ¿Quién de tu clase sería elegido para hacer el anuncio, según su relación unitaria de lectura?

 Durante un discurso en 1961, el presidente John F. Kennedy pronunció un fragmento a 327 palabras/min, la relación más rápida recogida jamás en un orador.

Fuente: *Guinness Book of Records*

Jarmila Kratochvilova también estableció el récord en los 400 metros en 1983. Su tiempo fue 47.99 s. **¿Cuál fue su velocidad media?**

Fuente: *Information Please Sports Almanac*

3. a. La velocidad de un auto se mide en millas por hora. ¿Por qué es la velocidad un ejemplo de relación?

b. Escribe otros dos ejemplos de relaciones que sean velocidades.

A veces escribimos medidas en unidades mixtas, como minutos y segundos. Para hallar la relación unitaria, primero necesitas escribir las unidades mixtas en un solo tipo de unidad.

Ejemplo 1

En 1983, Jarmila Kratochvilova de Checoslovaquia estableció un nuevo récord mundial en la carrera de 800 metros de mujeres. Su tiempo fue 1:53.28 (1 min 53.28 s) ¿Cuál fue su velocidad media en metros por segundo? Redondea a la centésima de metro más cercana.

- Escribe 1 min 53.28 s en segundos.

  $$1 \text{ min } 53.28 \text{ s } = 60 \text{ s } + 53.28 \text{ s } \leftarrow 1 \text{ min } = 60 \text{ s}$$
  $$= 113.28 \text{ s}$$

- Escribe la razón de la distancia al tiempo. Halla la relación unitaria.

  Estima $\dfrac{\text{m}}{\text{s}} \rightarrow \dfrac{800}{113.28} \approx \dfrac{800}{100} = 8$

  $\dfrac{800}{113.28} = 800$ ÷ 113.28 = 7.0621469

  $\dfrac{800}{113.28} \approx 7.06$

El promedio de velocidad de Jarmila Kratochvilova fue aproximadamente 7.06 m/s.

El pelo de la cabeza crece a una relación de aproximadamente $\frac{1}{2}$ pulg/mes. El pelo crece más rápido en el verano que en las otras estaciones y el pelo de los niños crece más rápido que el de los adultos. **¿Aproximadamente cuántas pulgadas crece el pelo de la cabeza en un año?**

Fuente: *The World Book Encyclopedia*

El **precio unitario** es el precio por unidad de un producto. El precio unitario te puede ayudar a determinar qué compra es mejor.

Ejemplo 2

Una botella de champú Brillo de 10.2 oz líq cuesta $5.98. La botella de 16 oz líq cuesta $9.95. Halla cada precio unitario. ¿Cuál resulta más barata?

- $\dfrac{\text{costo}}{\text{oz líq}} \rightarrow \dfrac{\$5.98}{10.2} \approx \$.59/\text{oz líq}$

- $\dfrac{\text{costo}}{\text{oz líq}} \rightarrow \dfrac{\$9.95}{16} \approx \$.62/\text{oz líq}$

Sale más barata la botella de 10.2 oz líq.

Escribe la relación unitaria para cada situación.

4. recorrer 1,200 mi en 4 h

5. hacer 210 tantos en 10 juegos

6. ganar $34 en 8 h

7. teclear 6,750 palabras en 2 h 30 min

8. Una escuela tiene 35 profesores y 945 estudiantes. ¿Cual es la razón de estudiantes a profesores? Expresa tu respuesta como una relación unitaria.

9. Ocho bolígrafos costaron $9.20. ¿Cuál es el precio unitario?

POR TU CUENTA

Halla el precio unitario. Después, determina cuál es la mejor compra.

¡RECUERDA!

1 lb = 16 oz

10. detergente: 32 oz líq por $1.99
50 oz líq por $2.49

11. nueces: 1 lb por $3.49
10 oz por $2.49

12. palomitas: 15 oz por $1.69
30 oz por $2.99

13. lazo: 1 yd por $.49
3 yd por $1.95

Elige Usa una calculadora, lápiz y papel o cálculo mental.

14. Una llamada telefónica de 17 minutos desde Boston a Chicago cuesta $2.38. ¿Cuál es el costo por minuto?

15. Un avión recorre 2,250 km en 3 h. ¿Cuál es su velocidad media?

16. a. La *densidad de población* indica el promedio de personas por unidad de área. Alaska tiene la menor densidad de población de todos los estados de Estados Unidos. ¿Cuál es su densidad de población? Redondea a la persona más cercana por milla cuadrada.

ALASKA

Población:
550,043

Área:
570,833 mi^2

b. Pensamiento crítico New Jersey tiene 1,042 personas/mi^2. Tiene la densidad de población más alta de todos los estados. ¿Puedes decir que 1,042 personas viven en cada milla cuadrada de New Jersey? Explica por qué.

Fuente: *The Information Please Almanac*

c. Por escrito Explica cómo podrías hallar la densidad de población de tu salón de clases.

17. a. Transporte Entre Chicago y San Francisco hay una distancia de 2,142 mi. La familia Marten salió de Chicago un lunes por la mañana. Fueron a una velocidad media de 50 mi/h y condujeron 6 h cada día. ¿Qué día llegaron a San Francisco?

b. El auto de la familia Marten gastó 119 gal de gasolina en el viaje. ¿Cuál fue el consumo medio del auto (mi/gal)?

18. Consumo En una tienda, una caja de Rice Krispies de 7.2 oz cuesta $1.79. La caja más grande, de 1 lb 4.25 oz, cuesta $3.69.

a. ¿Qué tamaño es mejor comprar? ¿Por qué?

b. Explica cómo hallaste tu respuesta a la parte (a).

19. Deportes Usa la tabla siguiente.

Distancia	Tiempo (s)	Atleta
100 m	9.86	Carl Lewis, EE.UU.
200 m	19.72	Pietro Mennea, Italia
400 m	43.29	Butch Reynolds, EE.UU.
800 m	1:41.73	Sebastian Coe, GB

Fuente: *Runner's World*

a. Halla la velocidad media de cada atleta. Redondea a la centésima de metro por segundo más cercana.

b. Pensamiento crítico ¿Es justo comparar las velocidades? Explica por qué.

20. Actividad Pide a un miembro de tu familia que cuente el número de veces que parpadeas en 3 minutos mientras miras la televisión.

a. ¿Cuál es tu relación de parpadeos en parpadeos por minuto?

b. ¿Aproximadamente cuántas veces parpadearás durante una hora mientras miras la televisión?

c. Pensamiento crítico Supón que estás leyendo o haciendo algún deporte. ¿Crees que tu relación de parpadeos será la misma que cuando miras la televisión? Explica por qué.

21. Deportes Susan Butcher y su equipo de perros ganaron en 1990 la carrera Iditarod de trineos tirados por perros. Completaron las 1,158 mi de la carrera desde Anchorage a Nome en 11 d y 2 h. ¿Cuál fue su velocidad media, redondeada a la milla por hora más cercana?

Resuelve.

1. $72 = 8x$ **2.** $\frac{n}{6} = 4$

Escribe en forma de razón de tres maneras diferentes.

3. 3 estudiantes a 8 estudiantes

4. 2 victorias a 11 derrotas

5. Archivo de datos #3 (págs. 90–91) Escribe una razón en su mínima expresión del número de campeonatos de la NBA que han ganado los Celtics al número que han ganado los Pistons.

6. Jordan tiene una colección de monedas de 5¢, 10¢ y 25¢, con un total de 8 monedas. Más de $\frac{1}{2}$ de sus monedas son de 25¢ y menos de $\frac{1}{4}$ son de 10¢. ¿Qué cantidades de dinero puede tener Jordan?

En esta lección

- Resolver proporciones

- Usar proporciones para resolver problemas

Proporciones

PIENSA Y COMENTA

Una **proporción** es una ecuación que expresa que dos razones son iguales.

1. ¿Cuál de estas parejas de razones podría formar una proporción?

   a. $\dfrac{3}{8}, \dfrac{6}{16}$ **b.** $\dfrac{6}{9}, \dfrac{4}{6}$ **c.** $\dfrac{4}{8}, \dfrac{5}{9}$ **d.** $\dfrac{6}{10}, \dfrac{9}{15}$

Piensa en la proporción $\dfrac{6}{8} = \dfrac{9}{12}$.

2. **a.** ¿Cuál es el producto de 6 y 12? ¿Y de 9 y 8?

   b. ¿Qué notas en los productos que hallaste en (a)?

   c. ¿Por qué crees que los productos de los términos rodeados con círculos se llaman productos cruzados?

Los *productos cruzados* de una proporción son siempre iguales. Por medio de los productos cruzados puedes saber si dos razones forman una proporción.

3. ¿Qué números multiplicarás para hallar los productos cruzados de la proporción $\dfrac{2}{3} = \dfrac{6}{9}$?

4. Usa productos cruzados para demostrar que $\dfrac{6}{15}$ y $\dfrac{4}{10}$ forman una proporción.

Resolver una proporción significa hallar un valor que haga que la proporción sea cierta. Puedes usar productos cruzados para resolver una proporción.

Ejemplo 1

Resuelve $\dfrac{n}{9} = \dfrac{10}{15}$.

$$\dfrac{n}{9} = \dfrac{10}{15}$$

$15n = 9 \cdot 10$ ← **Escribe los productos cruzados.**

$15n = 90$

$\dfrac{15n}{15} = \dfrac{90}{15}$ ← **Divide las dos partes por 15.**

$n = 6$

¿QUÉ? Los huesos de la mano son ejemplos de una razón muy especial llamada la razón de oro. Los huesos tienen la siguiente proporción:

$$\frac{a}{b} = \frac{b}{c} \text{ y } \frac{b}{c} = \frac{c}{d}$$

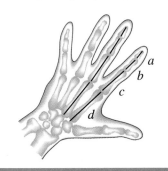

Fuente: *Fascinating Fibonaccis*

El Concorde se alarga unas 10 pulg cuando viaja a aproximadamente el doble de la velocidad del sonido, su velocidad máxima. **Usa un libro de referencia para averiguar la velocidad del sonido. Después halla la velocidad máxima del Concorde.**

Fuentes: Air France y *3-2-1 Contact*

Puedes usar proporciones y productos cruzados para resolver problemas.

Ejemplo 2 El Concorde recorre las 3,630 mi desde Nueva York a París en aproximadamente 2.7 h. ¿Aproximadamente cuántas horas tardará el Concorde en recorrer las 5,687 mi desde París a Río de Janeiro? Redondea a la décima de hora más cercana.

$$\bullet \quad \frac{\text{mi}}{\text{h}} \xrightarrow{} \frac{3,630}{2.7} = \frac{5,687}{n}$$

Sea *n* el número de horas que se tarda en volar desde París a Río de Janeiro.

$$3,630n = 2.7 \cdot 5,687$$

$$\frac{3,630n}{3,630} = \frac{2.7 \cdot 5,687}{3,630}$$

2.7 ✕ 5687 ÷ 3630 = 4.23

$$n \approx 4.2$$

El Concorde tarda aproximadamente 4.2 h en volar desde París a Río de Janeiro.

5. Escribe los pasos que seguirías en una calculadora para resolver la proporción $\frac{254}{28} = \frac{7,265}{n}$.

PONTE A PRUEBA

6. **Elige A, B o C.** Trabaja con un compañero. El Sr. Simon tarda 3h en recorrer 125 mi. ¿Cuánto tardará en recorrer 200 mi viajando a la misma velocidad? ¿Cuál de estas proporciones *no* te ayudará a resolver el problema? Explica por qué.

A. $\frac{3}{125} = \frac{n}{200}$ B. $\frac{3}{125} = \frac{200}{n}$ C. $\frac{125}{3} = \frac{200}{n}$

Cálculo mental ¿Qué parejas de razones forman una proporción?

7. $\frac{45}{9}, \frac{10}{2}$ 8. $\frac{6}{8}, \frac{4}{3}$ 9. $\frac{40}{12}, \frac{95}{4}$ 10. $\frac{8}{18}, \frac{20}{45}$

11. Transporte Un Boeing 747 tarda aproximadamente $4\frac{3}{4}$ h en recorrer 2,475 mi desde la ciudad de Nueva York a Los Ángeles. ¿Aproximadamente cuántas horas tardará el Boeing 747 en volar las 5,470 mi desde Los Ángeles a Tokio? Redondea a la décima más cercana.

12. Una florista vende ramos de flores con rosas y claveles en una razón de 2 a 7. La florista recibe un cargamento de 343 claveles. ¿Cuántas rosas necesitará?

13. Arte Una artista mezcla 2 partes de pintura roja con 3 partes de pintura amarilla para conseguir el tono de naranja que desea.

    a. ¿Cuántos cuartos de pintura roja debe mezclar con 12 cuartos de pintura amarilla?

    b. Por escrito Para resolver la parte (a), un estudiante escribió la proporción $\frac{2}{3} = \frac{12}{n}$. Explica por qué esta proporción no es correcta y cómo ayudarías a este estudiante a escribir la proporción adecuada.

14. Salud Si caminaras 60 min quemarías 200 calorías. ¿Aproximadamente cuántas calorías quemarías si caminaras 15 min?

15. Elige A, B o C. Una receta dice que hace falta $1\frac{3}{4}$ tz de queso para hacer enchiladas para 8 personas. ¿Cuál de las siguientes proporciones te ayudaría a hallar la cantidad de queso necesaria para hacer enchiladas para 12 personas?

    A. $\dfrac{1\frac{3}{4}}{12} = \dfrac{n}{8}$ **B.** $\dfrac{1\frac{3}{4}}{8} = \dfrac{12}{n}$ **C.** $\dfrac{1\frac{3}{4}}{8} = \dfrac{n}{12}$

Elige Usa una calculadora, lápiz y papel o cálculo mental. Halla el valor de n en cada proporción.

16. $\dfrac{6}{9} = \dfrac{n}{12}$ **17.** $\dfrac{20}{n} = \dfrac{4}{5}$ **18.** $\dfrac{14}{21} = \dfrac{35}{n}$

19. $\dfrac{\frac{1}{2}}{7} = \dfrac{n}{42}$ **20.** $\dfrac{45}{12} = \dfrac{30}{n}$ **21.** $\dfrac{n}{12} = \dfrac{7.5}{8}$

22. Raymond teclea 84 palabras en 2 min. Él estima que su ensayo de historia tiene 420 palabras. ¿Cuál es la cantidad mínima de tiempo que tardará Raymond en teclear su ensayo?

23. La razón de varones a niñas en una clase de gimnasia es 5 : 3. Hay 27 niñas. ¿Cuántos varones hay?

24. Estudios sociales Franklin D. Roosevelt ganó su primera elección presidencial en 1932 con unos 22,800,000 votos. La razón entre el número de votos que recibió y el número de votos que otros candidatos recibieron fue 4 : 3. ¿Aproximadamente cuántos votos recibieron los otros candidatos?

25. Escribe instrucciones para resolver la proporción $\dfrac{8}{3} = \dfrac{30}{n}$.

Repaso MIXTO

Escribe los siguientes tres números en cada progresión.

1. −5, −1, 3   **2.** 1, 3, 7

Escribe la relación unitaria.

3. 408 mi recorridas con 12 gal de gasolina

4. $16.45 por 7 lb de pescado

5. Escribe los ángulos correspondientes de las siguientes figuras congruentes.

6. El ascensor del Edificio Increíble sube tres pisos, se para y baja un piso. ¿Cuántas paradas tiene que hacer el ascensor después de subir y parar en el tercer piso para llegar al piso once?

26. Una clase de 28 estudiantes se comió solamente 6 de las 8 pizzas grandes que había pedido. El Club del Medio Ambiente también quiere pedir unas pizzas. ¿Cuántas pizzas grandes crees que debería pedir el Club para dar de comer a sus 45 miembros? Explica por qué.

Usa los datos de la izquierda. Redondea tus respuestas a la libra más cercana.

27. Física Una astronauta pesa 120 lb en la Tierra. Usa proporciones para hallar su peso en Marte y en Júpiter.

28. Física Un astronauta pesaría 60 lb en Mercurio. Halla su peso en la Tierra.

29. Física Elige tres planetas. Halla cuánto pesarías en cada uno.

30. Diversiones Una cámara de video gasta 2 m de cinta en 3 min cuando funciona a velocidad rápida. La cinta tiene 240 m de largo. ¿Cuántas horas puedes grabar a velocidad rápida?

Tabla de pesos de astronautas	
Planeta	**Peso (lb)**
Tierra	100
Mercurio	37
Venus	88
Marte	38
Júpiter	264
Saturno	115
Urano	117
Neptuno	118
Plutón	5

VISTAZO A LO APRENDIDO

Escribe dos razones iguales a cada razón.

1. 2 : 50   **2.** $\frac{3}{5}$ **3.** 4 a 12   **4.** $\frac{6}{9}$

5. Elige A, B, C o D. ¿Cuál tiene más calorías por onza?

   A. queso: 230 cal/2 oz   **B.** pollo: 240 cal/6.2 oz

   C. res: 185 cal/3 oz   **D.** yogurt: 230 cal/8 oz

Halla el valor de *x* en cada proporción.

6. $\frac{3}{8} = \frac{57}{x}$ **7.** $\frac{4}{3} = \frac{x}{21}$ **8.** $\frac{x}{15} = \frac{5}{6}$

9. Un tren de alta velocidad en Japón tarda 50 min en recorrer 106.3 mi desde Morica a Sendi. Supón que un tren viaja a la misma velocidad desde Washington, D.C., a Boston, una distancia de 416 mi. ¿Cuánto duraría el viaje? Redondea al minuto más cercano.

• Investigar las propiedades de figuras semejantes

• Usar proporciones para hallar las longitudes que faltan en figuras semejantes

✓ Tijeras ✂

✓ Regla ▭

Exploración de figuras semejantes

PIENSA Y COMENTA

La palabra *semejante* se usa a menudo en el lenguaje diario para comparar cosas. Explora las siguientes figuras para descubrir la definición matemática de *semejante*.

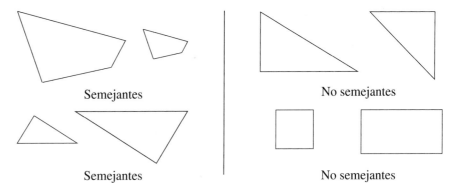

Semejantes   No semejantes

Semejantes   No semejantes

1. **a.** ¿Tienen las figuras semejantes la misma forma?

   b. ¿Deben tener el mismo tamaño las figuras semejantes?

2. Examina los trapecios semejantes de la izquierda.

   a. ∠B y ∠F son *ángulos correspondientes*. ∠B y ∠E no son ángulos correspondientes. ¿Qué parece ser cierto sobre los ángulos correspondientes?

   b. Escribe las parejas de ángulos correspondientes de los trapecios.

   c. Completa la oración: Las figuras semejantes tienen ángulos correspondientes que son ■.

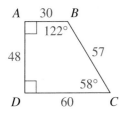

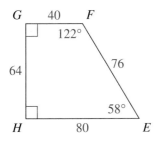

3. **a.** ∠A corresponde a ∠G y ∠B corresponde a ∠F. Por tanto, $\overline{AB}$ corresponde a $\overline{GF}$. $\overline{AB}$ y $\overline{GF}$ son *lados correspondientes*. Escribe los otros pares de lados correspondientes.

   b. Escribe las razones de la longitud de cada lado de *ABCD* a la longitud del lado correspondiente de *GFEH*. ¿Qué observas en las razones?

   c. Completa la oración: Las razones de las longitudes de los lados correspondientes de figuras semejantes son ■.

Las figuras semejantes tienen dos propiedades importantes.

- **Los ángulos correspondientes son congruentes.**
- **Las razones de las longitudes de los lados correspondientes son iguales.**

El símbolo de *es semejante a* es ~. Sobre los trapecios de la página 377 puedes escribir $ABCD \sim GFEH$. La longitud de $\overline{AB}$, escrita AB, es la distancia entre A y B.

Puedes usar proporciones para hallar las medidas que faltan en figuras semejantes, puesto que las razones de los lados correspondientes son iguales.

Ejemplo $\triangle MUY \sim \triangle FEO$. Halla el valor de x.

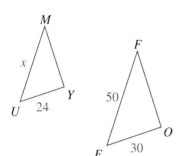

- Escribe una proporción.

$$\frac{MU}{FE} = \frac{UY}{EO}$$ $\overline{MU}$ corresponde a $\overline{FE}$. $\overline{UY}$ corresponde a $\overline{EO}$.

$$\frac{x}{50} = \frac{24}{30}$$ **Sustituye.**

$$30x = 50 \cdot 24$$ **Escribe los productos cruzados y resuelve.**

$$\frac{30x}{30} = \frac{1{,}200}{30}$$

$$x = 40$$

4. Supón que FO mide 36. ¿Cuánto mide MY?

Estas muñecas rusas tradicionales tienen figuras semejantes para que se puedan encajar unas dentro de otras.

ᴦEN EQUIPO

5. Trabaja con un compañero. Las figuras semejantes encajarán una dentro de otra como los rectángulos de la derecha. Las diagonales de las figuras semejantes formarán una recta.

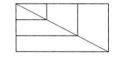

a. Dibujen rectángulos con las dimensiones 2 pulg por 3 pulg, 4 pulg por 5 pulg, 1 pulg por $1\frac{1}{2}$ pulg, 4 pulg por 6 pulg y 6 pulg por $7\frac{1}{2}$ pulg.

b. Recorten los rectángulos y encájenlos uno dentro de otro para ver cuáles son semejantes. Hagan una lista de cada grupo de rectángulos semejantes.

c. Usen proporciones para confirmar que los rectángulos en cada una de sus listas son semejantes.

6. Describe cómo puedes determinar los lados correspondientes de figuras semejantes cuando sabes qué ángulos son los ángulos correspondientes.

Las figuras de cada ejercicio son semejantes. Halla el valor de x.

7.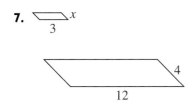

8.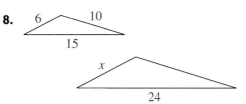

9. ¿Es $LMNO \sim PQRS$ a juzgar por su aspecto? Justifica tu respuesta.

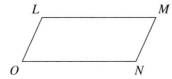

10. $\triangle ABC \sim \triangle PQR$. Completa.

    a. $\angle A$ corresponde a ■.

    b. $\angle Q$ corresponde a ■.

    c. $\overline{AC}$ corresponde a ■.

    d. $\overline{PQ}$ corresponde a ■.

    e. ¿Cuál es la razón de las longitudes de los lados correspondientes?

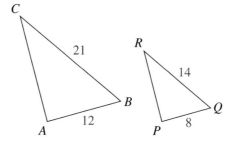

11. Estudios sociales Los estudiantes de la escuela intermedia Horace Mann quieren hacer una copia en grande de la bandera de Filipinas para el Día Internacional. Encontraron una fotografía de la bandera en una enciclopedia. Los estudiantes quieren que el lado más largo de su bandera mida 6 pies. ¿Cúal debe ser el ancho la bandera?

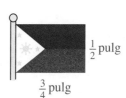

$\frac{1}{2}$ pulg

$\frac{3}{4}$ pulg

**Completa con <, >
ó =.**

1. $-4 + 7$ ■ $11 - (-7)$

2. $-8 - 14$ ■ $23 - 41$

**Evalúa cada expresión
con $x = 3$.**

3. $2x + 6$ 4. $5 - 4x$

**Resuelve cada
proporción.**

5. $\frac{13}{x} = \frac{39}{60}$ 6. $\frac{4}{9} = \frac{7}{y}$

7. Dos ángulos de un
triángulo miden 76° y 22°.
Clasifica el triángulo según
sus ángulos.

Elige Usa una calculadora, lápiz y papel o cálculo mental.
**Las figuras de cada ejercicio son semejantes. Halla los
valores de x e y.**

12.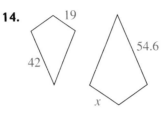

13.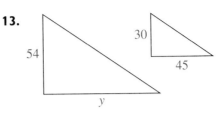

14.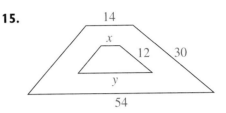

15.

16. **Por escrito** ¿Son semejantes dos figuras congruentes? Explica
por qué.

17. **Pensamiento crítico** La razón de los lados correspondientes de
dos triángulos semejantes es 4 : 9. Los lados del triángulo más
pequeño miden 10 cm, 16 cm y 18 cm. Halla el perímetro del
triángulo más grande.

18. María quiere saber la altura de un cacto Saguaro. El triángulo
formado por el cacto y su sombra es semejante al triángulo
que forman María y su sombra. ¿Cuántos pies de alto mide el
cacto?

**Dibuja una pareja de polígonos según cada descripción.
Si los polígonos descritos no se pueden dibujar, explica
por qué.**

19. rectángulos semejantes

20. rectángulos no semejantes

21. cuadrados no semejantes

22. polígonos regulares semejantes

23. polígonos regulares no semejantes

24. triángulos rectángulos isósceles semejantes

25. triángulos rectángulos isósceles no semejantes

Resuelve. La lista de la izquierda muestra algunas estrategias que puedes usar.

1. El producto de los números de dos páginas enfrentadas de un libro de texto abierto es 72. ¿Cuál es el número de la página de la izquierda?

2. **Cocina** Una receta para hacer 2 docenas de galletas de avena dice que hacen falta $\frac{3}{4}$ tz de harina. ¿Cuánta harina hará falta para hacer 5 docenas de galletas?

3. **Deportes** Jen-Min está entrenándose para el equipo de campo y pista. Cada día hace ejercicios de abdominales y corre 3 mi. ¿Cuántos ejercicios de abdominales hace en una semana?

4. Examina las siguientes figuras.

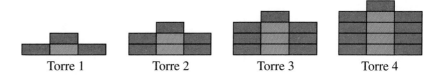

Torre 1   Torre 2   Torre 3   Torre 4

a. Dibuja las torres 5 y 6.

b. Haz una tabla que muestre el número de ladrillos rojos, el número de ladrillos azules y el número total de ladrillos en cada torre.

c. ¿Cuántos ladrillos azules habrá en la torre 36?

d. ¿Cuántos ladrillos rojos habrá en la torre 10? ¿Y en la torre 22?

e. El número total de ladrillos en una torre es 25. ¿Cuántos ladrillos azules hay en la torre?

f. **Por escrito** ¿Cómo puedes hallar el número total de ladrillos que hay en cualquier torre si sabes el número de la torre?

5. Aimé, Bob y Carl son uno, artista, otro, banquero y otro, guía. Aimé y el artista juegan al tenis juntos. El guía ayudó a Carl a plantar su jardín. Bob no es el guía y no conoce a Aimé. ¿Cuál es la profesión de cada uno?

Exploración de mapas y dibujos a escala

✓ Regla

✓ Cinta métrica

PIENSA Y COMENTA

Un **dibujo a escala** es un dibujo ampliado o reducido de un objeto. Los mapas y los planos son más pequeños que el tamaño real. Un dibujo a escala de una célula del cuerpo humano es más grande que el tamaño real.

Con proporciones y un mapa a escala puedes hallar distancias reales. La distancia en el mapa entre Tijuana y Monterrey es 5.1 cm. La proporción de abajo te ayudará a hallar la distancia real.

$$\frac{\text{mapa (cm)}}{\text{real (km)}} \rightarrow \frac{2}{700} = \frac{5.1}{n}$$

1. Halla la distancia real entre Tijuana y Monterrey.

2. Halla la distancia real entre Tijuana y Ciudad de México.

3. Supón que estás haciendo un mapa de Estados Unidos y México. La distancia real entre San Francisco y Ciudad de México es aproximadamente 1,890 mi. ¿Cuál sería la distancia en el mapa si la escala del mapa es 2 pulg : 420 mi?

 El primer mapa que se conoce se hizo en Babilonia hace más de 4,000 años. Se inscribió en una tabla de arcilla que luego se horneó. El mapa cabría en la palma de tu mano.

Fuente: *Britannica Junior Encyclopedia*

La longitud real entre los ejes de las ruedas de este vehículo para todo terreno es 234 cm.

distancia entre los ejes

4. a. Mide la distancia entre los ejes al milímetro más cercano y halla la escala del dibujo.

   b. Mide la longitud del vehículo desde la parte de delante hasta la rueda de repuesto detrás. Halla la longitud real del vehículo.

▊EN EQUIPO

5. a. Hagan un dibujo a escala del plano de su salón de clases. Comparen su dibujo con el de otros grupos.

   b. ¿Tienen los dibujos a escala la misma forma incluso si las escalas no son las mismas? Explica por qué.

▊POR TU CUENTA

La escala de un mapa es 2 cm : 15 km. Halla las distancias reales correspondientes a las siguientes distancias en el mapa.

  6. 8 cm   **7.** 1.3 cm   **8.** 5 mm   **9.** 24.4 m

Un dibujo tiene una escala de $\frac{1}{2}$ pulg : 10 pies. Halla la longitud en el dibujo de cada longitud real.

10. 20 pies   **11.** 10 pies   **12.** 5 pies   **13.** 45 pies

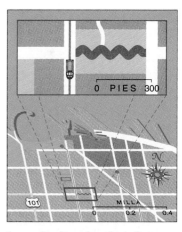

La calle Lombard en San Francisco es muy popular entre los turistas. Tiene 412.5 pies de largo.

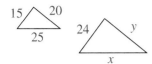
1. Halla los valores de *x* e *y* en los siguientes triángulos semejantes.

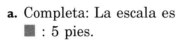

Estima.

2. 16.12 ÷ 5.1

3. 8.2 • 17.3

Resuelve.

4. $3x + 2 = 17$

5. $\frac{x}{5} + 5 = 21$

6. En una clase de 23 estudiantes hay 11 estudiantes miembros del club de computadoras y 14 estudiantes miembros del club de matemáticas. Cinco estudiantes pertenecen a ambos clubes. ¿Cuántos estudiantes *no* son miembros de ninguno de los dos clubes?

 Un traje espacial que incluye un casco y una mochila que suministra oxígeno pesa 247 lb en la Tierra. La razón del peso de un objeto en la Tierra a su peso en la superficie de la Luna es 6 : 1. **Estima cuánto pesa el traje espacial en la Luna.**

14. Por escrito Describe qué harías para dibujar un mapa de la ruta que tomas de tu casa a la escuela. ¿Qué escala usarías?

15. Pensamiento crítico Ramón planea hacer un modelo a escala del sistema solar. La distancia media entre el Sol y Mercurio es 3.6×10^7 mi. La distancia media entre el Sol y Plutón es 3.7×10^9 mi. ¿Qué le sugerirías a Ramón que usara como escala? ¿Por qué?

16. Arquitectura Este dibujo a escala muestra el primer piso de una casa. Las dimensiones del garaje son 20 pies por 25 pies.

a. Completa: La escala es ▇ : 5 pies.

b. Copia el plano en un papel. Escribe las dimensiones reales en el lugar de las dimensiones a escala.

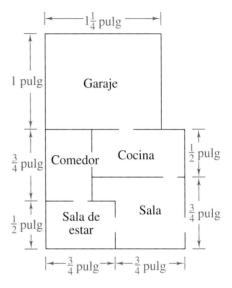

Ropa para el espacio

Las computadoras ahorran a los diseñadores tiempo y dinero en su tarea de mejorar los trajes espaciales de los futuros astronautas.

La ropa diseñada para el espacio debe permitir a los astronautas respirar en un ambiente en el que no hay aire. La ropa debe protegerlos de los poderosos rayos del Sol, así como de los micrometeoritos, diminutos pedazos de materia que viajan a velocidades de hasta 150,000 mi/h.

En una imagen de computadora que es $\frac{1}{8}$ del tamaño real, el diseñador sabe que todas las dimensiones tendrán la misma razón.

17. a. Supón que la imagen de computadora de unos pantalones del traje espacial tiene 5 pulg de largo. ¿Cuál es la longitud de los pantalones?

b. El brazo de un astronauta mide 24 pulg de largo. Halla la longitud del brazo en la imagen de la computadora para un traje espacial.

9-6

Representación de porcentajes

PIENSA Y COMENTA

Un **porcentaje** es una razón que compara un número con 100. La razón $\frac{25}{100}$ se puede escribir 25%.

1. Cada una de las gráficas siguientes tiene 100 cuadrados. Escribe una razón y un porcentaje para describir la parte sombreada.

a. 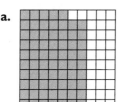   b. 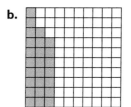   c.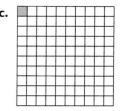

2. Escribe una razón y un porcentaje que describan la parte no sombreada de cada figura de arriba.

$$\frac{75}{100} = \frac{3}{4} = 75\%$$

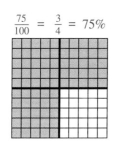

Cualquier razón se puede escribir como un porcentaje. La figura de la izquierda muestra que $\frac{3}{4} = \frac{75}{100}$ que es el 75%. Puedes usar el concepto de razones iguales para convertir razones a porcentajes.

$$\frac{3}{4} \overset{\times 25}{\underset{\times 25}{=}} \frac{75}{100} = 75\%$$

Escribe cada razón como un porcentaje.

3. $\frac{1}{4}$ 4. $\frac{1}{2}$ 5. $\frac{3}{5}$ 6. $\frac{14}{20}$

Algunos porcentajes son menos del 1%.

7. a. ¿Qué color representa el 0.5%?

   b. ¿Qué color representa el 5%?

   c. ¿Qué color representa el 50%?

   d. ¿Cuántas veces mayor es 50% que 0.5%?

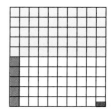

Puedes representar porcentajes mayores de 100% usando dos gráficas.

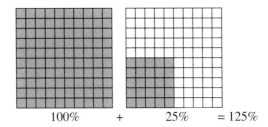

100%   +   25%   = 125%

8. Usa papel cuadriculado para representar 258%.

Es muy común que en los informes de las noticias se usen porcentajes.

9. Escribe en números los porcentajes de cada fragmento.

   a. **Consumo** Los precios de los artículos de consumo subieron una décima del uno por ciento durante el mes de marzo.

   b. **Biología** El número de parejas de águilas calvas anidando en 48 estados ha aumentado aproximadamente un trescientos por ciento desde que la Agencia de Protección del Medio Ambiente declaró en 1978 que las águilas calvas estaban en peligro de extinción.

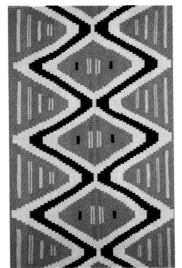

Este diseño es de una manta de los indios Navajos fabricada entre 1880 y 1890. **Estima el porcentaje de rojo en el diseño.**

⌐EN EQUIPO

Sombrea con un compañero 3 cuadrados en un cuadrado de 10 × 10 de papel cuadriculado, de tal manera que el área total de los 3 cuadrados cubra el 50% del papel cuadriculado.

10. ¿De qué tamaño es cada cuadrado?

⌐POR TU CUENTA

Escribe el porcentaje que hay sombreado en cada figura.

11.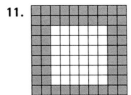

12.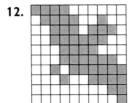

13.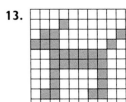

Dibuja figuras en cuadrados de papel cuadriculado de 10 × 10 que representen cada uno de los siguientes porcentajes.

14. 35%   **15.** 78%   **16.** 187%

17. a. ¿Qué porcentaje del cuadrado de la derecha representa la parte amarilla? ¿Y la parte verde?

b. ¿Qué fracción del cuadrado es la sección amarilla?

c. ¿Qué fracción es igual a $33\frac{1}{3}\%$?

d. ¿Qué fracción es igual a $66\frac{2}{3}\%$?

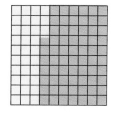

Escribe cada razón como un porcentaje.

18. $\frac{3}{5}$ **19.** $\frac{1}{2}$ **20.** $\frac{21}{25}$ **21.** $\frac{7}{10}$

Halla qué porcentaje de un dólar forma cada conjunto de monedas.

22. 2 monedas de 25¢   **23.** 5 monedas de 25¢ y 2 monedas de 10¢

24. 3 monedas de 25¢, 2 monedas de 10¢ y 1 moneda de 5¢

Estima el porcentaje sombreado en cada figura.

25. 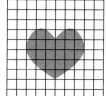   **26.** 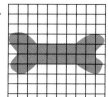   **27.**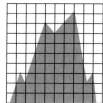

28. a. Por escrito Describe una situación en la que haga falta un porcentaje que sea menos del 1%.

b. Describe una situación en la que haga falta un porcentaje mayor que 100%.

29. a. Dibuja y sombrea la primera letra de tu nombre en un cuadrado de 10 × 10 de papel cuadriculado de modo que más del 30% del cuadrado esté sombreado.

b. Dibuja y sombrea la última letra de tu nombre en un cuadrado de 10 × 10 de papel cuadriculado de modo que menos del 30% del cuadrado esté sombreado.

30. Un triángulo con una altura de 8 unidades y una base de 4 unidades está dibujado y sombreado en un cuadrado de 10 × 10. ¿Qué porcentaje del cuadrado está sombreado?

Re**p**a**s**o MIXTO

Escribe cada número en notación científica.

1. La velocidad de la luz es 299,790,000 m/s.

2. La estrella Alpha Centauri está a aproximadamente 40.6 billones de kilómetros (40,600,000,000,000 km) de nuestro sistema solar.

Un plano tiene escala de 1.5 pulg : 1 pie.

3. ¿Cuáles son las medidas reales de una sala que mide 21 pulg × 24 pulg en el plano?

4. ¿Cuáles son las dimensiones en el plano de una sala que mide 12 pies × 15 pies?

5. Hay siete equipos en las finales de dobles de tenis. Cada equipo juega con todos los demás dos veces. ¿Cuál es el número total de partidos jugados?

9-7 Fracciones, decimales y porcentajes

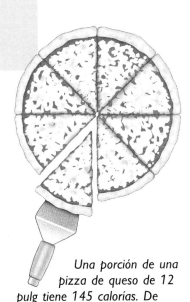

Una porción de una pizza de queso de 12 pulg tiene 145 calorías. De ellas, 36 calorías provienen de grasa.

PIENSA Y COMENTA

Se pueden usar fracciones o porcentajes para comparar las calorías que provienen de grasa en una porción de pizza de queso.

1. Escribe como una fracción el número de calorías que provienen de grasa en una pizza de queso.

Para escribir los datos como un porcentaje, usa la fracción que hallaste en el Problema 1 y las proporciones.

$$\frac{\text{calorías de grasa}}{\text{calorías totales}} \rightarrow \frac{36}{145} = \frac{n}{100}$$

$$36 \cdot 100 = 145n \quad \text{Escribe los productos cruzados.}$$

$$n \approx 24.82758621$$

La grasa constituye el 24.8% de las calorías totales en una porción de pizza de queso.

2. Supón que estás escribiendo un artículo sobre el valor nutritivo de la pizza. ¿Usarías fracciones o porcentajes? ¿Por qué?

Se puede escribir un porcentaje como fracción.

Ejemplo 1   Una oveja duerme el 25% del día. Un león duerme $83\frac{1}{3}\%$ del día. ¿Qué fracción del día duerme cada animal?

• Escribe cada porcentaje como una fracción con denominador 100.

• $25\% = \frac{25}{100} = \frac{1}{4}$

• $83\frac{1}{3}\% = \frac{83\frac{1}{3}}{100}$

$$= 83\frac{1}{3} \div 100$$

$$= \frac{250}{3} \times \frac{1}{100}$$

$$= \frac{250}{300}, \text{ ó } \frac{5}{6}$$

Una oveja duerme $\frac{1}{4}$ del día. Un león duerme $\frac{5}{6}$ del día.

3. Un elefante duerme el 12.5% del día. ¿Qué fracción del día duerme un elefante?

¡RECUERDA!

Dividir por un número es lo mismo que multiplicar por su recíproco.

Para escribir un decimal como un porcentaje, escribe primero el decimal como una fracción. Después, multiplica o divide el numerador y el denominador por la misma potencia de 10 para cambiar el denominador a 100.

Ejemplo 2

El papel ocupa el 0.5 de la capacidad de un basurero municipal típico. Los envases de comida rápida ocupan el 0.0025.

¿Qué porcentaje de espacio ocupa cada material?

- $0.5 = \dfrac{5}{10}$

$= \dfrac{5 \times 10}{10 \times 10}$

$= \dfrac{50}{100}$

$0.5 = 50\%$

- $0.0025 = \dfrac{25}{10,000}$

$= \dfrac{25 \div 100}{10,000 \div 100}$

$= \dfrac{0.25}{100}$

$0.0025 = 0.25\%$

El papel ocupa el 50% del basurero. Los envases de comida rápida ocupan el 0.25%.

Para escribir un porcentaje como un decimal, primero escríbelo como una fracción con un denominador de 100.

Ejemplo 3

Escribe $37\frac{1}{2}\%$ como un decimal.

- $37\frac{1}{2}\% = \dfrac{37\frac{1}{2}}{100}$

$= \dfrac{37.5}{100}$ Escribe la fracción del numerador como un decimal.

$= \dfrac{37.5 \times 10}{100 \times 10}$ Multiplica el numerador y el denominador por 10 para que no haya ningún decimal en el numerador.

$= \dfrac{375}{1,000}$

$37\frac{1}{2}\% = 0.375$

¡RECUERDA!

$\frac{1}{2} = 0.5$

EN EQUIPO

Trabaja con un compañero. Hallen lo siguiente.

4. ¿Qué porcentaje de los estudiantes de su clase llevan lentes?

5. ¿Qué porcentaje de los estudiantes de su clase llevan camisas azules?

6. ¿Qué porcentaje de los estudiantes de su clase tocan un instrumento musical?

Cálculo mental **Escribe cada decimal como un porcentaje.**

7. 0.28 **8.** 1.25 **9.** 0.33 **10.** 2.89

Escribe cada fracción como un porcentaje.

11. $\frac{27}{50}$ **12.** $\frac{17}{20}$ **13.** $\frac{33}{40}$ **14.** $\frac{5}{8}$

15. **Elige A, B, C o D.** Examina la figura de la izquierda. ¿Cuál de los siguientes grupos de números representa la parte de la gráfica que está sombreada?

A. 3.8%, $\frac{38}{100}$, 0.38 **B.** 38%, $\frac{38}{100}$, 0.38

C. 38%, $\frac{38}{100}$, 0.038 **D.** 0.38%, $\frac{38}{100}$, 0.038

16. Nutrición Una tableta de vitamina de la marca Delux proporciona el 0.5% de la cuota diaria recomendada de fósforo.

   a. Escribe el porcentaje como una fracción.

   b. Escribe el porcentaje como un decimal.

   c. ¿De qué manera prefieres ver la cuota diaria recomendada de fósforo: como una fracción, como un decimal o como un porcentaje? ¿Por qué?

Completa.

1. 4 • 3 = 3 • ■

2. 5 − (−2) = 5 + ■

Representa cada porcentaje en papel cuadriculado.

3. 45% **4.** 11.5%

Resuelve.

5. $\frac{3}{5} = \frac{9}{x}$ **6.** $\frac{8}{3} = \frac{x}{24}$

7. Un club tiene 100 miembros. Cada uno de los 5 oficiales llama a 6 otros miembros para que los ayuden a preparar una fiesta del club. ¿Qué porcentaje de miembros del club ayudaron a preparar la fiesta?

⌐**POR** TU CUENTA

17. Nutrición La tabla siguiente ofrece la información nutricional de una porción de avena.

	Proteínas	Hierro	Calcio	Vitamina A	Cobre
% de cuota diaria recomendada	6	50	20	25	8

   a. Escribe cada porcentaje como una fracción y como un decimal.

   b. ¿Cuántas porciones de avena necesitarías comer para obtener toda la vitamina A recomendada para un día?

18. **Por escrito** ¿Es igual 0.4 que 0.4%? Explica por qué.

Elige Usa una calculadora, lápiz y papel o cálculo mental para escribir cada porcentaje como una fracción en su mínima expresión y como un decimal.

19. 45%   **20.** 62.5%   **21.** 173%   **22.** $12\frac{1}{2}\%$

Escribe cada número como un porcentaje. Redondea a la décima más cercana donde sea necesario.

23. $\frac{7}{8}$ **24.** 0.375   **25.** $\frac{17}{33}$ **26.** 2.5

27. Actividad Reúne 5 ejemplos de porcentajes hallados en un periódico. Muestra tus ejemplos al resto de la clase.

28. Nutrición Antes de una carrera, los participantes a menudo toman comidas con muchos carbohidratos. Un gramo de grasa tiene 9 calorías. Un gramo de proteína y un gramo de carbohidratos tienen cada uno 4 calorías.

    a. ¿Cuántas calorías tiene una ración de macarrones con queso? ¿Y una ración de espaguetis con carne?

    b. ¿Qué porcentaje de calorías de cada comida provienen de carbohidratos? Redondea a la unidad de por ciento más cercana.

    c. ¿Cuál de las comidas es la más adecuada para un corredor? ¿Por qué?

29. Investigación (pág. 364) Una persona zurda dijo: "Éste es un mundo para diestros." Entrevista al menos a 5 zurdos. ¿Qué porcentaje está de acuerdo con esta afirmación? Pide a cada persona que esté de acuerdo que diga 4 objetos, como tijeras para diestros, que le causan esta opinión.

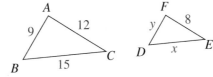

Macarrones con queso

Proteínas	17 g
Grasa	33 g
Carbohidratos	40 g

Espaguetis con carne

Proteínas	19 g
Grasa	12 g
Carbohidratos	39 g

VISTAZO A LO APRENDIDO

1. La escala de un mapa es 1 pulg : 15 mi. Dos pueblos están a 3.5 pulg de distancia en el mapa. ¿Cuál es la distancia real?

2. $\triangle ABC \sim \triangle FDE$. Halla x e y.

Escribe cada fracción como un porcentaje.

3. $\frac{4}{5}$ **4.** $\frac{1}{250}$ **5.** $\frac{1}{3}$ **6.** $\frac{14}{25}$

9-8 **P**rueba con varias estrategias

En esta lección

- Resolver problemas usando más de una estrategia

A veces, puedes necesitar usar más de una estrategia para resolver un problema.

> Jack y su primo Sam viven en el oeste de Texas. Hay una distancia de 50 mi entre sus casas. Un día de primavera, Jack llamó a Sam y le sugirió que fueran en bicicleta a un parque que está a mitad de camino entre las dos casas. Sam va a una velocidad media de unas 10 mi/h y Jack a unas 12 mi/h. ¿A qué hora deberá salir cada uno de casa si quieren encontrarse a la 1 p.m.?

LEE

Lee y entiende la información que te dan. Resume el problema.

Lee el problema con cuidado.

1. ¿Qué distancia hay entre las casas de Jack y Sam?

2. ¿Cuál es la velocidad media de cada uno en su bicicleta?

PLANEA

Decide qué estrategias usarás para resolver el problema.

Decide qué estrategias usarás.

Escribe una ecuación para hallar cuánto tiempo tardará cada niño.

Trabaja a la inversa para hallar la hora a la que cada niño debería salir de casa.

RESUELVE

Prueba con las estrategias.

Cada niño recorre la mitad del camino, que son 25 mi. Sea x el número de horas que Jack tardará.

$$12x = 25$$
$$\frac{12x}{12} = \frac{25}{12}$$
$$x = 2\frac{1}{12}$$

Jack tardará $2\frac{1}{12}$ h, que son 2 h 5 min.

Trabaja a la inversa para hallar la hora a la que Jack debería salir de casa.

Jack debería salir de casa a las 10:55 a.m.

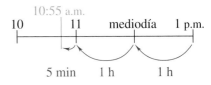

3. ¿A qué hora debería Sam salir de casa para encontrarse con Jack a la 1 p.m.?

4. ¿Resolviste el problema correctamente? Suma el tiempo que tardan con la hora a la que Jack y Sam salieron de casa. ¿Llegarán los dos niños al parque a la 1:00 p.m.? Tendrás que pensar: "Una hora pasadas las 12:00 se puede expresar como 1:00 ó 13:00."

◀ COMPRUEBA

Piensa en cómo resolviste este problema.

PONTE A PRUEBA

Usa cualquier estrategia para resolver cada problema. Muestra todo tu trabajo.

5. **a.** Un área rectangular rodeada por una cerca tiene un perímetro de 40 pies. La cerca tiene un poste cada 4 pies. ¿Cuántos postes hay?

   b. Puesto que tiene que haber un poste en cada esquina, ¿cuál crees que son la longitud y el ancho del área?

   c. ¿Hay alguna otra respuesta posible a la parte (b)? Explica por qué.

6. Una cometa y su cola miden 32 pies de longitud. La cola es 18 pies más larga que el cuerpo de la cometa. ¿Cuál es la longitud de la cola de la cometa?

7. Una tendera almacena naranjas en forma de pirámide cuadrada. ¿Cuántas naranjas usará si un lado de la base tiene 6 naranjas?

Cuanto más pequeña sea la razón del peso de una cometa a su superficie, mejor volará la cometa. ¿Qué volará mejor, una cometa que pesa 5 oz y tiene una superficie de 2 pies² o una que pesa 14 oz y tiene una superficie de 16 pies²?

Fuente: *Scholastic Dynamath*

POR TU CUENTA

Usa cualquier estrategia para resolver cada problema. Muestra todo tu trabajo.

8. **Consumo** Tanya, la tesorera del club de ciencias, se dio cuenta de que en la factura de 18 camisetas que había comprado el club había dos dígitos borrosos porque les había caído agua. Tanya estaba segura de que el primero y el último dígito eran el mismo. ¿Cuál crees que es el precio total? Explica tu respuesta.

$■68.9■

9. **Estudios sociales** Al principio de cada nuevo periodo, cada uno de los nueve jueces del Tribunal Supremo da la mano a todos los demás jueces. ¿Cuántos apretones de manos hay?

10. Halla un número par de dos dígitos tal que la diferencia de los dígitos sea un número primo y la suma de los dígitos sea también un número primo.

11. ¿Cuántos triángulos hay en el dibujo de la izquierda?

12. a. ¿Cuál es la suma de los tres números consecutivos 8, 9 y 10?

   b. Halla tres números consecutivos que sumen 48.

   c. ¿Puedes hallar tres números consecutivos que sumen cualquier total dado? ¿Por qué?

13. En un cuadrado mágico todas las filas, las columnas y las diagonales principales tienen la misma suma. Halla el valor de x e y.

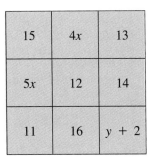

15	$4x$	13
$5x$	12	14
11	16	$y + 2$

14. Usando solamente los dígitos 1, 2, 3 y 4, halla todos los números de 4 dígitos que sean divisibles por 4. Puedes usar cada dígito solamente una vez en cada número.

15. Examina los números siguientes y busca patrones.

fila 1	1
fila 2	1 3
fila 3	1 3 5
fila 4	1 3 5 7
fila 5	1 3 5 7 9
fila 6	▪

   a. Escribe la sexta fila.

   b. ¿Cuál es el último número de la fila 11? ¿Y de la fila 23?

   c. ¿Cuál es la suma de los números de la fila 4? ¿Y de la fila 10?

   d. ¿Cómo puedes hallar la suma de cualquier fila si sabes el número de la fila?

Halla cada respuesta.

1. $|-6| + 12$

2. $-3 \cdot 8 \div (-4)$

Halla el perímetro de cada figura.

3. un pentágono regular con lados de 4.6 cm

4. un rectángulo con longitud 4.2 m y ancho 3.8 m

5. Archivo de datos #3 (págs. 90–91) ¿Con qué porcentaje de sus intentos de canasta anotó Shaquille O'Neal en 1991–1992? Redondea al porcentaje más cercano.

6. Escribe $66\frac{2}{3}\%$ como una fracción.

7. ¿De cuántas maneras diferentes puedes hacer un rectángulo con 12 palillos? Dibuja y rotula los rectángulos.

Porcentajes y proporciones

PIENSA Y COMENTA

A menudo hallarás porcentajes en gráficas.

1. ¿Qué tenía en su lista de regalos la mayor parte de la gente encuestada?

2. ¿Qué tenía en su lista aproximadamente $\frac{1}{3}$ de la gente? ¿Y $\frac{1}{4}$ de la gente?

3. ¿Cuánta gente fue encuestada?

4. ¿Por qué crees que la suma de los porcentajes es mayor que 100%?

Regalos que el público planea comprar estas navidades

Ropa	78%
Juguetes/Juegos	58%
Libros	39%
Música	32%
Joyas	26%

Encuesta a 1,012 adultos

Fuente: USA Today

¿DÓNDE? En 1991, la venta global de juguetes fue $54 millones. El gasto medio por niño en Estados Unidos fue $348, en Japón, $282 y en Alemania, $441.

Fuente: *U.S. News & World Report*

Para hallar el número de personas encuestadas que tenía ropa en su lista de regalos, halla el 78% de 1,012, el número total de personas encuestadas. Piensa en la gente que tenía ropa en su lista como una *parte* de *todo* el grupo encuestado. Usa la siguiente proporción.

$$\frac{\text{parte}}{\text{todo}} \;\rightarrow\; \frac{n}{1,012} = \frac{78}{100} \;\leftarrow\; 78\% = \frac{78}{100}$$

5. a. Resuelve la proporción para hallar el número de personas que pensaba comprar ropa como regalo.

   b. Mira de nuevo tu respuesta a la parte (a). ¿Deberías redondear tu respuesta al número entero más cercano? ¿Por qué?

6. ¿Aproximadamente cuántas personas tenían música en su lista de regalos?

7. Pensamiento crítico ¿Estaría el encargado de un gran almacén más interesado en porcentajes, o en el número de personas que respondió en cada categoría? Explica por qué.

Supón que tienes datos que quieres expresar como porcentajes. Puedes usar una proporción.

Ejemplo Dieciocho estudiantes en una clase de 25 estudiantes planean hacer una caminata en el campo. ¿Qüé porcentaje de la clase planea hacer el viaje?

$\bullet \ \dfrac{\text{parte}}{\text{todo}} \begin{array}{c}\rightarrow\\\rightarrow\end{array} \dfrac{18}{25} = \dfrac{n}{100}$ — Escribe una proporción para resolverlo.

$18 \cdot 100 = 25n$ — Escribe los productos cruzados y resuelve.

$\dfrac{1{,}800}{25} = \dfrac{25n}{25}$

$n = 72$

El 72% de los estudiantes planean hacer el viaje.

En Estados Unidos hay 13,592 millas de National Scenic Trails (Rutas Panorámicas Nacionales), rutas protegidas por las que no pueden circular vehículos motorizados. El Congreso está pendiente de aprobar la American Discovery Trail (Ruta Norteamericana del Descubrimiento). La ruta tiene 4,920 millas de largo y se extiende desde Delaware hasta San Francisco.

EN EQUIPO

Hagan dos encuestas a 20 estudiantes. Pueden hacer una encuesta a los mismos estudiantes dos veces. Pregunten qué regalos les gustaría recibir. Usen las categorías de ropa, juguetes/juegos, libros, música y joyas.

- En la primera encuesta, permitan que los estudiantes elijan más de una categoría.

- En la segunda encuesta, los estudiantes sólo pueden escoger una categoría.

8. **a.** Expresen los resultados de ambas encuestas como porcentajes y muestren los resultados en una gráfica.

   b. ¿Qué diferencia produce la formulación de la encuesta en las gráficas?

   c. Comparen los resultados de la primera encuesta con la gráfica de la página 395. ¿Hay alguna similitud entre lo que los estudiantes quieren y lo que los adultos de la encuesta planean comprar? Den una explicación.

PONTE A PRUEBA

9. Elige la proporción que te ayudará a hallar el 45% de 80. Explica tu selección.

  A. $\dfrac{45}{80} = \dfrac{n}{100}$ **B.** $\dfrac{n}{80} = \dfrac{45}{100}$ **C.** $\dfrac{80}{n} = \dfrac{45}{100}$ **D.** $\dfrac{n}{45} = \dfrac{100}{80}$

10. Elige la proporción que te ayudará a hallar qué porcentaje de 20 es 13. Explica tu razonamiento.

A. $\frac{13}{20} = \frac{n}{100}$ **B.** $\frac{n}{20} = \frac{13}{100}$ **C.** $\frac{13}{n} = \frac{100}{20}$ **D.** $\frac{n}{13} = \frac{20}{100}$

11. a. Discusión El número de estudiantes en la clase de séptimo grado este año es 110% del número en la clase el año pasado. Cuando escribes 110% como razón, ¿qué número es el denominador? ¿Por qué?

b. ¿Crees que habrá más o menos estudiantes en la clase este año que el año pasado? ¿Por qué?

c. Había 260 estudiantes en la clase el año pasado. ¿Cuántos estudiantes hay en la clase este año?

POR TU CUENTA

Escribe una porporción. Calcula mentalmente para resolver.

12. ¿Cuál es el 8% de 25?

13. ¿Qué porcentaje de 230 es 23?

14. Halla el 30% de 40.

15. ¿Qué porcentaje es 24 de 32?

Elige Usa una calculadora, lápiz y papel o cálculo mental.

16. Estudios sociales En 1992, los votantes eligieron 105 nuevos miembros a la Cámara de Representantes. El número total de miembros de esta cámara es 435. ¿Qué porcentaje había de nuevos miembros? Redondea al porcentaje más cercano.

17. ¿Qué porcentaje de los números del 1 al 20 son primos?

18. ¿Cuál es el 120% de 34?   **19.** Halla el 37.5% de 12.

20. ¿Qué porcentaje de 15 es 5?   **21.** ¿Qué porcentaje de 25 es 23?

22. Estudios sociales Mesa, en Arizona, es una de las ciudades de más rápido crecimiento en Estados Unidos. En 1990, la población había crecido el 460% respecto a la población de 63,000 personas que había en 1970. ¿Qué población había en 1990?

23. Por escrito Escribe un problema que puedas resolver usando la proporción $\frac{n}{60} = \frac{12}{100}$.

Repaso MIXTO

Estima cada respuesta.

1. $\frac{3}{8} \cdot 30\frac{4}{5}$

2. $123 \div (-43)$

Halla el área de cada figura.

3. un triángulo con base de 5 pulg y altura de 4.8 pulg

4. un cuadrado con lados de 26.3 cm

5. Una estudiante gasta $\frac{3}{8}$ de su dinero en una camiseta y $\frac{1}{2}$ del dinero restante en una cassette. Le quedan $15. ¿Cuánto dinero tenía al principio?

24. **Archivo de datos #9 (págs. 362–363)** En la encuesta a los jóvenes, respondieron 2,046 jóvenes con uno o más hermanos o hermanas.

   a. ¿Cuántos jóvenes se llevan muy bien con sus hermanos? ¿Por qué debes redondear tu respuesta al número entero más cercano?

   b. **Pensamiento crítico** ¿Cuántos jóvenes respondieron que preferían ser hijo único o hija única? ¿Significa esto que el resto de los jóvenes estaban contentos de tener hermanos? ¿Por qué?

   c. **Por escrito** Escribe una pregunta que se pueda responder analizando la encuesta.

25. **Investigación (pág. 364)** Usa los resultados de tu encuesta sobre personas zurdas, (ejercicio 16, página 367). Supón que la razón de zurdos al número total de personas en Estados Unidos es la misma que la razón que hallaste en tu encuesta de 25 personas. ¿Aproximadamente cuántos zurdos hay? La población de Estados Unidos es de unos 249 millones de personas.

¿En qué gastan los niños más dinero?

Los niños: ¡Grandes compradores!

Una encuesta a 1,440 familias estadounidenses revela el poder de compra de los niños de 4 a 12 años. Los niños en Estados Unidos tienen unos ingresos estimados de $14,400 millones. Ahorran $5,500 millones y gastan $8,900 millones. Los niños gastan la mayor parte de su dinero en golosinas: $3,200 millones. Gastan unos $2,600 millones en juguetes, juegos y artículos de trabajos manuales. Gastan $1,200 millones en ropa nueva. En diversiones, como cine, deportes y videos, los niños gastan $1,400 millones. En otras categorías sin especificar, gastan $500 millones.

26. **a.** **Consumo** ¿Qué porcentaje de $8,900 millones gastan los niños en cada categoría? Redondea al porcentaje más cercano.

   b. Haz una gráfica con los datos.

   c. ¿Qué tipo de gráfica usaste? ¿Por qué?

   d. **Por escrito** ¿Cuál es la mejor manera de comunicar la información sobre el poder de compra de los niños: un artículo o una gráfica? Explica por qué.

• Hallar un número
cuando se conoce
un porcentaje

• Usar proporciones para
resolver problemas de
porcentajes

■ **VAS A NECESITAR**

✓ Calculadora

 Muchas escuelas
y empresas
reciclan papel.
Cada tonelada de papel
reciclado salva 17 árboles. **Si
tu escuela reciclara una
tonelada de papel al mes,
¿cuántos árboles se
salvarían durante un
curso escolar?**

PIENSA Y COMENTA

¡Recicla! En Estados Unidos se recicla cerca del 25.6% del papel
desechado. Se reciclan unas 18.4 millones de toneladas de papel
cada año. ¿Aproximadamente cuántas toneladas de papel se
desechan?

En esta pregunta, tienes que hallar el todo, o la cantidad total de
papel que se desecha. Sabes la parte, 18.4 millones de toneladas
de papel. Puedes usar una proporción para resolver el problema.

$$\frac{\text{parte}}{\text{todo}} \rightarrow \frac{18.4}{n} = \frac{25.6}{100} \leftarrow 25.6\% = \frac{25.6}{100}$$

$$18.4 \cdot 100 = 25.6n$$

18.4 $\boxed{\times}$ 100 $\boxed{\div}$ 25.6 $\boxed{=}$ *71.875*

Se desechan unos 71.9 millones de toneladas de papel cada año.

1. En Estados Unidos se recicla cerca del 62.5% de las latas de
aluminio que se usan para envasar refrescos. Unos 55 millones
de latas se reciclan cada año. ¿Cuántas latas se usan al año?

Debes leer los problemas de porcentajes con cuidado. Pregúntate:
"¿Quiero hallar la parte, el todo o el porcentaje?". Ten esto en
cuenta mientras lees los siguientes problemas.

Problema A   En una clase hay 15 niñas. Las niñas forman
el 48% de la clase. ¿Cuántos estudiantes hay
en la clase?

Problema B   En una clase hay 30 estudiantes. Hay 18 niñas
en la clase. ¿Qué porcentaje de niñas hay en la
clase?

Problema C   Una clase tiene 24 estudiantes. Los varones
forman el 55% de la clase. ¿Cuántos varones
hay en la clase?

2. ¿Qué problema requiere un signo de porcentaje en la
respuesta?

3. ¿En qué problema debes hallar una parte de la clase?

4. ¿En qué problema debes hallar el número total de estudiantes
en la clase?

Puedes usar proporciones para hallar información sobre rebajas.

Ejemplo 1 El precio rebajado de un abrigo es $72. Es el 80% del precio original. ¿Cuál era el precio original?

- $\dfrac{\text{parte} \rightarrow}{\text{todo} \rightarrow}$ $\dfrac{72}{n} = \dfrac{80}{100}$ **El precio rebajado es *parte* del precio original.**

$$72 \cdot 100 = 80n$$

$$\dfrac{7{,}200}{80} = \dfrac{80n}{80}$$

$$90 = n$$

El precio original del abrigo era $90.

Anuncios como "40% rebajado" o "precio reducido 40%" dicen el porcentaje del precio que fue rebajado. Para hallar el precio original, hay que hacer dos pasos.

- Primero, halla el porcentaje que el nuevo precio es del precio original. Esto se hace restando de 100% el porcentaje que el precio ha sido reducido.

- Después, usa proporciones para hallar el precio original.

Ejemplo 2 Usa una calculadora para hallar el precio original del teléfono. Redondea al centavo más cercano.

- $100\% - 40\% = 60\% \leftarrow$ **El precio rebajado es el 60% del precio original.**

- $\dfrac{\text{parte} \rightarrow}{\text{todo} \rightarrow}$ $\dfrac{14.95}{n} = \dfrac{60}{100}$

$$14.95 \cdot 100 = 60n$$

14.95 ✕ 100 ÷ 60 🟰 *24.916667*

El precio original del teléfono era $24.92.

40% de descuento

El precio ahora es
$14.95

┌PONTE A PRUEBA

Escribe una proporción y resuelve.

5. ¿El 80% de qué número es igual a 15?

6. ¿Qué número es el 80% de 15?

7. Unos tenis cuestan $36.74, un descuento del 25% del precio original.

   a. ¿Qué procentaje del precio original es el precio rebajado?

   b. ¿Cuál era el precio original?

POR TU CUENTA

Escribe una proporción y resuelve.

8. ¿Qué porcentaje de 25 es 21?

9. ¿De qué número es 54 el 75%?

10. ¿Cuál es el 225% de 48?

11. ¿Qué porcentaje de 144 es 48?

12. Halla el 65% de 320.

13. ¿De qué número es 424 el $12\frac{1}{2}\%$?

Elige Usa una calculadora, lápiz y papel o cálculo mental.

14. Consumo El precio rebajado de una camisa es $18. Esto es el 80% del precio original. Halla el precio original.

15. La asistencia media diaria a la escuela intermedia Randolph es el 92% del total de alumnos. La asistencia media es de 422 estudiantes. ¿Cuántos alumnos tiene la escuela?

16. **a.** ¿Qué porcentaje de 75 es 50?

b. ¿Qué porcentaje de 50 es 75?

c. ¿Cuál de los dos ejercicios anteriores tiene un resultado mayor que 100%: la parte (a) o la parte (b)? ¿Por qué?

17. Consumo El precio de la segunda versión de un juego de computadora es el 120% del precio de la primera versión. La nueva versión cuesta $48. ¿Cuánto costaba la primera versión?

18. Consumo El precio regular de una calculadora es $15.40. La han rebajado un 30%. ¿Cuál es el precio rebajado?

19. Consumo Natasha compró un nuevo tocacintas el viernes. Costó $72. El lunes, se dio cuenta de que el tocacintas había sido rebajado. El precio rebajado era $54.

a. ¿Qué porcentaje del precio original era el precio rebajado?

b. La tienda le va a devolver a Natasha la diferencia entre el precio que ella pagó y el precio rebajado. ¿Cuánto dinero le devolverán?

20. **a.** Consumo ¿Cuál era el precio original de la televisión del anuncio de la derecha?

b. Escribe de nuevo el anuncio usando porcentajes.

c. Por escrito ¿Qué crees que es más efectivo: "Ahorre $30" o porcentajes? ¿Por qué?

Repaso MIXTO

Resuelve cada ecuación.

1. $y + 5 = 9$

2. $3x = 6$

Usa el Archivo de datos #7 (págs. 278–279)

3. ¿Aproximadamente cuántas cámaras se vendieron en 1991?

4. ¿Qué porcentaje de las cámaras vendidas en 1991 eran cámaras instantáneas?

5. Myra y Leah salieron de casa al mismo tiempo caminando en direcciones opuestas. Caminaron a una velocidad de 6 mi/h. ¿Qué distancia había entre ellas después de 20 min?

¡Rebajado!
Ahorre $30
Nuevo precio $449⁹⁵

En esta lección

- Usar porcentajes para describir aumentos y disminuciones
- Usar computadoras para explorar el porcentaje de cambio

9-11

Porcentaje de cambio

▉ VAS A NECESITAR

✓ Computadora

✓ Hoja de cálculo

✓ Cinta métrica

Los pitones pueden llegar a tener hasta 33 pies de largo y tragan presas de hasta 120 lb.

PIENSA Y COMENTA

Una serpiente de 10 pies y una computadora no parecen tener mucho en común, pero los biólogos usan computadoras para estudiar todo tipo de animales. La hoja de cálculo siguiente muestra la longitud, en pulgadas, de un pitón llamado Scooter.

	A	B	C	D
1	**Año**	**Principio del año**	**Final del año**	**Cambio**
2	1º	20	40	20
3	2º	40	50	10
4	3º	50	64	▉
5	4º	64	80	▉
6	5º	80	100	▉
7	6º	100	121	▉

1. **a.** ¿Cómo hallas los números de la columna del **cambio**?

   b. Escribe una fórmula para que la computadora halle los datos de la columna del **cambio**.

   c. Computadora Imprime la hoja de cálculo.

2. El dibujo muestra el crecimiento de Scooter durante el primero y el quinto año. ¿En qué año fue más notable el crecimiento de Scooter? ¿Por qué?

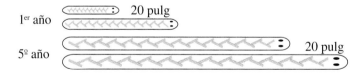

1er año   20 pulg

5º año   20 pulg

3. **a.** Escribe la razón del cambio del crecimiento de Scooter en el primer año a su longitud al principio de ese año.

   b. Cálculo mental Escribe la razón que hallaste en la parte (a) como un porcentaje.

Has hallado el *porcentaje de aumento* del crecimiento de Scooter en su primer año. El **porcentaje de cambio** es el porcentaje de aumento o disminución de algo respecto a su medida o cantidad original. Para hallar el porcentaje de cambio hacen falta dos pasos.

• Restar para hallar la cantidad de cambio.

• Usar la proporción $\dfrac{\text{cantidad de cambio}}{\text{cantidad original}} = \dfrac{\text{porcentaje de cambio}}{100}$.

4. a. Usa una calculadora para hallar el porcentaje de aumento en el crecimiento de Scooter en su segundo año.

   b. Escribe los pasos que seguiste en la calculadora en la parte (a).

Puedes usar la fórmula (D3*100)/B3 para que la computadora halle el porcentaje de cambio del crecimiento de Scooter en su segundo año.

5. a. ¿En qué se parece la fórmula para hallar el porcentaje de cambio a los pasos seguidos en la calculadora que escribiste en 4(b)?

   b. Añade la columna E a tu hoja de cálculo. Halla el porcentaje de aumento en el crecimiento de Scooter en cada año.

   c. Haz dos gráficas de barras con los datos de las columnas D **(Cambio)** y E **(% de Cambio)**. ¿De qué maneras diferentes presentan las dos gráficas el cambio?

	A	. . .	E
1	Año	. . .	% de Cambio
2	1º	. . .	
3	2º	. . .	
4	3º	. . .	
5	4º	. . .	
6	5º	. . .	
7	6º	. . .	

El porcentaje que disminuye un precio cuando rebajan un artículo es un ejemplo de *porcentaje de disminución.*

6. El precio rebajado del acuario anunciado a la derecha es $60.

   a. ¿Cuál es la razón de la cantidad de disminución al precio original?

   b. Halla el porcentaje de disminución.

EN EQUIPO

Trabaja con un compañero. Midan la estatura de cada uno en posición relajada. Después, midan la estatura de cada uno mientras se estiran lo más que pueden.

7. Hallen el porcentaje de cambio en sus estaturas. Redondeen al porcentaje más cercano.

Repaso MIXTO

Evalúa con $m = 8$ y $n = -2$.

1. $6m + 8 + 5n$

2. $18 - 3(m - n)$

Escribe como un número mixto.

3. $\frac{19}{6}$ 4. $\frac{24}{5}$

Halla cada respuesta.

5. ¿Cuál es el 40% de 360?

6. ¿Qué porcentaje de 360 es 45?

7. Una estudiante participa en una marcha benéfica de 100 mi. Recorre el 40% de la distancia el primer día y $\frac{1}{3}$ de la distancia restante en el segundo día. ¿Cuántas millas le quedan por recorrer?

POR TU CUENTA

Halla el porcentaje de cambio. Di si el cambio es un aumento o una disminución.

8. Negocios A un trabajador que ganaba $5.00/h le suben el sueldo. Ahora gana $6.50/h.

9. Estudios sociales La población de Fresno, California, era de 762,565 personas en 1980. La población en 1990 era de 836,231 personas. Redondea a la décima de por ciento más cercana.

10. Deportes Un jugador de fútbol logró 1,200 yd la temporada pasada y 900 yd esta temporada.

11. Negocios La tienda de cometas Mariposa fue abierta hace cinco años. El dueño usa una computadora para llevar la cuenta de las ventas anuales, pero la computadora no funciona bien. En algunas casillas aparece @@@ en lugar de números. Copia la hoja de cálculo. Escribe los números que faltan.

	A	B	C	D
	Año	Ventas ($)	Cambio respecto al año pasado ($)	Cambio respecto al año pasado (%)
1				
2	1	200,000	(Primer año)	(Primer año)
3	2	240,000	40,000	@@@
4	3	@@@	@@@	25
5	4	330,000	30,000	@@@

12. Por escrito ¿Cómo hallarías el porcentaje de cambio del número de estudiantes que hay en tu escuela este año respecto al número que había el año pasado?

VISTAZO A LO APRENDIDO

1. Archivo de datos #4 (págs. 142–143) ¿Qué porcentaje de los objetos perdidos por los pasajeros de la compañía de ferrocarril Japón Este en 1989 fueron paraguas? Redondea al porcentaje más cercano.

2. ¿Qué porcentaje de 72 es 54?   3. ¿De qué número es 7 el 35%?

4. Un suéter de $30 está rebajado a $12. ¿Cuál es el porcentaje de disminución?

Práctica

Escribe cada razón en su mínima expresión.

1. $\frac{6}{15}$ **2.** 8 a 14   **3.** 3 : 15   **4.** $\frac{8}{36}$ **5.** 24 a 6

Halla la relación unitaria.

6. ganar \$63.00 en 15 h   **7.** recorrer 396 mi con 22 gal de gasolina   **8.** perder 12 lb en 8 semanas

Halla el valor de *n*.

9. $\frac{3}{5} = \frac{n}{15}$ **10.** $\frac{10}{n} = \frac{15}{21}$ **11.** $\frac{n}{9} = \frac{8}{6}$ **12.** $\frac{12}{9} = \frac{20}{n}$

Halla las longitudes que faltan en estas figuras semejantes.

13.    **14.**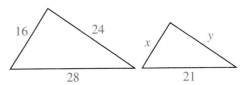

Escribe cada número como un porcentaje.

15. $\frac{18}{25}$ **16.** $\frac{3}{10}$ **17.** $\frac{45}{60}$ **18.** 0.03   **19.** 0.734

Escribe cada porcentaje como un decimal y como una fracción en su mínima expresión.

20. 64%   **21.** 3%   **22.** 0.5%   **23.** $24\frac{1}{2}\%$ **24.** $56\frac{1}{4}\%$

Escribe una proporción y resuelve.

25. ¿Cuál es el 6% de 50?   **26.** ¿Qué porcentaje de 48 es 30?   **27.** ¿De qué número es 24 el 80%?

28. ¿Cuál es el $66\frac{2}{3}\%$ de 180?   **29.** ¿Qué porcentaje de 25 es 40?   **30.** ¿De qué número es 96 el 120%?

31. a. Mientras se entrenaba para una competencia de natación, el tiempo de un estudiante en 50 m estilo libre pasó de 45 s a 38 s. ¿Cuál fue el porcentaje de cambio? Redondea a la décima de por ciento más cercana.

     b. ¿Fue un aumento o una disminución el porcentaje de cambio?

9-12 Gráficas circulares

- Analizar y construir gráficas circulares

Producción mundial de automóviles en 1991

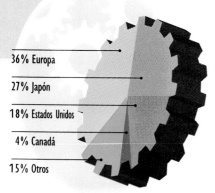

36% Europa

27% Japón

18% Estados Unidos

4% Canadá

15% Otros

Total mundial: 48,400,000

⚡ **¡RECUERDA!**

Un *ángulo central* es un ángulo cuyo vértice está en el centro de un círculo.

PIENSA Y COMENTA

¡Sobre ruedas! Los automóviles no sólo nos fascinan, sino que son, además, una parte muy importante del mundo comercial.

1. ¿Dónde se fabricaron el mayor número de automóviles en 1991?

2. ¿Qué fracción de la producción de Estados Unidos fue la producción de Canadá?

3. ¿Aproximadamente cuántos automóviles fueron fabricados en Estados Unidos en 1991? ¿Y en Japón?

Una gráfica circular muestra las partes de un todo. Para hacer una gráfica circular, tienes que saber la suma de las medidas de los ángulos centrales de un círculo.

4. a. ¿Cuál es la suma de las medidas de los ángulos centrales del círculo de la derecha?

   b. ¿Qué porcentaje del círculo es cada ángulo?

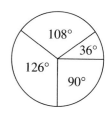

108°
36°
90°
126°

Una gráfica circular se usa para mostrar datos que representan partes de un todo.

Ejemplo Los "tres grandes" de las empresas automovilísticas tienen exportaciones por valor de $23,000 millones. General Motors tiene el 43%, Ford el 37% y Chrysler el 20% de las ventas. Muestra los datos en una gráfica circular.

- Halla la medida de cada ángulo central. Redondea al grado más cercano.

General Motors	Ford	Chrysler
$\frac{n}{360} = \frac{43}{100}$	$\frac{n}{360} = \frac{37}{100}$	$\frac{n}{360} = \frac{20}{100}$
$n = 154.8$	$n = 133.2$	$n = 72°$
$n \approx 155°$	$n \approx 133°$	

Usa un compás para dibujar un círculo. Dibuja los ángulos centrales con un transportador.

Ponle un nombre a cada sección. Añade información si es necesario.

72°

155°

133°

Exportación de autos de los "tres grandes"

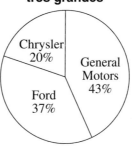

Chrysler 20%

General Motors 43%

Ford 37%

Exportación total: $23,000 millones

En el año 1900, el 38% de los autos en EE.UU. eran eléctricos, el 22% eran de gasolina y el resto funcionaba a vapor. En el próximo siglo, los autos eléctricos volverán a ser populares. En el año 2003, el 10% de todos los autos nuevos en California no podrán contaminar. Los autos eléctricos son los únicos que cumplen esta condición.

PONTE A PRUEBA

Halla la medida del ángulo central que dibujarías para representar cada porcentaje en una gráfica circular. Redondea al grado más cercano.

5. 28%

6. 25%

7. 62%

8. 12.5%

9. En la gráfica siguiente, el ángulo de la porción de la gráfica que representa 4 personas en un vehículo mide 20°.

Personas por auto camino al trabajo

Cada número indica el número de personas en un auto.

Total de vehículos: 538

a. ¿Qué porcentaje de todo el círculo representa 4 personas en un vehículo? Redondea a la décima de por ciento más cercana.

b. ¿En cuántos vehículos iban 4 personas? ¿Por qué debes redondear tu respuesta?

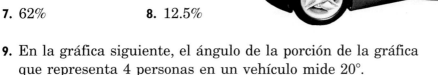

Escribe los tres siguientes números de la progresión.

1. 2, 9, 16   **2.** 8, 2, $\frac{1}{2}$

Halla el porcentaje de cambio.

3. de 36 a 48

4. de 75 a 125

5. ¿Cuántos números entre 1 y 1,000 tienen dígitos cuya suma es 10?

Edades mínimas para conducir

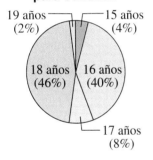

19 años (2%)   15 años (4%)
18 años (46%)   16 años (40%)
17 años (8%)

POR TU CUENTA

10. Usa los datos siguientes para dibujar una gráfica circular. Los datos representan las fuentes de energía de los autos en Estados Unidos en 1900.

Fuente de energía	Vapor	Electricidad	Gasolina
Porcentaje	40%	38%	22%

11. Usa los datos siguientes para dibujar una gráfica circular. Los datos representan respuestas de estudiantes sobre cómo van a la escuela.

Medio de transporte	A pie	Bicicleta	Autobús	Auto
Número de estudiantes	252	135	432	81

12. La edad a la que se puede conseguir la licencia de conducir sin un curso de preparación varía. La gráfica circular de la izquierda muestra el porcentaje de estados que exigen las edades mínimas indicadas.

a. La gráfica no dice el número total de estados. ¿Cuál es el número total de estados? ¿Crees que el total debe ser parte de la gráfica? Explica por qué.

b. ¿Cuál es la edad mínima más común requerida por los estados para conseguir la licencia? ¿Cuántos estados requieren esta edad?

TÚ DECIDES

Comprar un auto

Decidir qué tipo de auto comprar puede ser difícil. Hay muchas opciones y, además, hay que considerar muchos factores como el precio, el tamaño y el consumo medio de gasolina.

REÚNE DATOS

1. Pide a cada miembro de tu familia que haga una lista de los factores más importantes que hay que considerar cuando se compra un auto.

2. Reúne datos sobre tres modelos de autos que te gusten. Usa artículos de revistas, anuncios en periódicos y guías del comprador.

13. La familia Molinero quiere comprarse un auto nuevo. El Sr. Molinero hizo una gráfica que muestra en qué gasta la familia sus $2,400 de ingresos mensuales.

   a. ¿Qué porcentaje del presupuesto son gastos del auto?

   b. El Sr. Molinero estima que los pagos de un auto nuevo aumentarán a $480 su gasto mensual de auto. ¿Qué porcentaje de su presupuesto mensual serán los gastos del auto si la familia se compra un auto nuevo?

   c. **Pensamiento crítico** ¿Qué cambios crees que tendrá que hacer la familia Molinero en su presupuesto para poder comprar un auto nuevo? Haz una gráfica circular que muestre los cambios que sugieres.

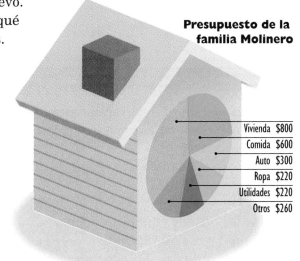

Presupuesto de la familia Molinero

Vivienda	$800
Comida	$600
Auto	$300
Ropa	$220
Utilidades	$220
Otros	$260

14. **Elige A, B o C.** ¿Cuál de las gráficas circulares siguientes muestra 25%, 5%, 40% y 30%?

   A.

   B.

   C.

15. **Por escrito** Supón que hicieras dos encuestas preguntando qué considera la gente importantes características de seguridad en un auto. En la primera encuesta, permite que la gente dé más de una respuesta. En la segunda encuesta, la gente sólo puede elegir una respuesta. ¿Los resultados de qué encuesta se pueden mostrar en una gráfica circular? ¿Por qué?

ANALIZA LOS DATOS

3. Usa las listas de los miembros de tu familia para hacer una tabla que le asigne a cada factor un número del 1 (sin importancia) al 10 (muy importante). A partir de tu tabla, haz una gráfica circular que muestre la importancia que cada factor debe tener en la decisión de comprar un auto.

4. Usa tu tabla para evaluar los autos sobre los cuales has reunido datos.

TOMA LA DECISIÓN

5. Determina qué auto es mejor según los deseos y las necesidades de tu familia.

En 1980, el costo medio por milla de poseer, mantener y usar un auto era 27.95¢/mi. En 1990, el costo era 41.0¢/mi. ¿Cuál es el porcentaje de aumento?

En conclusión

Razones, relaciones y proporciones 9-1, 9-2, 9-3

Una *razón* es una comparación entre dos números.
Una *relación* es una razón que compara dos cantidades medidas en unidades diferentes.
Una *proporción* es una ecuación que dice que dos razones son iguales.

1. En los Juegos Olímpicos de 1992, Estados Unidos ganó 108 medallas, entre ellas 37 medallas de oro. Escribe la razón de medallas de oro al total de medallas de tres maneras diferentes.

2. Halla el precio unitario de cada artículo y di cuál tiene el precio unitario más bajo: una caja de 10 oz de cereal por $2.79 o una caja de 13 oz por $3.99.

Halla el valor de *n* en cada proporción.

3. $\dfrac{3}{7} = \dfrac{n}{28}$

4. $\dfrac{3}{5} = \dfrac{15}{n}$

5. $\dfrac{n}{18} = \dfrac{12}{72}$

6. $\dfrac{32}{n} = \dfrac{4}{17}$

7. En 1992, Michael Jordan de los Bulls de Chicago anotó 2,004 puntos en 80 juegos. Si hubiera continuado anotando puntos a esta relación, ¿cuántos juegos habría tardado en romper el récord de Kareem Abdul-Jabbar de 38,387 puntos durante su carrera profesional?

Semejanza y dibujos a escala 9-4, 9-5

Si dos figuras son *semejantes*, los ángulos correspondientes son congruentes y las razones de las longitudes de los lados correspondientes son iguales.

Un *dibujo a escala* es un dibujo ampliado o reducido de un objeto.

Cada pareja de figuras son semejantes. Halla *x* e *y*.

8.

9.

10. La escala de un mapa es 1.5 pulg : 500 mi. La distancia en el mapa entre Chicago y Tokio es 12 pulg. Halla la distancia real entre las dos ciudades.

11. La escala de un dibujo es 0.5 pulg : 10 pies. Un cuarto tiene 15 pies de longitud. ¿Cuál es la longitud del cuarto en el dibujo?

Porcentaje y proporciones

9-6, 9-7, 9-9

Un **porcentaje** es una razón que compara un número a 100. Puedes usar una proporción para expresar datos como un porcentaje.

12. Escribe $62\frac{1}{2}\%$ como una fracción.

13. Escribe 1.8% como un decimal.

14. Escribe $\frac{3}{8}$ como un porcentaje.

Escribe una proporción y resuelve.

15. ¿Qué porcentaje de 40 es 28?

16. ¿De qué número es 38 el 80%?

17. ¿Cuál es el 60% de 420?

Porcentaje de cambio y gráficas circulares

9-10, 9-11, 9-12

El **porcentaje de cambio** es el porcentaje que algo aumenta o disminuye respecto a su cantidad o medida original.

Puedes hacer una gráfica circular para representar las partes de un todo.

18. Un contestador automático cuesta $54 rebajado. El precio original era $80. Halla el porcentaje de cambio.

19. **Por escrito** Di cómo harías una gráfica circular con los datos de la derecha.

Quién conduce			
Edades	19 y menores	25–49	50–69	79 y mayores
Porcentaje	6	34	41	19

Estrategias y aplicaciones

9-8

A veces se usa más de una estrategia para resolver un problema.

20. **Elige A, B, C o D.** Un terreno rectangular vale $9,000. ¿Cuál es el valor de un terreno similar cuya longitud y ancho son cada uno un 50% mayor que las dimensiones del primer terreno?

A. $2,250 **B.** $4,000 **C.** $13,000 **D.** $20,250

PREPARACIÓN PARA EL CAPÍTULO 10

Halla cada producto.

1. $\frac{2}{3} \cdot \frac{1}{5}$ **2.** $\frac{3}{4} \cdot \frac{5}{8}$ **3.** $\frac{3}{4} \cdot \frac{4}{5}$ **4.** $\frac{5}{6} \cdot \frac{2}{3}$ **5.** $\frac{3}{8} \cdot \frac{2}{7}$ **6.** $\frac{5}{12} \cdot \frac{4}{11}$

7. Vas a tomarte una fotografía con tres amigos. ¿De cuántas maneras se pueden alinear?

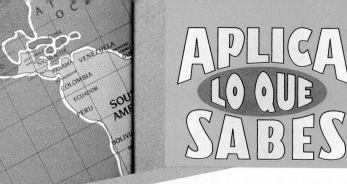

APLICA LO QUE SABES

cierra el caso

Tijeras para zurdos

El vicepresidente de la compañía Tijeras Tijereta debe decidir si lanzar al mercado las tijeras para zurdos. Ésta es tu última oportunidad de presentar tus argumentos a favor o en contra de la propuesta. Revisa tu carta al vicepresidente basándote en tu investigación. Las siguientes sugerencias te pueden ayudar.

✓ Diseña un mapa mostrando la proporción de zurdos en la población de EE.UU.

✓ Haz una gráfica circular.

✓ Crea un anuncio de tijeras para zurdos.

Si hiciste los problemas precedidos por la lupa (pág. 367, # 16; pág. 391, # 29 y pág. 398, # 25), los datos que reuniste también te serán de utilidad.

Lanzar un nuevo producto al mercado siempre es arriesgado. Una compañía debe invertir mucho dinero para desarrollar un nuevo producto. Si la compañía se equivoca en la demanda del producto, puede perder su inversión. Para que no ocurra ese desastre, las compañías llevan a cabo encuestas a fondo de la opinión pública antes de empezar el desarrollo del producto.

Extensión: "El Zurdo Zapata" fabrica productos exclusivamente para zurdos. "Adornos Azules" diseña joyas solamente para personas con ojos azules. ¿Qué compañía crees que tendrá más éxito? Explica tu respuesta.

Usa tu sombra

Un día que haga sol, tú y un compañero pueden usar proporciones para hallar la altura de un edificio, un árbol o el asta de una bandera. Primero, mide la altura de tu compañero mientras tú mides la longitud de la sombra del objeto. Después, dile a tu compañero que se pare al lado de un objeto alto y la longitud de las sombras para escribir una la altura y la longitud de la sombra del objeto. Usa proporción. Averigua la altura del objeto. Haz un cartel sobre la actividad para mostrarlo en la clase.

Ahorra con las rebajas

Mira una propaganda de rebajas de una tienda de ropa. Selecciona un conjunto entre los artículos rebajados que aparecen. Escribe cada prenda. Indica los precios originales y los rebajados. ¿Cuánto dinero podrías ahorrar si compraras los artículos rebajados? ¿Qué porcentaje del costo original te ahorras? ¿Cuántas horas debes trabajar con salario mínimo para ganar esta cantidad? Comenta los resultados con tu familia.

Juego de porcentajes

Dos o más jugadores.

Materiales: Dos dados de diez caras o dos ruletas divididas en diez partes iguales.

Para jugar:
1) Pónganse de acuerdo en un número mayor que 20 que sea el objetivo.
2) Tiren los dados y decidan qué dado representa el porcentaje. Sacar 1 en el "dado del porcentaje" significa 10%, 2 es 20%, etc. Deben hallar el porcentaje del otro dado indicado por el "dado del porcentaje".
3) Sumen los resultados de cada tirada a las anteriores. El primer jugador en llegar al número puesto como objetivo es el ganador.

AL MINUTO

Entre las 4:00 p.m. y las 5:00 p.m., ¿qué minuto marcará el reloj cuando el minutero pase el horario?

413

1. Escribe una razón de tres maneras distintas con el siguiente dato: cuarenta y nueve de cada 50 hogares tienen al menos una televisión.

2. Se probaron cuatro autos para hallar su consumo medio de gasolina. ¿Qué auto recorre más millas por galón?

Auto	Millas	Galones
A	225	14
B	312	15
C	315	10
D	452	16

3. Halla el valor de n en cada proporción.

   a. $\frac{6}{5} = \frac{n}{7}$ b. $\frac{3.5}{n} = \frac{14}{15}$

4. La razón de maestros a estudiantes en la escuela intermedia Jefferson es de 2 a 25. Hay 350 estudiantes en la escuela. Halla el número de maestros.

5. Los dos triángulos de la siguiente figura son semejantes. Halla x e y.

6. Un mapa tiene escala de 350 mi : 2 pulg. Hay dos ciudades a 5 pulg de distancia. ¿Qué distancia en millas hay entre las dos ciudades?

7. Usa papel cuadriculado para representar $12\frac{1}{2}\%$ y 285%.

8. Escribe 35% como un decimal y como una fracción en su mínima expresión.

9. Un globo de aire caliente está a 2,100 pies del suelo. El piloto tiene previsto aterrizar a las 3:30 p.m. Desciende 15 pies cada 10 s. ¿A qué hora debería empezar a descender?

10. Escribe una proporción y resuelve.

    a. Halla el 35% de 150.

    b. ¿Qué porcentaje de 80 es 50?

    c. ¿Qué porcentaje es 40 de 25?

11. Sonia compró un suéter por $18.75, un 25% menos que el precio regular. ¿Cuál era el precio regular?

12. En 1990, había aproximadamente 1.7 millones de enfermeras diplomadas en Estados Unidos. En el año 2000, el Departamento de Trabajo predice que habrá 2.5 millones de enfermeras diplomadas. ¿Qué porcentaje de cambio espera el Departamento de Trabajo? Redondea a la décima de por ciento más cercana.

13. **Por escrito** El precio de una cinta muy popular era $8.95 la semana pasada. Esta semana el precio es $7.16. Explica cómo hallar el porcentaje de cambio y di si el porcentaje de cambio es un aumento o una disminución.

14. Los estudiantes ganaron las siguientes cantidades de dinero para pagar los costos de transporte de una excursión. Haz una gráfica circular con los datos.

Actividad	Dinero
Lavar autos	$150
Recoger periódicos	$75
Vender libros	$225
Vender comida	$378

Elige A, B, C o D.

1. ¿Qué conclusión puedes sacar de este diagrama de dispersión?

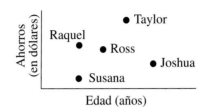

   A. Hay una correlación positiva entre edad y ahorros.

   B. Joshua es el mayor.

   C. Joshua es el que tiene más ahorros.

   D. Taylor y Raquel tienen la misma edad.

2. ¿Qué número se aproxima más al 35% de 1,291?

   A. 200   **B.** 300

   C. 400   **D.** 450

3. ¿Qué producto se aproxima más a $(2.7^2)(10.5)$?

   A. $(3^2)(10)$ **B.** $(4^2)(10)$

   C. $(2^2)(11)$ **D.** $(3^2)(11)$

4. ¿Qué ecuación *no* es equivalente a $2x - 3 = 5$?

   A. $2x = 8$ **B.** $x - 1.5 = 2.5$

   C. $2x - 4 = 4$ **D.** $4x - 3 = 10$

5. ¿Cuáles son los siguientes dos términos de la progresión:
   1, 2, 4, 5, 7, 8, 10, 11, 13, 14, . . . ?

   A. 16, 17   **B.** 17, 19

   C. 17, 18   **D.** 16, 18

6. ¿Qué expresión *no* es cierta?

   A. $\dfrac{12}{16} = \dfrac{9}{12}$ **B.** $\dfrac{12 + 16}{16} = \dfrac{9 + 12}{12}$

   C. $\dfrac{12}{9} = \dfrac{16}{12}$ **D.** $\dfrac{12 + 1}{16} = \dfrac{9 + 1}{12}$

7. ¿Qué punto de la recta numérica muestra el producto $\left(1\frac{7}{8}\right)\left(2\frac{1}{5}\right)$?

8. *ABCD* es un rombo. ¿Cuál es el área de la región sombreada?

   A. 64   **B.** 56

   C. 24   **D.** 48

9. ¿Qué dimensiones de una sola hoja de papel de regalo podrías usar para envolver una caja de 4 pulg × 8 pulg × 12 pulg?

   A. 10 pulg por 40 pulg

   B. 8 pulg por 24 pulg

   C. 8 pulg por 32 pulg

   D. 12 pulg por 20 pulg

10. ¿Qué afirmación es falsa?

   A. Algunos rombos son rectángulos.

   B. Todos los cuadrados son rombos.

   C. Todos los triángulos isósceles tienen tres lados congruentes.

   D. Un trapecio tiene exactamente un par de lados paralelos.

Probabilidad

el huevo más grande es del tamaño de una cabeza de alfiler

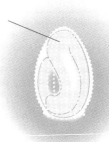

El ciclo de vida de una mariposa monarca abarca sólo unos 30 ó 35 días desde que se pone el huevo hasta que muere la mariposa adulta. Sin embargo, si el clima es favorable puede llegar a vivir hasta 6 meses.

Fuente: Laboratorio de entomología de la Universidad de Harvard

huevo (amplificado)

5 días

oruga

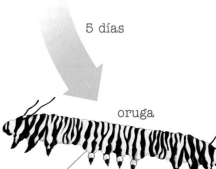

cuando deja de crecer mide $1\frac{4}{5}$ pulgadas y ha multiplicado por 3,000 su peso original

2-3 semanas

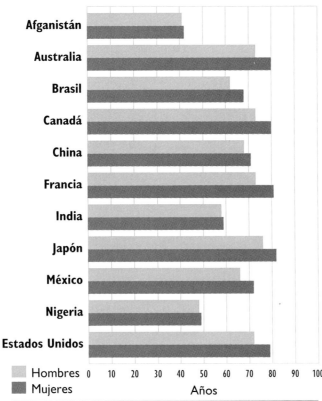

Esperanza de vida en diferentes países

Afganistán
Australia
Brasil
Canadá
China
Francia
India
Japón
México
Nigeria
Estados Unidos

Hombres
Mujeres

0 10 20 30 40 50 60 70 80 90 100
Años

Fuente: *Junior Scholastic*

¿Qué desventaja tiene un habitante de EE.UU. de vivir hasta los 100 años?

A la edad de:	Desventaja de:
0 (nacimiento)	1 a 87
1 año	1 a 86
30 años	1 a 84
45 años	1 a 81
65 años	1 a 67
85 años	1 a 24
90 años	1 a 12
99 años	1 a 1.4

Fuente: *Boston Globe*

EN ESTE CAPÍTULO

- determinarás
  probabilidades
  y ventajas/
  desventajas

- usarás
  probabilidades
  para hacer
  predicciones

- usarás
  tecnología
  para explorar
  la probabilidad
  experimental

- resolverás
  problemas
  simulándolos

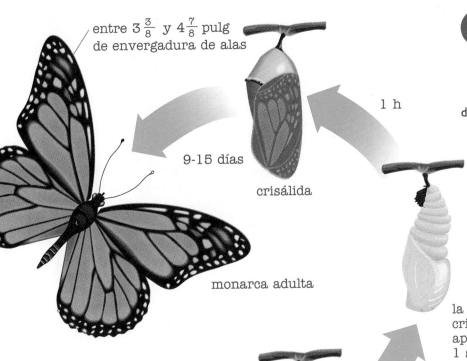

entre $3\frac{3}{8}$ y $4\frac{7}{8}$ pulg
de envergadura de alas

9-15 días

crisálida

1 h

monarca adulta

la fase de
crisálida dura
aproximadamente
1 semana

comienza la
fase de ninfa
o crisálida

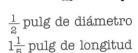

$\frac{1}{2}$ pulg de diámetro

$1\frac{1}{5}$ pulg de longitud

Esperanza de vida con relación a la edad (Estados Unidos)

Años de vida

Hombres
Mujeres

Edad en años

Fuente: *Go Figure*

DE TODO EL MUNDO

Hay 92 países con un índice
de natalidad mayor que el de
la India y 134 con un índice
de natalidad mayor que el de
la China. Sin embargo, $\frac{1}{3}$ de
los nacimientos que ocurren
en el mundo tienen lugar en
estos dos países.

Esperanza de vida de algunos animales

Animal	Número de años	Animal	Número de años
tortuga de las Galápagos	100	macaco rhesus	15
elefante africano	60	gato doméstico	13
elefante asiático	60	perro	12
bagro europeo	60	oveja	12
cóndor	52	cabra	10
hipopótamo	40	ardilla gris	10
gorila	35	ardilla listada	6
jirafa	25	zorro rojo	5
caballo	25	conejo blanco	5
alce	18	conejillo de Indias	4
tigre	16	ratón blanco	3
vaca	15	zarigüeya	1

Fuente: *Macmillan Illustrated Almanac for Kids*

ínvestigación

Informe

El profesor Personález afirmó una mañana: —Las personas nacidas el mismo día tienen personalidades similares y para probar mi teoría bastará con hallar a dos individuos que tengan exactamente la misma edad.

Su ayudante Batablanca replicó: —¡Pero tardaremos muchísimo tiempo! Tendremos que preguntar a 365 personas para encontrar a dos que hayan nacido el mismo día.

—Me parece que no —dijo el profesor—. Sospecho que será mucho más fácil.

Misión: Estima el número de personas a las que tendrías que preguntar al azar para hallar a dos que cumplan años el mismo día. ¿Cómo has hecho la estimación?

Sigue estas pistas

✓ ¿Conoces a dos personas nacidas el mismo día?

✓ ¿Qué experimento te podría ayudar a realizar la estimación?

Probabilidad y ventaja/desventaja

VAS A NECESITAR

✓ Cubos numerados

PIENSA Y COMENTA

• La probabilidad de lluvia es del 40%.

• Tu hermano pequeño se resfría casi todos los inviernos.

• Los accidentes son más probables conduciendo autos rojos que conduciendo autos azules.

• Es seguro que el sol saldrá mañana.

El concepto de *probabilidad* está presente en todas las oraciones anteriores.

Existen dados de 12 caras. ¿Los has visto alguna vez? Cuando se tira un dado de 12 caras hay 12 **resultados** posibles e igualmente probables (**equiprobables**): 1, 2, 3, 4, 5, 6, 7, 8, 9, 10, 11 y 12.

  1. a. ¿Cuáles son los resultados posibles al tirar una moneda al aire?

     b. ¿Son equiprobables estos resultados?

  2. a. Haz una lista de todos los resultados posibles con la ruleta de la izquierda.

     b. ¿Son "rojo" y "azul" resultados equiprobables? Explica por qué.

Llamamos **suceso** a un conjunto cualquiera de resultados posibles. Si los resultados son equiprobables, la **probabilidad** de que un suceso S ocurra, o sea $P(S)$, equivale a la siguiente razón:

Probabilidad de un suceso

La probabilidad de que un suceso S ocurra se expresa así:

$$P(S) = \frac{\text{número de resultados favorables}}{\text{número de resultados posibles}}$$

  3. Usa la ruleta de arriba.

     a. Halla $P(\text{azul})$.

     b. Halla $P(\text{rojo})$.

     c. ¿Por qué no son iguales las probabilidades de las partes (a) y (b)?

Como promedio, los niños se resfrían entre seis y ocho veces al año y los adultos entre dos y cuatro veces al año. Los niños varones se resfrían más que las niñas, pero las mujeres adultas se resfrían más que los hombres.

Fuente: *What Are the Chances?* y *Journal of the American Medical Association*

La razón de una probabilidad puede expresarse con una fracción, un decimal o un porcentaje.

Ejemplo 1 Halla la probabilidad de obtener un número par en un dado de 12 caras.

Hay seis resultados favorables: 2, 4, 6, 8, 10 y 12.

$$P(\text{par}) = \frac{\text{número de resultados favorables}}{\text{número de resultados posibles}} = \frac{6}{12} = \frac{1}{2}$$

La probabilidad de obtener un número par es $\frac{1}{2}$ ó 0.5 ó 50%.

4. Determina la probabilidad de cada suceso en un dado de 12 caras. Expresa cada probabilidad con una fracción, un decimal y un porcentaje.

a. P(número menor que 9) **b.** P(múltiplo de 6)

¡RECUERDA!

Las razones por lo general se expresan de estas tres maneras:

1 a 10   1 : 10 $\frac{1}{10}$

La razón del número de resultados favorables al número de resultados desfavorables se conoce como **ventaja** o **desventaja**. Se llama *ventaja* cuando el número de resultados favorables es mayor; se llama *desventaja* cuando el número de resultados desfavorables es mayor. La ventaja o desventaja se expresa como una fracción o en una frase con las palabras "a" o "contra".

Ventaja/desventaja de un suceso

La ventaja/desventaja de un suceso se expresa así:

$$\text{ventaja/desventaja} = \frac{\text{número de resultados favorables}}{\text{número de resultados desfavorables}}$$

5. a. ¿Qué parecidos y diferencias hay entre "probabilidad" y "ventaja/desventaja"?

b. La desventaja de ganar un premio en una fiesta es de 1 contra 10. ¿Qué significa esto?

Ejemplo 2 ¿Qué ventaja o desventaja hay de sacar un 11 en esta ruleta?

Hay un resultado favorable y 19 desfavorables.

$$\text{Desventaja} = \frac{\text{número de resultados favorables}}{\text{número de resultados desfavorables}} = \frac{1}{19}.$$

La desventaja de sacar un 11 es de 1 contra 19.

6. Halla la probabilidad de sacar un 11 y usa $<$, $>$ ó $=$ para comparar ese valor con la desventaja que hallamos en el ejemplo 2.

Un juego es **justo** si todos los jugadores tienen la misma probabilidad de ganar. Lee las siguientes instrucciones y decide si el juego es justo o no. Juega después con un compañero.

- Túrnense en tirar dos cubos numerados y hallen el producto de los dos números. Si el producto es par, el jugador A se anota un punto. Si el producto es impar, el jugador B se anota un punto.

- Gana el jugador que tenga más puntos después de 15 lanzamientos por jugador.

7. Jueguen el juego dos veces. ¿Es justo el juego a juzgar por los resultados?

8. a. Copien y completen la tabla de productos de la derecha.

  b. ¿Cuántos productos son pares? ¿Cuántos son impares?

  c. Hallen $P(\text{par})$ y $P(\text{impar})$.

9. Discusión ¿Cómo se podría ajustar la puntuación en este juego para hacerlo justo?

Tabla de productos

	1	2	3	4	5	6
1	1	2	3	■	■	■
2	2	4	■	■	■	■
3	■	■	■	■	■	■
4	■	■	■	■	■	■
5	■	■	■	■	■	■
6	■	■	■	■	■	■

Se tira un cubo numerado una vez. Halla cada probabilidad.

10. $P(4)$ **11.** $P(\text{múltiplo de 3})$ **12.** $P(\text{número menor que 3})$

13. Para un partido de béisbol se han impreso 10,000 programas; uno de ellos lleva un número premiado. ¿Cuál es la ventaja o desventaja de ganar el premio comprando un programa? ¿Y comprando dos?

14. Una ruleta está marcada con las letras del alfabeto. Halla la ventaja o desventaja de sacar la inicial de tu nombre.

¿Estás de acuerdo con las siguientes afirmaciones? Explica por qué.

15. Tras diez lanzamientos de una moneda has obtenido 3 caras y 7 cruces. Por lo tanto, cara y cruz no son resultados equiprobables.

16. La desventaja de ganar un concurso es de 1 contra 7. La probabilidad es, por lo tanto, $\frac{1}{8}$.

En 1991, el estadio de los Blue Jays de Toronto registró una asistencia total de 4,001,527 espectadores, récord absoluto para una temporada de béisbol. Supón que de cada 10,000 aficionados uno hubiera ganado un premio. **¿Cuántos aficionados habrían sido premiados?**

Fuente: *Guinness Book of Records*

Piensa en una gráfica circular y halla la medida del ángulo central correspondiente a cada porcentaje.

1. 40%   **2.** 15%

Halla las diferencias.

3. $1 - \frac{5}{6}$ **4.** $1 - 0.52$

Escribe la expresión algebraica correspondiente a cada frase.

5. un tercio de la suma de un número, *y*, más 8

6. el cociente de un número *x* dividido por 3

7. Si le restas 7 a un número y divides la cantidad por 13, el resultado es 21. ¿Cuál es el número original?

Las personas activas que hacen ejercicio reducen en un 45% el riesgo de un ataque al corazón. Dejar de fumar disminuye el riesgo en un 50–70%. Mantener un peso adecuado reduce el riesgo en un 55%.

Fuente: *Harvard Medical School Health Letter*

POR TU CUENTA

En una ruleta numerada del 1 al 10 todos los resultados son equiprobables. Expresa cada probabilidad con una fracción, un decimal y un porcentaje.

17. $P(5)$ **18.** $P(\text{impar})$ **19.** $P(\text{número menor que 11})$

20. En una rifa se sortea una computadora entre 200 números. Halla la probabilidad y la ventaja o desventaja de ganar si se compra una sola papeleta.

Usa la ruleta de la derecha.

21. Estima $P(X)$, $P(Y)$ y $P(Z)$.

22. ¿Qué resultado es más probable: X, Y o Z? ¿Cuál es menos probable?

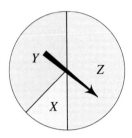

23. En una bolsa hay cinco canicas verdes, siete transparentes y tres anaranjadas.

   a. Halla la probabilidad de sacar una canica verde.

   b. ¿Qué canicas debes añadir o quitar para que la probabilidad de sacar una canica verde sea $\frac{1}{2}$?

24. **Por escrito** Supón que en un bolsillo tienes 3 monedas de 5¢, 3 de 10¢ y 3 de 25¢. ¿Crees que sacar una moneda de 10¢ es tan probable como sacar una de 25¢? Explica por qué.

En una caja hay unas tarjetas numeradas del 1 al 100. Halla cada probabilidad.

25. sacar un número primo   **26.** sacar un número par

27. **Salud** En los tratamientos médicos suelen hacerse cálculos de ventajas o desventajas. Un paciente está considerando el uso de una medicina que tiene una desventaja de curación de 1 contra 3.

   a. **Por escrito** Explícale al paciente cómo debe interpretar este dato.

   b. Halla la probabilidad de curación con la medicina.

28. **Por escrito** Tienes que optar entre los tratamientos *A* y *B*. La ventaja de curación es 5 : 4 con *A* y 4 : 3 con *B*. ¿Cuál de los tratamientos elegirías? Explica por qué.

Exploración de las probabilidades

¿QUÉ? Los pronósticos de lluvia realizados por los servicios oficiales de meteorología son acertados en un 85% de los casos.

Fuente: "Why They Still Can't Predict the Weather." *Readers Digest*

PIENSA Y COMENTA

Has oído en las noticias que la probabilidad de lluvia es del 40%.

1. ¿Cuál es la probabilidad de que llueva? ¿Y de que no llueva?

2. ¿Cómo puedes usar P(lluvia) para hallar P(no lluvia)?

3. Completa: P(lluvia) + P(no lluvia) = ■.

El suceso "no lluvia" es el suceso *complementario* del suceso "lluvia". La probabilidad de un suceso más la probabilidad de su suceso complementario equivale siempre a 1 ó al 100%.

4. **a.** ¿Qué valor tiene $P(6)$ cuando se tira un cubo numerado? ¿Y P(no 6)?

   b. ¿Qué valor tiene $P(1, 2, 3, 4$ ó $5)$?

Hay más de un método para hallar las probabilidades de sucesos que no pueden ocurrir al mismo tiempo, por ejemplo, sacar un 1 y un 2 en el mismo lanzamiento de un cubo numerado.

5. **a.** Halla $P(1$ ó $2)$, es decir, la probabilidad de obtener un 1 ó un 2.

   b. Halla la suma de $P(1)$ y $P(2)$.

   c. Describe dos sistemas para hallar la probabilidad de obtener un 1 ó un 2.

6. ¿Cuál es la probabilidad del suceso complementario de $P(1$ ó $2)$?

7. **a.** Copia y completa la tabla de la izquierda.

   b. Dibuja las probabilidades $P(1)$, $P(1$ ó $2)$, etc., en una recta numérica.

   c. ¿Cuál es la probabilidad de obtener un 7?

   d. ¿Entre qué dos números enteros están los valores de todas las probabilidades?

   e. ¿Cuál es el valor mínimo que puede corresponder a una probabilidad? ¿Y el valor máximo?

$P(1)$ = ■
$P(1$ ó $2)$ = ■
$P(1, 2$ ó $3)$ = ■
$P(1, 2, 3$ ó $4)$ = ■
$P(1, 2, 3, 4$ ó $5)$ = ■
$P(1, 2, 3, 4, 5$ ó $6)$ = ■

Un suceso *seguro* ocurre siempre. La probabilidad de un suceso seguro es 1. Un suceso *imposible* no ocurre nunca. La probabilidad de un suceso imposible es 0.

8. Da un ejemplo de suceso seguro.

9. Da un ejemplo de suceso imposible.

EN EQUIPO

Trabajen en grupos pequeños. Dibujen una recta numérica como la de abajo en un papel grande.

Marquen lo siguiente en la recta:

- las probabilidades 0, $\frac{1}{4}$, $\frac{1}{2}$, $\frac{3}{4}$ y 1
- las probabilidades 0%, 10%, 20%, . . . , 100%
- los puntos "seguro" e "imposible"

Las palabras o frases de la izquierda se refieren a probabilidades. Decidan qué puntos de la recta numérica corresponden a cada término. Por ejemplo, "no hay manera" aparecerá junto al 0, porque la probabilidad de un suceso que no puede ocurrir es 0. Cada miembro del grupo debe pensar en al menos una palabra más que se refiera a la probabilidad. Escriban las nuevas palabras o frases en la recta numérica.

PROBABILIDAD

no hay manera, quizás sea posible, poco probable, siempre, probable, tal vez, quizás sí quizás no, es de esperar, improbable, posible, dudoso, cierto

Repaso MIXTO

1. ¿Qué longitud tiene la diagonal de un rectángulo que mide 5 m × 12 m?

Descompón estos números en factores primos.

2. 625   **3.** 7,200

La regla de una función es $f(n) = -2n - 4$. Halla:

4. $f(-3)$ **5.** $f(2)$

6. ¿Cuál es la probabilidad de obtener un número menor que 5 cuando se tira un cubo numerado?

POR TU CUENTA

Sacas una ficha de la bolsa al azar.

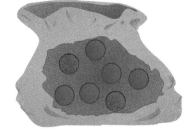

10. Halla cada probabilidad.

    a. $P(\text{roja})$ **b.** $P(\text{azul})$

    c. $P(\text{roja}) + P(\text{azul})$

    d. $P(\text{roja o azul})$

11. Completa: $P(\text{no roja}) = P(\blacksquare)$, y $P(\text{no azul}) = P(\blacksquare)$.

12. a. Añades seis fichas amarillas a la bolsa. ¿Qué valor tiene ahora $P(\text{amarilla})$?

    b. ¿Cuál es el suceso complementario del suceso "amarilla"?

Usa la ruleta de la derecha para hallar cada probabilidad.

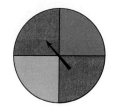

13. P(no verde)   **14.** P(rojo o azul)   **15.** P(blanco)

16. Una bolsa contiene un número desconocido de fichas. Sabes que P(rojo) $= \frac{1}{4}$ y P(verde) $= \frac{3}{4}$.

    a. ¿Son todas las fichas rojas o verdes? ¿Cómo lo sabes?

    b. ¿Cuántas fichas de cada color podría haber en la bolsa? ¿Hay alguna otra posibilidad? Explica por qué.

17. a. Completa. La probabilidad de un suceso seguro es ▦.

    b. Completa. El suceso complementario de un suceso seguro es un suceso ▦.

18. Tu profesor va a elegir un estudiante al azar.

    a. ¿Cuál es la probabilidad de que te elija a ti?

    b. ¿Cuál es la probabilidad de que no elija a una niña?

    c. Halla P(niña o niño elegido).

19. **Archivo de datos #10 (págs. 416–417)** ¿Cuál es la *probabilidad* de que un niño de 1 año en Estados Unidos viva hasta los 100 años?

20. a. Supón que $P(E) = 0.3$. Halla P(no E).

    b. Supón que P(no E) $= 65\%$. Halla $P(E)$.

21. **Elige A, B, C o D.** El pronóstico del tiempo para mañana dice que la posibilidad de lluvia es 80%. ¿Qué conclusión es más razonable?

    A. Lloverá en el 80% de la región.

    B. Ocho de los próximos 10 días serán lluviosos.

    C. Lloverá durante 9.6 h en las próximas 24 h.

    D. En situaciones anteriores parecidas, 8 días de cada 10 han sido lluviosos.

Este mapa meteorológico indica que la probabilidad de nieve en el Noreste es del 40%. **¿Cuál es la probabilidad de que no nieve?**

22. **Por escrito** Describe un suceso S que no ha ocurrido nunca pero que puede suceder en el futuro. Explica cuál es la probabilidad de que S ocurra durante tu vida.

23. **Pensamiento crítico** Piensa en el sentido del adjetivo "complementario" cuando se refiere a ángulos. ¿Es similar al que tiene cuando se refiere a probabilidades?

10-3 **E**spacios muestrales

> Una vez eliminado lo imposible, lo que queda debe ser la verdad, por muy improbable que parezca.
> —Sir Arthur Conan Doyle
> (1859–1930)

PIENSA Y COMENTA

Recuerda que "resultado" es cada uno de los sucesos que se puede obtener al hacer un experimento. Llamamos **espacio muestral** al conjunto de todos los resultados posibles.

1. Determina el espacio muestral correspondiente a cada caso. ¿Cuántos son los resultados posibles?

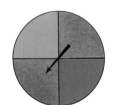

   a. Tiras una moneda al aire.

   b. Haces girar esta ruleta una vez.

   c. Tiras una moneda al aire y haces girar la ruleta.

2. **Discusión** ¿De qué modo podrías organizarte para hallar *todos* los resultados posibles?

Ejemplo 1   Haz una tabla para hallar el espacio muestral correspondiente a lanzar dos cubos numerados. Escribe los resultados agrupados como pares ordenados.

	1	2	3	4	5	6
1	(1, 1)	(2, 1)	(3, 1)	(4, 1)	(5, 1)	(6, 1)
2	(1, 2)	(2, 2)	(3, 2)	(4, 2)	(5, 2)	(6, 2)
3	(1, 3)	(2, 3)	(3, 3)	(4, 3)	(5, 3)	(6, 3)
4	(1, 4)	(2, 4)	(3, 4)	(4, 4)	(5, 4)	(6, 4)
5	(1, 5)	(2, 5)	(3, 5)	(4, 5)	(5, 5)	(6, 5)
6	(1, 6)	(2, 6)	(3, 6)	(4, 6)	(5, 6)	(6, 6)

Hay 36 resultados posibles.

3. ¿Cuál es la probabilidad de obtener "dobles" (el mismo número en los dos cubos)?

4. ¿Cuál es la probabilidad de obtener una suma par?

5. **a.** ¿De cuántas maneras se puede obtener la suma 7?

   b. ¿Cuál es la probabilidad de obtener la suma 7?

6. ¿Cuál es la probabilidad de obtener la suma 10?

7. a. Copia y completa la tabla para determinar el espacio muestral correspondiente al lanzamiento de dos monedas.

b. Halla la probabilidad de obtener dos caras.

	Moneda 2	
Moneda 1	**CARA**	**CRUZ**
CARA	■	CARA, CRUZ
CRUZ	■	■

Para hallar el espacio muestral también se puede hacer un *diagrama en árbol*.

Ejemplo 2   ¿Cuál es el espacio muestral correspondiente al lanzamiento de tres monedas?

Haz un diagrama en árbol enumerando los resultados de cada moneda por separado.

Moneda 1	Moneda 2	Moneda 3	Resultados
CARA	CARA	CARA	CARA, CARA, CARA
		CRUZ	CARA, CARA, CRUZ
	CRUZ	CARA	CARA, CRUZ, CARA
		CRUZ	CARA, CRUZ, CRUZ
CRUZ	CARA	CARA	CRUZ, CARA, CARA
		CRUZ	CRUZ, CARA, CRUZ
	CRUZ	CARA	CRUZ, CRUZ, CARA
		CRUZ	CRUZ, CRUZ, CRUZ

Hay ocho resultados posibles: CARA, CARA, CARA; CARA, CARA, CRUZ; CARA, CRUZ, CARA; CARA, CRUZ, CRUZ; CRUZ, CARA, CARA; CRUZ, CARA, CRUZ; CRUZ, CRUZ, CARA; CRUZ, CRUZ, CRUZ.

8. Usa el diagrama en árbol anterior.

a. Halla P(al menos dos caras).

b. Halla P(exactamente dos caras).

9. a. Dibuja un diagrama en árbol para hallar el espacio muestral correspondiente al lanzamiento de cuatro monedas.

b. Halla P(tres caras y una cruz).

10. Pensamiento crítico Quieres hallar el espacio muestral correspondiente a diez monedas. ¿Qué usarías: una tabla o un diagrama en árbol? Explica tu respuesta.

Para averiguar cuántos son los resultados posibles se puede hacer una tabla o un diagrama en árbol y contar los resultados. Si la cantidad es muy elevada conviene usar el *principio de conteo*.

P(niña) P(varón)

En 1991 había 4,011,000 niños con menos de un año de edad en Estados Unidos. Para este grupo de edad, P(niña) era 0.488 y P(varón) era 0.512.

Fuente: *Statistical Abstract*

DELI BOTÓN Sándwiches

PAN CENTENO, TRIGO, BLANCO,
PITA o PANECILLO

CARNE ROSBIF, PAVO, JAMÓN,
PASTRAMI, SALAMI,
o SALCHICHA

CINE IMPERIAL

Palomitas
pequeño $1.25
mediano $1.50
grande $2.00

Jugo de frutas o limonada
pequeño $1.00
mediano $1.25
grande $1.75
supergrande $2.25

Principio de conteo

El número de resultados de un suceso equivale al producto de las cantidades correspondientes a cada fase de ese suceso.

Ejemplo 3

En el deli Botón el cliente puede elegir un tipo de pan y un tipo de carne para su sándwich. ¿Cuántos tipos de sándwich se pueden preparar?

Pan		**Carne**
número de opciones	×	número de opciones
5	×	6

Se pueden preparar 30 tipos de sándwich.

11. ¿Por qué en este caso es preferible usar el principio de conteo y no un diagrama en árbol?

12. El encargado del deli Botón ha decidido añadir pollo a la lista de opciones. ¿Cuántos tipos de sándwich se ofrecen ahora?

13. ¿Qué información da un diagrama en árbol o una tabla que no da el principio de conteo?

PONTE A PRUEBA

Usa la información de la izquierda en los ejercicios 14–18.

14. Haz una lista de todas las combinaciones bebida/tamaño.

15. Has pedido una limonada y una bolsa de palomitas en el Cine Imperial.

   a. Dibuja un diagrama en árbol para hallar el espacio muestral.

   b. Muestra cómo el principio de conteo da el mismo número de resultados que el diagrama en árbol.

16. ¿Cuántas combinaciones palomitas/bebida se pueden pedir?

17. Discusión Un encargado usó el principio de conteo para determinar que P(cartón pequeño de palomitas y limonada mediana) $= \frac{1}{24}$. ¿Estás de acuerdo? ¿Por qué?

18. Supón que pudieras elegir entre palomitas sin nada, con mantequilla o con queso. Halla P(cartón mediano de palomitas sin nada y jugo de frutas mediano).

19. Educación Cuong ha elegido tomar clases de arte y de música. Hay 4 profesores de arte y 3 de música. ¿Cuántos resultados pueden darse con los dos profesores que tendrá?

20. a. Un profesor usa una "tabla de colocación" para determinar los puestos de sus alumnos en el salón. Las filas están numeradas del 1 al 6 y las columnas alfabetizadas de la A a la D (por ejemplo, un estudiante puede estar en el asiento 3A). Haz una tabla para representar el espacio muestral de la clase.

   b. Usa el principio de conteo para hallar el número de asientos. ¿Coincide esa cantidad con la obtenida en la tabla?

21. Transporte Para ir a un campamento de verano viajarás primero a Chicago y después al norte de Minnesota. Puedes ir a Chicago en auto, en autobús, en avión o en tren, y al campamento en auto o en autobús. Dibuja un diagrama en árbol para representar todas las combinaciones posibles.

22. Por escrito Define el término "espacio muestral" y explica cómo se usa el principio de conteo para hallar el número de resultados correspondiente a un espacio muestral.

23. Moda Steven tiene cuatro camisas (blanca, azul, verde y canela) y cuatro pares de calcetines de los mismos colores.

   a. ¿Cuántas combinaciones camisa/calcetines tiene a su disposición?

   b. Supón que toma una camisa y un par de calcetines sin mirar. ¿Qué probabilidad hay de que los colores no coincidan?

24. Hay siete candidatos para cubrir tres puestos en el consejo de estudiantes. Sus nombres están en una bolsa.

   a. ¿Cuántas personas pueden ser elegidas para el primer puesto?

   b. ¿Cuántas personas pueden ser elegidas para el segundo puesto una vez ocupado el primero? ¿Cuántas pueden ser elegidas para el tercer puesto una vez ocupados los dos anteriores?

   c. Usa el principio de conteo para hallar de cuántas maneras pueden cubrirse tres puestos contando con siete candidatos.

25. Investigación (pág. 418) Averigua las fechas de nacimiento de los presidentes de Estados Unidos. ¿Cuántos presidentes ha habido? ¿Cuántos han nacido el mismo día?

Repaso MIXTO

1. Halla el 30% de 50.

2. Supón que la probabilidad de lluvia hoy es 60%. ¿Cuál es la probabilidad de que no llueva?

Escribe estos números en notación científica.

3. 21 millones   **4.** 543

Halla las sumas.

5. $\frac{1}{2} + \frac{2}{3}$ **6.** $\frac{1}{8} + \frac{3}{4}$

7. La desventaja de ganar un sorteo es 1 : 999,999. ¿Cuál es la probabilidad de perder el sorteo?

Usa cualquier estrategia para resolver estos problemas. Muestra tu trabajo.

ESTRATEGIAS PARA RESOLVER PROBLEMAS

Haz una tabla
Razona lógicamente
Resuelve un problema
más sencillo
Decide si tienes suficiente
información, o más de
la necesaria
Busca un patrón
Haz un modelo
Trabaja en orden inverso
Haz un diagrama
Estima y comprueba
Simula el problema
Prueba con varias estrategias
Escribe una ecuación

1. Karla ha conseguido una media de 88 en tres exámenes. ¿Qué calificación deberá obtener en el cuarto examen para alcanzar una media de 90?

2. El lunes la temperatura mínima en el Polo Sur fue 9°F más baja que el domingo. El martes descendió otros 7°, pero el miércoles subió 13° y el jueves se elevó 17° más. El viernes bajó 8° hasta llegar a −50°F. ¿Cuál fue la temperatura mínima del domingo?

3. ¿Cuántos triángulos se obtienen usando los vértices de un pentágono?

4. Una pista de bolos mide 78 pies de largo y 42 pulg de ancho. ¿Cuántos pies cuadrados de madera se necesitan para revestir las 12 pistas de una bolera?

5. En 1989, Robert Commers dio 13,783 saltos de cuerda en 1 h. ¿Cuántos saltos dio por minuto?

6. **Archivo de datos #2 (págs. 44–45)** Supón que hubieras colaborado en la investigación de *Science World*. ¿Cuál habría sido la probabilidad de encontrarte con un lector que creyera que en el futuro se probará que ha habido vida en Marte?

7. De los 28 estudiantes que componen una clase, 15 tienen un hermano varón, 12 tienen una hermana, y 4 tienen un hermano varón y una hermana. ¿Cuántos no tienen ni hermano ni hermana?

8. Cuatro estudiantes se sientan en fila. Jana está detrás de Nathan, Tae está delante de Robin y Nathan está detrás de Robin. Escribe en orden los nombres de los estudiantes.

9. La suma de dos números es 13. El número mayor es igual al doble del menor más 1. Halla los dos números.

10. El ganador de un sorteo le dio a su hija la mitad del premio y a su hermano la mitad de lo que le dio a su hija. Si se quedó con $50, ¿cuánto les dio a su hija y a su hermano?

La *American Heart Association* patrocina cada primavera un gran festival de salto de cuerda con objeto de recaudar fondos para programas benéficos y promover la práctica del ejercicio físico. Más de 1.5 millones de estudiantes, padres y profesores de 17,533 escuelas participaron en 1993.

Fuente: *American Heart Association*

• Hallar la probabilidad de sucesos independientes y dependientes

EN EQUIPO

Trabaja con un compañero. Supongan que tienen una bolsa de canicas como la de la izquierda y sacan una al azar.

1. ¿Cuál es la probabilidad de sacar una canica roja?

2. a. Antes de sacar otra canica, vuelven a poner la primera en la bolsa y agitan la bolsa. ¿Cuál es la probabilidad de volver a sacar una canica roja?

b. Supongamos que la primera canica (roja) no se devuelve a la bolsa. ¿Cómo influye esto en el espacio muestral de la segunda prueba? ¿Cuál es ahora la probabilidad de volver a sacar una canica roja?

PIENSA Y COMENTA

Dos sucesos son **independientes** si el primero no afecta al segundo. En la actividad anterior había 4 posibilidades sobre 10 de sacar una canica roja al primer intento. Si se vuelve a poner la canica en la bolsa, las posibilidades de volver a sacar una canica roja siguen siendo 4 sobre 10. El primer resultado del experimento no influye en el segundo y, por tanto, los sucesos (roja y roja) son independientes. Los sucesos son **dependientes** cuando el primero afecta al segundo.

3. a. Si la primera canica no se vuelve a poner en la bolsa antes de la segunda prueba, los sucesos (roja y luego roja) son dependientes. Explica por qué.

b. Laura saca una moneda del monedero y un billete de la cartera. ¿Cómo son estos sucesos: independientes o dependientes? Explica por qué.

4. a. Describe dos sucesos dependientes.

b. Describe dos sucesos independientes.

¿QUÉ? La probabilidad de obtener 50 caras seguidas lanzando una moneda al aire es muy baja. Si se lanzaran un millón de monedas al aire 10 veces/min durante 40 h/sem, saldrían 50 caras consecutivas una vez cada 9 siglos.

Fuente: *Mathematics*

Las ferias y verbenas se celebran en Europa desde hace siglos. Las primeras ferias ambulantes de Estados Unidos aparecieron cuando, a finales del siglo XIX, mejoró notablemente el transporte. Actualmente hay unas 500 recorriendo el país.

Probabilidad de dos sucesos independientes

Si A y B son sucesos independientes, $P(A$ y $B) = P(A) \times P(B)$.

Ejemplo 1

En el juego de feria "Señala Tus Iniciales" se hace girar una ruleta marcada con las letras del abecedario. Para ganar tiene que salir primero la inicial del nombre y después la del apellido. Halla la probabilidad de ganar si se utiliza un alfabeto de 26 letras y las iniciales son B y Z.

• Los dos sucesos son independientes.

$$P(B \text{ y } Z) = P(B) \times P(Z)$$

$$= \frac{1}{26} \times \frac{1}{26} = \frac{1}{676}$$

La probabilidad de ganar es $\frac{1}{676}$.

5. Se van a lanzar dos cubos numerados. Halla $P(6$ y $6)$.

Probabilidad de dos sucesos dependientes

Si A y B son sucesos dependientes,

$$P(A \text{ y luego } B) = P(A) \times P(B \text{ después de } A).$$

Ejemplo 2

En el juego de feria "Saca Tus Iniciales" se sacan dos tarjetas de un balde donde hay 26 tarjetas marcadas con las letras del alfabeto. Gana quien obtiene sus iniciales. Halla la probabilidad de ganar si las iniciales son R y M.

• Los sucesos son dependientes.

$$P(R \text{ y luego } M) = P(R) \times P(M \text{ después de } R)$$

$$= \frac{1}{26} \times \frac{1}{25} = \frac{1}{650}$$

La probabilidad de ganar es $\frac{1}{650}$.

6. Explica por qué $P(M \text{ después de } R) = \frac{1}{25}$.

7. Los nombres de todos los estudiantes de tu clase están en un sombrero. El profesor saca un nombre y después otro sin volver a meter el primero en el sombrero. ¿Por qué son dependientes estos sucesos?

Di si los sucesos son independientes o dependientes.

8. Se lanza una moneda al aire y se saca una carta de una baraja.

9. Se lanza una moneda de 5¢ y luego una de 10¢.

10. Se saca una carta, se devuelve a la baraja y luego se saca otra.

11. Se saca un calcetín de la secadora y luego se saca otro.

Imagina que sacas dos canicas de la bolsa de la derecha.

12. Supón que devuelves la primera canica a la bolsa antes de sacar la segunda. Halla P(dos canicas verdes).

13. Supón que no devuelves la primera canica antes de sacar la segunda. Halla P(dos canicas verdes).

POR TU CUENTA

14. En el juego Yahtzee™ se utilizan cinco cubos numerados para obtener diferentes series de números. ¿Cuál es la probabilidad de conseguir cinco unos en una tirada?

Una caja contiene las letras M I S S I S S I P P I.

15. ¿Cuál es la probabilidad de sacar una I?

16. ¿Cuál es la probabilidad de sacar una consonante?

17. ¿Cuál es la probabilidad de sacar primero una S y luego una P si:

   a. la primera letra no se devuelve a la caja antes de sacar la segunda?

   b. la primera letra se devuelve antes de sacar la segunda?

18. Inventa y resuelve un problema basado en la caja anterior.

Se lanza dos veces un cubo numerado. ¿Cuál es la probabilidad de estos sucesos?

19. P(6 y luego 4)   20. P(pareja de cincos)   21. P(6 y luego 7)

Escribe cada fracción en su mínima expresión.

1. $\frac{27}{243}$ **2.** $\frac{52}{78}$

3. Halla el área de un cuadrado que tiene un perímetro de 18 pies.

Las secciones de una ruleta están numeradas del 1 al 20. Todos los resultados son equiprobables.

4. Halla P(número primo).

5. Halla P(cuadrado perfecto).

6. ¿Cuántos pares distintos de estudiantes se pueden formar con un grupo de 5 estudiantes?

22. Por escrito Para formar dos equipos, un profesor de gimnasia coloca en una caja cantidades iguales de camisetas rojas y azules que los estudiantes deben agarrar y ponerse rápidamente. ¿Te parece un método adecuado? ¿Son los sucesos independientes? Explica por qué.

23. Después de sacar tres cruces seguidas lanzando una moneda, Juan está seguro que en la siguiente ocasión obtendrá cara. ¿Estás de acuerdo? Explica por qué.

24. Siete niños varones y cinco niñas quieren ser los presentadores de un espectáculo de variedades para el que sólo hacen falta dos presentadores. Su profesor ha decidido poner los doce nombres en un sombrero y sacar dos al azar.

a. Halla la probabilidad de que los dos presentadores sean varones.

b. Halla la probabilidad de que los dos presentadores sean niñas.

c. Pensamiento crítico Usa lo que sabes sobre sucesos complementarios para hallar la probabilidad de que los presentadores sean un varón y una niña.

d. Una de las niñas sugiere que se coloquen los nombres de las niñas en un sombrero y los de los niños en otro. ¿Te parece mejor este método? Explica por qué.

VISTAZO A LO APRENDIDO

Usa la ruleta de la izquierda. Expresa cada probabilidad como fracción, decimal y porcentaje.

1. P(no 4)   **2.** P(2 ó 3)   **3.** P(número primo)

Las letras M A T E M Á T I C A S están escritas cada una en una tarjeta.

4. Halla la ventaja o desventaja de sacar una M.

5. Halla la probabilidad de sacar una vocal, reponerla y sacar luego otra vocal.

6. Halla la probabilidad de sacar primero una A y luego una T si la primera letra obtenida no se repone antes de sacar la segunda.

7. En la cafetería hay 3 tipos de sándwich, 2 tipos de bebida y 4 tipos de postre. ¿Cuántas combinaciones de sándwich, bebida y postre se ofrecen?

En esta lección

10-5 **S**imula el problema

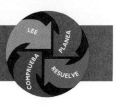

• Resolver problemas simulándolos

VAS A NECESITAR

✓ Cubos numerados

Probablemente has jugado con juegos de video en los que se pilota un avión o se maneja un auto. Ciertos juegos de computadora te "trasladan" a un pequeño negocio a la orilla de una carretera o a un laboratorio científico. Estas "copias" de situaciones reales se llaman **simulaciones.**

> Kayley Karl quiere conseguir los seis modelos de dinosaurio que regala el cereal Crispy Crunchy. Cada caja contiene un modelo y cualquiera de los seis dinosaurios tiene las mismas posibilidades de aparecer en una caja. Kayley tiene dinero suficiente para comprar 20 cajas. ¿Es probable que consiga los seis modelos en esas 20 cajas?

LEE

Lee y analiza la información que se te da. Resume el problema.

Piensa en el problema.

1. **a.** Como mínimo, ¿cuántas cajas tiene que comprar para reunir los seis dinosaurios?

   b. Como mínimo, ¿cuántos modelos distintos habrá conseguido después de comprar 20 cajas?

   c. ¿Aproximadamente cuántas cajas crees que deberá comprar?

PLANEA

Decide qué estrategia usarás para resolver el problema.

En vez de realizar la compra para averiguar cuántas cajas necesita, Kayley puede estimar la cantidad *simulando* el problema.

2. ¿En cuántas secciones congruentes se debe dividir una ruleta para simular el problema de los dinosaurios?

3. Supón que Kayley simula el problema usando un cubo numerado. El 1 representa al brontosauro, el 2 al estegosauro, etc. ¿Cuántos números diferentes tendrá que sacar para conseguir los seis modelos?

Número	Tiradas
1	II
2	IIII
3	I
4	II
5	II
6	III
Total	■

Cada *prueba* de la simulación concluye cuando se consiguen todos los resultados posibles al menos una vez (lo normal es que varios se repitan).

4. Kayley simuló el problema con un cubo numerado. A la izquierda puedes ver el conteo que hizo de la primera prueba.

    a. ¿Cuántas veces tuvo que tirar el cubo para obtener los seis números?

    b. De acuerdo con esta prueba, ¿cuántas cajas de cereal debe comprar Kayley para obtener los seis dinosaurios?

    c. ¿Crees que una segunda prueba proporcionaría los mismos resultados? ¿Por qué?

 RESUELVE

Prueba con la estrategia.

Simula el mismo problema con un cubo numerado.

5. **a.** Tira el cubo tantas veces como sea necesario para obtener los seis dinosaurios. Lleva la cuenta de los resultados.

    b. De acuerdo con esta prueba, ¿cuántas cajas de cereal tendrá que comprar Kayley para conseguir los seis dinosaurios?

    c. Haz otras nueve pruebas y halla la media de las cantidades de cajas que se deben comprar.

COMPRUEBA

Piensa en los datos que has reunido.

6. ¿Cuánto se aproxima la conjetura de la pregunta 1 (c) a la media obtenida en 5 (c)?

7. Cuantas más pruebas se hagan, más precisa será la estimación. Halla la cantidad media de cajas considerando los resultados obtenidos por el resto de la clase.

8. **a.** ¿Te parece probable que Kayley consiga los seis dinosaurios si compra 20 cajas de cereal? Explica por qué.

    b. ¿Puedes asegurar que Kayley conseguirá los seis dinosaurios si compra 20 cajas de cereal?

 ¿QUÉ? A finales de los años 80, Ralston-Purina puso autos de juguete en algunas cajas de cereal. Entre esos modelos había Corvettes que se podían cambiar por el auto verdadero.

Fuente: *Marketing News*

PONTE A PRUEBA

Simula estos problemas para resolverlos.

9. Un restaurante de comida rápida regala un auto de juguete con cada compra. Las posibilidades de obtener cualquiera de los tres modelos que se ofrecen son exactamente las mismas. Estima el número de compras que deben realizarse para conseguir todos los autos.

10. Explica cómo simularías el siguiente problema. Supón que te dan un juego de preguntas y respuestas escrito en un idioma que no conoces. Hay cinco preguntas y cinco respuestas. Estima el número de intentos necesarios para conseguir emparejar una respuesta con su pregunta.

POR TU CUENTA

Usa las estrategias que quieras para resolver estos problemas. Muestra tu trabajo.

11. El Club Auxiliar contrató a una banda de rock para un acto benéfico. A la banda se le garantiza $1,500 más $4.50 por cada entrada vendida. Si en la sala hay 1,132 asientos, ¿cuál es la cantidad máxima que puede obtener la banda? ¿Y la cantidad mínima?

12. La ventana más grande del mundo está en el Palacio de la Industria y la Técnica de París, Francia. Mide 715.2 pies de ancho por 164 pies de alto. ¿Cuántas yardas cuadradas de cristal tiene la ventana?

13. La tira cómica de vida más prolongada es *The Katzenjammer Kids*. Fue creada por Rudolph Dirks y empezó a publicarse en el *New York Journal* el 12 de diciembre de 1897. Usa la fecha de hoy para calcular la edad de esta tira cómica.

14. Una compañía que vende refrescos anuncia que bajo cada tapa de Limoneta aparece una de las cinco letras de la palabra LIMÓN: quien consiga formar la palabra ganará un premio. Si las letras aparecen con igual frecuencia, estima cuántas botellas hay que comprar para obtener el premio.

15. **Archivo de datos #8 (págs. 314–315)** ¿Cuál es la probabilidad de que un varón de 13 años haya comido en un restaurante de comida rápida en los últimos siete días?

16. El precio de un suéter fue rebajado un 30% durante una oferta. Al final de la oferta, el director de la tienda decidió aumentar en 30% el precio rebajado. ¿Es el último precio igual al que el suéter tenía antes de las rebajas? Explica por qué.

17. **Investigación (pág. 418)** Averigua cuándo cumplen años tus amigos y vecinos. Ve anotando las fechas hasta que dos de ellas coincidan. ¿Cuántas fechas has tenido que anotar?

Para una promoción realizada en Filipinas en 1992, Pepsi-Cola, por equivocación, produjo 800,000 tapas premiadas en lugar de las 18 previstas. Más de 22,000 personas reclamaron el premio de un millón de pesos ($40,000). La compañía afirmó que no tenía los $32,000 millones necesarios para pagar a todos los ganadores.

Fuente: *Time*

R^e_pa_So MIXTO

1. Halla el radio de un círculo que tiene una circunferencia de 75.36 pulg.

Convierte en relaciones unitarias.

2. 560 palabras escritas en 8 min

3. 850.5 km recorridos en 9 h

A y B son sucesos independientes. Halla *P(A y B).*

4. $P(A) = \frac{1}{2}$, $P(B) = \frac{2}{5}$

5. $P(A) = \frac{2}{9}$, $P(B) = \frac{3}{4}$

6. Una estudiante cuenta 18 patas en las sillas (de cuatro patas) y taburetes (de tres patas) que hay en la sala de espera de un médico. ¿Cuántas sillas y taburetes hay en la sala?

10-6 Probabilidad experimental y simulaciones

En esta lección

• Usar computadoras para explorar la probabilidad experimental

• Usar computadoras para simular problemas de probabilidad

VAS A NECESITAR

✓ Papel arrugado

✓ Cesto de basura

✓ Computadora

✓ Programa de números aleatorios con representación gráfica

EN EQUIPO

¿Alguna vez has lanzado una bola de papel a un cesto de basura? ¿Cuál es la probabilidad de que encestes? Para hallar esta probabilidad hay que hacer el experimento. La **probabilidad experimental** del suceso "encestar" equivale a la siguiente razón:

$$P(\text{encestar}) = \frac{\text{número de aciertos}}{\text{número de intentos}}$$

Reúne datos con un compañero. Decidan cuántos intentos van a llevar a cabo y pónganse de acuerdo en las normas que regularán el experimento. Cada uno de ustedes debe anotar los resultados del otro.

1. Hallen $P(\text{encestar})$ correspondiente a cada uno.

2. ¿Por qué se debe experimentar para hallar este dato?

PIENSA Y COMENTA

Tonia está en un equipo de básquetbol femenino. Durante un entrenamiento ha reunido los datos de la izquierda sobre sus tiros libres.

TIROS LIBRES DE TONIA

F = Fallo   C = Canasta

F	F	C	C	C	F	C	F
F	C	F	C	C	F	F	C

3. a. ¿Cuál es la probabilidad experimental de que enceste un tiro libre?

   b. Expresa la probabilidad experimental como un porcentaje.

4. a. Tonia lanzó 12 tiros libres en un partido. ¿Cuántas canastas crees que consiguió?

   b. ¿Conseguirá la misma cantidad siempre que lance 12 tiros libres? Explica por qué.

Se dice que un jugador tiene una "buena racha" cuando sus resultados son mejores de lo normal.

5. Tonia consiguió 4 canastas seguidas en un juego. ¿Crees que una serie de 4 canastas puede, en su caso, considerarse como una "buena racha"?

 En 1992, Ginny Doyle, una estudiante de la Universidad de Richmond, rompió el récord de tiros libres en el básquetbol universitario, anotando **66 canastas consecutivas**.

Fuente: *New York Times*

Para simular ciertas actividades se pueden usar números **aleatorios,** es decir, números que se generan al azar y tienen, por tanto, las mismas posibilidades de ocurrir. En una computadora se simularían los lanzamientos de Tonia generando aleatoriamente una serie de dos dígitos (0 para las canastas y 1 para los fallos, por ejemplo).

6. Computadora Simula 20 tiros libres de Tonia.

   a. ¿Cuántas secuencias de 4 ó más canastas seguidas se producen?

   b. A juzgar por la serie de números aleatorios, ¿con qué frecuencia esperas que Tonia consiga 4 canastas seguidas?

   c. ¿Crees que la secuencia de 4 canastas significa que Tonia tiene una buena racha?

7. a. Computadora Continúa simulando los tiros libres de Tonia. Haz una hoja de cálculo como la de abajo y deja que la computadora calcule las probabilidades de la columna D.

	A	B	C	D
	Número de canastas	**Número de fallos**	**Número de tiros libres**	**P(encestar)**
1				
2			20	
3			40	
4			60	
5			80	
6			100	

El 14 de abril de 1993, Don Calhoun, de Bloomington, Illinois, recibió $1 millón por conseguir una canasta a 79 pies de distancia en un concurso de promoción realizado durante un juego de los Chicago Bulls y el Miami Heat. Ni Scottie Pippen ni Michael Jordan pudieron encestar a esa distancia.

Fuente: Sports Illustrated

   b. Haz una gráfica lineal con los datos de las columnas C y D de la hoja de cálculo. ¿Qué indica la gráfica?

   c. ¿Qué ocurre con *P*(encestar) a medida que el número de lanzamientos aumenta?

   d. ¿Por qué resulta ventajoso reunir una gran cantidad de datos?

8. a. Sam tiró al aire 100 veces una moneda de 1¢ y calculó que la probabilidad experimental de sacar cara era del 55%. Susana creía que la probabilidad de obtener cara en una moneda es del 50%. ¿Por qué no coinciden los resultados de Sam con lo esperado por Susana?

   b. ¿Cómo afectarían mil lanzamientos a los resultados de Sam?

1. Los lados de un triángulo rectángulo miden 9 cm, 12 cm y 15 cm. Halla el área.

Evalúa con $x = \frac{1}{2}$.

2. $-16x^2 - \frac{7}{8}$

3. $x^3 + 5x$

4. En una bolsa hay 3 canicas blancas y una roja. ¿Qué probabilidad hay de sacar una canica roja?

5. El Sr. y la Sra. Medeiros tienen dos hijos varones. ¿Cuál es la probabilidad de que su próximo hijo sea una niña?

9. Archivo de datos #3 (págs. 90–91) Halla P(tiro libre) de Shaquille O'Neal durante la temporada 1990/91. ¿Qué era más probable en su caso: anotar con un intento de una canasta normal o anotar con un intento de tiro libre?

10. Por escrito Describe una probabilidad que sólo pueda hallarse mediante un experimento.

11. Terminología Haz un experimento para hallar la probabilidad de que una palabra elegida al azar en este libro contenga la letra *e*.

   a. Di qué datos usarás y explica cómo los has conseguido.

   b. ¿Cuántas palabras has examinado para hallar $P(e)$? ¿Serían los resultados diferentes si hubieras utilizado el doble de palabras? ¿Serían más precisos? Explica por qué.

12. Ciencia La probabilidad de que un varón sea daltónico es del 8%. Supón que entrevistaras a 1,000 varones. ¿Aproximadamente cuántos serían daltónicos? ¿Crees que hallarías esa cantidad exacta de daltónicos? ¿Por qué?

13. En el juego de feria "Edad al Azar" se hace girar dos veces una ruleta numerada del 0 al 9. Gana quien obtiene los dos dígitos de su edad. Por ejemplo, si tienes 13 años, tienes que sacar primero un 1 y luego un 3.

   a. Calcula tu probabilidad de ganar.

   b. Usa la tabla de números aleatorios que aparece a la izquierda para hallar tu probabilidad experimental de ganar (considera los dígitos de dos en dos).

   c. Expresa como porcentajes las probabilidades halladas en (a) y (b). Redondea a la décima más cercana. ¿Se aproxima la probabilidad experimental (b) a la probabilidad (a)?

TABLA DE NÚMEROS ALEATORIOS

```
23948 71477 12573 05954
65628 22310 09311 94864
41261 09943 34078 70481
34831 94515 41490 93312
09802 09770 11258 41139
66068 74522 15522 49227
00458 48800 33785 67694
45713 06400 87143 19586
57648 49551 40424 72908
21397 31604 84615 40513
```

14. Deportes Patrick Ewing, de los Knicks de Nueva York, encesta aproximadamente el 75% de sus tiros libres. Usa la tabla de dígitos aleatorios de la izquierda. Los dígitos 1–6 representarán "canasta"; 7 y 8 corresponderán a "fallo". Ignora los dígitos 9 y 0.

   a. ¿Cómo refleja este sistema de representación la probabilidad con que Ewing acierta los tiros libres?

   b. ¿Observas "buenas" o "malas rachas"?

   c. ¿Cuántas canastas seguidas representarían una buena racha en el caso de Patrick Ewing?

Se tira un cubo numerado. Halla las probabilidades siguientes.

1. $P(5)$ **2.** $P(\text{no } 5)$ **3.** $P(4 \text{ ó } 5)$ **4.** $P(4 \text{ ó no } 4)$

En una ruleta numerada del 1 al 8 todos los resultados son equiprobables. Expresa cada probabilidad como una fracción, un decimal y un porcentaje.

5. $P(9)$ **6.** $P(\text{número impar})$ **7.** $P(1 \text{ ó } 5)$ **8.** $P(1) + P(5)$

9. $P(\text{no } 5)$ **10.** $P(\text{ni } 2 \text{ ni } 3)$ **11.** $P(0)$ **12.** $P(\text{número menor que } 8)$

Halla la ventaja o desventaja de cada suceso en la ruleta de la derecha.

13. 4

14. múltiplo de 3

15. 7 ó 9

16. número impar

Los sucesos A y B son independientes. Halla P(A y B).

17. $P(A) = \frac{2}{3}, P(B) = \frac{3}{5}$ **18.** $P(A) = \frac{1}{2}, P(B) = \frac{3}{4}$ **19.** $P(A) = \frac{2}{9}, P(B) = \frac{1}{6}$

En una caja hay 4 tarjetas rojas, 2 tarjetas azules, 1 tarjeta amarilla y 1 tarjeta verde. Halla la probabilidad de cada par de sucesos.

20. A: Sacas una tarjeta roja y la guardas.   B: Sacas una tarjeta roja.

21. A: Sacas una tarjeta azul y la guardas.   B: Sacas una tarjeta verde.

22. A: Sacas una tarjeta azul y la devuelves.   B: Sacas una tarjeta amarilla.

23. Dibuja una cuadrícula o un diagrama en árbol para representar todos los resultados posibles (espacio muestral) al lanzar un cubo numerado y una moneda.

24. Hay 7 maneras de hacer la tarea Q y 3 maneras de hacer la tarea R. ¿De cuántas maneras puede hacerse la tarea Q y luego la tarea R?

25. Una bolsa contiene las letras P O S I B I L I D A D. ¿Cuál es la probabilidad de sacar una P y luego una D si la primera letra no se repone antes de sacar la segunda?

10-7

Permutaciones y combinaciones

EN EQUIPO

Juega a "SAPO" con varios compañeros. En un minuto tienen que escribir tantas palabras como puedan usando las letras S, A, P y O (sólo valen los términos que aparecen en el diccionario). Gana el jugador que escriba más palabras.

1. **Discusión** ¿Qué estrategias han utilizado para hallar las distintas formas de agrupar las cuatro letras?

2. Hagan una lista sistemática de todas las agrupaciones posibles de las cuatro letras.

   a. ¿Cuántas agrupaciones hay en su lista?

   b. ¿Cuántas agrupaciones son en realidad palabras que aparecen en el diccionario?

PIENSA Y COMENTA

Para hallar el número de agrupaciones de las letras, S, A, P y O puede utilizarse el principio de conteo.

primera letra		segunda letra		tercera letra		cuarta letra	
4	×	3	×	2	×	1	= 24

3. **a.** ¿Por qué hay 4 opciones para la primera letra pero solamente 3 para la segunda?

   b. ¿Cuál es la probabilidad de que las letras S, A, P y O formen una palabra al mezclarse?

Llamamos **permutación** a una agrupación de elementos en la que el orden es importante. La permutación SAPO es diferente de la permutación SOPA porque el orden de las letras es diferente.

4. ¿Cuántas permutaciones pueden hacerse con las letras A, B y C?

5. Haz una lista sistemática de todas las permutaciones de tres letras que pueden hacerse con las letras S, A, P y O.

¡RECUERDA!

Para aplicar el principio de conteo se multiplican las opciones posibles en cada etapa de un proceso.

También se puede usar el principio de conteo para hallar cuántas permutaciones de tres letras pueden obtenerse con cuatro letras.

primera letra   segunda letra   tercera letra

$$4 \quad \times \quad 3 \quad \times \quad 2 \quad = 24$$

6. Usa el principio de conteo para hallar cuántas permutaciones de dos letras pueden obtenerse con las letras S, A, P y O. Comprueba el resultado haciendo una lista sistemática de todas las permutaciones.

7. Usa la lista del ejercicio anterior. ¿Cuántas permutaciones se forman con las letras S y A? ¿Y con A y P? ¿Y con P y O? ¿Y con S y O?

Scrabble® es un juego muy popular en el que se forman palabras usando fichas con letras. En un alfabeto de 26 letras las permutaciones de 7 letras superan los 3,300 millones. **¿Cuántas permutaciones posibles hay de un conjunto de siete letras?**

Llamamos **combinación** a una agrupación de elementos en la que el orden *no* importa. Supón que Tom, Jorge y Marta están parados en fila. La distribución "Tom, Jorge y Marta" es diferente de la distribución "Jorge, Marta y Tom". Al ordenar personas en una fila se trabaja con permutaciones, pero al elegir personas para un comité se trabaja con combinaciones. Tom, Jorge y Marta forman el mismo comité que Jorge, Marta y Tom.

Ejemplo   Tienes cinco suéteres y quieres llevarte dos a un campamento. ¿Cuántas opciones tienes?

Los números 1, 2, 3, 4 y 5 representan los cinco suéteres. Enumera todas las agrupaciones posibles.

(1, 2) (1, 3) (1, 4) (1, 5) (2, 1) (2, 3) (2, 4) (2, 5)
(3, 1) (3, 2) (3, 4) (3, 5) (4, 1) (4, 2) (4, 3) (4, 5)

Subraya sólo los conjuntos diferentes.

<u>(1, 2)</u> <u>(1, 3)</u> <u>(1, 4)</u> <u>(1, 5)</u> (2, 1) <u>(2, 3)</u> <u>(2, 4)</u> <u>(2, 5)</u>
(3, 1) (3, 2) <u>(3, 4)</u> <u>(3, 5)</u> (4, 1) (4, 2) (4, 3) <u>(4, 5)</u>

Tienes 10 opciones diferentes.

8. ¿Cuántos equipos de tres gimnastas puede formar un entrenador con un grupo de cinco gimnastas?

9. Tú y tres amigos quieren fotografiarse juntos. ¿De cuántas maneras pueden colocarse en una hilera?

10. ¿Cuál de las preguntas anteriores (8 y 9) se refiere a permutaciones?

1. Nombra cuatro fracciones equivalentes a $\frac{3}{5}$.

Escribe cada decimal como una fracción en su mínima expresión.

2. 0.096   **3.** 0.875

4. Un rectángulo tiene un perímetro de 48 m. Haz una lista de todas las dimensiones posibles (en metros enteros). ¿Qué dimensiones proporcionan el área más grande?

Halla la raíz cuadrada.

5. 625   **6.** 196

7. Inventa un problema de probabilidad que se pueda resolver simulándolo en la computadora. Explica cómo se haría la simulación.

Sugerencia para resolver el problema

Halla los conjuntos de un accesorio, luego los de dos y finalmente los de tres.

PONTE A PRUEBA

11. Has decidido poner las fotos de seis amigos en un tablero de anuncios. ¿De cuántas maneras las puedes colocar en hilera?

12. Pensamiento crítico Tienes 4 libros y eliges 2. ¿Hay más combinaciones que permutaciones posibles, o más permutaciones que combinaciones? ¿Por qué?

13. Los 10 estudiantes de un club van a elegir presidente y vicepresidente. ¿Cuántos resultados posibles hay?

14. Doce estudiantes se ofrecen para organizar un viaje de la clase. Dos de ellos deben encargarse de recaudar dinero. ¿Cuántas parejas distintas se pueden formar entre los doce estudiantes?

POR TU CUENTA

15. Supón que tienes cinco discos diferentes y en tu tocadiscos puedes poner tres discos seguidos.

   a. ¿Cuántos conjuntos distintos de tres discos puedes formar?

   b. ¿De cuántas maneras puedes ordenar los tres discos elegidos?

16. Elige A, B, C o D. Andrea va a comprar una bicicleta y querría comprar también un casco, una botella para agua y un candado. ¿Entre cuántos conjuntos de uno o más accesorios tiene que elegir?

   A. 3   **B.** 5   **C.** 4   **D.** 7

17. Por escrito Explica con tus propias palabras y un ejemplo la diferencia entre "permutación" y "combinación".

18. La combinación de tu candado tiene tres números: 10, 45 y 6. Pero no recuerdas el orden en que están.

   a. Escribe todas las combinaciones posibles.

   b. Si decidieras probar las diferentes combinaciones, ¿cuántos intentos harías en el peor de los casos?

   c. Terminología ¿Qué son las combinaciones de candado en términos matemáticos: *combinaciones* o *permutaciones*?

19. Escribe todas las permutaciones posibles de cuatro letras con las letras C, O, S y A. ¿Cuántas corresponden a palabras?

20. Investigación (pág. 418) Batablanca acaba de comunicarle al profesor Personález que ha encontrado dos matrimonios casados en el mes de junio. La noticia, sin embargo, no parece impresionar al sabio. ¿Sabrías decir por qué?

Más códigos en el 95

Los códigos telefónicos de tres dígitos para llamadas interurbanas fueron introducidos en 1947. En aquella época sólo se usaban 86. El primer dígito no podía ser ni 1 ni 0 porque estas cifras servían para llamar al operador. El segundo dígito era siempre 0 ó 1, los indicadores de "larga distancia". Hoy día se usan todos los códigos disponibles excepto unos pocos.

Las nuevas tecnologías han permitido que desde principios de 1995 puedan utilizarse 792 códigos telefónicos.

El Telstar *fue lanzado al espacio en 1962. Este satélite de comunicación permitió transmitir las primeras imágenes televisadas a través del Atlántico y abrió una nueva era en las comunicaciones por teléfono, telégrafo, telefoto y facsímil.*

Fuente: *Encyclopedia Britannica*

21. ¿Cuántos códigos de larga distancia había en 1947?

22. ¿Cuántos códigos de tres dígitos serían posibles si no se hubieran establecido limitaciones?

▮V I S T A Z O A LO APRENDIDO

Antes de resolver cada problema, di si se refiere a una combinación o a una permutación.

1. Halla cuántas parejas de solistas pueden formarse en un coro de seis personas.

2. Calculadora ¿De cuántas maneras pueden ordenarse 9 libros en un estante.

3. a. Liz, Janis, Alex y Mauricio aspiran a un puesto directivo. ¿Cómo podría simularse la selección de dos de ellos al azar?

   b. ¿Es la selección de personas para puestos directivos un suceso independiente? Explica por qué.

En esta lección

10-8 **Estimación de poblaciones**

• Usar el método de la doble captura para estimar una población.

✓ Fichas cuadradas

Los vistosos collares con que se marca a los venados están hechos de un material plástico muy resistente. Cada uno lleva un símbolo específico que identifica al animal.

PIENSA Y COMENTA

El Departamento de Pesca, Fauna, Flora y Parques del estado de Montana lleva a cabo un programa para controlar la población de venados en las montañas Bridger, una sierra cercana a Bozeman.

La cantidad se estima cada invierno utilizando el método de la *doble captura*. Los investigadores colocan un collar muy visible en el cuello de un cierto número de ejemplares. Posteriormente vuelan sobre un área específica y cuentan los venados marcados y el total de venados (marcados o no). Después estiman la población total basándose en la proporción siguiente.

$$\frac{\text{collares contados}}{\text{total de venados contados}} = \frac{\text{venados marcados}}{\text{población estimada}}$$

1. Supongamos que en una zona donde hay 55 ejemplares marcados se cuentan 48 collares y un total de 638 venados. Estima la población total de venados.

Abajo aparecen los datos obtenidos por el Departamento de Pesca, Fauna, Flora y Parques de Montana en un sector de las montañas Bridger.

Mes	Condiciones	Total de venados contados	Collares contados	Venados marcados
3/79	Nieve desigual, −7°C	1173	65	101
3/80	Nieve desigual, −4°C; población dispersa	1017	42	83
3/81	Nieve escasa, seco, −1°C; población dispersa	1212	32	60
3/82	Ligera capa de nieve, 1°C; venados en zonas bajas	1707	30	36
3/83	Nieve escasa, −4°C; venados en zonas bajas	1612	68	89
3/84	Sin nieve, seco, 6°C; grandes grupos en zonas bajas	1590	37	59
3/85	Nieve escasa, seco; venados en zonas bajas	1417	42	54
3/86	Nieve escasa, seco; venados en zonas bajas	1608	85	110
3/87	2 cm de nieve; distribución normal	1469	52	83

2. Usa una proporción para estimar la población de venados en cada año de 1979 a 1987. Completa una tabla con estos encabezamientos: *Mes, Total de venados contados, Collares contados, Venados marcados y Población estimada.*

3. Analiza tu tabla. ¿Cómo cambió la población de venados en esos ocho años?

Los investigadores también calculan la eficacia de su conteo aéreo hallando la razón entre los collares contados y el total de los ejemplares marcados.

4. a. Calcula la eficacia del conteo aéreo en cada uno de los años. Expresa las razones como decimales redondeados a la milésima más cercana. Incluye estas cantidades en la tabla del ejercicio 2.

    b. ¿En qué años se contó un alto porcentaje de venados?

    c. Discusión Explica cómo podría afectar esto a la estimación del total.

Los datos sobre la población de venados se recogen en invierno, cuando las distintas manadas regresan a determinadas áreas. Los investigadores han delimitado siete hábitats diferenciados en las montañas Bridger. Los días claros, cuando hay nieve en el suelo, son ideales para detectar venados desde un helicóptero o una avioneta.

▮EN EQUIPO

Utiliza la técnica de la doble captura con varios compañeros. Coloquen un número indeterminado de fichas cuadradas en una bolsa y decidan cuántas de ellas se deben quitar. Sigan después las siguientes instrucciones.

- Saquen de la bolsa la cantidad de fichas que hayan fijado y márquenlas con una X.
- Devuelvan las fichas marcadas a la bolsa y agiten la bolsa.
- Saquen una muestra de la bolsa.
- Anoten las cantidades correspondientes a las fichas marcadas y al total de fichas de la muestra.
- Escriban y resuelvan una proporción para hallar el número de fichas que hay en la bolsa.

1. 2,000 hojas de papel alcanzan una altura de 635 mm. ¿Qué grueso tiene cada hoja?

2. ¿De cuántas maneras puedes ordenar 4 libros en un estante?

3. ¿Cuántas matrículas de auto de 5 dígitos se pueden formar con los dígitos del 1 al 9 sin que ninguno se repita?

4. Resuelve: $\frac{1}{2}n + 5 = -20$.

5. Un abrigo que costaba $75 se vende a $52.50. ¿Qué porcentaje del precio normal es el precio rebajado?

POR TU CUENTA

5. Los responsables de una investigación sobre la población de bagros (un tipo de pez) del lago Beaver capturaron, marcaron y dejaron libres a 124 ejemplares. Unas semanas más tarde atraparon 140 ejemplares, 35 de los cuales estaban marcados. Estima el número de bagros que hay en el lago.

6. a. Un grupo de estudiantes colabora con una organización ecologista de su ciudad para determinar cuántas ardillas viven en el parque. A principios de octubre capturaron, marcaron y dejaron libres a 68 ardillas. Tres semanas más tarde capturaron 84 ardillas, y 16 de ellas estaban marcadas. Estima la población de ardillas.

b. Pensamiento crítico Supongamos que algunas ardillas hubieran perdido sus marcas. ¿Cómo habría afectado esto a la estimación?

TÚ DECIDES

No se pueden contar todos

Aplica el método de la doble captura a una "población" de objetos fácilmente manipulables.

REÚNE DATOS

El objetivo es averiguar cuántos objetos debe haber en una muestra para que pueda estimarse la población con un cierto grado de exactitud. Utiliza 200 objetos (población) y marca 20 de ellos. Tomarás varias muestras y usarás el método de la doble captura para estimar la población.

1. Decide el tamaño de las distintas muestras. Explica cómo piensas reunir los datos.

2. Toma al menos cinco muestras de diferentes tamaños y anota los datos. Completa una tabla como la siguiente.

	Objetos marcados en la población	Objetos contados en la muestra	Objetos marcados en la muestra
Muestra 1	20	▪	▪
Muestra 2	20	▪	▪

¿Veda en el lago Flathead?

El Departamento de Pesca, Fauna, Flora y Parques de Montana está considerando la posibilidad de prohibir la pesca del salmón en el lago Flathead para dar a su disminuida población la oportunidad de recuperarse.

El salmón rojo era muy abundante en el lago Flathead, pero en los últimos años ha ido desapareciendo a pesar de los esfuerzos realizados para protegerlo. El verano pasado se repobló el lago con un cuarto de millón de salmones, pero las truchas devoraron a muchos de ellos.

El departamento quiere conocer la opinión de los ciudadanos tanto sobre esta propuesta como sobre otras doce medidas destinadas a regular la pesca en el noroeste de Montana.

¿QUÉ? Los científicos usan métodos de doble captura para estimar poblaciones de pájaros, mamíferos, peces, reptiles, insectos, etc.

7. **Por escrito** Usa lo que has aprendido para explicar las investigaciones que pueden haberse realizado en el lago Flathead.

ANALIZA LOS DATOS

3. Halla las poblaciones estimadas utilizando cada muestra en una proporción. Añade a la tabla una columna con estos valores.

4. ¿Te parece eficiente el método de la doble captura?

5. Analiza los resultados. ¿Crees que el tamaño de la muestra influye en la mayor o menor exactitud de la estimación? Elabora una hipótesis y compruébala tomando más muestras.

6. ¿Crees que el número de objetos marcados afecta a la estimación? Elabora una hipótesis y compruébala.

TOMA LA DECISIÓN

7. Decide qué tamaño debe tener la muestra cuando la población es de unos 200 individuos. Explica por qué la cantidad no puede ser ni demasiado alta ni demasiado baja.

8. Supón que marcas 40 objetos. ¿Afectará esta cantidad al tamaño de la muestra? Haz un experimento y explica luego tu razonamiento.

Para predecir los resultados electorales con un cierto grado de precisión, los encuestadores deben utilizar muestras cuidadosamente escogidas.

En conclusión

Probabilidad y ventaja/desventaja — 10-1, 10-2

La *probabilidad* de un suceso es la razón del número de resultados favorables al número de resultados posibles. La *ventaja* o *desventaja* de un suceso es la razón de los resultados favorables a los resultados desfavorables.

La suma de la probabilidad de un suceso y la probabilidad de su suceso complementario es siempre 1.

Halla la probabilidad de cada suceso si se saca una letra al azar.

| S | E | M | B | R | A | R |

1. sacar una S   **2.** sacar una R   **3.** no sacar una S

Usa las letras de arriba para hallar la ventaja o desventaja de los siguientes sucesos.

4. sacar una R   **5.** sacar una E   **6.** sacar una consonante

Espacio muestral y principio de conteo — 10-3

El *espacio muestral* es el conjunto de todos los resultados posibles en un experimento.

El *principio de conteo* permite hallar el número de resultados de un suceso compuesto multiplicando los números de resultados correspondientes a sus fases.

7. a. El menú familiar del restaurante Oso Panda permite seleccionar un aperitivo, una sopa y un plato principal del menú que aparece abajo. Usa un diagrama en árbol o una tabla para hallar el espacio muestral de todas las cenas posibles. ¿Cuántas cenas posibles hay?

Aperitivos	Sopas	Platos principales
Rollitos de huevo	Won-ton	Pollo con almendras
Won-ton frito	Arroz tres delicias	Cerdo agridulce
		Ternera con brócoli

b. Usa el principio de conteo para hallar la cantidad de cenas posibles.

8. Usa el principio de conteo para determinar cuántas combinaciones de presidente, vicepresidente, secretario y tesorero pueden darse en un consejo de estudiantes con 12 miembros.

Dos sucesos son *independientes* si el resultado del primero *no afecta* al segundo.

Dos sucesos son *dependientes* si el resultado del primero *sí afecta* al segundo.

9. Un recipiente contiene 5 canicas azules, 3 rojas y 2 verdes. Si se saca una canica azul y se devuelve al recipiente, ¿cuál es la probabilidad de sacar una canica verde?

10. **Elige A, B, C o D.** Un recipiente contiene 5 canicas azules, 3 rojas y 2 verdes. ¿Cuál es la probabilidad de sacar dos canicas rojas consecutivas si no se devuelve la primera?

A. $\frac{1}{5}$ B. $\frac{1}{15}$ C. $\frac{3}{100}$ D. $\frac{3}{10}$

Permutaciones y combinaciones 10-7

Llamamos *permutación* a un conjunto de elementos en que el orden es importante. Llamamos *combinación* a un conjunto de elementos en que el orden no es importante.

11. Para una carrera de relevos se cuenta con cinco estudiantes, pero sólo cuatro pueden competir. ¿Cuántos equipos distintos se pueden formar?

12. Cuatro estudiantes forman un equipo de relevos. ¿De cuántas maneras distintas se pueden ordenar en una carrera?

Estrategias y aplicaciones 10-5, 10-6, 10-8

Algunos problemas pueden simularse. Cuando el objetivo del problema es estimar el tamaño de una población puede utilizarse el método de la doble captura.

13. Carlos suele encestar la mitad de sus lanzamientos. Describe la simulación que permitiría hallar la probabilidad del suceso "cuatro canastas en cinco intentos".

14. Unos investigadores marcaron a 22 leones en una región. Desde el aire se han visto 68 leones, 16 de ellos marcados. Estima la población.

PREPARACIÓN PARA EL CAPÍTULO 11

Copia estas figuras en papel cuadriculado, "voltéalas" sobre la línea roja y dibújalas de nuevo.

1.

2.

3.

4.

APLICA LO QUE SABES

cierra el caso

La hipótesis cumpleañera

El profesor Personález tiene dudas sobre la conveniencia de buscar a dos individuos nacidos el mismo día y quiere conocer tu opinión. Al principio del capítulo estimaste el número de personas que deberían ser interrogadas. Considera tu estimación otra vez y, si es necesario, corrígela a partir de lo estudiado en este capítulo. Después escribe una carta al profesor para ofrecerle tu recomendación. Explícale en la carta cómo has obtenido la estimación.

Los problemas precedidos por la lupa (pág. 429, #25; pág. 437, #17 y pág. 445, #20) te ayudarán a realizar la investigación.

Extensión: Batablanca cumple años el 17 de julio y tuvo que interrogar a 333 personas para encontrar a otro individuo nacido el mismo día.

—¿Ve usted?— le dijo al profesor—, ya le advertí que iba a ser difícil.

¿Cuál es la diferencia entre la investigación de Batablanca y la que propone hacer el profesor?

EXPLORACIÓN NUMÉRICA "NÚMERO MEDIO"

Los números pares terminan con los dígitos 0, 2, 4, 6 u 8. Los números impares terminan con los dígitos 1, 3, 5, 7 ó 9. Al contar de dos en dos empezando con 2 se van nombrando los números pares.

- ¿Cuál crees que es la media de los cuatro primeros números pares (2, 4, 6 y 8)? Haz una predicción y luego compruébala.

- Halla ahora la media de los siete primeros números pares. ¿Observas algo?

Halla las medias de varias series de números pares consecutivos empezando por 2. ¿Observas un patrón? ¿Sabrías decir cuál es la media de los primeros veinticuatro números pares consecutivos? Usa una calculadora para comprobar tu predicción.

Extensión: ¿Sabrías decir cuál es la media de los primeros cuatro números impares consecutivos? Analiza varias series de números impares consecutivos como hiciste antes con los pares. ¿Qué observas?

¡Basta ya!

Este juego requiere dos o tres jugadores, papel y dos cubos numerados del 1 al 6. Los jugadores se van turnando para tirar los cubos tantas veces como quieran en cada turno y se apuntan la suma de todas las cantidades obtenidas (no importa el número de lanzamientos). Cuando un jugador considera que ha conseguido suficientes puntos, dice "basta", suma la cantidad a lo obtenido en la vuelta anterior y pasa los cubos al siguiente jugador. Gana el primer jugador en llegar a los 100 puntos o sobrepasarlos. ¿Parece fácil?

El inconveniente: Cada vez que sale un 1, el jugador que lo tiró pierde todos los puntos acumulados en su turno y tiene que pasar los cubos al jugador siguiente.

Antes de sacar un nuevo juego al mercado, sus creadores deben asegurarse de que todos los jugadores tienen realmente la misma probabilidad de ganar.

Inventa un juego con uno o dos amigos. Piensen en un objetivo y en los materiales que se usarán en el juego: ruleta, cubos numerados o tarjetas, por ejemplo. Si hace falta un tablero, procuren que sea interesante y atractivo. Escriban las reglas. Cuando hayan terminado, realicen varias pruebas para asegurarse de que el juego es justo. Si no lo es, hagan las correcciones necesarias. Enseñen luego su creación a otros compañeros.

Experimenta con las posiciones en que "aterrizan" los vasos de papel (boca arriba, de lado o boca abajo). Supón que cambia el tamaño o el material del vaso. ¿Cambia también la probabilidad de las distintas posiciones? Diseña distintos experimentos con diferentes vasos para comparar los resultados. Prueba con diversos tamaños y materiales (plástico, papel, poliestireno, etc.).

Estrategia

Para jugar a este juego se forma un círculo con diez monedas de 1¢. Dos jugadores se van turnando para agarrar una o dos monedas adyacentes. Gana el que toma el último centavo. ¿Qué jugador tiene más posibilidades de ganar: el primero o el segundo? ¿Cambiaría la situación si se utilizaran 9 u 11 monedas? Jueguen varias veces.

1. La desventaja de que nieve mañana es de 1 contra 4. Halla la probabilidad de que nieve mañana.

2. Entre las 80 baterías recién producidas en una fábrica, los trabajadores han detectado 4 defectuosas. Halla la probabilidad de que una batería sea defectuosa. Expresa la probabilidad como fracción, decimal y porcentaje.

3. Javier se va a comprar un auto nuevo. Puede elegir entre 3 modelos, 8 colores y 2 interiores. ¿Cuántas opciones tiene?

4. Una pelota caerá en uno de los seis recipientes representados a la derecha. Halla la probabilidad de cada suceso.

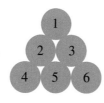

   a. $P(4)$

   b. P(número par)

   c. P(número mayor que 4)

5. Supón que tienes una bolsa con 6 canicas azules, 3 rojas, 2 verdes y 1 blanca. Cada canica tiene la misma probabilidad de ser sacada de la bolsa. Halla las siguientes probabilidades.

   a. P(azul)

   b. P(blanca)

   c. P(azul o blanca)

   d. P(azul y luego blanca si la azul no se devuelve)

6. Supón que la probabilidad de encestar es para ti 0.2. ¿Cuál es la probabilidad de que no encestes?

7. Las letras de la palabra CARROMATO están escritas en una tarjeta cada una. Cada tarjeta tiene la misma probabilidad de ser escogida al azar. Se toman dos tarjetas al azar. ¿Cuál es la probabilidad de escoger una R y luego una T si la primera tarjeta no se devuelve antes de tomar la segunda?

8. a. ¿Cuántas permutaciones de dos letras puedes obtener con las letras A, B y C?

   b. ¿Cuántas combinaciones de dos letras puedes obtener con las letras A, B y C?

9. **Por escrito** Cincuenta estudiantes fueron escogidos al azar para una encuesta sobre pizzas. Quince de ellos dijeron que prefieren la corteza gruesa. Si en la escuela hay 940 estudiantes, ¿cuántos crees que prefieren las pizzas con corteza gruesa? Explica por qué.

10. **Elige A, B, C o D.** Los cuatro premios que ofrecen los cereales Buenos Días tienen la misma probabilidad de aparecer en una caja. Quieres averiguar cuántas cajas debes comprar para obtener los cuatro premios. ¿Cuál de las siguientes afirmaciones *no* es verdadera?

    A. Se puede simular la situación usando una ruleta dividida en cuatro secciones iguales y calculando la media de los resultados obtenidos en varias pruebas. Cada prueba termina cuando la flecha ha caído en cada una de las cuatro secciones al menos una vez.

    B. El resultado de la simulación es el número exacto de cajas que debes comprar.

    C. Cuantas más pruebas se hagan, más precisos serán los resultados.

    D. "Cuatro cajas" es un resultado posible.

Repaso general

Elige A, B, C o D.

1. Vas a comprar mantequilla de cacahuate. ¿Qué compra es mejor?

    A. 18 oz por $1.69

    B. 30 oz por $2.59

    C. 32 oz por $2.89

    D. 24 oz por $2.09

2. Sara tiene que hacer banderines para la fiesta de la escuela y ha comprado una tela que mide $5\frac{1}{8}$ yardas de largo. ¿Cuántos banderines puede hacer si cada uno requiere $\frac{3}{4}$ de yarda?

    A. 5   **B.** 6   **C.** 7   **D.** 8

3. **Estimación** Si la región sombreada tiene un área de 4 pulg², ¿cuál es la mejor estimación para el área de la región no sombreada?

    A. 4 pulg²

    B. 8 pulg²

    C. 12 pulg²

    D. 16 pulg²

    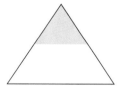

4. ¿Qué suceso *no* tiene una probabilidad del 50%?

    A. sacar cara al lanzar una moneda al aire

    B. sacar una canica roja de una bolsa en la que hay 3 canicas rojas, 2 azules y 1 amarilla

    C. sacar un número par al tirar un cubo numerado

    D. sacar un 5 ó un 6 al tirar un cubo numerado

5. ¿Qué valor no equivale a los otros?

    A. 4% de 3,000   **B.** 40% de 30

    C. 40% de 300   **D.** 30% de 400

6. Los rectángulos *ABCD* y *AXYZ* son semejantes. ¿Cuál es la longitud de $\overline{XY}$?

    A. 2.5 cm

    B. 2 cm

    C. 1.6 cm

    D. 1.5 cm

    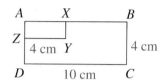

7. Si se hace girar cada ruleta una vez, ¿cuál es la probabilidad de que los números obtenidos sumen 10?

    A. 0   **B.** $\frac{1}{4}$ **C.** $\frac{1}{2}$ **D.** 1

8. El mínimo común denominador de tres fracciones es 42. Dos de ellas son $\frac{5}{3}$ y $\frac{6}{7}$. ¿Cuál podría ser la tercera?

    A. $\frac{10}{21}$ **B.** $\frac{1}{35}$ **C.** $\frac{17}{284}$ **D.** $1\frac{9}{14}$

9. ¿Cuál es el volumen de un prisma rectangular con dimensiones de 1 pulg, 2 pulg y 3 pulg?

    A. 27 pulg³   **B.** 18 pulg³

    C. 6 pulg³   **D.** 12 pulg³

10. Un círculo tiene una circunferencia de 56.52 pies. ¿Cuál es su área? Usa 3.14 para π.

    A. 254.34 pies²   **B.** 56.52 pies²

    C. 28.26 pies²   **D.** 1,017.36 pies²

Gráficas en el plano de coordenadas

Razón entre las partes visibles y sumergidas de un iceberg

Tipo de iceberg	Razón (visible : sumergida)
Pico plano	1:6
Pico redondeado	1:4
Iceberg típico	1:3
Punta simple	1:2
Punta doble	1:1

Fuente: *Encyclopedia Britannica*

Temperaturas medias a diferentes latitudes

Hemisferio Norte	Temperatura media (°C)	(°F)
90°	−22.7	−8.9
80°	−17.2	1.0
70°	−10.7	12.7
60°	−1.1	30.0
50°	5.8	42.4
40°	14.1	57.4
30°	20.4	68.7
20°	25.3	77.5
10°	26.7	80.1
Ecuador	26.2	79.2
10°	25.3	77.5
20°	22.9	73.2
30°	18.4	65.1
40°	11.9	53.4
50°	5.8	42.4
60°	−3.4	25.9
70°	−13.6	7.5
80°	−27.0	−16.6
90°	−33.1	−27.6
Hemisferio Sur		

Fuente: *Encyclopedia Britannica*

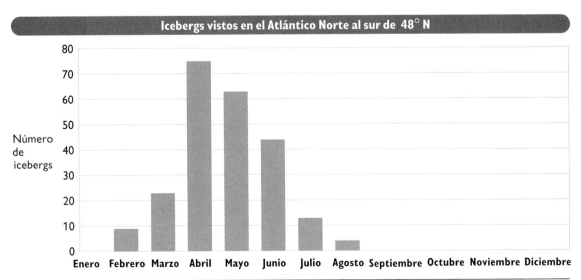

Icebergs vistos en el Atlántico Norte al sur de 48° N

Fuente: *The Times Atlas and Encyclopedia of the Sea*

EN ESTE CAPÍTULO

- representarás puntos y rectas en gráficas
- analizarás pendientes
- usarás tecnología para elaborar modelos matemáticos
- resolverás problemas escribiendo ecuaciones

Desplazamiento de los icebergs en el Atlántico Norte

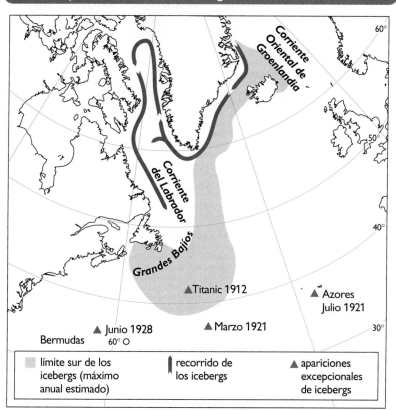

60°

Corriente Oriental de Groenlandia

50°

Corriente del Labrador

40°

Grandes Bajíos

▲ Titanic 1912

▲ Azores Julio 1921

▲ Junio 1928   ▲ Marzo 1921   30°

Bermudas   60° O

- ▮ límite sur de los icebergs (máximo anual estimado)
- ▮ recorrido de los icebergs
- ▲ apariciones excepcionales de icebergs

¿DÓNDE ESTÁS?

Las posiciones en la superficie de la Tierra se determinan usando coordenadas de latitud y longitud. La latitud es la distancia de un punto, en grados, al ecuador, que se considera como grado 0 (0°) de latitud. Las líneas imaginarias situadas por encima y por debajo del ecuador (paralelos) se expresan en grados "norte" y "sur" respectivamente. La longitud se calcula a partir del primer meridiano, una línea que va desde el Polo Norte hasta el Polo Sur pasando por Greenwich, Inglaterra. Esta línea se considera como grado 0 de longitud. Los demás meridianos están situados al este y al oeste del primero. Los navegantes usan las coordenadas de latitud y longitud para fijar posiciones en el mar.

DE TODO EL MUNDO

Si se derritiera el casquete de hielo de la Antártida, el nivel del mar se elevaría unos 220 pies por todo el mundo. Si también se derritiera el casquete de Groenlandia, el nivel del mar subiría 24 pies más.

Los icebergs árticos suelen desprenderse de glaciares situados en el área de Groenlandia. Cada año se desprenden unos 12,500, y aproximadamente 375 acaban flotando a la deriva por el Atlántico.

Fuentes: *The Times Atlas and Encyclopedia of the Sea, Encyclopedia Britannica*

ínvestigación

Informe

Hay muchas maneras de subir a la cumbre de una montaña. En Colorado, por ejemplo, la gente maneja sus automóviles hasta la punta de los montes Evans y Pikes. En Albuquerque, Nuevo México, los esquiadores van en teleférico (vehículo suspendido de un cable) hasta la cima del monte Sandia. En Pittsburgh, se sube en funicular (tren tirado por cable) a las colinas de la ciudad. Hay incluso montes con ascensor como el Whiteface de los Adirondacks de Nueva York. La inclinación de la ladera determina siempre lo difícil que es de subir, ya sea a pie, por auto o en ascensor.

Misión: Halla la inclinación de una recta imaginaria que vaya desde la base de una pared del salón de clases hasta lo más alto de la pared opuesta. Describe tus hallazgos en términos matemáticos.

Sigue Estas Pistas

✔ ¿Qué instrumentos puedes usar para medir inclinaciones?

✔ ¿Cómo se puede expresar una inclinación?

✔ ¿Qué cambia cuando aumenta la inclinación de una recta?

VAS A NECESITAR

✓ **Papel cuadriculado**

11-1 **R**epresentación de coordenadas

P I E N S A Y C O M E N T A

Se cuenta que el matemático y filósofo francés René Descartes (1596–1650) estaba un día acostado en la cama cuando observó una mosca que caminaba por el techo. Entonces empezó a pensar en cómo podría describirse la posición exacta del animal. Su reflexión generó el *plano de coordenadas*.

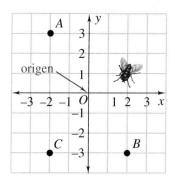

La intersección de una recta numérica horizontal (llamada **eje de x**) con una recta numérica vertical (llamada **eje de y**) da lugar a un **plano de coordenadas**. Los ejes se cortan en un punto llamado *origen*.

Los números que hay a lo largo de los ejes permiten describir la posición de cualquier punto en el plano. El primer número, o coordenada x, representa el desplazamiento horizontal. El segundo número, o coordenada y, representa el desplazamiento vertical. Las coordenadas se expresan mediante un *par ordenado* (x, y).

Ejemplo 1

Escribe las coordenadas correspondientes a la mosca de la izquierda.

• La mosca está 2 unidades a la derecha del eje de y. La coordenada x representa el desplazamiento hacia la izquierda o la derecha. En este caso, la coordenada x es 2.

• La mosca está 1 unidad por encima del eje de x. La coordenada y representa el desplazamiento hacia arriba o hacia abajo. En este caso, la coordenada y es 1.

El par ordenado para la posición de la mosca es $(2, 1)$.

1. ¿Cuáles son las coordenadas del origen?

2. **a.** ¿Cuál es la dirección positiva en el eje de x? ¿Y la negativa?

   b. ¿Cuál es la dirección positiva en el eje de y? ¿Y la negativa?

Ejemplo 2

¿Qué punto corresponde a las coordenadas $(2, -3)$?

• Empieza en el origen. Muévete 2 unidades a la derecha y 3 unidades hacia abajo.

Las coordenadas del punto B son $(2, -3)$.

¿POR QUÉ? ¿Te has preguntado alguna vez por qué es tan difícil matar una mosca con un matamoscas? Los ojos de la mosca común tienen 4,000 caras o facetas que proporcionan al insecto un amplio campo visual. El efecto de mosaico producido por ese ojo compuesto hace difícil la visión clara de figuras, pero facilita la inmediata detección de cualquier movimiento.

Fuente: *Collier's Encyclopedia*

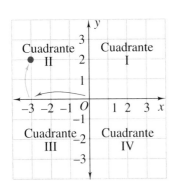

El eje de x y el eje de y dividen el plano de coordenadas en cuatro *cuadrantes* como se muestra a la izquierda.

Ejemplo 3   ¿En qué cuadrante está situado el punto $(-3, 2)$?

- Empieza en el origen (O). Muévete 3 unidades hacia la izquierda y 2 unidades hacia arriba.

El punto $(-3, 2)$ está en el segundo cuadrante.

3. ¿Qué signo tienen las coordenadas x e y de todos los puntos situados en el primer cuadrante?

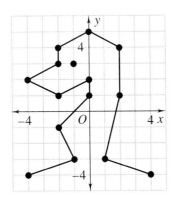

EN EQUIPO

Traza una línea quebrada (similar a la de la izquierda) sobre un plano de coordenadas. En otro papel, haz una lista de las coordenadas de los puntos respetando el orden usado para su conexión. Sin mostrar el dibujo, intercambia listas con un compañero y trata de reproducir su dibujo siguiendo las coordenadas que te ha dado.

PONTE A PRUEBA

Identifica el punto correspondiente a cada par de coordenadas.

4. $(-5, 3)$ **5.** $(4, 0)$

6. $(-6, 2)$ **7.** $(5, -3)$

8. $(0, 5)$ **9.** $(6, 2)$

Escribe las coordenadas de cada punto.

10. G **11.** K

12. J **13.** H

14. M **15.** L

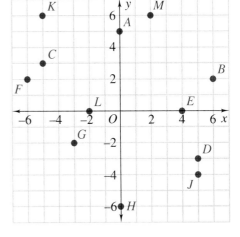

16. ¿Cuál de estos puntos *no* es un vértice del cuadrado al que pertenecen los otros cuatro: $(-1, -3)$, $(-1, 0)$, $(2, -3)$, $(4, -2)$ y $(2, 0)$?

17. ¿En qué cuadrante son negativas ambas coordenadas de un punto?

POR TU CUENTA

Identifica el cuadrante en el que está cada punto.

18. $(3, -15)$ **19.** $(-2,000, 12)$ **20.** $(-0.05, -0.39)$ **21.** $\left(\frac{17}{2}, \frac{3}{21}\right)$

22. ¿En qué cuadrante(s) tienen las coordenadas signos distintos?

23. a. Representa los puntos $(-3, -2)$, $(-3, 2)$, $(-3, -6)$ y $(-3, 6)$.

    b. ¿Qué observas en estos puntos?

    c. Determina las coordenadas de otros dos puntos que respondan al mismo patrón.

24. a. A la derecha aparece una recta horizontal roja. Escribe las coordenadas de 3 puntos situados en la recta.

    b. ¿Qué coordenada es igual en todos los pares ordenados de la recta? ¿Cuál cambia?

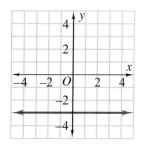

25. Por escrito Explica cómo se halla el punto $(5, -1)$ en un plano de coordenadas.

26. El brazo de un robot tiene que trasladar la clavija negra hasta el cuadrado blanco, pero la clavija no puede atravesar (o "saltar") las "paredes" rojas. Escribe las coordenadas de los vértices un trayecto posible de la clavija.

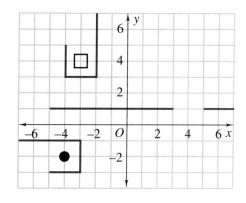

27. Elige A, B, C o D. ¿Cuál de los siguientes grupos de coordenadas *no* corresponde a los vértices de un rectángulo?

    A. $(-4, 1)$, $(4, 1)$, $(-4, -1)$ y $(4, -1)$

    B. $(-1, 0)$, $(-5, -3)$, $(-1, -4)$ y $(-5, 0)$

    C. $(3, 6)$, $(6, 6)$, $(3, 9)$ y $(6, 9)$

    D. $(-3, 8)$, $(3, 8)$, $(3, -8)$ y $(-3, -8)$

Repaso MIXTO

Halla las sumas.

1. $5 + (-9)$

2. $-10 + (-6)$

3. En una bolsa hay un número indeterminado de canicas. Tomas 15 al azar, las marcas, las devuelves a la bolsa y las mezclas con las otras. Después sacas 30 canicas y 10 de ellas están marcadas. Estima el número de canicas que hay en la bolsa.

4. Halla dos números enteros cuya suma sea -3 y cuya diferencia sea 7.

 Para el año 2000 se usarán más de 60,000 robots en Estados Unidos.

Fuente: *Robotics*

11-2 **R**epresentación de ecuaciones lineales

PIENSA Y COMENTA

Durante las vacaciones de verano, Ronelle Moore hace columpios de llantas para las guarderías locales. La longitud de cada cuerda equivale a la distancia que separa la rama de la llanta más los 5 pies necesarios para los dos nudos.

1. ¿Cuánta cuerda necesitas si quieres que un columpio quede suspendido a 8 pies de la rama?

2. ¿A qué distancia de la rama quedará un columpio si la cuerda tiene 17 pies?

Ronelle usa x para representar la separación entre el columpio y la rama e y para representar la longitud total de la cuerda. La ecuación $y = x + 5$ le permite determinar esta última medida.

3. Copia y completa la tabla de Ronelle.

x	$x + 5$	y	(x, y)
8	8 + 5	13	(8, 13)
10	10 + 5	■	(■, ■)
12	■	■	(■, ■)

Las ecuaciones del tipo $y = x + 5$ tienen dos variables. Su solución, por lo tanto, es cualquier par ordenado que verifique la igualdad. Los pares ordenados de la tabla son soluciones de la ecuación $y = x + 5$.

Ejemplo 1 ¿Es el par ordenado (40, 45) una solución de $y = x + 5$?

• $y = x + 5$
  $y = 40 + 5$ ← Sustituye x por 40.
  $y = 45$

El par ordenado (40, 45) es una solución de $y = x + 5$.

4. ¿Es (30, 38) una solución de $y = x + 5$? Explica por qué.

Decimos que una ecuación es *lineal* cuando todas sus soluciones caen en una recta.

5. a. Representa gráficamente los pares ordenados que aparecen en la tabla de la página 462. Traza la recta que pasa por esos puntos.

  b. ¿Es $y = x + 5$ una ecuación lineal? Explica por qué.

Ejemplo 2 Halla tres soluciones de la ecuación $y = 2x$.

• Prueba con tres valores de x. Por ejemplo, 0, 5 y 10.

• Ordena los datos en una tabla.

x	$2x$	y	(x, y)
0	2(0)	0	(0, 0)
5	2(5)	10	(5, 10)
10	2(10)	20	(10, 20)

Los pares ordenados (0, 0), (5, 10) y (10, 20) son soluciones de la ecuación $y = 2x$.

6. a. Halla una solución más para $y = 2x$.

  b. Representa las cuatro soluciones en un plano de coordenadas.

  c. ¿Es $y = 2x$ una ecuación lineal? Explica por qué.

La **gráfica** de una ecuación lineal con dos variables es la gráfica formada por todos los puntos cuyas coordenadas son soluciones de la igualdad.

Ejemplo 3 Haz la gráfica de la ecuación $y = x + 1$.

• Elige tres valores para x y haz una tabla.

x	$x + 1$	y	(x, y)
0	0 + 1	1	(0, 1)
−2	−2 + 1	−1	(−2, −1)
3	3 + 1	4	(3, 4)

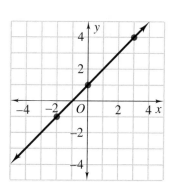

• Marca los puntos.

• Traza una recta que pase por los puntos.

7. Usa la ecuación $y = x + 1$ para hallar otros dos puntos en la recta.

La relación entre la edad de una persona y el número de latidos por minuto de su corazón puede expresarse mediante la ecuación $l = 220 − e$ (donde e es la edad y l es el número máximo de latidos por minuto). **¿Es lineal esta ecuación?**

Fuente: *Aerobic Dance Exercise Instructor Manual*

Di si cada par ordenado satisface la ecuación $y = x + 12$.

8. $(-12, 24)$ **9.** $(12, 24)$ **10.** $(0, -12)$ **11.** $(-12, 0)$

Asocia cada ecuación con una recta de la gráfica que aparece a la izquierda.

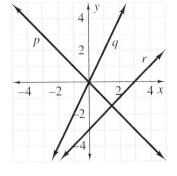

12. $y = x - 3$ **13.** $y = 2x$ **14.** $y = -x$

15. a. Copia y completa la tabla siguiente. Halla cinco soluciones diferentes para la ecuación $y = x - 7$.

x	$x - 7$	y	(x, y)
0	$0 - 7$	-7	$(0, -7)$
10	▩	3	▩
▩	▩	2	▩
▩	▩	▩	▩
▩	▩	▩	▩

b. Representa los pares ordenados en un plano de coordenadas y traza una recta que pase por ellos.

¿A cuál de las siguientes rectas pertenece cada punto? (Un punto puede pertenecer a más de una recta.)

   I. $y = x + 6$

  II. $y = -x - 6$

 III. $y = 2x + 3$

16. $(-2, -1)$ **17.** $(-6, 0)$ **18.** $(-3, -3)$

19. $(0, -6)$ **20.** $(0, 0)$ **21.** $(3, 9)$

Representa cada ecuación en un plano de coordenadas.

22. $y = 2x - 4$ **23.** $y = 2x$ **24.** $y = 2x + 1$

25. Elige A, B o C. Las tres rectas trazadas en los ejercicios 22–24 parecen:

  A. perpendiculares   **B.** paralelas   **C.** secantes

R$e$pa$s$o MIXTO

1. Z es el punto medio de $\overline{XY}$. ¿Cuál es la longitud de $\overline{XZ}$ si $\overline{XY}$ mide 46 cm?

2. Expresa $5 \times 5 \times 5$ en forma exponencial.

Identifica el cuadrante en que se halla cada punto.

3. $(5, -39)$ **4.** $(-0.4, -3)$

5. A las 8:00 a.m. el reloj de Jaime iba 1 min atrasado. Si cada hora se atrasa 2 s, ¿qué hora será cuando tenga un retraso de 3 min?

26. **a.** Representa las ecuaciones $y = x$ e $y = -x$ en el mismo sistema de ejes.

   b. Halla el par ordenado que es solución de ambas ecuaciones.

   c. ¿Parecen perpendiculares o paralelas estas rectas? Explica por qué.

27. **Elige A, B, C o D.** ¿Qué ecuación corresponde a la recta que pasa por el segundo cuadrante?

   A. $y = x - 5$ **B.** $y = 2x$ **C.** $y = x + 3$ **D.** $y = x$

Usa la gráfica de la derecha en los ejercicios 28 y 29.

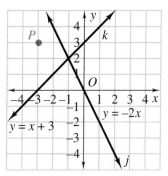

28. Utiliza las coordenadas x e y del punto P en la ecuación de la recta j para demostrar que esos valores no satisfacen la igualdad.

29. ¿Qué coordenadas satisfacen las ecuaciones de ambas rectas (j y k)?

30. **Por escrito** ¿Cuál es el número mínimo de soluciones que hay que marcar en una gráfica para poder trazar la recta de una ecuación lineal? Explica por qué esa cantidad es suficiente y da un ejemplo.

Empaques con maíz

El *Popcorn Institute* informa que la venta de palomitas de maíz ha experimentado un notable aumento. Uno de los motivos es que muchas compañías usan ahora palomitas en lugar de poliestireno para empacar sus mercancías.

Las palomitas no perjudican al medio ambiente y son fáciles de fabricar. Una tostadora no mayor que un microondas puede producir aproximadamente $\frac{1}{2}$ lb en 1 min, es decir, 30 lb en 1 h.

31. **a.** Si x representa el número de minutos que funciona la tostadora y si y representa la cantidad de libras que ésta produce, la ecuación $y = \frac{1}{2}x$ expresa la relación entre x e y. Crea una tabla para la ecuación y halla 3 soluciones.

   b. Representa las coordenadas de la tabla y traza la recta correspondiente a la ecuación.

   c. **Pensamiento crítico** ¿Tendría sentido prolongar la recta por el tercer cuadrante? ¿Por qué?

• Explorar la
pendiente de rectas
en el plano de
coordenadas

11-3

Exploración de pendiente

EN EQUIPO

1. Junto con un compañero representa las siguientes ecuaciones en el mismo plano de coordenadas:

$$y = 3x \qquad y = x \qquad y = \tfrac{1}{2}x.$$

2. a. ¿Por qué punto pasan las tres rectas?

b. Supongan que van a subir una cuesta en bicicleta. ¿Qué ecuación corresponde a la cuesta menos empinada? ¿Qué ecuación corresponde a la cuesta más empinada? Expliquen por qué.

PIENSA Y COMENTA

Las rectas de la gráfica no tienen la misma inclinación. Llamamos *pendiente* de una recta a la medida de su inclinación. En la ecuación $y = mx$, el valor de m equivale a la pendiente de la recta.

3. Discusión Ordena las ecuaciones que has representado según la inclinación de sus rectas. ¿Qué observas?

4. A la izquierda aparecen las rectas p y q. ¿Cuál es más inclinada?

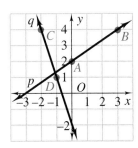

La **pendiente** de la recta p es la razón del cambio vertical al cambio horizontal. Desde el punto $A(0, 2)$ hasta el punto $B(3, 4)$ el cambio vertical es de 2 unidades hacia arriba y el cambio horizontal es de 3 unidades hacia la derecha.

$$\text{pendiente} = \frac{\text{cambio vertical}}{\text{cambio horizontal}} = \frac{2}{3}$$

Otra manera de usar las coordenadas de dos puntos de una recta para hallar su pendiente es expresar la razón de la diferencia entre las dos coordenadas y a la diferencia entre las dos coordenadas x. La pendiente de la recta que pasa por $C(-2, 4)$ y $D(-1, 1)$ puede, por lo tanto, expresarse de esta manera:

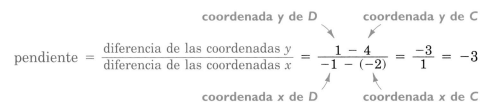

$$\text{pendiente} = \frac{\text{diferencia de las coordenadas } y}{\text{diferencia de las coordenadas } x} = \frac{1 - 4}{-1 - (-2)} = \frac{-3}{1} = -3$$

5. a. Marca los puntos $(1, 2)$ y $(4, -2)$ en una gráfica. ¿Cuál es el cambio vertical? ¿Y el cambio horizontal?

b. Usa la resta para hallar la pendiente de la recta que pasa por $(1, 2)$ y $(4, -2)$.

c. ¿Qué observas en los resultados de las partes (a) y (b)?

6. a. Nombra dos puntos de la recta j y otros dos de la recta k.

b. Halla la pendiente de la recta j y de la recta k.

c. ¿Qué recta tiene una pendiente negativa?

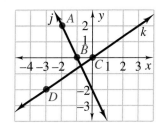

Re**pa**s**o** **MIXTO**

Halla el área de cada cuadrilátero.

1. cuadrado: $l = 12$ m

2. rectángulo: $l = 9$ pies, $a = 8$ pies

Haz una tabla de soluciones para cada ecuación y halla tres soluciones.

3. $y = x + 9$

4. $y = 2x^2$

5. La estatura de Lily es el doble de la de Roberto. La suma de sus estaturas es 7 pies 9 pulg. ¿Qué estatura tiene Lily?

▶POR TU CUENTA

Marca en una gráfica los puntos dados y determina la pendiente de la recta que pasa por esos puntos.

7. $(4, 8), (5, 10)$ **8.** $(2, 2), (1, 1)$ **9.** $(4, -1), (-4, 1)$

10. Elige A, B, C o D. Una recta tiene dos puntos cuyas coordenadas son $(1, 3)$ y $(2, 5)$. ¿Qué expresión permite hallar su pendiente?

A. $\dfrac{2 - 1}{5 - 3}$ **B.** $\dfrac{5 - 3}{2 - 1}$ **C.** $\dfrac{1 - 2}{1 - 5}$ **D.** $\dfrac{5 - 3}{1 - 2}$

Halla la pendiente en cada caso.

11. $y = -3x$ **12.** $y = 27x$ **13.** $y = -x$

14. $y = \dfrac{1}{3}x$ **15.** $y = -\dfrac{1}{6}x$ **16.** $y = \dfrac{1}{5}x$

17. Observa la gráfica de la derecha. ¿Qué pendientes tienen las rectas t y s?

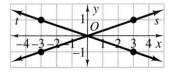

18. Según Kenji, la pendiente de la recta que pasa por los puntos $(4, 2)$ y $(5, -1)$ es igual a 3, pero según Wesley es igual a -3. ¿Qué error se ha cometido? ¿Quién lo ha cometido?

19. Por escrito Explica cómo se halla la pendiente de una recta.

20. Investigación (pág. 458) Considera que una esquina de tu cuarto es el punto $(0, 0)$. Partiendo de esa esquina, avanza cinco pies a lo largo de una pared para fijar el punto $(5, 0)$. Quédate ahí y pídele a alguien que mida la distancia entre el suelo y el punto más alto de tu cabeza. Expresa ese punto con un par ordenado y halla la pendiente de la recta que va desde $(0, 0)$ al par ordenado que escribiste.

ESTRATEGIAS PARA RESOLVER PROBLEMAS

Haz una tabla
Razona lógicamente
Resuelve un problema
más sencillo
Decide si tienes suficiente
información, o más de
la necesaria
Busca un patrón
Haz un modelo
Trabaja en orden inverso
Haz un diagrama
Estima y comprueba
Simula el problema
Prueba con varias estrategias
Escribe una ecuación

Resuelve estos problemas. A la izquierda aparecen algunas de las estrategias que puedes usar.

1. **Dinero** Manouk saca $20 de su cuenta y se gasta $4.75 en el almuerzo, $7.50 en una entrada de cine y $3.45 en una golosina. Si en la cuenta quedan $14.23, ¿cuánto dinero tenía antes de sacar los $20?

2. **El tiempo** La temperatura a las 6:00 a.m. era de 48°F. A las 9:00 a.m. era de 60°F. Si el ritmo de aumento fue constante entre las 6:00 a.m. y las 11:00 a.m., ¿cuál era la temperatura a las 10:00 a.m.?

3. **Deportes** Los Blazers han perdido el 35% de los 20 partidos jugados esta temporada. Si no han empatado ningún partido, ¿cuántos han ganado?

4. Una pelota de goma cae desde una altura de 16 pies. Si en cada rebote alcanza la mitad de la altura anterior, ¿después de cuántos rebotes alcanzará una altura de sólo 1 pie?

5. Halla dos números cuya suma sea 28 y cuyo producto sea 96.

6. Sonia compartió con tres amigos un paquete de hojas de papel cuadriculado para la clase de matemáticas. Primero le dio $\frac{1}{4}$ del paquete a Naomi y luego le regaló a Eartha $\frac{1}{3}$ de lo que quedaba. Arissa tomó $\frac{1}{6}$ del papel restante. Si al final quedaban 30 hojas, ¿cuántas hojas había en el paquete al principio?

7. Un gusano está en el fondo de un agujero de 40 m. Durante el día consigue ascender 4 m, pero cada noche se desliza 3 m hacia abajo. ¿Cuánto tardará en salir del agujero a esa velocidad?

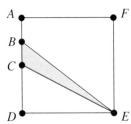

8. ¿Cuál es la fracción correspondiente a la parte sombreada en el cuadrado de la izquierda? La figura tiene 64 unidades cuadradas. C es el punto medio de $\overline{AD}$ y B es el punto medio de $\overline{AC}$.

9. Un hombre tarda 1 h en cavar un hoyo de 2 m de largo, 2 m de ancho y 2 m de profundidad. ¿Cuánto tardará en cavar un hoyo de 4 m de largo, 4 m de ancho y 4 m de profundidad si trabaja al mismo ritmo?

En esta lección

- Usar gráficas lineales para analizar o tomar decisiones financieras

VAS A NECESITAR

✓ Papel cuadriculado

EN EQUIPO

Tú, un compañero y el resto del club de ciclismo se proponen recaudar dinero para un viaje vendiendo manzanas y naranjas en la escuela. Sus *gastos* son los $10 semanales que invierten en fruta. Su **ganancia** es el dinero que queda una vez cubiertos los gastos. Después de analizar la situación, tú y tu compañero han decidido cobrar $.50 por unidad.

1. a. ¿Cuántas unidades tienen que vender cada semana para cubrir el costo de la fruta?

   b. Si x representa la cantidad de unidades vendidas e y representa la ganancia, entonces $y = 0.5x - 10$ expresa la relación entre la inversión y la ganancia obtenida. Hagan la gráfica de esta ecuación.

2. Supongan que se venden 60 unidades en una semana. ¿Cuál es la ganancia?

PIENSA Y COMENTA

Las empresas comerciales usan ecuaciones para calcular ganancias con relación a ciertos gastos.

3. Supón que el club quiere conseguir más dinero y, tras una larga discusión, decide subir el precio a $.75 la unidad. La ecuación que permite determinar la ganancia, y, se transforma entonces en $y = 0.75x - 10$.

   a. ¿Aproximadamente cuántas unidades deben venderse para cubrir los gastos?

   b. Después de subir el precio solamente se vende un promedio de 45 unidades por semana. ¿Cuál es la ganancia?

   c. ¿Fue buena idea subir el precio? Explica por qué.

4. **Discusión** ¿Por qué cuadrante(s) *no* pasa la recta de la ecuación? ¿Por qué tiene sentido esto?

¿QUIÉN? Mucha gente ha cruzado Estados Unidos en bicicleta, pero Deepak Lele, ciudadana de la India, lo hizo en monociclo. El 4 de junio de 1984 partió de Nueva York y el 25 de septiembre de ese año llegó a Los Ángeles después de recorrer 3,963 mi.

Fuente: *The Guinness Book of Records*

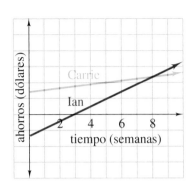

En la gráfica de la izquierda se comparan los ahorros de Carrie con los de su hermano Ian a lo largo de diez semanas.

5. **a.** Cuando una persona está endeudada su ahorro es negativo. ¿Quién estaba endeudado al principio de las 10 semanas?

b. ¿Cuántas semanas tardó esa persona en pagar la deuda?

6. ¿Quién tenía más dinero ahorrado después de diez semanas?

7. ¿Cuánto tardó Ian en alcanzar a Carrie?

8. **Pensamiento crítico** ¿Quién ahorra más dinero por semana? ¿Cómo lo sabes?

9. **Investigación (pág. 458)** Las calles Filbert y 22 de San Francisco son dos de las calles más empinadas del mundo. Ambas tienen una pendiente del 31.5%.

a. Expresa 31.5% como decimal redondeado al valor de las décimas.

b. Traza una recta con una pendiente aproximada del 31.5%. Empieza en el punto (0, 0) y usa el decimal que hallaste en la parte (a).

UN GRAN FUTURO

Negociante en ropa

No estoy muy segura de lo que quiero hacer cuando sea mayor, pero creo que me gustaría ser una mujer de negocios. Los negocios son un reto.

Me gustaría trabajar en una empresa de ropa y para conseguirlo supongo que debo ir antes a la universidad. En mi trabajo tendría que usar las matemáticas para hallar ganancias, para hacer análisis de costos o para comparar los precios de mi compañía con los de la competencia. También tendría que predecir qué ropa va a estar de moda. Además tendría que calcular mi salario y el de los costureros, diseñadores y repartidores que tuviera empleados. Quizás hasta tenga un secretario personal. Para ahorrar dinero, yo misma podría diseñar las prendas.

Daniela Pisciuneri

10. En la gráfica de la derecha se representan dos planes para la venta del refresco "Manzanosa" en la feria de la escuela. Supón que los valores de x corresponden al número de refrescos vendidos y los valores de y a las ganancias.

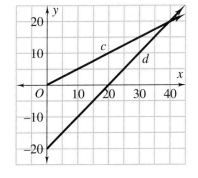

   a. ¿Qué recta muestra que no hay gastos?

   b. ¿Qué recta corresponde al precio más alto por refresco?

   c. ¿En qué punto coinciden las ganancias de los dos planes?

11. a. Maia le va a preparar a su papá los 4 ó 5 sándwiches que éste almuerza cada semana. Su papá le va a pagar por su trabajo y le da a escoger entre las dos formas de pago expresadas por las ecuaciones $y = 2x - 5$ e $y = x - 1$, en las que x representa el número de sándwiches e y representa el pago en dólares. Representa las dos ecuaciones en una gráfica.

   b. Por escrito ¿Cómo te ha ayudado la gráfica a determinar qué forma de pago es mejor?

R^{e}pa^{s}o MIXTO

Halla el valor de x.

1. $\frac{3}{4} = \frac{x}{12}$

2. $\frac{9}{x} = \frac{3}{27}$

Marca en una gráfica los puntos dados y halla la pendiente de la recta que los atraviesa.

3. $(3, 2)$, $(2, 0)$

4. $(4, -2)$, $(1, 5)$

5. Una fotógrafa cobra $15/h. Su ayudante cobra $10/h. Si una factura asciende a $70 y el ayudante ha trabajado 2 h, ¿cuánto tiempo ha trabajado la fotógrafa?

Querida Daniela:

Ser empresaria en un negocio de ropa me parece una idea estupenda.

En mi empresa usamos a menudo las operaciones matemáticas básicas. Por un lado tenemos que calcular los gastos en sueldos, impuestos, materiales, teléfono, alquiler, etc. Por otro, determinamos nuestras ganancias sumando el total de lo que hemos vendido.

Para estimar las ventas que realizaremos en el futuro usamos porcentajes. Así nos aseguramos de tener suficiente ropa almacenada.

A veces usamos gráficas o tablas para representar la distribución de nuestros gastos e inversiones.

Buena suerte, Daniela.

     Carolyn Elman,
     Asociación Nacional de Empresarias

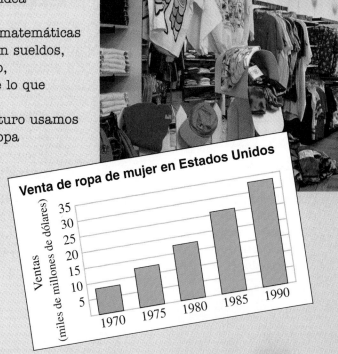

Venta de ropa de mujer en Estados Unidos

• Representar datos
no lineales

Exploración de relaciones no lineales

✓ Calculadora

✓ Papel cuadriculado

EN EQUIPO

El Sr. Sombrío les dice un día a ti y a un compañero: —Tengo una ventanita de 1 pie por 1 pie, pero quiero iluminar mejor la habitación. ¿Cuánto aumentará la cantidad de luz a medida que aumente el tamaño de la ventana?

1. Copien y completen la tabla siguiente (x es el lado de una ventana cuadrada; y es su área). Representen gráficamente las coordenadas y conecten los puntos con una curva.

x	x^2	y	(x, y)
1	$(1)^2$	1	▨
2	$(2)^2$	▨	▨
3	▨	▨	▨
4	▨	▨	▨

2. ¿En qué se diferencia esta gráfica de la correspondiente a $y = x$?

3. ¿Qué dimensiones multiplican por 4 la cantidad de luz que pasa por la ventana de 1 pie por 1 pie?

PIENSA Y COMENTA

No todas las ecuaciones de dos variables tienen soluciones que dan lugar a rectas. La curva que has trazado durante la actividad "En equipo" es la mitad de una *parábola*. La ecuación correspondiente a la parábola completa es $y = x^2$.

4. a. ¿Observas alguna diferencia entre el lado derecho de esta parábola y la curva que trazaste en la actividad "En equipo"?

b. La ecuación de esta parábola es $y = \frac{1}{2}x^2$. ¿Qué elemento de la ecuación causa la diferencia entre la parábola y la curva que dibujaste antes?

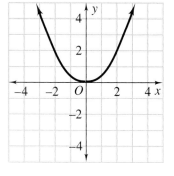

Declinación del Sol

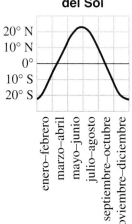

 Esta gráfica representa la declinación del Sol a lo largo de un año. El eje de la gráfica corresponde al ecuador. **¿Durante qué meses está el Sol en el punto más alto al norte del ecuador? ¿Y al sur del ecuador?**

Fuente: *The Information Please Almanac*

Salarios posibles	
Opción 1	$y = x$
Opción 2	$y = x^2$

(x = horas trabajadas e
y = dólares ganados)

5. Por escrito Supón que estuvieras trabajando en una fábrica de almohadas y te pagaran por hora. ¿Cuál de las ecuaciones de la derecha preferirías para calcular tu salario? Explica por qué.

6. a. Haz una tabla para la ecuación $y = -x^2$. Usa al menos 6 valores para x, unos positivos y otros negativos.

b. Representa gráficamente las coordenadas y conecta los puntos mediante una curva.

c. ¿En qué se diferencia esta parábola de las que has visto antes?

7. a. Dos glotonas pero corteses amigas comparten una bolsa de palomitas de maíz mientras ven una película. Cuando les llega su turno, meten la mano en la bolsa, cuentan las palomitas que quedan y toman exactamente la mitad. Copia y completa la tabla hasta que solamente quede una palomita.

x turno individual	y palomitas que quedan	(x, y)
1	64	(1, 64)
2	32	■
3	■	■

b. Marca los pares ordenados en una gráfica y conecta los puntos mediante una curva.

c. Describe la diferencia que hay entre la gráfica que acabas de dibujar y la correspondiente a $y = x^2$.

Usa la gráfica de la derecha en los ejercicios 8 y 9.

8. La gráfica de la derecha corresponde a la ecuación $y = |x|$. Escribe las coordenadas de los puntos marcados.

9. ¿Qué afirmación se puede hacer sobre todas las coordenadas y de la gráfica correspondiente a la ecuación $y = |x|$? ¿Podría haber puntos en los cuadrantes III y IV? ¿Por qué?

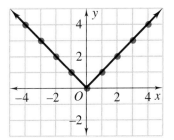

Expresa cada fracción como porcentaje.

1. $\frac{3}{4}$ **2.** $\frac{5}{20}$

3. Melanie gana $2.50 la hora cuidando a su hermana pequeña. Sea x el número de horas que cuida a su hermana e y los dólares ganados. Escribe la ecuación que describe cuánto gana.

4. Miguel pasa la aspiradora a su habitación cada 6 días. ¿Cuántas veces lo habrá hecho al fin de un año?

10. Archivo de datos #11 (págs. 456–457) Representa las temperaturas y latitudes en un plano de coordenadas. Usa el eje de x para las latitudes y el eje de y para las temperaturas medias en grados centígrados. Traza la curva que pasa por los puntos.

11. Asocia cada gráfica con una ecuación.

I.

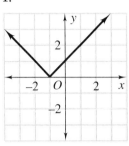

II.

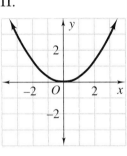

III.

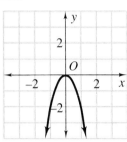

a. $y = |x + 1|$

b. $y = |x| - 1$

c. $y = \dfrac{1}{2}x^2$

d. $y = \dfrac{1}{3}x^2$

e. $y = x^2 - 8$

f. $y = -2x^2$

┌─────────────────────┐
Sugerencia para resolver el problema

Sustituye x por varios valores para hallar las coordenadas de los puntos.

VISTAZO A LO APRENDIDO

Identifica el punto correspondiente a cada par de coordenadas.

1. $(-4, 1)$ **2.** $(3, -3)$ **3.** $(0, 2)$

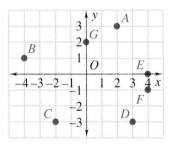

Identifica las coordenadas de cada punto.

4. F **5.** C **6.** A **7.** E

8. Elige A, B o C. ¿Cuál es la ecuación cuya recta pasa por el primer cuadrante?

A. $y = -1$ **B.** $y = -x$ **C.** $y = 4 + x$

9. a. Haz una tabla para la ecuación $y = x + (-2)$.

 b. Haz la gráfica de la ecuación.

 c. ¿Cuál es la pendiente de la recta?

10. a. Haz una tabla para la ecuación $y = -x^2 + 9$.

 b. Haz la gráfica de la ecuación.

El electrocardiógrafo *es un aparato que mide y representa gráficamente la actividad del corazón. Estudiando las diferencias que hay entre los resultados obtenidos "en reposo" y "en actividad", los médicos obtienen valiosos datos sobre la salud de sus pacientes.*

Fuente: *Academic American Encyclopedia*

En esta lección

• Usar programas de gráficas para explorar modelos matemáticos

11-6 **M**odelos matemáticos

✓ Calculadora

✓ Computadora

✓ Programa de gráficas

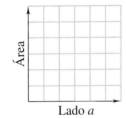

Área

Lado *a*

EN EQUIPO

Tú y varios compañeros son los organizadores del concierto *Música en la Bahía*. Para cercar tres lados del sitio donde se celebrará el espectáculo cuentan con 1,600 pies de cerca. ¿Cómo pueden cercar el sitio de modo que quepa el mayor número de personas?

1. a. Hallen cinco sitios rectangulares parecidos al de la izquierda que requieran 1,600 pies de cerca en tres de sus lados. Ordenen los datos para indicar las longitudes de los lados *a* y *b* como se hace en la tabla de la derecha.

a	*b*	Longitud (pies) $2a + b$
500	600	$2(500) + 600 = 1,600$

b. Calculadora Añadan a la tabla una columna de "área". Hallen el área correspondiente a cada par de dimensiones.

c. Supongan que tienen que calcular unos 10 pies² por espectador. ¿Cuántas personas cabrían con cada par de dimensiones?

d. ¿Con qué dimensiones caben más personas?

e. Escriban los pares ordenados (lado *a*, área) y marquen los puntos correspondientes en un plano de coordenadas como el de la izquierda. Para simplificar la gráfica consideren cada unidad del lado *a* como 100 pies y cada unidad del área como 10,000 pies².

2. a. Computadora Hagan la gráfica de la ecuación $y = -2x^2 + 16x$.

b. ¿Qué observan en los puntos que marcaron en la pregunta 1(e) y en la gráfica de $y = -2x^2 + 16x$?

c. ¿Qué representa *x*: el lado *a* o el área? ¿Qué representa *y*?

d. ¿Cuál es el punto más alto de la gráfica? ¿Cuál es su valor en pies cuadrados?

e. ¿Qué valor de *x* corresponde al máximo de *y*?

f. ¿Qué valores de *a* y *b* proporcionan el área mayor?

Kari Castle posee el récord femenino de distancia en ala delta. El 22 de julio de 1991 recorrió 208.63 mi desde Lone Pine, California a Dixie Valley, Nevada.

Fuente: *United States Hang Gliding Association*

Los modelos matemáticos como el de la actividad anterior son herramientas muy útiles que los científicos, ingenieros y economistas usan para hallar las relaciones que se dan entre datos.

3. Paula Planeadora es muy aficionada al ala delta. Con un cronómetro y un altímetro averiguó que 2 min después de saltar estaba a 128 m del suelo y que 4 min después de saltar estaba a 32 m del suelo.

   a. Expresa los tiempos y alturas de Paula como pares ordenados siendo x el tiempo e y la altura.

   b. **Computadora** Las gráficas de las ecuaciones $y = -8x^2 + 160$ e $y = -48x + 224$ contienen los pares ordenados que has escrito. Haz la gráfica de cada ecuación.

   c. ¿Qué ecuación representa mejor el vuelo de Paula en ala delta? ¿Por qué?

   d. Supón que Paula también hubiera averiguado que después de 3 min estaba a 88 m de altura. ¿Qué ecuación describiría su vuelo?

   e. Usa la gráfica de la ecuación elegida para calcular la duración del vuelo y la altura del peñasco desde el que saltó.

POR TU CUENTA

Haz las gráficas a mano o usando una computadora.

4. a. Representa las siguientes ecuaciones.

   $y = x^2 - 5$ $y = 5x - 9$ $y = 4x - 8$

   b. ¿Qué ecuación es un buen modelo para el conjunto de datos al que pertenecen las coordenadas $(3, 4)$, $(1, -4)$ y $(5, 12)$?

5. El científico francés Jacques Charles observó en 1787 que los gases se dilatan cuando aumenta su temperatura. La ecuación que describe la dilatación del aire es $y = \frac{5}{3}x + 445$, donde x es la temperatura del aire en grados Celsius e y su volumen en centímetros cúbicos.

   a. Haz la gráfica de la ecuación.

   b. Usa la gráfica para estimar el volumen del aire a 90°C de temperatura.

   c. ¿Cuál es el volumen a 0°C?

6. Estamos en el año 2153. Julián, del planeta Tierra, y Zachmar, del planeta Krayter, son "radioamigos". Julián emite sus mensajes con un transmisor de onda corta; Zachmar, que tiene un equipo más sofisticado, quiere enviarle una radiopantalla para que los dos puedan verse mientras hablan. Zachmar piensa mandar la radiopantalla en una nave espacial programada para aterrizar en nuestro planeta y regresar luego a Krayter. La trayectoria curva de la nave está representada por la ecuación $y = \frac{1}{2}(x - 3)^2$, donde x es la duración del vuelo e y la separación entre la Tierra y la nave en años luz (distancia que recorre la luz en un año).

a. Copia la tabla de Julián y continúala hasta $x = 0$ para representar el primer recorrido de la nave.

x	$\frac{1}{2}(x - 3)^2$	y	(x, y)
5	$\frac{1}{2}(5 - 3)^2$	2	$(5, 2)$
4	$\frac{1}{2}(4 - 3)^2$	■	■
3	■	■	■

b. Marca los pares ordenados en una gráfica para determinar el momento en que la nave iniciará su regreso.

c. ¿Qué punto corresponde al aterrizaje de la nave en la Tierra?

7. **Calculadora** Un grupo de teatro está tratando de fijar el precio de las entradas para su próxima actuación. Considerando que se venden más entradas cuando su precio disminuye, ¿cuánto se debe cobrar para obtener la ganancia máxima?

a. Copia y continúa la tabla de la derecha.

b. ¿Cuántas entradas debe vender el grupo para conseguir los mayores ingresos totales?

c. Haz una gráfica con los pares ordenados de precio e ingresos totales.

d. **Por escrito** ¿Crees que hay un límite por debajo del cual no debe bajarse el precio? ¿Por qué?

8. **Investigación (pág. 458)** Usa un transportador, un tubo de papel y una pesa suspendida para construir un "angulómetro" como el de la derecha. Elige varios objetos y utiliza el instrumento para medir su inclinación. Expresa la inclinación en grados.

Expresa cada porcentaje como fracción o como número mixto simplificado.

1. 48%   2. 175%

3. 5%   4. 87.5%

5. Halla dos números primos cuya suma sea 30 y cuyo producto sea 221.

6. Dibuja una gráfica para mostrar la relación que hay entre el tiempo dedicado a estudiar y las notas obtenidas en un examen.

Precio por entrada	Entradas vendidas	Ingresos totales
$30.00	400	$12,000
$29.00	420	■
$28.00	440	■
■	460	■

En esta lección

• Resolver problemas escribiendo ecuaciones

11-7 **E**scribe una ecuación

En un espacio cercado del zoológico hay cierto número de avestruces y cierto número de elefantes. El número de avestruces es 17 más que el doble del número de elefantes. Hay 29 avestruces. ¿Cuántos elefantes hay?

LEE

Lee y analiza la información que te dan. Resume el problema.

1. Piensa en la información recibida y en la información que tienes que hallar.

a. ¿Qué datos tienes sobre los avestruces?

b. ¿Qué debes hallar?

PLANEA

Decide qué estrategia usarás para resolver el problema.

Como conoces la relación entre las cantidades, puedes simplificar el problema escribiendo una ecuación.

Sea e la cantidad de elefantes. La relación entre las cantidades de avestruces y elefantes puede expresarse de este modo:

$$\text{cantidad de avestruces} = 17 + 2e.$$

Como conoces la cantidad de avestruces, puedes incluir este dato en el enunciado.

$$29 = 17 + 2e$$

RESUELVE

Prueba con la estrategia.

Ahora tienes una ecuación que describe la relación entre las cantidades. Resuélvela para hallar e.

$$29 + (-17) = 17 + (-17) + 2e$$
$$12 = 2e$$
$$\frac{12}{2} = \frac{2e}{2}$$
$$6 = e$$

2. ¿Cuántos elefantes hay?

Las ecuaciones tienen la ventaja de que pueden adaptarse a los cambios que se producen en la formulación de un problema.

◄ COMPRUEBA

Piensa en cómo has resuelto el problema.

3. Supón que el espacio cercado del zoológico tuviera 33 avestruces en lugar de 29.

   a. ¿Cómo cambiaría la ecuación?

   b. Escribe y resuelve la nueva ecuación.

4. Supón que el número de avestruces fuera igual a 11 más que el doble del número de elefantes en vez de 17 más.

   a. ¿Cómo cambiaría la ecuación?

   b. Escribe y resuelve la nueva ecuación.

PONTE A PRUEBA

Escribe una ecuación para resolver cada problema. Muestra tu trabajo.

5. **Dinero** Un par de botas cuesta $5 más que el doble de lo que cuesta un par de zapatos. Las botas cuestan $42.90. Halla el precio de los zapatos.

6. Un rectángulo tiene 64 cm de perímetro y 20 cm de longitud. Halla el ancho.

7. Jason y Judy leen novelas de misterio. Judy ha leído 17, 3 menos que cinco veces el número que ha leído Jason. ¿Cuántas ha leído Jason?

8. Un club vendió $\frac{3}{4}$ de los boletos que habían impreso para una rifa. Si quedaron 175 boletos, ¿cuántos se imprimieron?

9. En una alcancía hay $4.30 en monedas de 10¢ y 25¢. Si hay $2.80 en monedas de 10¢, ¿cuántas monedas de 25¢ hay? (*Sugerencia:* Sea n el número de monedas de 25¢. Como cada una vale $.25, el valor de n monedas es $0.25n$.)

POR TU CUENTA

Usa cualquier estrategia para resolver estos problemas.

10. **Dinero** Teresa ha entrado en un restaurante llevando $5.75. ¿Cuánto se puede gastar en la comida si quiere dejar 15% de propina a la camarera?

Repaso MIXTO

Halla la suma o la diferencia.

1. $\frac{4}{5} + \frac{3}{4}$

2. $\frac{9}{10} - \frac{5}{6}$

3. $2\frac{1}{2} - 1\frac{3}{4}$

Resuelve.

4. $5b = 23$

5. $81c = 27$

6. Anika va a hacer palomitas de maíz. Las instrucciones indican que $\frac{1}{2}$ tz de maíz es suficiente para una persona. ¿Cuántas tazas se necesitan para tres personas?

7. Haz la gráfica de la ecuación $y = -x^2$.

11. Juana va a usar azulejos cuadrados de 6 pulg de lado para revestir el suelo de una cocina que mide 11 pies por $13\frac{1}{2}$ pies. ¿Cuántos azulejos necesita?

12. Ravi, Javier y Molly tienen menos de 45 años. Si la moda de sus edades es 35 y la gama es 13, ¿cuál es la media de sus edades? ¿Y la mediana?

13. La suma de dos números es 31. El doble del número más bajo equivale a 6 menos que el doble del número más alto. ¿Cuáles son los números?

14. En la biblioteca hay un departamento de información que ha recibido las siguientes cantidades de llamadas en 13 días consecutivos.

117 104 116 110 98 128 112 125 95 101 123 130 97

   a. Halla la mediana de las cantidades.

   b. Al final del próximo día la mediana se situó en 114. ¿Cuántas llamadas se recibieron ese día?

15. El vestuario de Jamie consiste en cuatro blusas, tres faldas y dos pares de pantalones. ¿Cuántas combinaciones de dos piezas puede hacer?

16. Medio ambiente —¿A que no saben lo que ha pasado? —gritó Morris mientras irrumpía en el cuarto agitando el periódico. —El ayuntamiento acaba de aprobar una ordenanza que garantiza un mínimo de 2 acres de tierra por vivienda. ¿Qué les parece?

   —No sé, Morris —respondió Gretchen—. Si todos los pueblos del mundo tuvieran normas como ésa, no quedarían campos para el cultivo.

   —¡Qué tontería! —exclamó Morris—. En el mundo hay espacio de sobra.

   —Sí, y la mayor parte está en la Antártida o en Siberia —añadió Jorge.

   —¿Sabe alguien cuánta tierra hay disponible por persona? —preguntó Gretchen.

   —Yo no —admitió Morris—, pero podemos calcularlo.

   a. Usa los datos geográficos de la izquierda. ¿Cuántos acres de tierra por habitante habrá en el año 2000 si excluimos la Antártida y Siberia?

   b. Por escrito ¿Estás de acuerdo con Gretchen, Morris o Jorge sobre la tierra disponible? Explica tu razonamiento.

LA TIERRA EN CIFRAS

La Tierra tiene unas 196,800,000 mi² de superficie, pero el agua ocupa aproximadamente el 71%.

1 mi² = 640 acres

Se calcula que en el año 2000 la Tierra tendrá 6,261,000,000 de habitantes.

La Antártida tiene una superficie de unas 5,400,000 mi².

Siberia tiene una superficie de unas 4,929,000 mi².

Identifica el punto correspondiente a cada par ordenado.

1. $(1, 4)$ **2.** $(-3, -5)$ **3.** $(2, -3)$

4. $(5, -1)$ **5.** $(0, 5)$ **6.** $(-4, 4)$

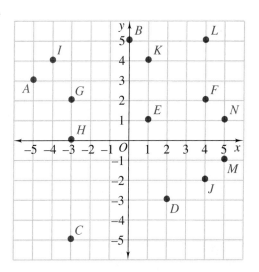

Escribe las coordenadas de cada punto.

7. N **8.** E **9.** H

10. A **11.** J **12.** F

Identifica el cuadrante en el que está cada punto.

13. $(23, -12)$ **14.** $(1, 11)$ **15.** $(-9, 4)$

16. $(-3, 3)$ **17.** $(12, 11)$ **18.** $(-7, -29)$

Marca en una gráfica los puntos dados y determina la pendiente de la recta que pasa por ellos.

19. $(5, 4), (0, 9)$ **20.** $(2, 7), (8, 3)$ **21.** $(-3, -3), (4, -3)$ **22.** $(-10, -6), (4, 5)$

Representa cada ecuación en un plano de coordenadas.

23. $y = x - 1$ **24.** $y = 2x + 1$ **25.** $y = \frac{1}{2}x + 1$ **26.** $y = \frac{1}{3}x^2$

27. Inés pagó $10 en un parqueo que cobra $4 por la primera hora y $2 por cada una de las siguientes. ¿Cuántas horas estuvo su auto estacionado?

28. Minh va a alquilar un equipo de sonido para un baile. Una tienda le cobra $30 fijos más $10 por cada hora de uso. Otra le cobra $20 fijos más $15 por cada hora.

  a. Sea x el número de horas e y el valor total del alquiler. Las ecuaciones correspondientes a las tarifas descritas serían $y = 10x + 30$ e $y = 15x + 20$. Representa ambas ecuaciones en el mismo plano de coordenadas. ¿A qué tiempo cuestan lo mismo los dos equipos?

  b. El baile durará al menos 3 horas. ¿En qué tienda debe Minh alquilar el equipo si quiere gastar lo mínimo posible? ¿Por qué?

• Representar traslaciones en gráficas

✓ Cartulina

✓ Tijeras

✓ Lápices de colores

PIENSA Y COMENTA

Los movimientos o **transformaciones** de figuras en un plano se clasifican en tres grandes categorías: traslaciones, inversiones y giros. El diseño de la corbata que lleva Andy es el producto de una **traslación,** porque se ha creado "trasladando" la figura morada como se muestra abajo.

El desplazamiento de la figura *ABCD* da lugar a la figura *A'B'C'D'*. La segunda figura es una **imagen** de la figura original. Para identificar una imagen se usa el símbolo *primo* (una tilde; por ejemplo: A').

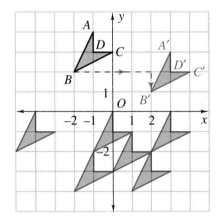

1. ¿De qué color es la otra figura que se ha "trasladado" en la corbata de Andy?

2. **a.** ¿Cuáles son las coordenadas de los puntos *A*, *B*, *C* y *D*?

   b. ¿Cuáles son las coordenadas de los puntos *A'*, *B'*, *C'* y *D'*?

3. **a.** ¿En cuántas unidades cambia la coordenada *x* de cada punto para formar su punto imagen?

   b. ¿En cuántas unidades cambia la coordenada *y* de cada punto?

4. El punto *F*(4, 1) de la izquierda se traslada 2 unidades hacia arriba.

   a. ¿Cuál es la imagen del punto *F*?

   b. ¿Cuáles son las coordenadas de esa imagen?

5. Supón que el punto *F* se trasladara 2 unidades a la izquierda. ¿Cuáles serían las coordenadas de su imagen?

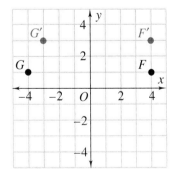

Para indicar traslaciones suele utilizarse una flecha. La traslación de *G* a *G'* que aparece en la gráfica de la izquierda se indicaría así: *G*(−4, 1) → *G'*(−3, 3).

6. Expresa la traslación de *F* a *F'* usando una flecha.

Para trasladar una figura geométrica se "transportan" sus vértices y se conectan luego sus imágenes para formar así la imagen de la figura.

Ejemplo 1 Los extremos de una barra metálica coinciden con los puntos $(0, 0)$ y $(2, 2)$ de un plano de coordenadas. Dibuja su imagen después de trasladarla 3 unidades hacia arriba.

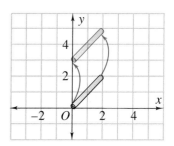

- $(0, 0) \rightarrow (0, 3)$ Traslada cada extremo.
  $(2, 2) \rightarrow (2, 5)$

Marca los extremos trasladados en el mismo plano de coordenadas. Dibuja después la imagen como se muestra en la gráfica de la derecha.

Para hallar las coordenadas de una imagen basta con identificarlas en la gráfica de la traslación. Otra posibilidad es restar o sumar las unidades del desplazamiento a las coordenadas de la figura original.

7. Supón que un punto se traslada 2 unidades a la izquierda y 1 unidad hacia abajo. ¿Sumarías o restarías para hallar la coordenada x de su imagen? ¿Y para hallar la coordenada y de su imagen?

Ejemplo 2 Escribe una regla para trasladar $\triangle ABC$ a $\triangle A'B'C'$.

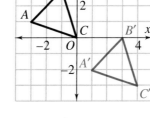

- Para pasar de A a A' se produce un desplazamiento horizontal de 4 unidades a la derecha; por tanto, $x \rightarrow x + 4$.

- Para pasar de A a A' se produce un desplazamiento vertical de 3 unidades hacia abajo; por tanto, $y \rightarrow y - 3$.

  La regla de la traslación es $(x, y) \rightarrow (x + 4, y - 3)$.

8. Supón que una figura se traslada 2 unidades a la derecha y 6 hacia arriba. Completa la regla que permite hallar las coordenadas de su imagen: $(x, y) \rightarrow (x + \blacksquare, y + \blacksquare)$.

⌐EN EQUIPO

Arte Los diseños geométricos de la derecha podrían aparecer en tejidos o papeles de envolver. Piensa en un diseño y, con un compañero, dibújalo trasladando una plantilla de cartón recortado.

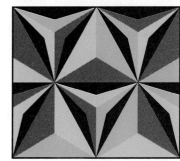

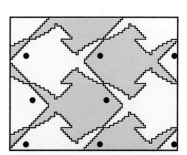

Usa la gráfica de la derecha en los ejercicios 9 y 10.

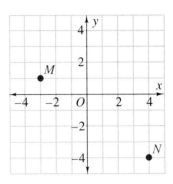

9. Determina las coordenadas del punto M después de trasladarlo 5 unidades a la derecha.

10. Determina las coordenadas del punto N después de trasladarlo 4 unidades hacia arriba.

11. Supón que $P(3, 4) \rightarrow P'(-2, -3)$. ¿Cuál es el desplazamiento horizontal? ¿Y el vertical?

12. El triángulo RST tiene las coordenadas $R(2, -5)$, $S(1, 1)$ y $T(-3, -1)$. El punto $R(2, -5) \rightarrow R'(5, -7)$. Determina las nuevas coordenadas de S' y T'.

13. Supón que trasladas una figura 2 unidades a la izquierda y 1 unidad hacia arriba. Completa la regla que permite hallar su imagen: $(x, y) \rightarrow (x - \blacksquare, y + \blacksquare)$.

P O R TU CUENTA

Describe la traslación representada en cada gráfica.

14.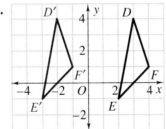

15.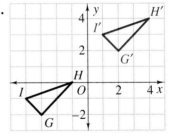

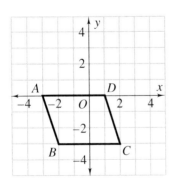

Usa papel cuadriculado para representar la imagen de la figura $ABCD$ después de cada traslación. Identifica las coordenadas de A', B', C' y D'.

16. 3 unidades a la izquierda   17. 2 unidades hacia arriba

18. 1 unidad a la derecha y 4 unidades hacia abajo

19. ¿Qué coordenada (x o y) cambia al desplazar un punto hacia arriba o hacia abajo? ¿Y hacia la izquierda o la derecha?

20. **Por escrito** El movimiento de la Tierra alrededor del Sol se llama también *traslación*. ¿En qué se parece este significado al que la palabra tiene en matemáticas?

21. Elige A, B o C. ¿Qué figura de esta gráfica es una traslación de $\triangle XYZ$?

A. $\triangle ABC$ **B.** $\triangle JKL$

C. $\triangle PQR$

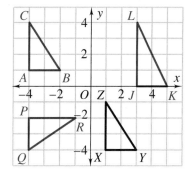

22. Los vértices de $\triangle DEF$ tienen estas coordenadas: $D(-1, 2)$, $E(-1, -1)$ y $F(2, -1)$.

a. Haz la gráfica del triángulo.

b. Trasládalo 2 unidades a la derecha y 1 unidad hacia abajo.

c. Escribe las coordenadas de D', E' y F'.

23. Aviación Tres aviones vuelan continuamente en formación triangular. La gráfica de la derecha indica la trayectoria del avión P en 1 min.

a. Identifica las coordenadas iniciales y finales de todos los aviones.

b. ¿Cuántas unidades verticales y horizontales se han desplazado los aviones?

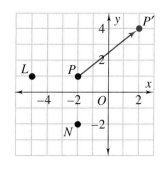

Repaso MIXTO

Marca estos puntos en una gráfica. ¿En qué cuadrante está cada uno?

1. $(4, 5)$ **2.** $(-2, -9)$

3. $(-3, 1)$ **4.** $(6, -1)$

Halla los productos.

5. $\frac{9}{20} \times 5\frac{1}{4}$

6. $7\frac{3}{4} \times 1\frac{1}{8}$

7. Un rectángulo tiene una longitud de 48 cm y un perímetro de 120 cm. Escribe y resuelve una ecuación para hallar su ancho.

VISTAZO A LO APRENDIDO

Marca en una gráfica los puntos dados y determina la pendiente de la recta que pasa por cada par.

1. $(8, 2), (4, 3)$ **2.** $(3, 5), (5, 9)$ **3.** $(1, 2), (6, -2)$

4. Elige A, B o C. ¿A qué ecuación corresponde la recta más inclinada?

A. $y = \frac{1}{3}x$ **B.** $y = -3x$ **C.** $y = \frac{1}{2}x$

5. Samantha trabaja como repartidora en la pizzería de Amram en Newton. Amram le paga $1 por cada pizza que reparte.

a. Sea p el número de pizzas que reparte y e el dinero que recibe. Escribe la ecuación que permite hallar la cantidad de dinero que recibe.

b. Samantha gasta $10 en gasolina a la semana. Escribe la ecuación que permite hallar sus ganancias semanales.

c. ¿Cuántas pizzas tiene que repartir Samantha para obtener una ganancia semanal de $38?

- Identificar y representar reflexiones

- Identificar ejes de simetría

PIENSA Y COMENTA

Al congelarse, las gotas de vapor de agua se convierten en copos de nieve como el que aparece a la derecha. Aunque es imposible saberlo con certeza, los científicos suponen que cada copo posee una estructura única. La belleza de un copo de nieve se debe, en buena parte, a su *simetría*. Decimos que una figura es *simétrica* cuando uno de sus lados es el "reflejo" exacto del otro. La recta vertical dibujada por el centro del copo de nieve se llama *eje de simetría*.

1. Algunos objetos tienen más de un eje de simetría, y no todos los ejes de simetría son verticales. ¿Qué otros ejes de simetría ves en el copo de nieve?

2. Halla ejes de simetría en cada una de estas fotos.

3. Nombra dos objetos del salón de clases que tengan un eje de simetría.

4. **a.** Nombra al menos una letra mayúscula que tenga un eje horizontal de simetría.

   b. Nombra al menos una letra mayúscula que tenga un eje vertical de simetría.

   c. Discusión ¿Qué letras mayúsculas tienen eje de simetría vertical y también horizontal?

5. Dibuja una figura que tenga simetría vertical y horizontal. Traza sus ejes de simetría.

Wilson Bently, conocido como *"el hombre de los copos", se dedicó a registrar las variadas estructuras de los copos de nieve. A lo largo de su vida fotografió 5,381.*

Fuente: *Backpacker Magazine*

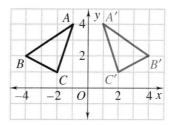

Para crear simetrías en un plano de coordenadas puedes realizar otro tipo de transformación llamado *reflexión*. La imagen $\triangle A'B'C'$ es el reflejo de $\triangle ABC$ sobre el eje de y. Usando una flecha se expresa así: $\triangle ABC \rightarrow \triangle A'B'C'$. El eje de y es, en este caso, el *eje de reflexión*.

6. **a.** ¿Cuáles son las coordenadas de A y A'? ¿Y las de B y B'? ¿Y las de C y C'?

   b. ¿Qué observas en la coordenada x de cada vértice de $\triangle ABC$ y su imagen?

7. **a.** Copia el plano de coordenadas y $\triangle ABC$. Refleja $\triangle ABC$ sobre el eje de x para formar una nueva imagen.

   b. Identifica el eje de simetría de la gráfica.

   c. ¿Qué observas en la coordenada y de cada vértice de $\triangle ABC$ y su imagen?

EN EQUIPO

Tú y un compañero dirigen una compañía de diseño y fabricación de ventanas. La Sra. Pérez les ha pedido una ventana con cristales de colores para regalársela a su esposo en su aniversario de boda. La única condición es que el diseño sea simétrico.

8. **a.** Diseñen la ventana usando al menos 4 colores.

   b. Tracen el eje o los ejes de simetría en el diseño.

POR TU CUENTA

Usa la gráfica de la derecha en los ejercicios 9–11.

9. ¿Para qué dos puntos es el eje de x eje de reflexión?

10. ¿Para qué dos puntos es el eje de y eje de reflexión?

11. Los puntos C y E *no* son reflexiones uno del otro sobre el eje de x. ¿Por qué no?

La cara de una persona no es perfectamente simétrica, pues siempre hay pequeñas diferencias entre el lado izquierdo y el derecho. La fotografía de arriba se obtuvo sustituyendo el lado derecho de la imagen por un reflejo exacto del izquierdo. La fotografía de abajo se obtuvo sustituyendo el lado izquierdo de la imagen por un reflejo exacto del derecho. ¿Dirías que se trata de la misma persona o, más bien, que estas mujeres son hermanas?

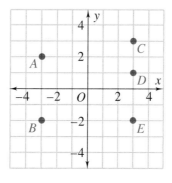

$\triangle A'B'C'$ es una reflexión de $\triangle ABC$ sobre el eje de y. Completa las afirmaciones.

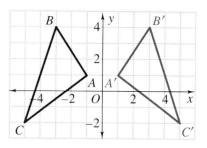

12. $A(-1, 1) \rightarrow A'(\blacksquare, \blacksquare)$

13. $B(-3, 4) \rightarrow B'(\blacksquare, \blacksquare)$

14. $C(-5, -2) \rightarrow C'(\blacksquare, \blacksquare)$

Marca cada punto imagen después de la reflexión. Identifica sus coordenadas.

15. $(3, 7)$ sobre el eje de x **16.** $(-5, 12)$ sobre el eje de y

Calca cada figura y dibuja su(s) eje(s) de simetría. Si no lo tiene, escribe *ninguno*.

17.   **18.**   **19.**   **20.**

R^e_pa^s_o MIXTO

Escribe los términos que faltan en cada secuencia.

1. $-10, -6, -2, \blacksquare, \blacksquare$

2. $2, 3, 5, 8, \blacksquare, \blacksquare$

Los vértices de $\triangle ABC$ son: $A(2, 6)$, $B(1, 2)$ y $C(4, 5)$.

3. Representa en una gráfica $\triangle ABC$ y su imagen tras una traslación de 6 unidades a la izquierda y 4 unidades hacia abajo.

4. Da las coordenadas de los vértices de $\triangle A'B'C'$ obtenido en el ejercicio 3.

5. El mes pasado, Vu tenía $27 en su cuenta. Después hizo depósitos de $31, $14 y $11.80 y recibió un interés de $.14. ¿Cuánto dinero tiene en la cuenta este mes?

Di si en la gráfica se representa una reflexión o una traslación. Identifica el eje de reflexión o describe la traslación.

21. 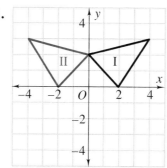   **22.**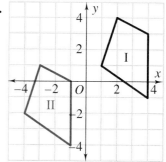

23. a. Representa la recta $y = -2x$ en un plano de coordenadas.

   b. Dibuja su reflexión sobre el eje de y. (*Sugerencia:* Refleja varios puntos y traza luego la recta que pasa por ellos.)

24. Archivo de datos #10 (págs. 416–417) ¿Cuántos ejes de simetría ves en la mariposa?

25. Por escrito Explica la diferencia que hay entre una traslación y una reflexión. Da ejemplos.

11-10 **R**otaciones

VAS A NECESITAR

✓ Papel cuadriculado

✓ Transportador

✓ Regla

PIENSA Y COMENTA

Supón que las aspas de este molino giran en sentido contrario a las manecillas del reloj. Para que el aspa que está en el punto *A* vuelva a su posición inicial debe producirse una vuelta completa.

1. ¿En qué fracción de un giro se pasa de la posición *A* a la posición *A'*? ¿Y a la posición *A''*? ¿Y a la posición *A'''*?

Llamamos **rotación** a la transformación en la que una figura gira alrededor de un punto fijo (*O*) llamado *centro de rotación*. En este libro todas las rotaciones son en sentido contrario a las manecillas del reloj.

Una figura tiene **simetría rotacional** cuando la imagen obtenida después de la rotación puede sobreponerse exactamente encima de la figura original. Las aspas del molino tienen una simetría rotacional de 90° porque tras una rotación de 90° su apariencia no se altera.

Ejemplo 1   ¿Tiene simetría rotacional la flor de la derecha?

• Lleva el pétalo 1 a las posiciones de los otros pétalos.

• La flor tiene el mismo aspecto en todas las posiciones.

La flor tiene simetría rotacional.

2. **Discusión** ¿Tiene la estrella *A* simetría rotacional? ¿Cómo lo sabes? ¿Y la estrella *B*? Explica por qué.

3. Nombra una letra mayúscula que tenga simetría rotacional y otra que *no* la tenga.

A   *B*

Bill Dalley, de Portales, Nuevo México, tiene la mayor colección privada de molinos de viento en Estados Unidos. La colección incluye 60 molinos antiguos, 15 de los cuales han sido completamente restaurados. El más antiguo es de aproximadamente 1870 y el más nuevo es de los años 30. El molino más alto mide 32 pies de altura y el más ancho tiene aspas de 20 pies de diámetro.

Fuente: *People*

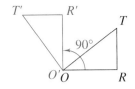

La figura de la izquierda, $\triangle TRO$, ha girado 90° en torno al punto O. Representando la transformación con una flecha: $\triangle TRO \rightarrow \triangle T'R'O'$. El *centro de rotación* es el punto O.

Ejemplo 2

Dibuja la imagen de $\triangle TRO$ después de una rotación de:

a. 180° en torno a O.

b. 270° en torno a O.

a.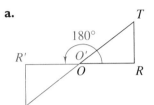

b.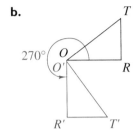

4. a. ¿Qué rotación llevará el punto A a la posición que tiene el punto B en el cuadrado de la derecha? ¿Y a la del punto C? ¿Y a la del punto D?

b. ¿Tiene el cuadrado simetría rotacional?

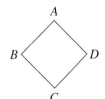

R^epa^so MIXTO

Halla el área de cada figura.

1. un círculo con un radio de 3.5 pies

2. un círculo con un diámetro de 9 pulg

3. un triángulo rectángulo con catetos de 12 cm y 16 cm

Identifica las coordenadas de la imagen formada por cada reflexión.

4. (5, 1) sobre el eje de x

5. (−3, 4) sobre el eje de y

6. Jordan ahorró $300 trabajando durante el verano. Sus ahorros equivalen al 15% de su salario. ¿Cuál fue su salario?

PONTE A PRUEBA

¿Qué figuras tienen simetría rotacional?

5.

6.

7.

Dibuja la imagen de cada figura tras rotaciones de 90°, 180° y 270° en torno al punto O.

8.

9.

10.

11. ¿Qué figuras de los ejercicios 8–10 tienen simetría rotacional?

¿Cuáles de estas figuras tienen simetría rotacional? Explica por qué.

12.   **13.**   **14.**   **15.**

16. Ingeniería La *leva* es un rodamiento no circular utilizado en diversas máquinas. La pequeña rueda negra que se ve a la derecha gira sobre el borde de la pieza rotatoria haciendo que una barra suba y baje. ¿Tiene la leva simetría rotacional? Explica por qué.

17. ¿Qué figura(s) podría(n) ser una rotación de la que aparece a la derecha?

A.   **B.**   **C.**   **D.**

18. a. Usa papel cuadriculado para dibujar el rectángulo *ABCD* con vértices en *A*(3, 1), *B*(−3, 1), *C*(−3, −1) y *D*(3, −1).

b. Usa un plano de coordenadas para dibujar las tres imágenes formadas al rotar el rectángulo 90°, 180° y 270° alrededor del origen.

La figura II es la imagen de la figura I. Di si la transformación es una traslación, una reflexión o una rotación.

19.  **20.**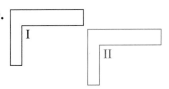

21. 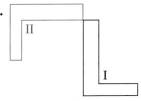 **22.**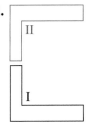

23. Por escrito Describe un objeto del salón de clases que tenga simetría rotacional.

En conclusión

Plano de coordenadas y ecuaciones lineales   **11-1, 11-2**

El *plano de coordenadas* está formado por la intersección del *eje de x* con el *eje de y*. Cada punto del plano se puede describir mediante un *par ordenado* de números (x, y) llamados **coordenadas.** Una ecuación es *lineal* si todas sus soluciones están en una recta.

Usa la gráfica de abajo en los ejercicios 1 y 2.

1. Identifica los puntos correspondientes a estas coordenadas.

   a. $(-3, 2)$ **b.** $(2, -1)$

2. Escribe las coordenadas de cada punto.

   a. B **b.** C

   c. D **d.** F

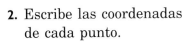

3. ¿Qué pares ordenados satisfacen la ecuación $y = 3x - 5$?

   a. $(5, 10)$ **b.** $(-2, -1)$ **c.** $(1, -2)$

4. **a.** Escribe tres pares ordenados que sean soluciones de $y = x + 4$.

   b. Haz la gráfica de la ecuación.

Pendiente   **11-3**

La **pendiente** de una recta equivale a la razón siguiente:

$$\text{pendiente} = \frac{\text{diferencia de las coordenadas } y}{\text{diferencia de las coordenadas } x}$$

5. **Elige A, B, C o D.**
   ¿Cuál de las ecuaciones siguientes corresponde a la gráfica de la derecha?

   A. $y = 3x$ **B.** $y = -3x$

   C. $y = \frac{1}{3}x$ **D.** $y = -\frac{1}{3}x$

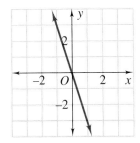

Determina la pendiente de la recta que pasa por cada par de puntos.

6. $(-2, 6), (4, 3)$ 7. $(-3, 2), (-1, 5)$

8. $(0, 5), (9, 8)$ 9. $(6, 2), (-3, 4)$

Estrategias y aplicaciones   **11-7**

Las relaciones numéricas que aparecen en algunos problemas se pueden simplificar usando ecuaciones.

10. La banda de la escuela obtuvo $377 vendiendo boletos para el concierto de primavera. ¿Cuántos boletos se vendieron si cada uno costaba $3.25?

Modelos matemáticos

Las ecuaciones y gráficas permiten calcular ganancias a partir de ingresos y gastos.

11. Usa la gráfica de la derecha. ¿A qué hora es mayor la diferencia entre los ingresos y los gastos?

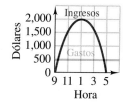

12. Por escrito La representación de situaciones mediante gráficas y ecuaciones ayuda a resolver ciertos problemas. Explica cómo.

Relaciones no lineales

13. ¿Qué ecuación, $y = x^2 - 4$ ó $y = |2x| + 4$, es el modelo adecuado para un conjunto de datos que incluye las coordenadas $(-2, 0)$, $(0, -4)$ y $(-4, 12)$? Explica tu razonamiento.

14. ¿En cuál de estas ecuaciones tiene y el valor más alto si $x = 3$? ¿Y si $x = 12$?

I. $y = |3x + 5|$

II. $y = x^2 - 6$

III. $y = -2x^2 + 26$

Transformaciones

Las figuras situadas en un plano se pueden mover de tres maneras distintas. Estas *transformaciones* reciben los nombres de **traslación, reflexión** y **rotación.**

15. Dibuja un objeto de la vida diaria que tenga al menos dos ejes de simetría. Traza luego sus ejes.

16. Dibuja la imagen de $\triangle SAL$ después de la traslación $(x, y) \rightarrow (x + 3, y - 4)$

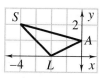

La figura II es la imagen de la figura I. ¿Qué se ha producido: una traslación, una reflexión o una rotación?

17.

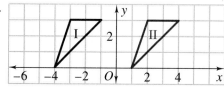

18.

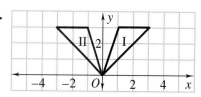

19.

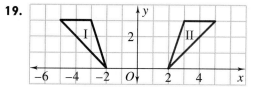

20.

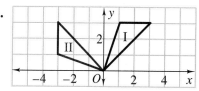

cierra el caso

Inclinación a la medida

Al principio del capítulo hallaste la inclinación de una recta imaginaria que iba desde la base de una pared del salón de clases hasta lo más alto de la pared opuesta. Revisa el dato y, si es necesario, corrígelo utilizando lo que has aprendido en el capítulo. Expresa luego esa inclinación de tantas maneras como puedas (usa descripciones verbales más o menos vagas y enunciados matemáticos precisos). Explica cómo has hallado cada expresión. Los problemas precedidos por la lupa (pág. 467,

#20; pág. 470, #9 y pág. 477, #8) te ayudarán a realizar la investigación.

La inclinación es una propiedad que, como otras, puede expresarse de varias maneras. Procura observar las cosas desde diferentes puntos de vista. Si te acostumbras a hacerlo, contarás con una poderosa herramienta que te ayudará no sólo en el campo de las matemáticas, sino también en otras disciplinas.

Extensión: Supón que la recta imaginaria del salón de clases fuera la parte de abajo de una cuerda de una milla de largo, al final de la cual hubiera un papalote. ¿A qué altura estaría el papalote?

¿Cuál es la relación?

Números cuadrados y triangulares

Los números cuadrados son aquéllos que se pueden disponer en forma de cuadrado en papel cuadriculado. Su patrón da lugar a la progresión siguiente:

1, 4, 9, 16, 25, 36, 49, . . .

Los números triangulares son los que se pueden disponer en forma de triángulo. Esta es su progresión:

1, 3, 6, 10, 15, 21, . . .

Puedes observar que cada número cuadrado es la suma de dos números triangulares. ¿Hay alguna manera de predecir el siguiente número triangular en la progresión? ¿Sabrías hallar los números triangulares que suman 100? ¿Sabrías hallar el número triangular número cien en la progresión?

Haz un cartel con números cuadrados y triangulares. Muestra su relación.

Cópialo

Dibuja una figura sencilla conectando de diez a treinta puntos en un plano de coordenadas. En otra hoja de papel enumera esos puntos como pares ordenados, pero invierte las coordenadas *x* e *y*. Dale la lista a un amigo y pídele que marque y conecte los puntos en un plano de coordenadas. Compara el dibujo original con el de tu amigo. ¿Qué observas?

Prueba de altura

¿Puedes lanzar una pelota de softball a mayor altura que una pelota de básquetbol?

Galileo, un famoso matemático y científico italiano, probó que los objetos pesados caen a la misma velocidad que los ligeros. Se cuenta que para demostrar su teoría soltó al mismo tiempo una bola de cañón y un guijarro desde la torre inclinada de Pisa.

Ahora vas a averiguar si el peso influye en la altura que un objeto alcanza cuando es lanzado hacia arriba. La fórmula siguiente permite hallar la altura (en pies) alcanzada por una pelota si se conoce el tiempo que está en el aire.

$$T^2 \times 4 = H$$

T = *tiempo* (en segundos)   **H** = *altura* alcanzada

Tira hacia arriba una pelota de básquetbol y pídele a un amigo que, usando un cronómetro, mida los segundos y décimas que se mantiene en el aire. Seguramente convendrá realizar varias pruebas. En ese caso, túrnense para cronometrar y anotar los resultados. Usen luego la fórmula anterior para hallar la altura alcanzada por la pelota y representen el resultado en una gráfica. Realicen el mismo experimento con una pelota de softball y comparen los dos resultados. ¿Qué observan?

TIC-TAC-CUATRO

Juega con un compañero. Usando un plano de coordenadas como tablero, los jugadores nombran por turno las coordenadas de un punto y ponen sus iniciales en el punto nombrado. El juego continúa hasta que uno de ellos forma una hilera (horizontal, vertical o diagonal) de cuatro puntos.

1. Determina si cada par de coordenadas satisface la ecuación $y = -2x + 5$.

   a. $(3, -5)$ **b.** $(0, 5)$

   c. $(4, -3)$ **d.** $(2.5, 0)$

2. Determina la pendiente de la recta que pasa por cada par de puntos.

   a. $E(7, 1), F(-3, 3)$

   b. $G(-2, 6), H(0, 0)$

   c. $L(-4, 0), M(0, 2)$

   d. $S(8, 5), T(1, -1)$

3. **Elige A, B, C o D.** ¿Qué conjunto de pares ordenados *no* corresponde a los vértices de un triángulo isósceles?

   A. $(-2, 4), (-5, 6), (-8, 4)$

   B. $(0, 5), (5, 0), (5, 10)$

   C. $(6, -2), (7, -7), (2, -6)$

   D. $(-4, 0), (0, 0), (-6, -3)$

4. Trevor y Tyne piensan establecer un servicio de distribución de víveres. Trevor quiere cobrar $1.00 por entrega más $1.25 por cada bolsa. Tyne quiere cobrar $2.00 más $.75 por cada bolsa.

   a. Escribe la ecuación que describe cada tarifa.

   b. Haz tablas para ambas ecuaciones y represéntalas en gráficas.

   c. **Por escrito** Decide cuál de las dos opciones es mejor. Explica por qué.

5. Halla la pendiente de la recta que trazarías para representar la ecuación $y = \frac{4}{3}x + 4$.

6. ¿En qué cuadrante(s) son negativas las dos coordenadas?

7. Halla cuatro soluciones para cada ecuación.

   a. $y = x^2$

   b. $y = |x|$

8. Haz las gráficas de las siguientes ecuaciones.

   a. $y = x - 3$

   b. $y = 3x - 4$

9. **a.** Dibuja en una gráfica $\triangle ABC$ con vértices en $A(1, 3)$, $B(5, 8)$ y $C(7, 1)$. Conecta los vértices en orden.

   b. Halla las nuevas coordenadas de $\triangle ABC$ después de una reflexión sobre el eje de x. Dibuja la imagen en una gráfica.

   c. Traslada $\triangle ABC$ 12 unidades a la izquierda y 10 unidades hacia abajo. Halla las nuevas coordenadas de los vértices y dibuja la imagen.

   d. Dibuja la imagen de $\triangle ABC$ después de una rotación de 90° en torno al origen. Escribe las coordenadas de la imagen.

10. Asocia cada ecuación con la recta correspondiente.

    a. $y = -x + 2$

    b. $y = x + 2$

    c. $y = 2$

    d. $x = 2$

    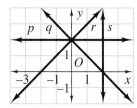

11. **Por escrito** Da un ejemplo de rotación, de reflexión y de traslación que se produzcan en objetos de la vida diaria.

Elige A, B, C o D.

1. ¿Qué regla se aplica en la función de la tabla?

n	f(n)
0	0
1	1
2	4
3	9

   A. $f(n) = n + 2$

   B. $f(n) = n$

   C. $f(n) = 2n$

   D. $f(n) = n^2$

2. ¿Cuántas permutaciones de dos letras de la palabra PAN contienen la letra N?

   A. 2

   B. 3

   C. 4

   D. 6

3. ¿Qué situación se describe con la ecuación lineal $Y = 7.5x - 150$?

   A. Las ganancias de una compañía de autobuses si x pasajeros pagan $7.50 por cada boleto y el funcionamiento del autobús cuesta $150.

   B. El alquiler de un restaurante para una fiesta a la que acuden x personas si su propietario cobra $150 más $7.50 por persona.

   C. El precio final de un aparato de video que cuesta $150 cuando se tienen x cupones de descuento que valen $7.50 cada uno.

   D. Las ganancias totales acumuladas en un concierto al que acuden 150 más x espectadores si la ganancia por persona es de $7.50.

4. Una receta indica que se necesitan $2\frac{1}{4}$ tz de harina para preparar 12 panecillos. ¿Cuántos panecillos se obtienen con 6 tz de harina?

   A. 24

   B. 30

   C. 32

   D. 45

5. ¿Cuál es el dígito de las unidades en 7^{23}?

   A. 3   **B.** 5   **C.** 7   **D.** 9

6. ¿Cuál es la *mejor estimación* del porcentaje correspondiente a la parte sombreada de la figura?

   A. 10%   **B.** 25%

   C. 50%   **D.** 75%

7. ¿Para qué ecuación lineal *no* es $(-3, 0.5)$ una solución?

   A. $x - 2y = -4$

   B. $4y = 3x + 11$

   C. $x = -6y$

   D. $-x + 6y = 0$

8. ¿Cuál es la probabilidad de obtener rojo o azul en esta ruleta?

   A. $P(\text{rojo}) - P(\text{azul})$

   B. $P(\text{rojo}) + P(\text{azul})$

   C. $P(\text{azul}) - P(\text{rojo})$

   D. $P(\text{rojo}) \times P(\text{azul})$

9. ¿Cuál es el procentaje aproximado de vocales en un alfabeto de 26 letras?

   A. el 15%   **B.** el 19%

   C. el 30%   **D.** el 33%

10. ¿Qué traslación lleva $\triangle ABC$ a $\triangle A'B'C'$?

    A. $(x, y) \rightarrow (x - 3, y)$

    B. $(x, y) \rightarrow (x + 3, y)$

    C. $(x, y) \rightarrow (x, y + 3)$

    D. $(x, y) \rightarrow (x, y - 3)$

    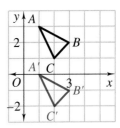

Práctica adicional

En esta tabla arborescente se muestran las temperaturas máximas diarias en Mt. Washington, NH, durante tres semanas de enero.

0	1 2 3 3 4 4 5 7
1	0 0 1 1 1 5 6
2	0 2 8 8
3	1 1

2 | 0 significa 20

1. Crea una tabla de frecuencia con los datos.

2. Crea un diagrama de puntos con los datos.

3. Halla la media, la mediana, la moda y la gama de los datos.

4. ¿Cuántos días hubo una temperatura máxima de más de 10 grados?

Los ejercicios 5–8 se basan en la gráfica de la derecha.

5. ¿Qué equipo ha ganado más partidos?

6. ¿Qué equipo ha ganado menos partidos?

7. ¿Qué equipo ha obtenido casi tantas victorias como derrotas?

8. ¿Aproximadamente cuántos partidos más ha ganado el equipo A que el equipo D?

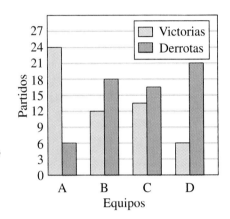

A la derecha aparece el número de pisos que tienen algunos célebres rascacielos de Estados Unidos.

9. Representa los datos en una tabla arborescente.

10. Halla la media, la mediana y la moda de los datos.

11. ¿Cuántos edificios tienen una cantidad de pisos menor que la media?

Número de pisos				
73	44	57	64	48
60	55	51	77	40
80	72	60	82	57
77	71	49	77	86

12. Por escrito La gráfica de la derecha representa el crecimiento en las ventas de computadoras personales. Los porcentajes corresponden a los hogares donde hay al menos una.

a. Describe los datos representados en la gráfica.

b. Di si esta gráfica te parece o no engañosa.

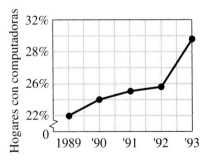

Práctica adicional

1. Añade la siguiente figura a este patrón.

Halla la medida angular que falta. Después, clasifica cada triángulo según sus ángulos.

2.

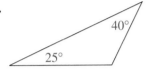

3.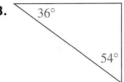

4.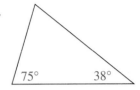

Asocia cada término con la figura correspondiente.

5. bisectriz

6. ángulos opuestos por el vértice

7. ángulos suplementarios

8. ángulos complementarios

9. ángulos no adyacentes

a.

d.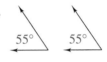

b.

e.

c.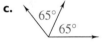

10. Dibuja el círculo O. Sobre éste traza y designa un diámetro, una cuerda, un radio y un arco no semicircular.

11. $\triangle ABD \cong \triangle CED$. ¿Qué afirmaciones son ciertas?

   a. $\overline{AB} \cong \overline{CE}$ **b.** $\overline{AD} \cong \overline{ED}$ **c.** $\angle A \cong \angle C$

   d. $\angle BDA$ y $\angle EDC$ son congruentes   **e.** $\overline{BD} \cong \overline{EC}$

12. **Pensamiento crítico** En un punto de la carrera, Lars iba 15 pies por detrás de Paul y 18 pies por delante de Jorge. Jorge iba 30 pies por detrás de Simón. ¿Cuántos pies separaban a Paul de Simón?

Práctica adicional

Ordena de mayor a menor.

1. 0.092, 0.095, 0.102, 0.099

2. 1.01, 1.12, 1.02, 1.101

3. 0.55, 0.505, 0.52, 0.56

Estimación Estima las cantidades usando cualquier método.

4. $32.13 ÷ 6.15

5. 1.2 + 2.4 + 0.86

6. $34.50 − $10.80 + $2.10

7. 0.054 + 0.901 + 0.62

8. $18.95 × 3.5

9. 2.7236 − 0.6512

Elige Usa una calculadora, lápiz y papel o cálculo mental para hallar los valores.

10. 100^0 **11.** 5^3 **12.** 3^5 **13.** 15^2 **14.** 8^4

Cálculo mental Evalúa usando la propiedad distributiva.

15. 2(8 − 4.5)

16. 3(99)

17. 6(20 + 4)

18. 4(7 + 4)

Usa una calculadora o lápiz y papel para hallar los resultados. Indica los decimales periódicos con una barra.

19. 3.2 ÷ 1.2

20. 4.86 − 2.161

21. 4(1.4 ÷ 3)

22. 3.5 × 4.4

23. 2.1 + 3.62 + 1.003

24. 127 ÷ 2.4

25. 37 ÷ 11.1

26. 3(6.1 + 0.461)

Compara usando <, > ó =.

27. 0.101 ▦ 0.10

28. 15.55 ▦ 15.555

29. 1.16 ▦ 1.160

30. 29.08 ▦ 29.10

31. Escribe una expresión para "5 menos que el doble de un número".

32. Escribe una expresión para "6 más que un número dividido por 2".

33. Completa la tabla siguiente. Sustituye la variable de cada columna por el valor indicado a la izquierda y evalúa las expresiones.

	$3(x - 1)$	$3x^2$	$3x - 1$	$2x^3$
x = 2.3	▦	▦	▦	▦
x = 3.2	▦	▦	▦	▦

Práctica adicional

Escribe el número entero representado por cada modelo.

1.

2.

3.

**Escribe y resuelve la ecuación representada
por cada modelo.**

4. $\blacksquare\blacksquare\blacksquare\blacksquare$ $=$ $\blacksquare\blacksquare$

5. $\blacksquare\blacksquare\blacksquare$ $=$

6. $=$ $\blacksquare\blacksquare$

Escribe *verdadero* **o** *falso.*

7. $|5| > |-5|$

8. $|-3| \le |-2|$

9. $|10| = |-10|$

10. $|6| < |8|$

Elige **Usa una calculadora, lápiz y papel o cálculo mental
para hallar cada valor.**

11. $-45 \div (-3)^2$

12. $-110 + 5 - (-5)$

13. $4(2 - 7)^2$

14. $3(-4 \cdot 3)$

15. $-(1^{20}) + 1$

16. $(-3)(-2)(-1)$

17. $9^2 + 3^2$

18. $2(-2) - 4$

19. Amah tiene 3 estampillas de 15¢, 3 de 20¢ y 3 de 25¢. El
envío de una carta a otro país le cuesta $1.05. ¿De cuántas
maneras puede obtener exactamente ese franqueo?

Resuelve.

20. $-3 + t = -10$

21. $7 + x = -7$

22. $\frac{a}{4} = 12$

23. $\frac{x}{2} = -4(-2)$

24. $2x - 2 = 12$

25. $3x + 1 = -11$

26. $3^2 + x = 6$

27. $\frac{y}{-6} = 3$

28. $112p + 7 = 231$

29. $\frac{r}{-6} + 4 = -3$

30. $12m + 24 = 0$

31. $-6 + \frac{d}{2} = 12$

32. a. Un par de botas cuesta $6 más que el triple de lo que
cuesta un par de zapatos. Las botas cuestan $87.99. Escribe
la ecuación que expresa la relación descrita.

b. Explica, paso por paso, cómo se resuelve esta ecuación de
dos pasos.

c. ¿Cuánto cuestan los zapatos?

Práctica adicional

Halla el área y el perímetro de cada figura.

1.
5.4
5.4

2.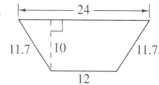
24
11.7 10 11.7
12

3.
4
3

4.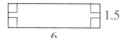
1.5
6

5.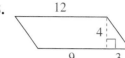
12
4
9   3

6.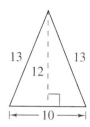
13   13
12
10

Calculadora Calcula cada cantidad a la décima de unidad más cercana.

7. la longitud de cada lado de un cuadrado de 136 pulg²

8. la longitud de la hipotenusa en un triángulo con catetos de 8 cm y 13 cm

9. el volumen de un cubo con arista de 3.4 pies

10. el diámetro de un círculo con una circunferencia de 12 m

11. el perímetro de un triángulo rectángulo con catetos de 7 pulg y 12 pulg

A la derecha se representa una piscina rectangular.

12. ¿Cuántos pies cúbicos de agua hacen falta para llenarla hasta 1 pie por debajo del borde?

13. Con un galón de pintura se pueden pintar 230 pies². ¿Cuántos galones se necesitan para darles dos capas al fondo y a los lados de la piscina?

14. Una losa cuadrada mide 12 pulg de lado. ¿Cuántas losas se necesitan para hacer un borde de 1 losa de ancho alrededor de la piscina?

15. Supón que cruzas la piscina en diagonal. Calcula esa distancia, redondeándola a la décima más cercana.

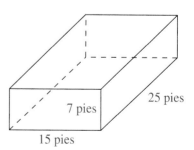
7 pies   25 pies
15 pies

Práctica adicional

Compara usando <, > ó =.

1. 7.03×10^4 ■ 70,000

2. 100 ■ 1.02×10^2

3. 6.1×10^6 ■ 610,000

4. 2^5 ■ 5^2

5. 4.8×10^2 ■ 9.6×10^2

6. 13^4 ■ 28,200

7. 20,000,000 ■ 2×10^7

8. 250 ■ 4^5

9. 54,000 ■ 5.4×10^4

Di si las progresiones son aritméticas, geométricas o de ninguno de los dos tipos. Luego halla los tres términos siguientes de la progresión.

10. 1, 2, 5, 6, 9, . . .

11. 1,215, 405, 135, 45, . . .

12. 50, 25, 48, 24, . . .

13. 3.25, 3.55, 3.85, 4.15, . . .

14. 0, −2, −4, −6, . . .

15. 1, 1.2, 1.44, 1.728, . . .

16. a. Escribe la regla de la función representada a la derecha.

b. Aplica esa regla para hallar $f(0)$, $f(-1)$, $f(-2)$ y $f(-3)$.

c. ¿Qué tipo de progresión forman los valores de $f(0)$, $f(-1)$, $f(-2)$ y $f(-3)$: aritmética o geométrica?

n	$f(n)$
1	1
2	4
3	7
4	10

17. a. Describe el patrón que sigue el dígito de las unidades en las potencias de 8.

b. ¿Cuál es el dígito de las unidades en 8^{19}?

Usa una calculadora o una computadora. Aplica la fórmula $C = p(1 + i)^n$ para determinar las cantidades acumuladas en cada caso.

18. inversión de $1,200 durante 6 años a un interés anual de $.12 por dólar depositado

19. inversión de $1,200 durante 6 años a un interés mensual de $.01 por dólar depositado

20. inversión de $100 durante 24 meses a un interés mensual de $.01 por dólar depositado

21. Arlene tardó cinco minutos en recorrer las dos cuadras que hay entre su casa y la parada del autobús. El autobús se detuvo 3 veces (un minuto cada vez) y tardó un total de 15 min en llegar a la biblioteca. Haz la gráfica que representa el trayecto de Arlene hasta la biblioteca.

Práctica adicional

Escribe una fracción en su mínima expresión que corresponda a cada sección sombreada.

1.

2.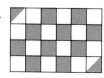

3.

4.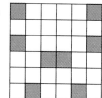

Halla dos fracciones equivalentes a cada una de éstas.

5. $\dfrac{21}{24}$　　6. $\dfrac{65}{100}$　　7. $\dfrac{6}{9}$　　8. $\dfrac{40}{80}$　　9. $\dfrac{12}{36}$

Halla el M.C.D. de cada par de números.

10. 35, 49　　11. 11, 12　　12. 28, 40　　13. 17, 34　　14. 16, 26　　15. 10, 30

Escribe cada fracción en su mínima expresión.

16. $\dfrac{15}{75}$　　17. $\dfrac{16}{36}$　　18. $\dfrac{110}{225}$　　19. $\dfrac{72}{108}$　　20. $\dfrac{45}{315}$　　21. $\dfrac{54}{96}$

Convierte cada número mixto en fracción impropia.

22. $7\dfrac{7}{8}$　　23. $3\dfrac{5}{7}$　　24. $3\dfrac{1}{4}$　　25. $4\dfrac{2}{5}$　　26. $10\dfrac{1}{6}$　　27. $2\dfrac{2}{5}$

Convierte cada fracción impropia en número entero o en número mixto.

28. $\dfrac{76}{15}$　　29. $\dfrac{136}{12}$　　30. $\dfrac{76}{4}$　　31. $\dfrac{13}{4}$　　32. $\dfrac{28}{8}$　　33. $\dfrac{100}{6}$

Descompón cada número en sus factores primos.

34. 80　　35. 240　　36. 720　　37. 48　　38. 186　　39. 150

Escribe cada fracción en su mínima expresión y dibuja un modelo para representarla.

40. $\dfrac{4}{10}$　　41. $\dfrac{14}{28}$　　42. $\dfrac{15}{18}$　　43. $\dfrac{9}{24}$　　44. $\dfrac{80}{100}$

Escribe los primeros cinco múltiplos de cada número.

45. 3　　46. 9　　47. 12　　48. 8　　49. 17

Práctica adicional

Compara usando <, > ó =.

1. $\frac{1}{4}$ ■ $\frac{2}{9}$

2. $\frac{3}{7}$ ■ $\frac{1}{2}$

3. $\frac{2}{5}$ ■ $\frac{4}{10}$

4. $\frac{5}{6}$ ■ $\frac{7}{8}$

5. $\frac{3}{5}$ ■ $\frac{2}{3}$

Convierte las fracciones en decimales y los decimales en fracciones.

6. $\frac{4}{5}$

7. 0.365

8. $\frac{7}{8}$

9. 0.42

10. $\frac{9}{11}$

11. 0.7

Estima cada suma, diferencia, producto o cociente.

12. $\frac{2}{3} + \frac{7}{9}$

13. $15\frac{1}{5} - 5\frac{4}{7}$

14. $3\frac{12}{13} \cdot \frac{1}{4}$

15. $99\frac{9}{10} - \frac{1}{5}$

16. $7\frac{4}{5} \div 1\frac{2}{3}$

Halla cada suma, diferencia, producto o cociente. Da la respuesta en su mínima expresión.

17. $\frac{2}{3} + \frac{9}{5}$

18. $1\frac{5}{8} \cdot 6\frac{1}{3}$

19. $\frac{4}{5} \div \frac{9}{10}$

20. $12 - 1\frac{3}{5}$

21. $3\frac{1}{8} + 3\frac{3}{4}$

Resuelve las ecuaciones.

22. $\frac{n}{3} = -18$

23. $1\frac{1}{3} + m = 2\frac{5}{6}$

24. $\frac{2}{7} = y - \frac{1}{2}$

25. $64t = 16$

Completa.

26. $\frac{3}{4}$ gal = ■ tz

27. $6\frac{1}{8}$ T = ■ lb

28. $\frac{3}{8}$ mi = ■ yd

29. $12\frac{2}{3}$ lb = ■ oz

30. Para hacerse un disfraz de Halloween, Darlene tiene que comprar $2\frac{2}{3}$ yd de fieltro a \$3.69/yd y $1\frac{3}{4}$ yd de pieles artificiales a \$5.50/yd. ¿Cuánto dinero se gastaría en total en dos disfraces si decide regalarle un disfraz igual a su hermana?

31. **Elige A, B, C o D.** ¿Qué expresión tiene el valor más alto?

    A. $\frac{5}{6}$ de 14

    B. $21\frac{1}{4} - 10\frac{1}{8}$

    C. $5\frac{1}{3} + 6\frac{1}{7}$

    D. $\frac{1}{3}$ de 35.46

32. Una receta requiere $1\frac{3}{4}$ tz de harina. ¿Cuánta harina se necesita si se triplican las cantidades?

Capítulo 9

Práctica adicional

Halla las relaciones unitarias.

1. a. 32 oz por $2.29
   b. 48 oz por $3.19

2. a. $200 ganados en 8 h
   b. $364 ganados en 14 h

3. a. 2,250 km recorridos en 3 h
   b. 6,000 km recorridos en 7.5 h

Halla el valor de *n* en cada proporción.

4. $\dfrac{12}{n} = \dfrac{3}{5}$

5. $\dfrac{n}{12} = \dfrac{4}{16}$

6. $\dfrac{7}{8} = \dfrac{n}{4}$

7. $\dfrac{7}{10} = \dfrac{14}{n}$

Convierte las fracciones en porcentajes y los porcentajes en fracciones.

8. $\dfrac{5}{6}$

9. $37\dfrac{1}{2}\%$

10. $\dfrac{11}{5}$

11. 87.5%

12. 64%

Escribe una proporción y resuélvela.

13. ¿De qué número es 54 el 40%? **14.** ¿Cuál es el 5% de 48? **15.** ¿Qué porcentaje de 200 es 120?

Halla las longitudes que faltan en cada par de figuras semejantes.

16.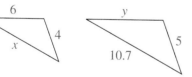

17.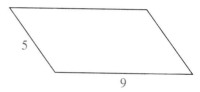

18. Una ampliación de 11 × 14, dos de 8 × 10 ó tres de 5 × 7 cuestan $8.95 en Fotos Sandra. ¿Qué tamaño resulta más barato por unidad cuadrada?

19. El costo de la excursión anual que realiza la escuela de Palo Bajo ha aumentado un 30% en tres años. Hace tres años los jugos costaban $57.25 y la comida $129.80. ¿Hay suficiente dinero para pagar la excursión de este año si se cuenta con un fondo de $235? Explica tu respuesta.

20. El plano de una casa tiene una escala de 0.5 pulg : 15 pies. ¿Cuál es la superficie real de un cuarto que en el plano tiene dimensiones de 0.75 pulg por 1.2 pulg?

Práctica adicional

Se tira un cubo numerado. Halla estas probabilidades.

1. P(3 ó 4)
2. P(no 3)
3. P(5)
4. P(1 y 7)

En una caja hay 6 canicas verdes, 8 azules y 3 rojas. Halla $P(B)$ después de producirse A.

5. A: Sacas una canica verde y te quedas con ella.
B: Sacas una canica roja.

6. A: Sacas una canica azul y la devuelves.
B: Sacas una canica roja.

7. A: Sacas una canica roja y te quedas con ella.
B: Sacas una canica roja.

Los sucesos A y B son independientes. Halla $P(A$ y $B)$.

8. $P(A) = \frac{1}{5}$, $P(B) = \frac{3}{4}$
9. $P(A) = \frac{1}{6}$, $P(B) = \frac{5}{6}$
10. $P(A) = 1$, $P(B) = 0$

11. a. Tiras al aire dos monedas y haces girar una ruleta dividida en tres secciones congruentes (roja, blanca y azul). Dibuja una cuadrícula o un diagrama en árbol para hallar el espacio muestral.

b. Halla P(dos caras y azul) y P(al menos una cruz y rojo).

Usa los datos de la derecha en los ejercicios 12 y 13. Se elige un estudiante al azar entre todos los estudiantes de la escuela.

Estudiantes matriculados	
Primer año	156
Segundo año	152
Tercer año	138
Cuarto año	144

12. ¿Cuál es la probabilidad de que el estudiante sea de primer año?

13. ¿Cuál es la probabilidad de que el estudiante *no* sea de cuarto año?

14. ¿Cuántos comités distintos de 3 personas se pueden elegir en un club de 9 miembros?

15. ¿De cuántas maneras puede un club de 9 miembros elegir presidente, vicepresidente y tesorero?

16. Las letras de la palabra T I T I R I T E R O están revueltas en una caja. ¿Cuál es la probabilidad de sacar primero una T y luego una I si la primera letra no se repone?

17. Unos voluntarios de la *Audubon Society* marcaron 25 gaviotas en un área de incubación. Al final del verano contaron 500 gaviotas, 19 de las cuales estaban marcadas. Estima la población de gaviotas.

ráctica adicional

Usa la gráfica de la derecha en los ejercicios 1–11.
Nombra el punto que tiene las coordenadas dadas.

1. $(-2, -1)$ **2.** $(1, 1)$ **3.** $(3, -4)$

Escribe las coordenadas de cada punto.

4. A **5.** I **6.** J

Determina la pendiente de la recta que pasa por cada par de puntos.

7. A y E **8.** G y E **9.** B y F

10. ¿Qué es el triángulo con vértices en E, B y F con respecto al triángulo con vértices en H, L e I: una reflexión, una rotación o una traslación?

11. Escribe una regla para la traslación del triángulo con vértices en C, A y D a la posición del triángulo con vértices en J, G y K.

12. Kenyatta ganó un campeonato de lucha libre con un total de 28 puntos. El sistema de puntuación era como sigue: 4 puntos por victoria en eliminatorias (3 combates como máximo), 5 puntos por victoria en segunda vuelta, 7 puntos por victoria en semifinales y 8 puntos por victoria en finales. ¿Cuántos combates ganó Kenyatta en eliminatorias?

13. Elige A, B o C. ¿En qué ecuación tiene y el valor más alto si $x = -2$?

   A. $y = x^2 + 3$ **B.** $y = 3x + 9$ **C.** $y = |x - 4|$

14. Elige A, B o C. ¿Qué ecuación es el modelo adecuado para un conjunto de datos que incluye las coordenadas $(0, -2)$, $(-1, -4)$ y $(3, 4)$?

   A. $y = x^2 - 2$ **B.** $y = \dfrac{x}{2} - 2$ **C.** $y = 2x - 2$

15. a. Marca los puntos $A(2, -3)$, $B(4, -5)$, $C(6, -3)$ y $D(4, -1)$ en un plano de coordenadas. Conéctalos después para formar el cuadrado $ABCD$.

   b. Dibuja la reflexión de $ABCD$ sobre el eje de y. Halla las coordenadas de la imagen.

   c. Halla las coordenadas de los vértices de la imagen de $ABCD$ tras una traslación de 3 unidades a la izquierda y 4 unidades hacia arriba. Dibuja la imagen.

Tablas

Tabla 1   Medidas

Métricas

Longitud

10 milímetros (mm) = 1 centímetro (cm)

100 cm = 1 metro (m)

1,000 m = 1 kilómetro (km)

Área

100 milímetros cuadrados (mm^2) = 1 centímetro cuadrado (cm^2)

10,000 cm^2 = 1 metro cuadrado (m^2)

Volumen

1,000 milímetros cúbicos (mm^3) = 1 centímetro cúbico (cm^3)

1,000,000 cm^3 = 1 metro cúbico (m^3)

Masa

1,000 miligramos (mg) = 1 gramo (g)

1,000 g = 1 kilogramo (kg)

Capacidad

1,000 mililitros (mL) = 1 litro (L)

Angloamericanas

Longitud

12 pulgadas (pulg) = 1 pie

3 pies = 1 yarda (yd)

36 pulg = 1 yd

5,280 pies = 1 milla (mi)

1,760 yd = 1 mi

Área

144 pulgadas cuadradas ($pulg^2$) = 1 pie cuadrado (pie^2)

9 $pies^2$ = 1 yarda cuadrada (yd^2)

4,840 yd^2 = 1 acre

Volumen

1,728 pulgadas cúbicas ($pulg^3$) = 1 pie cúbico (pie^3)

27 $pies^3$ = 1 yarda cúbica (yd^3)

Peso

16 onzas (oz) = 1 libra (lb)

2,000 lb = 1 tonelada (T)

Capacidad

8 onzas líquidas (oz líq) = 1 taza (tz)

2 tz = 1 pinta (pt)

2 pt = 1 cuarto (ct)

4 ct = 1 galón (gal)

Tiempo

1 minuto (min) = 60 segundos (s)

1 hora (h) = 60 min

1 día (d) = 24 h

1 año = 365 d

Tabla 2   Fórmulas

Circunferencia de un círculo

$C = \pi d$ o $C = 2\pi r$

Área

paralelogramo:	$A = bh$
rectángulo:	$A = bh$
trapecio:	$A = \frac{1}{2}h(b_1 + b_2)$
triángulo:	$A = \frac{1}{2}bh$
círculo:	$A = \pi r^2$

Volumen

cilindro:	$V = \pi r^2 h$
prisma rectangular:	$V = lah$

Tabla 3   Símbolos

$>$	es mayor que		$\perp$	es perpendicular a
$<$	es menor que		$\cong$	es congruente con
$\geq$	es mayor o igual que		$\sim$	es semejante a
$\leq$	es menor o igual que		$\approx$	es aproximadamente igual a
$=$	es igual a		$\overline{AB}$	segmento AB
$\neq$	no es igual a		$\overrightarrow{AB}$	rayo AB
$\circ$	grados		$\overleftrightarrow{AB}$	recta AB
$\%$	por ciento		$\triangle ABC$	triángulo ABC
$f(n)$	f de n		$\angle ABC$	ángulo ABC
$a : b$	razón de a a b, $\frac{a}{b}$		$m\angle ABC$	medida del ángulo ABC
$|-5|$	valor absoluto de 5 negativo		AB	longitud del segmento AB
$P(E)$	probabilidad de un suceso E		$\overset{\frown}{AB}$	arco AB
π	pi			

Tabla 4   Cuadrados y raíces cuadradas

N	N²	√N	N	N²	√N
1	1	1	51	2,601	7.141
2	4	1.414	52	2,704	7.211
3	9	1.732	53	2,809	7.280
4	16	2	54	2,916	7.348
5	25	2.236	55	3,025	7.416
6	36	2.449	56	3,136	7.483
7	49	2.646	57	3,249	7.550
8	64	2.828	58	3,364	7.616
9	81	3	59	3,481	7.681
10	100	3.162	60	3,600	7.746
11	121	3.317	61	3,721	7.810
12	144	3.464	62	3,844	7.874
13	169	3.606	63	3,969	7.937
14	196	3.742	64	4,096	8
15	225	3.873	65	4,225	8.062
16	256	4	66	4,356	8.124
17	289	4.123	67	4,489	8.185
18	324	4.243	68	4,624	8.246
19	361	4.359	69	4,761	8.307
20	400	4.472	70	4,900	8.367
21	441	4.583	71	5,041	8.426
22	484	4.690	72	5,184	8.485
23	529	4.796	73	5,329	8.544
24	576	4.899	74	5,476	8.602
25	625	5	75	5,625	8.660
26	676	5.099	76	5,776	8.718
27	729	5.196	77	5,929	8.775
28	784	5.292	78	6,084	8.832
29	841	5.385	79	6,241	8.888
30	900	5.477	80	6,400	8.944
31	961	5.568	81	6,561	9
32	1,024	5.657	82	6,724	9.055
33	1,089	5.745	83	6,889	9.110
34	1,156	5.831	84	7,056	9.165
35	1,225	5.916	85	7,225	9.220
36	1,296	6	86	7,396	9.274
37	1,369	6.083	87	7,569	9.327
38	1,444	6.164	88	7,744	9.381
39	1,521	6.245	89	7,921	9.434
40	1,600	6.325	90	8,100	9.487
41	1,681	6.403	91	8,281	9.539
42	1,764	6.481	92	8,464	9.592
43	1,849	6.557	93	8,649	9.644
44	1,936	6.633	94	8,836	9.695
45	2,025	6.708	95	9,025	9.747
46	2,116	6.782	96	9,216	9.798
47	2,209	6.856	97	9,409	9.849
48	2,304	6.928	98	9,604	9.899
49	2,401	7	99	9,801	9.950
50	2,500	7.071	100	10,000	10

Tablas

Guía de estudio y **G**losario

A

Ángulo (pág. 49)

Un ángulo está formado por dos rayos que parten de un origen común.

Ejemplo $\overrightarrow{GP}$ y $\overrightarrow{GS}$, con origen común G, forman $\angle 1$.

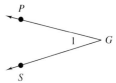

Ángulo adyacente (pág. 50)

Ángulos adyacentes son dos ángulos que tienen un mismo vértice y un lado en común pero no tienen puntos interiores comunes.

Ejemplo $\angle 1$ y $\angle 2$ son ángulos adyacentes.

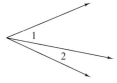

Ángulo agudo (pág. 50)

Un ángulo agudo es cualquier ángulo que mide menos de 90°.

Ejemplo $0° < m\angle 1 < 90°$

Ángulo central (pág. 70)

Un ángulo central es un ángulo cuyo vértice está en el centro de un círculo.

Ejemplo $\angle AOB$ es un ángulo central del círculo O.

Ángulos congruentes (pág. 54)

Ángulos congruentes son aquéllos que tienen la misma medida.

Ejemplo $\angle C$ y $\angle B$ ambos miden 60°, por lo que son congruentes.

Ángulo llano (pág. 50)

Un ángulo cuya medida es 180° se llama *ángulo llano*.

Ejemplo $m\angle TPL = 180°$

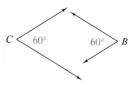

Ángulo obtuso (pág. 50)	Un ángulo obtuso es cualquier ángulo que mide más de 90° y menos de 180°.
	Ejemplo 

Ángulo recto (pág. 50)	Un ángulo recto es un ángulo que mide 90°.
	Ejemplo $\quad m\angle D = 90°$ 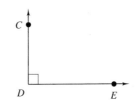

Árbol de factorización (pág. 293)	Se utiliza un árbol de factorización para hallar los factores primos de un número.
	Ejemplo

Arco (pág. 71)	Un arco es una parte de un círculo. Un semicírculo es un arco que equivale a la mitad de un círculo.
	Ejemplo $\quad \overset{\frown}{AB}$ es un arco del círculo O. $\overset{\frown}{ABC}$ es un semicírculo del círculo O. 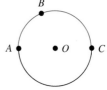

Área (pág. 194)	El número de unidades cuadradas en el interior de una figura es su área.
	Ejemplo $\quad l = 6$ pies y $a = 4$ pies, por lo que el área es 24 pies^2. Cada cuadrado mide 1 pie^2.

Área superficial de un prisma (pág. 220)	El área superficial de un prisma es la suma de las áreas de sus caras.
	Cada cuadrado = 1 pulg^2
	Ejemplo $\quad 4 \times 12$ pulg$^2 + 2 \times 9$ pulg$^2 = 66$ pulg^2 

Base (pág. 120)

Cuando un número se escribe en forma exponencial, el número utilizado como factor es la base.

Ejemplo $5^4 = 5 \times 5 \times 5 \times 5$

Bisectriz de un ángulo (pág. 76)

La bisectriz de un ángulo es el rayo que divide al ángulo en dos ángulos congruentes.

Ejemplo $\overrightarrow{DB}$ es la bisectriz de $\angle ADC$ de modo que $\angle 1 \cong \angle 2$.

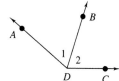

Bisectriz de un segmento (pág. 75)

La bisectriz de un segmento es una recta, segmento o rayo, que corta al segmento en su punto medio.

Ejemplo $GM = MH$. $\overleftrightarrow{FD}$ es una bisectriz de $\overline{GH}$.

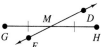

Catetos de un triángulo rectángulo (pág. 212)

Los dos lados menores de un triángulo rectángulo forman un ángulo recto y se llaman *catetos* del triángulo.

Ejemplo $\overline{AB}$ y $\overline{BC}$ son los catetos de $\triangle ABC$.

Cilindro (pág. 224)

Un cilindro es un cuerpo geométrico con dos bases circulares, paralelas y congruentes.

Ejemplo

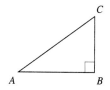

base

Círculo (pág. 70)

Un círculo es un conjunto de puntos en un plano que se hallan a la misma distancia de un punto dado llamado *centro*.

Ejemplo Círculo O

Circunferencia (pág. 206)

La circunferencia es el largo del contorno de un círculo. Se calcula multiplicando el diámetro por pi, o π, como se expresa en la fórmula $C = \pi d$. Pi equivale a 3.14, aproximadamente.

Ejemplo La circunferencia de un círculo con diámetro de 10 cm es aproximadamente 31.4 cm.

10 cm
O
aproximadamente 31.4 cm

Combinación (pág. 443)

Una combinación es una agrupación de elementos en la que el orden no importa.

Ejemplo Escoge dos vegetales entre espinacas, zanahorias y guisantes. Las combinaciones posibles son espinacas y zanahorias, espinacas y guisantes, y zanahorias y guisantes.

Coordenadas (pág. 459)

Cada punto en un plano de coordenadas se identifica por un único par ordenado de números llamado sus coordenadas. La primera coordenada señala la distancia desde el origen a lo largo del eje de x. La segunda coordenada señala la distancia desde el origen a lo largo del eje de y.

Ejemplo El par ordenado $(-2, 1)$ describe el punto que se halla dos unidades hacia la izquierda del origen y una unidad hacia arriba.

$(-2, 1)$
y
O
x

Correlación (pág. 21)

Dos conjuntos de datos relacionados tienen una correlación positiva si, en general, al aumentar los valores de un conjunto de datos, aumentan también los valores del otro conjunto. Dos conjuntos de datos relacionados tienen una correlación negativa si, en general, al aumentar los valores de un conjunto, disminuyen los valores del otro. Dos conjuntos de datos relacionados no tienen ninguna correlación si los datos no muestran una tendencia consistente a aumentar o disminuir.

Ejemplo

Correlación positiva

Correlación negativa

Sin correlación

Cuadrado (pág. 67)

Un cuadrado es un paralelogramo con cuatro ángulos rectos y cuatro lados congruentes.

Ejemplo

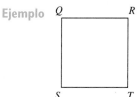

Q R
S T

Cuadrado perfecto (pág. 210)   Un cuadrado perfecto es un número natural que es igual a la segunda potencia de un número entero.

Ejemplo $25 = 5^2$

Cuadrante (pág. 460)   El eje de x y el eje de y dividen el plano de coordenadas en cuatro regiones llamadas *cuadrantes*.

Ejemplo

Cuerda (pág. 70)   Una cuerda es un segmento cuyos extremos se hallan en un círculo.

Ejemplo $\overline{CB}$ es una cuerda del círculo O.

D

Decimales equivalentes (pág. 94)   Los decimales que denotan la misma cantidad son decimales equivalentes.

Ejemplo $0.6 = 0.60$

Decimal exacto (pág. 113)   Un decimal exacto es un decimal que tiene fin.

Ejemplo   Los números 0.6 y 0.7265 son decimales exactos.

Decimal periódico (pág. 113)   En un decimal periódico hay un dígito o una serie de dígitos que se repiten indefinidamente. El símbolo de un decimal periódico es una raya trazada sobre el dígito o los dígitos que se repiten.

Ejemplo $0.8888 \ldots$ ó $0.\overline{8}$

Descomposición en factores primos (pág. 293)   La descomposición de un número compuesto en el producto de sus factores primos se llama *descomposición en factores primos*.

Ejemplo   La descomposición en factores primos de 30 es $2 \times 3 \times 5$.

Diagrama de dispersión (pág. 20)   En un diagrama de dispersión dos conjuntos relacionados de datos se representan mediante puntos.

Ejemplo   Este diagrama de dispersión muestra las cantidades gastadas en publicidad (en dólares) en relación con las ventas de productos (en miles de dólares).

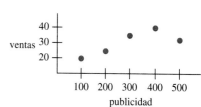

Diagrama en árbol (pág. 427)	Un diagrama en árbol presenta todos los resultados posibles de un suceso.

Ejemplo   Este diagrama en árbol muestra los cuatro resultados posibles al lanzar al aire dos monedas.

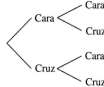

Diámetro (pág. 70)	Un diámetro es un segmento que pasa a través del centro de un círculo y tiene sus extremos en dicho círculo.

Ejemplo $\overline{RS}$ es un diámetro del círculo O.

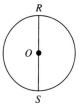

Dibujo a escala (pág. 382)	Un dibujo a escala es una reproducción aumentada o reducida de un objeto, proporcional al objeto original.

Ejemplo   Un mapa es un dibujo a escala.

Ecuación equivalente (pág. 172)	Cuando se efectúa la misma operación en ambos lados de una ecuación, el resultado es una ecuación equivalente.

Ejemplo $(23 + x) - 23 = 34 - 23$ es equivalente a $(23 + x) = 34$.

Ecuación lineal (pág. 463)	Una ecuación es lineal cuando la gráfica de todas sus soluciones es una recta.

Ejemplo $y = \frac{1}{2}x + 3$ es lineal porque la gráfica de sus soluciones es una recta.

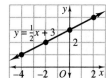

Eje de x (pág. 459)	El eje de x es la recta numérica horizontal que, junto con el eje de y, forma el plano de coordenadas.

Ejemplo

Eje de y (pág. 459)

El eje de *y* es la recta numérica vertical que, junto con el eje de *x*, forma el plano de coordenadas.

Ejemplo

(gráfica del plano de coordenadas mostrando eje de y vertical y eje de x horizontal, con marcas en −2, −1, 1, 2)

Espacio muestral (pág. 426)

El conjunto de todos los resultados posibles de un suceso es su espacio muestral.

Ejemplo El espacio muestral de lanzar al aire dos monedas es Cara, Cara; Cara, Cruz; Cruz, Cara; Cruz, Cruz.

Estimación por la izquierda (pág. 97)

Se emplea la estimación por la izquierda para resolver sumas. Primero, se suman los dígitos de la izquierda. Después, se estima la suma del resto de los dígitos y se suman los dos valores.

Ejemplo Estima $3.49 + $2.29.

$$3 + 2 = 5$$
$$0.49 + 0.29 \approx 1$$
$$\$3.49 + \$2.29 \approx \$5 + \$1 = \$6$$

Exponente (pág. 120)

Un exponente indica las veces que una base se usa como factor.

Ejemplo $3^4 = 3 \times 3 \times 3 \times 3$

Expresión algebraica (pág. 125)

Una expresión algebraica es una expresión que contiene al menos una variable.

Ejemplo $7 + x$ es una expresión algebraica.

F

Factor (pág. 284)

Un número es factor de otro cuando lo divide sin residuo.

Ejemplo 1, 2, 3, 4, 6, 9, 12, 18 y 36 son factores de 36.

Figuras congruentes (pág. 61)

Las figuras que tienen el mismo tamaño y la misma forma son figuras congruentes.

Ejemplo $AB = QS$, $CB = RS$ y $AC = QR$.
$m\angle A = m\angle Q$, $m\angle C = m\angle R$, y
$m\angle B = m\angle S$. Los triángulos ABC y QSR son congruentes.

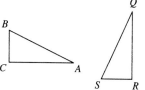

Fracciones equivalentes (pág. 285)

Las fracciones que son iguales entre sí se llaman *fracciones equivalentes*.

Ejemplo $\dfrac{1}{2} = \dfrac{25}{50}$

Función (pág. 259)

Una función es una relación en la que a cada miembro de un conjunto le corresponde exactamente un miembro de otro conjunto.

Ejemplo El sueldo de un obrero es una función del número de horas (h) que trabaja. Si gana $5/h, la función $f(h) = 5h$ expresa su sueldo.

G

Gama (pág. 5)

La gama de un conjunto de datos es la diferencia entre el valor mayor y el valor menor del conjunto.

Ejemplo La gama de los datos 1, 3, 4, 2, 6, 1 y 3 es $6 - 1 = 5$.

Gráfica circular (pág. 406)

Una gráfica circular muestra las partes de un entero representado por un círculo.

Ejemplo Esta gráfica circular representa los diferentes tipos de obras teatrales escritas por William Shakespeare.

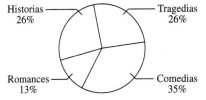

Gráfica de barras (pág. 10)

Una gráfica de barras compara cantidades.

Ejemplo Esta gráfica de barras compara el número de estudiantes en los grados 6, 7 y 8.

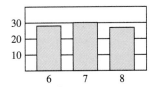

Gráfica de doble barra (pág. 13)

Las gráficas de doble barra comparan dos conjuntos de datos.

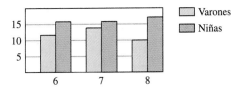

Ejemplo Esta gráfica de doble barra muestra el número de varones y niñas en los grados 6, 7 y 8.

Gráfica de doble línea (pág. 12)

Las gráficas de doble línea comparan cambios en dos conjuntos de datos con el transcurso del tiempo.

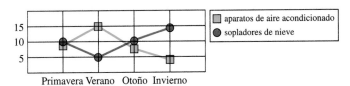

Ejemplo Esta gráfica de doble línea representa las ventas de aparatos de aire acondicionado y sopladores de nieve durante el transcurso de un año.

Gráfica lineal (pág. 10)

Una gráfica lineal representa los cambios en una cantidad con el transcurso del tiempo.

Ejemplo Esta gráfica lineal representa las horas que un estudiante dedica diariamente a la lectura durante una semana.

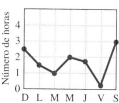

Gramo (pág. 230)

El gramo es la unidad básica de masa, o peso, en el sistema métrico decimal.

Ejemplo Un sujetapapeles pesa aproximadamente 1 g.

H

Hipotenusa (pág. 212)

La hipotenusa es el lado más largo de un triángulo rectángulo y es el lado opuesto al ángulo recto.

Ejemplo $\overline{AC}$ es la hipotenusa de $\triangle ABC$.

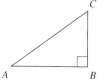

Histograma (pág. 6)

Un histograma es un tipo especial de gráfica de barras que se emplea para representar la frecuencia de un suceso. No hay espacios entre las barras y la altura de cada barra indica la frecuencia de los datos.

Ejemplo Este histograma representa la frecuencia de ventas de distintas cantidades de juegos en una juguetería.

Hoja de cálculo (pág. 9)

Una hoja de cálculo se utiliza para organizar y analizar datos. Las hojas de cálculo vienen divididas en filas y columnas. Una casilla es el cuadrado donde se encuentran una fila y una columna. Los nombres de la fila y la columna determinan el nombre de la casilla. Una casilla puede contener valores, rótulos o fórmulas.

Ejemplo En la hoja de cálculo de la derecha, la columna C y la fila 2 se encuentran en el cuadro sombreado, la casilla C2. El valor de la casilla C2 es 2.75.

	A	B	C	D	E
1	0.50	0.70	0.60	0.50	2.30
2	1.50	0.50	2.75	2.50	7.25

Imagen (pág. 482)

Un punto, recta o figura que ha sufrido una transformación de modo que tiene un nuevo conjunto de coordenadas es la *imagen* del punto, recta o figura original.

Ejemplo $A'B'C'D'$ es la imagen de $ABCD$.

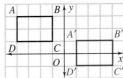

J

Juego justo (pág. 421)

Un juego es justo cuando cada jugador tiene la misma oportunidad de ganar.

Ejemplo Los jugadores A y B tiran un cubo numerado. El jugador A gana un punto si sale un número par. El jugador B gana un punto si sale un número impar. Este juego es justo.

L

Litro (pág. 225)

El litro (L) es la unidad básica de capacidad, o volumen, en el sistema métrico decimal.

Ejemplo Una jarra contiene unos 2 L de jugo.

M

Máximo común divisor (M.C.D.) (pág. 289)

El máximo común divisor de dos o más números es el mayor número que sea un factor de todos los números.

Ejemplo El máximo común divisor de 12 y 30 es 6.

Media (pág. 16)

La media de un conjunto de datos es la suma de todos los datos dividida entre el número de datos.

Ejemplo La temperatura media (°F) para el conjunto de temperaturas 44, 52, 48, 55, 60, 67 y 58 es: $\frac{44 + 52 + 48 + 55 + 60 + 67 + 58}{7} \approx 54.86°F$.

Mediana (pág. 16)

La mediana es el número central de un conjunto de datos cuando los datos están dispuestos en orden numérico. Si hay un número par de datos, entonces la mediana es la media de los dos números centrales.

Ejemplo Las temperaturas (°F) durante una semana dispuestas en orden numérico son 44, 48, 52, 55, 58, 60 y 67. La mediana es 55, ya que éste es el número central en el conjunto de datos.

Mediatriz (pág. 75)	Una recta que es perpendicular a un segmento y pasa por su punto medio es la mediatriz de dicho segmento.

Ejemplo $\overleftrightarrow{MK} \perp \overline{AB}$, $AM = MB$. $\overleftrightarrow{MK}$ es la mediatriz de $\overline{AB}$.

Metro (pág. 200)

El metro (m) es la unidad básica de longitud en el sistema métrico decimal.

Ejemplo La agarradera de una puerta se halla a una altura de aproximadamente 1 m del piso.

Mínima expresión de una fracción (pág. 288)

Una fracción se halla en su mínima expresión cuando el único factor común del numerador y el denominador es 1.

Ejemplo La fracción $\frac{1}{3}$ es la mínima expresión de $\frac{27}{81}$.

Mínimo común denominador (m.c.d.) (pág. 317)

El mínimo común denominador de dos o más fracciones es el mínimo común múltiplo de sus denominadores.

Ejemplo El mínimo común denominador de las fracciones $\frac{1}{5}$ y $\frac{2}{3}$ es 15.
$\frac{1}{5} + \frac{2}{3} = \frac{3}{15} + \frac{10}{15} = \frac{13}{15}$

Moda (pág. 17)

La moda es el dato que se presenta con mayor frecuencia en un conjunto.

Ejemplo La moda en el conjunto de salarios por hora $2.50, $3.75, $3.60, $2.75, $2.75 y $3.70 es $2.75.

Muestra (pág. 31)

Una muestra de un grupo es un grupo menor seleccionado del grupo. Una muestra representativa de un grupo es un subgrupo que tiene las mismas características que el grupo mayor. Una muestra aleatoria de un grupo es un subgrupo seleccionado de modo que cada miembro del grupo tenga la misma probabilidad de ser seleccionado.

Ejemplo Una muestra representativa de las pruebas de matemáticas de la semana pasada incluye pruebas de cada una de las clases. Una muestra aleatoria se obtiene mezclando todas las pruebas y seleccionando un número determinado de ellas sin mirarlas.

Múltiplo (pág. 284)

Si un número se multiplica por cualquier número entero que no sea cero, el resultado es un *múltiplo* del número original.

Ejemplo Los números 13, 26, 39, 52, . . . son múltiplos de 13.

N

Notación científica (pág. 249)

Un número se expresa en notación científica cuando se escribe como el producto de un número mayor o igual que 1 y menor que 10, por una potencia de 10.

Ejemplo 37,000,000 se escribe 3.7×10^7 en notación científica.

Números compatibles (pág. 98)	Estimar cocientes es más fácil si se usan números compatibles. Los números compatibles son números fáciles de dividir mentalmente, y con valores cercanos a los números que deseas dividir.
Ejemplo	Estima el cociente $151 \div 14.6$. $151 \approx 150$ $14.6 \approx 15$ $150 \div 15 = 10$ $151 \div 14.6 \approx 10$
Número compuesto (pág. 292)	Un número que tiene más de dos factores se llama *número compuesto*.
Ejemplo	24 es un número compuesto que tiene como factores 1, 2, 3, 4, 6, 8, 12 y 24.
Números enteros (pág. 145)	Los números enteros están compuestos por el conjunto de los números naturales y sus opuestos.
Ejemplo	$\ldots -3, -2, -1, 0, 1, 2, 3, \ldots$ son números enteros.
Números naturales (pág. 145)	El conjunto de los números naturales está formado por los números enteros positivos y cero: 0, 1, 2, 3, . . .
Ejemplo	Los números 4, 125 y 3,947 son naturales, pero -4, 17.5 y $2\frac{1}{2}$ no son naturales.
Números opuestos (pág. 145)	Números que se hallan a la misma distancia del cero en la recta numérica pero en direcciones opuestas se llaman *números opuestos*. La suma de dos números opuestos es cero.
Ejemplo	Los números -17 y 17 son opuestos.
Número primo (pág. 292)	Un número primo es un número que tiene exactamente dos factores: 1 y el número mismo.
Ejemplo	13 es un número primo porque sus únicos factores son 1 y 13.

O

Operaciones inversas (pág. 164)	Las operaciones que se "deshacen" una a la otra, como la suma y la resta, son operaciones inversas.
Ejemplo	$15 + 3 - 3 = 15$ $a + b - b = a$
Orden de las operaciones (pág. 121)	**1.** Haz todas las operaciones entre paréntesis. **2.** Trabaja con las potencias. **3.** Multiplica y divide de izquierda a derecha. **4.** Suma y resta de izquierda a derecha.
Ejemplo	$2^3(7 - 4) = 2^3 \cdot 3 = 8 \cdot 3 = 24$

Origen (pág. 459)

Se llama *origen* al punto de intersección del eje de x con el eje de y en un plano de coordenadas.

Ejemplo El par ordenado que describe al origen es $(0, 0)$.

P

Par ordenado (pág. 459)

Un par ordenado es un par de números que describe la posición de un punto en un plano de coordenadas. El primer valor es la coordenada x y el segundo valor es la coordenada y.

Ejemplo $(-2, 1)$ es un par ordenado. La coordenada x es -2; la coordenada y es 1.

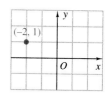

Paralelogramo (pág. 66)

Un paralelogramo es un cuadrilátero en el cual ambos pares de lados opuestos son paralelos.

Ejemplo $\overline{KV}$ es paralelo a $\overline{AD}$ y $\overline{AK}$ es paralelo a $\overline{DV}$, así que $KVDA$ es un paralelogramo.

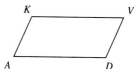

Pendiente (pág. 466)

La pendiente de una recta es el número que describe su inclinación.

$$\text{pendiente} = \frac{\text{cambio vertical}}{\text{cambio horizontal}}$$

Ejemplo La pendiente de la recta $= \frac{2}{4} = \frac{1}{2}$.

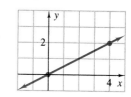

Perímetro (pág. 193)

El perímetro de una figura es el largo de su contorno.

Ejemplo El perímetro de $ABCD$ es 12 pies.

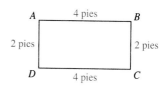

Permutación (pág. 442)

Una agrupación de datos en el cual el orden es importante es una *permutación*.

Ejemplo Existen seis permutaciones de las letras W, A y X: WAX, WXA, AXW, AWX, XWA y XAW.

Pirámide (pág. 81)	Las pirámides son figuras tridimensionales con sólo una base. La base es un polígono y las otras caras son triángulos. Las pirámides se nombran de acuerdo a la forma de la base.

Ejemplo

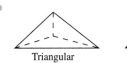

Triangular   Rectangular

Plano de coordenadas (pág. 459)	La intersección de una recta numérica horizontal, llamada el eje de x, con una recta numérica vertical, llamada el eje de y, da lugar al plano de coordenadas.

Ejemplo

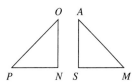

Población (pág. 31)	Una población es una colección de objetos o un grupo de personas sobre los cuales se desea reunir información.

Ejemplo   Un inspector de control de calidad examina una muestra de la población de los productos de una fábrica.

Polígonos congruentes (pág. 61)	Son polígonos congruentes aquéllos cuyas partes correspondientes (lados y ángulos) son congruentes.

Ejemplo $\triangle PON \cong \triangle MAS$.

Polígono regular (pág. 66)	Un polígono regular tiene todos sus lados y todos sus ángulos congruentes.

Ejemplo   *ABDFEC* es un hexágono regular.

Porcentaje (pág. 385)	Un porcentaje es una razón que expresa un número como fracción de 100. El símbolo de porcentaje es %.

Ejemplo $50\% = \frac{50}{100}$

Porcentaje de cambio (pág. 403)	El porcentaje de cambio es el porcentaje que un dato aumenta o disminuye en relación con su medida o cantidad original.

Ejemplo   Si el alumnado de una escuela aumenta de 480 a 500 estudiantes, la cantidad del cambio es 20. Usa la proporción $\frac{20}{500} = \frac{\text{porcentaje de cambio}}{100}$ para calcular que el porcentaje de cambio es 4%.

Pregunta capciosa (pág. 32)	Una pregunta es capciosa cuando implica suposiciones sobre la persona interrogada o cuando favorece una respuesta sobre otra.
Ejemplo	¿Prefieres alimentos saludables o golosinas grasosas y sin valor nutritivo?

Principio de conteo (pág. 428)	El número de resultados posibles para un suceso es el producto del número de resultados posibles en cada etapa del suceso.
Ejemplo	Lanza una moneda al aire y tira un cubo numerado. El número total de resultados posibles = 2 × 6 = 12.

Prisma (pág. 80)	Un prisma es una figura tridimensional con dos caras poligonales congruentes y paralelas llamadas bases. Un prisma recibe su nombre de acuerdo a la forma de las bases.
Ejemplo	

Rectangular   Triangular

Probabilidad (pág. 419)	Cuando todos los resultados son equiprobables, la probabilidad de que un suceso E ocurra es: $P(E) = \dfrac{\text{número de resultados favorables}}{\text{número de resultados posibles}}$
Ejemplo	La probabilidad de que salga el número 4 al hacer girar la ruleta es $\frac{1}{8}$.

Probabilidad experimental (pág. 438)	La probabilidad experimental es una estimación basada en la frecuencia relativa de resultados positivos que tienen lugar durante un experimento.
Ejemplo	Si 2 de las primeras 10 piezas producidas en una línea de montaje salen defectuosas, se puede estimar que 5 de 25 serán defectuosas.

Progresión (pág. 245)	Una progresión es un conjunto de números ordenados de acuerdo a un patrón determinado. Los números que componen la progresión se llaman *términos* de la progresión.
Ejemplo	3, 6, 9, 12, 15 es una progresión.

Progresión aritmética (pág. 245)	Una progresión aritmética es una sucesión de números en la que cada término se obtiene sumándole el mismo número al término anterior.
Ejemplo	La progresión 4, 10, 16, 22, 28, 34, . . . es una progresión aritmética.

Progresión geométrica (pág. 246)	Una progresión geométrica es una sucesión de números en la que cada término se obtiene multiplicando el término anterior por el mismo número.
Ejemplo	La progresión 1, 3, 9, 27, 81, . . . es una progresión geométrica.

Propiedad asociativa de la multiplicación (pág. 110)	El modo de agrupar los factores no afecta el producto.
Ejemplo	$(3 \times 4) \times 5 = 3 \times (4 \times 5)$ $(a \times b) \times c = a \times (b \times c)$
Propiedad asociativa de la suma (pág. 102)	El modo de agrupar los sumandos no afecta la suma.
Ejemplo	$(2 + 3) + 7 = 2 + (3 + 7)$ $(a + b) + c = a + (b + c)$
Propiedad conmutativa de la multiplicación (pág. 109)	El orden de los factores no altera el producto.
Ejemplo	$2 \times 3 = 3 \times 2$ $ab = ba$
Propiedad conmutativa de la suma (pág. 102)	El orden de los sumandos no afecta la suma.
Ejemplo	$2 + 3 = 3 + 2$ $a + b = b + a$
Propiedad de identidad de la multiplicación (pág. 109)	El producto de 1 y cualquier número es igual a dicho número.
Ejemplo	$a(1) = a$
Propiedad de identidad de la suma (pág. 102)	La suma de cualquier número y 0 es igual a dicho número.
Ejemplo	$a + 0 = a$
Propiedad de igualdad en la división (pág. 176)	Si se divide ambos lados de una ecuación por un número que no sea cero, se mantiene la igualdad.
Ejemplo	Si $a = b$ y $c \neq 0$, entonces $\frac{a}{c} = \frac{b}{c}$.
Propiedad de igualdad en la multiplicación (pág. 176)	Si ambos lados de una ecuación se multiplican por un mismo número, se mantiene la igualdad.
Ejemplo	Si $a = b$, entonces $a \cdot c = b \cdot c$.
Propiedad de igualdad en la resta (pág. 172)	Si el mismo número se resta de ambos lados de una ecuación, se mantiene la igualdad.
Ejemplo	Si $a = b$, entonces $a - c = b - c$.
Propiedad de igualdad en la suma (pág. 172)	Si se suma el mismo número a ambos lados de una ecuación, la igualdad no se altera.
Ejemplo	Si $a = b$, entonces $a + c = b + c$.
Propiedad del cero en la multiplicación (pág. 109)	El producto de cero y cualquier número es cero.
Ejemplo	$a \times 0 = 0$
Propiedad distributiva (pág. 117)	Cada término dentro de un paréntesis puede ser multiplicado por un factor fuera del paréntesis.
Ejemplo	$2(3 + 5) = 2 \cdot 3 + 2 \cdot 5$ $a(b + c) = ab + ac$

| **Proporción** (pág. 373) | | Una proporción es una ecuación donde se establece que dos razones son iguales. |
| | Ejemplo | La ecuación $\frac{3}{12} = \frac{12}{48}$ es una proporción. |

| **Punto medio** (pág. 75) | | El punto medio de un segmento es el punto que lo divide en dos segmentos congruentes. |
| | Ejemplo | $\overline{XM} \cong \overline{MY}$. M es el punto medio de $\overline{XY}$. |

R

| **Radio** (pág. 70) | | Un radio es un segmento que tiene un extremo en el centro de un círculo y el otro en el círculo. |
| | Ejemplo | $\overline{OA}$ es un radio del círculo O. |

| **Raíz cuadrada** (pág. 210) | | Una raíz cuadrada es uno de los dos factores iguales de un número. |
| | Ejemplo | $\sqrt{9} = 3$ porque $3^2 = 9$ |

| **Razón** (pág. 365) | | Una razón es la comparación de dos números mediante una división. |
| | Ejemplo | Una razón puede escribirse de tres formas diferentes: 72 a 100, 72 : 100 y $\frac{72}{100}$ |

| **Recíproco del teorema de Pitágoras** (pág. 214) | | En cualquier triángulo cuyos lados tienen longitudes a, b y c, si $a^2 + b^2 = c^2$, entonces el triángulo es rectángulo. |
| | Ejemplo | El triángulo de la derecha tiene lados de longitudes 5, 12 y 13. Como $5^2 + 12^2 = 25 + 144 = 169 = 13^2$, el triángulo es un triángulo rectángulo. |

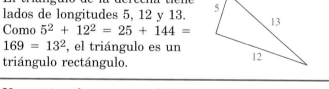

| **Rectángulo** (pág. 66) | | Un rectángulo es un paralelogramo con cuatro ángulos rectos. |
| | Ejemplo | |

Rectas paralelas (pág. 66)	Rectas paralelas son aquéllas que se encuentran en un mismo plano y no se cortan.
Ejemplo	$\overleftrightarrow{EF} \parallel \overleftrightarrow{HI}$ 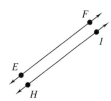

Rectas perpendiculares (pág. 75)	Dos rectas son perpendiculares si se cortan formando ángulos rectos.
Ejemplo	$\overleftrightarrow{DE} \perp \overleftrightarrow{RS}$ 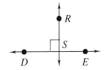

Reflexión (pág. 487)	Una reflexión es una transformación que invierte una figura sobre una recta.
Ejemplo	$K'L'M'N'$ es una reflexión de $KLMN$ sobre el eje de y. 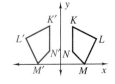

Relación (pág. 369)	Una relación es una razón que compara dos cantidades medidas en dos unidades diferentes.
Ejemplo	Un estudiante mecanografía un ensayo de 1,100 palabras en 50 minutos. La relación es de 1,100 palabras por 50 min, ó 22 palabras/min.

Relación unitaria (pág. 369)	Una relación unitaria es la relación por cada unidad de una cantidad dada.
Ejemplo	Si recorres 165 mi en 3 h, la relación unitaria es $\frac{165 \text{ mi}}{3 \text{ h}} = 55$ mi/h.

Resultados (pág. 419)	Se llama resultados a los posibles efectos o consecuencias de una acción.
Ejemplo	Los resultados de tirar un cubo numerado son 1, 2, 3, 4, 5 ó 6.

Rombo (pág. 67)	Un rombo es un paralelogramo con cuatro lados congruentes.
Ejemplo	

Rotación (pág. 489)	Una rotación es una transformación en la cual una figura gira alrededor de un punto fijo, llamado *centro de rotación*.

Ejemplo $\triangle RST$ ha sido rotado 180° en torno al origen (O) para formar $\triangle R'S'T'$.

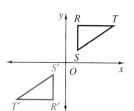

S

Segmentos congruentes (pág. 54)	Segmentos congruentes son aquéllos que tienen la misma longitud.

Ejemplo $\overline{AB} \cong \overline{WX}$

A •———————• B

W •—————• X

Semejante (pág. 378)	Las figuras que tienen la misma forma son semejantes.

Ejemplo $\triangle ABC \sim \triangle RTS$

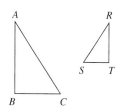

Simetría rotacional (pág. 489)	Una figura tiene simetría rotacional cuando su imagen después de una rotación coincide exactamente con la figura original.

Ejemplo Esta figura tiene simetría rotacional de 60°.

Simulación (pág. 435)	Una simulación es un modelo de una situación de la vida real.

Ejemplo Un equipo de béisbol tiene oportunidades iguales de ganar o perder el próximo juego. Se puede lanzar una moneda al aire para simular el resultado.

Solución de una ecuación (pág. 170)	Un valor de la variable que hace que una ecuación se cumpla se llama una *solución* de la ecuación.

Ejemplo En $x + 5 = 9$, 4 es la solución.

Solución de una ecuación de dos variables (pág. 462)	Un par ordenado que satisface una ecuación de dos variables es una solución de dicha ecuación.

Ejemplo (8, 4) es una solución de $y = -1x + 12$ porque $4 = -1(8) + 12$.

Suceso (pág. 419)	Un suceso es cualquier grupo de resultados.

Ejemplo Hay seis resultados posibles cuando se tira un cubo numerado. El suceso (número par) consta de tres resultados: 2, 4 y 6.

Sucesos dependientes (pág. 431)   Dos sucesos son dependientes cuando el resultado del primer suceso afecta al resultado del segundo suceso.

Ejemplo   Cuando se saca una canica al azar de una bolsa con canicas rojas y azules y no se devuelve antes de sacar otra canica, los sucesos (roja y luego azul) son dependientes.

Sucesos independientes (pág. 431)   Dos sucesos son independientes si el resultado de uno de ellos no afecta al resultado del otro.

Ejemplo   Cuando se saca una canica de una bolsa que contiene canicas rojas y azules, y se vuelve a poner en la bolsa antes de sacar otra canica, los sucesos (roja y luego azul) son independientes.

T

Tabla arborescente (pág. 26)   Una tabla arborescente muestra datos en orden de valor relativo. Cada "hoja" representa el último dígito de un dato. Cada "tallo" representa los dígitos a la izquierda de la hoja.

Ejemplo   Esta tabla arborescente muestra los tiempos registrados en una carrera. Los tallos representan el número de segundos y las hojas representan las décimas de segundo, de modo que 27 | 7 representa 27.7.

27	7
28	568
29	69
30	8

tallos   hojas

Tabla de frecuencia (pág. 5)   Una tabla de frecuencia registra el número de veces, o frecuencia, que se ha producido cada tipo de resultado.

Ejemplo   Esta tabla de frecuencia muestra el número de teléfonos por casa entre los estudiantes de una clase.

Teléfonos	Conteo	Frecuencia
1	ⅢⅡ III	8
2	ⅢⅡ I	6
3	IIII	4

Teorema de Pitágoras (pág. 213)   En cualquier triángulo rectángulo, la suma de los cuadrados de las longitudes de los catetos (a y b) es igual al cuadrado de la hipotenusa (c): $a^2 + b^2 = c^2$

Ejemplo   Las longitudes de los catetos del triángulo rectángulo de la derecha son 3 y 4 y su hipotenusa mide 5: $3^2 + 4^2 = 5^2$.

Transformaciones (pág. 482)   Los movimientos de figuras en un plano se llaman *transformaciones*. Hay tres tipos de transformaciones: traslaciones, reflexiones y rotaciones.

Ejemplo $K'L'M'N'$ es una reflexión de $KLMN$.

Trapecio (pág. 66)	Un trapecio es un cuadrilátero que tiene exactamente un par de lados paralelos.

Ejemplo

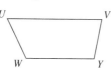

Traslación (pág. 482)	Una traslación es una transformación que desliza una figura sobre el plano de coordenadas.

Ejemplo El rectángulo $A'B'C'D'$ es producto de la traslación del rectángulo $ABCD$.

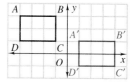

Triángulo acutángulo (pág. 54)	Un triángulo en el que los tres ángulos son agudos es un triángulo acutángulo.

Ejemplo $m\angle 1, m\angle 2, m\angle 3 < 90°$

Triángulo equilátero (pág. 54)	Un triángulo es equilátero cuando sus tres lados son congruentes.

Ejemplo $SL \cong LW \cong WS$

Triángulo escaleno (pág. 54)	Un triángulo escaleno es un triángulo que no tiene ningún par de lados congruentes.

Ejemplo

Triángulo isósceles (pág. 54)	Un triángulo que tiene al menos dos lados congruentes se llama isósceles.

Ejemplo $\overline{LM} \cong \overline{LB}$

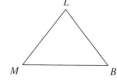

Triángulo obtusángulo (pág. 54)   Un triángulo es obtusángulo cuando contiene un ángulo obtuso.

Ejemplo $90° < m\angle J < 180°$

Triángulo rectángulo (pág. 54)   Un triángulo rectángulo es un triángulo que tiene un ángulo recto.

Ejemplo $m\angle B = 90°$

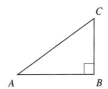

V

Valor absoluto (pág. 145)   El valor absoluto de un número es la distancia desde cero hasta ese número en la recta numérica.

Ejemplo   El valor absoluto de -3 es 3, pues -3 se halla a 3 unidades de distancia de cero en la recta numérica.

Valor extremo (pág. 17)   En un conjunto de datos, un valor que es mucho mayor o menor que el resto de los datos se llama un *valor extremo*.

Ejemplo   Un valor extremo en la lista 6, 7, 9, 10, 11, 12, 14, 52 es 52.

Variable (pág. 125)   Una variable es un símbolo, generalmente una letra, que representa a un número.

Ejemplo x es la variable en la ecuación $9 - x = 3$.

Ventaja/desventaja (pág. 420)   La ventaja o desventaja de un suceso se expresa mediante la siguiente razón:

ventaja o desventaja $= \dfrac{\text{número de resultados favorables}}{\text{número de resultados desfavorables}}$

Cuando el numerador es mayor que el denominador se habla de la ventaja. Cuando el numerador es menor que el denominador se habla de la desventaja.

Ejemplo   La desventaja de obtener un 4 al hacer girar la ruleta es de $\frac{1}{7}$ ó 1 contra 7.

Vértice de un polígono (pág. 61)   Un vértice de un polígono es cualquier punto donde se encuentran dos de sus lados.

Ejemplo   *C, D, E, F* y *G* son todos vértices de este pentágono.

Volumen (pág. 223)   El volumen de una figura tridimensional es el número de unidades cúbicas necesarias para llenar el espacio interior de la figura.

Ejemplo   El volumen de este prisma rectangular es 36 pulg³.

cada cubo = 1 pulg³

Índice

Índice

Índice

Respuestas escogidas

CAPÍTULO 1

1-1 (págs. 5–8)

Por tu cuenta

17. a.

Color	Frec.
rojas	7
rosadas	2
verdes	3
azules	9
varios	4

b. 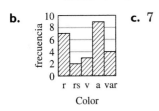 **c.** 7

19. a.

Hora	Frec.
5:30–5:59	2
6:00–6:29	5
6:30–6:59	1
7:00–7:29	3
7:30–7:59	3
8:00–8:29	2

b. 6:00–6:29

Repaso mixto **1.** = **2.** < **3.** 1,000 **4.** 490
5. ×, −, ×

1-2 (págs. 9–11)

Por tu cuenta **9. a.** cuántas películas se filmaron en tres países durante 1991 **b.** no hay cambio con el tiempo **11.** una gráfica de barras; el tiempo no se tiene en cuenta **13.**

Repaso mixto **1.** 32 **3.** 2 **4.** 13 **5.** 108 **6.** 6

1-3 (págs. 12–14)

Por tu cuenta **11.** gráfica de doble barra

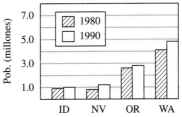

13. Ejemplo: 1965; la gasolina estaba cara y más personas se empezaron a interesar por el deporte

Repaso mixto **1.** B **2.** $720

3. **4.**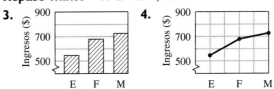

5. $170

Vistazo a lo aprendido **1.** B

2.

núm.	1 2 3 4 5 6 7 8 9
frec.	2 2 2 2 3 1 2 2 1

```
            ×
  ×  ×  ×  ×  ×     ×  ×
  ×  ×  ×  ×  ×  ×  ×  ×  ×
  1  2  3  4  5  6  7  8  9
```

Práctica: Resolver problemas (pág. 15)

1. 7 **3. a.** en la que tenía la etiqueta "melocotones y ciruelas" **b.** la etiqueta de los melocotones decía "melocotones y ciruelas"; la de las ciruelas decía "melocotones"; la de los melocotones y ciruelas decía "ciruelas"
5. 7 estudiantes no tenían animales domésticos.

1-4 (págs. 16–19)

Por tu cuenta **13. a.** 25 **b.** 11 **15. a.** 74; 71; 63
b. sí, 102; sube la media **c.** 40 años **17. a.** 86.8
b. Ejemplo: no; si Dominic sacara 100, su promedio subiría sólo a 89.

Repaso mixto **1.** = **2.** < **3.** Ejemplo:
C = A • B; A2 = A1 − 4, A3 = A2 − 4,
B2 = B1 − 3, B3 = B2 − 3 **4.** 600 **5.** 800

1-5 (págs. 20–22)

Por tu cuenta   9. correlación positiva   **11.** sin correlación

13. a.

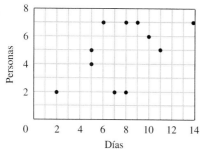

Repaso mixto   1. 84; 85; 85   **2.** 30; baja la media
3. 2 estudiantes

1-6 (págs. 23–25)

Por tu cuenta   9. 1,850   **11.** $3.50   **13.** 5

Repaso mixto   1. correlación positiva   **2.** 20
3. 360   **4.** 370   **5.** 200   **6.** 1,200

1-7 (págs. 26–29)

Por tu cuenta   13. 43; 88   **15.** 64; 45

Repaso mixto   1. =   **2.** <   **3.** 16, 22   **4.** 25, 36, 49   **5.** 15 personas

Vistazo a lo aprendido   1. 117.8; 118; 123; 12; no hay extremos   **2.** aproximadamente 7.267; 7.5; no hay moda; 5.3; 3.6 (baja la media)

3.

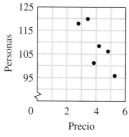

4. Elsa, toalla rosada y pelota; Keiko, toalla azul y sándwiches; LaTonya, toalla a rayas y té helado

Práctica (pág. 30)

3.

```
1 | 0  0  1  1  2  2  2  4  4  5  5  6  7  9
2 | 0  1  3  6  7
3 | 5  8
```
2 | 1 significa 21

5. 28 min   **7.** Miér.   **9.** 95

11.

Velocidad	Frec.
9	1
14	1
16	1
18	1
25	2
29	1
30	1
33	1
34	2
38	1

13. aproximadamente 25.4; 27; 25 y 34; 29   **15.** 3

1-8 (págs. 31–33)

Por tu cuenta   7. imparcial   **9.** imparcial
11. Ejemplo: si va a la terminal principal para hacer la encuesta

Repaso mixto   1. 10   **2.** 15; 10.5; 10; 24   **3.** moda

1-9 (págs. 34–37)

Por tu cuenta   15. a. 84; 83; 76   **b.** media
c. moda   **19.**

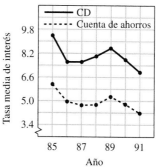

Repaso mixto   1. no; sin correlación   **2.** sí; correlación positiva   **3.** no   **4.** 4,191   **5.** 9   **6.** ×, +, − ó ×, ÷, ÷

En conclusión (págs. 38–39)

1.

2. a. 0.9   **b.** A2

c.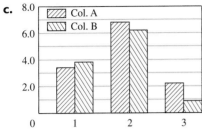

3. a. Ejemplo: una gráfica lineal; muestra los cambios a lo largo del tiempo **4.** Ejemplo: porque compara hombres y mujeres en determinados países; no hay cambio con el tiempo **5. a.** 27.5; 20; 15 **b.** 60 y 65; suben la media **c.** media **6.** B

7. 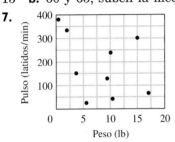 **a.** sin correlación

8.

2	4	7	
3	1	1	2
4	6		

2 | 4 significa 2.4

mediana: 3.1; moda: 3.1

10. Sam, araña, manzanas; Katie, pez, palomitas; Martín, zorro, galletas

Preparación para el Capítulo 2 1. triángulo, hexágono, paralelogramo, rectángulo

Repaso general (pág. 43)

1. C **2.** B **3.** A **4.** A **5.** B **6.** C **7.** C **8.** B **9.** A **10.** D

CAPÍTULO 2

2-1 (págs. 47–48)

Por tu cuenta 5. a. matriz de puntos de 5 × 5; matriz de puntos de 6 × 6 **b.** matriz de puntos de 20 × 20 **7.** C

Repaso mixto 1. 20 **2.** 15, 22 **3.** No. El doble de $40 es $80, no $44. **4.** el miércoles

2-2 (págs. 49–53)

Por tu cuenta 17. llano **19.** obtuso
21. no; 35° **25.** $\overline{BC}$, $\overline{HC}$, $\overline{AB}$ **27.** ∠FBA, ∠ABG, ∠FBD, ∠GBD **29.** ∠KHJ, ∠LHE; ∠JCD, ∠LCA
31. 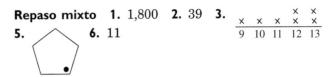 **33.** $m\angle A = 100°$; $m\angle B = 115°$; $m\angle C = 75°$; $m\angle D = 70°$ **41.** B **43.** 53°

Repaso mixto 1. 1,800 **2.** 39 **3.**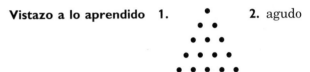
5. **6.** 11

2-3 (págs. 54–57)

Por tu cuenta 11. 35° **15.** C **17.** 70°, 40°
19. a. acutángulo **b.** No; los ángulos no son congruentes. **c.** No; no tiene 2 ángulos congruentes. **d.** Sí; el triángulo es escaleno; no hay lados congruentes si no hay ángulos congruentes.

Vistazo a lo aprendido 1. **2.** agudo

3. obtuso **4.** recto **5.** equilátero, acutángulo **6.** isósceles, obtusángulo **7.** escaleno, rectángulo

Repaso mixto 1.

n	2	3	4	5	6	7	8
f	2	4	2	4	4	3	1

2. obtuso **3.** adyacentes **4.** Melinda, 13; Jolene, 4

2-4 (págs. 58–60)

Por tu cuenta 9. 12 lápices **11.** 111117, 211116, 221115, 222114, 222213, 222222, 311115, 321114, 322113, 331113, 411114 **13.** 13 D, 1 Q; 8 D, 3 Q; 3 D, 5 Q **15.** 225 bulbos **17.** 10 años y 11 años **19.** 60°, 28°, 92°

Repaso mixto 1. 7 **2.** 5,600 **3.** 86.6; 85; 85 **4.** 95 **5.** 95° **6.** obtusángulo **7.** 99, 67

2-5 (págs. 61–65)

Por tu cuenta **11.** c, d; b, e; a, f **13. a.** $\angle C$
b. $\angle L$ **c.** $\angle K$ **d.** $\overline{CL}$ **e.** $\overline{LK}$ **f.** $\overline{CK}$ **19.** D
21. b.

Repaso mixto **1.** = **2.** = **3.** 125° **4.** $\angle PSQ$,
$\angle QSR$ **5.** 136

2-6 (págs. 66–69)

Por tu cuenta **9.** rombo; todos los lados;
$\angle S \cong \angle Q$; $\angle P \cong \angle R$ **11.** rectángulo; $\overline{BC} \cong \overline{AD}$;
$\overline{BA} \cong \overline{CD}$; $\angle B \cong \angle A \cong \angle D \cong \angle C$ **13.** octágono;
no **15.** pentágono; sí **17.** rombo, paralelogramo,
rectángulo, cuadrado; cuadrado **19.** trapecio
23. **25.** Sí, un cuadrado tiene 4 lados
congruentes (rombo) y 4 ángulos
congruentes (rectángulo).
29. $\overline{DC}$: 6 cm; $\angle C$: 65° **31.** $\overline{XY}$, $\overline{YZ}$, $\overline{ZW}$: 4 cm
33. No se puede hallar más información.

Repaso mixto **1.** 9 **2.** 49 **3.** escaleno
4. acutángulo **5.** $\angle L$ **6.** $\overline{CA}$ **7.** 30°, 60°

2-7 (págs. 70–73)

Por tu cuenta **15.** Ejemplo: $\overline{FG}$, $\overline{GH}$ **17.** Ejemplo:
$\overline{FH}$ **19.** Ejemplo: $\overparen{FGH}$ **21.** Ejemplo: $\overline{FH}$
23. Ejemplo: $\triangle FGH$ **25.** D **27.** triángulo
rectángulo

Repaso mixto **1.**

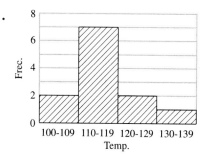

4. montando en bicicleta

Práctica (pág. 74)

1. **3.** agudo **5.** llano **7.** Ejemplo: $\overleftrightarrow{CF}$,
$\overleftrightarrow{BE}$ **9.** Ejemplo: $\overrightarrow{GB}$, $\overrightarrow{GD}$
11. Ejemplo: $\angle AGC$, $\angle FGD$
13. Ejemplo: $\angle AGC$, $\angle DGC$ **15.** 50°; acutángulo
17. 60°; acutángulo **19.** $\angle F$ **21.** $\overline{EF}$

2-8 (págs. 75–78)

Por tu cuenta **13.** 132°

Repaso mixto **1.**

4	3 5 6
5	1 5 6 6 6 9
6	1 3 3

4 | 3 significa 43

2.

20	8 9
21	1 2 3 8
22	1 2 5
23	
24	1

3. Verdadero

20 | 8 significa 208

4. Falso **5.** 4 ángulos

Vistazo a lo aprendido **1.** $m\angle 1 = 32°$; $m\angle 2 = 50°$
2. $m\angle 3 = 78°$, $m\angle 4 = 70°$ **7.** $\overrightarrow{OR}$, $\overrightarrow{OQ}$, $\overrightarrow{OP}$
8. $\overline{RP}$ **9.** $\overparen{PTR}$, $\overparen{RQP}$ **10.** $\overline{RQ}$, $\overline{QP}$, $\overline{PT}$, $\overline{TR}$, $\overline{RP}$
11. $RQPT$ **13.** C

Práctica: Resolver problemas (pág. 79)

1. 3 pequeñas, 5 grandes **3.** 18 niñas **5.** 13
triángulos **7.** 22 camisetas

2-9 (págs. 80–83)

Por tu cuenta **9.** cono **11.** cilindro **13.** prisma
hexagonal **19.** Falso

Repaso mixto **1.** 36; 68 **2.** No, un rombo no
necesita tener ángulos rectos. **3.** punto medio
4. 41° **5.** 6 combinaciones

En conclusión (pág. 84)

1. 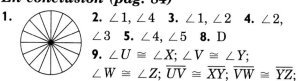 **2.** $\angle 1$, $\angle 4$ **3.** $\angle 1$, $\angle 2$ **4.** $\angle 2$,
$\angle 3$ **5.** $\angle 4$, $\angle 5$ **8.** D
9. $\angle U \cong \angle X$; $\angle V \cong \angle Y$;
$\angle W \cong \angle Z$; $\overline{UV} \cong \overline{XY}$; $\overline{VW} \cong \overline{YZ}$;
$\overline{UW} \cong \overline{XZ}$ **10.** un cuadrilátero con exactamente 1
par de lados paralelos **11.** un paralelogramo con 4
lados congruentes **12.** $\overline{DC}$ **13.** $\overparen{ABC}$ **14.** $\angle BOC$
15. $ABCD$ **16.** $\overparen{AB}$ **18.** $m\angle I = 32°$, $m\angle T = 116°$

Preparación para el Capítulo 3 **1.** 1,300
2. 32,000 **3.** 54,670 **4.** 200

Repaso general (pág. 89)
1. B **2.** A **3.** D **4.** A **5.** B **6.** B **7.** C **8.** C
9. A **10.** D

CAPÍTULO 3

3-1 (págs. 93–96)
Por tu cuenta 11. 0.769 **13.** 0.564392 **15.** 18.1,
18.2, 18.3, 18.4, 18.5 **17. b.** Suzanne, Ayla, Simón,
Terri, Max **19. a.** 6 kg; 2 kg **b.** unos tres bolos
21. 0.764 ó .7640 **23.** Edgar Martinez; Terry
Pendleton **25.** No; muchos jugadores parecerían
tener el mismo promedio.

Repaso mixto 1. 23° **2.** acutángulo **3.** Falso
4. Falso **5.** 231 dígitos

3-2 (págs. 97–100)
Por tu cuenta 17. $56 **21.** 4,000; redondeo
23. 2,100; agrupación **25.** 6 **27.** A **29. a.** 80
fideos **b.** números compatibles; 4,000 y 50
31. 3 m

Repaso mixto 1. 30 **2.** 4.004, 0.403, 0.40,
0.040007, 0.04 **3.** 7.681, 7.6801, 7.618, 7.0681
4. 1,157 **5.** 6,187 **6.** 5 pies, 20 pies

3-3 (págs. 101–104)
Por tu cuenta 15. 41 **17.** 11.306 mi/h

Repaso mixto 1. rectángulo **2.** equilátero
3. 100 **4.** 300 **5.** $4.57

Vistazo a lo aprendido 1. 8.5, 8.059, 8.05, 8.0499,
8.049, 8.015 **2.** = **3.** > **4.** < **5. a.** $10 **b.** $11
6. 24.6342 **7.** 66.247

3-4 (págs. 105–107)
Por tu cuenta 11. Se necesita saber cuántos
murieron. **13.** natación, softball, básquetbol,
voleibol **15.** unos dos años

Repaso mixto 1.

2	7 9
3	7
4	0 6 8

2 | 7 significa 27

2.

1	3 3 4 7
2	2 5

1 | 3 significa 1.3
3. 65.029 **4.** 4.962 **5.** 0.3 m **6.** 19, 20, 21

3-5 (págs. 108–111)
Por tu cuenta 19. 0 **21.** 2; 2.4 **23.** 4; 4.4
27. 56.18 cm–67.28 cm

Repaso mixto 1. 33.51682 **2.** 0.619 **3.** obtuso
4. agudo **5.** recto **6.** obtuso **7.** 24 estudiantes

3-6 (págs. 112–114)
Por tu cuenta 11. $0.\overline{285714}$ **13.** $14.\overline{09}$
15. a. $0.\overline{004}$, $0.\overline{005}$, $0.\overline{006}$ **b.** $0.\overline{36}$, $0.\overline{45}$, $0.\overline{54}$
c. $0.\overline{12}$, $0.\overline{15}$, $0.\overline{18}$ **d.** $0.\overline{0396}$, $0.\overline{0495}$, $0.\overline{0594}$
19. Ejemplo: $163 \div 52 \approx 3.1346$

Repaso mixto 1. 1.3 **2.** 1.5 **3.** 13 **4.** 27
5. $1.60

Práctica: Resolver problemas (pág. 115)
1. Tessa, sari; Joe, cuerno; Liz, concha
3. 9:45 a.m. **5.** 60 semanas

3-7 (págs. 116–119)
Por tu cuenta 5. $8(3 + 1)$, $8 \cdot 3 + 8 \cdot 1$; 32
7. $5(2 + 3)$, $5 \cdot 2 + 5 \cdot 3$; 25 **9.** 3, 3 **11.** 7
13. a. $6(5.25) = 6(5) + 6(0.25)$; $31.50
b. $6(4.75) = 6(5) - 6(0.25)$; $28.50 **c.** $60
15. 41.2 **17.** 23.2 **19.** + **21.** $(4 + 4)$
23. $(4 - 4)$ **25.** $(4 + 4)$, $(4 - 4)$
27. a. 27 pulg^2 **b.** 81 pulg^2 **29.** $3.56

Repaso mixto 1. 42; 420; 4,200; 4,200,000
2. $1.\overline{6}$ **3.** 0.4375 **4.** $0.8\overline{3}$ **5.** $27

3-8 (págs. 120–123)
Por tu cuenta 15. a. 6^4 **b.** 6; 4 **c.** 1,296
17. 0.3^5 **19.** 140.608 **21.** 0.0016 **23.** 32 **25.** 1
27. c **29.** a **31. b.** Cuando la base es 10, el
exponente indica cuántos ceros tendrá el número en
forma normal. **c.** 12 **33.** Ejemplo: 2^5, 4^3
35. a. 3^4 **b.** 9^2

Repaso mixto 1. > **2.** > **3.** 4 **4.** 3.8; 3.8 **5.** C

Práctica (pág. 124)

1. = **3.** < **5.** < **7.** > **9.** 0.23, 0.234, 0.24, 0.243 **11.** 10.02, 10.2, 10.201 **13.** 2.27 **15.** 11.303 **17.** $4.\overline{6}$ **19.** 15.54 **21.** 80.113 **23.** 152 **25.** 22.5 **27.** 171 **29.** división **31.** exponentes **33.** división **35.** multiplicación **37.** 216 **39.** 19.683 **41.** 3.24 **43.** 5 **45.** 1.7 **47.** 50 **49.** 4 **51.** 600

3-9 (págs. 125–127)

Por tu cuenta **9.** 23 **11.** 24 **13. a.** 0; 4 **b.** cuando $n = 2$; $4n > n^2$ **15.** algebraica **17.** numérica **19.** 3.7, 1.4, 5.78, 6.8; 4.04, 2.08, 8.3232, 8.16 **21.** Multiplica 0.053 por el número de monedas de diez centavos. Halla la distancia a la Luna en pulgadas y compara.

Repaso mixto **1.** 90° **2.** Falso **3.** 6^5 **4.** 2.4^4 **5.** $5.45

3-10 (págs. 128–131)

Por tu cuenta **17.** 4 dividido por n **19.** 8.2 menos que n **21. a.** $275b$ **b.** 6,875 **c.** Ejemplo: Aproximadamente; no todos los estantes tienen el mismo número de libros. **23.** $10a + 8t$ **25.** D

Repaso mixto **1.** 120 **2.** 40 **3.** 35 **4.** 20 **5.** 192

Vistazo a lo aprendido **1.** C **2.** 18.73404 **3.** $3.\overline{3}$ **4.** 41 **5.** 10 **6.** 250 **7.** 34.2 **8.** p por 3 **9.** 14 más que s **10.** t menos que 7

3-11 (págs. 132–135)

Por tu cuenta **11. a.** 2.9 kW•h **b.** $.32 **13.** $(200 \cdot f) \div 1,000 \cdot 0.13$ **15. a.** $54.65 **b.** $60.43 **c.** $1.95 **17. a.** Invierno **b.** Ejemplo: Los inviernos son fríos en MN. Joan debe tener calefacción eléctrica.

Repaso mixto **1.** propiedad conmutativa de la multiplicación **2.** propiedad de identidad de la multiplicación **3.** $r \div 8$ **4.** $c - 15$ **5.** unos 105 millones

En conclusión (pág. 136)

1. 7; números compatibles **2.** 6; estimación por la izquierda **3.** 48; agrupación **4.** 6; 0.2; propiedad distributiva **5.** 9.2; propiedad conmutativa de la suma **6.** 3; propiedad asociativa de la suma **7.** 5.9; propiedad conmutativa de la multiplicación **8.** 3.2; propiedad asociativa de la multiplicación **9.** 8.1; 6.2; propiedad distributiva **10.** 3, 6, 7, 9; 1, 2, 4, 5, 8, 10 **12.** 8 **13.** 6561 **14.** 2187 **15.** 0.008 **16.** 0.0144 **17.** 27 **18.** 43 **19.** 15 **20.** 31 **21.** $8 - n$ **22.** $6c$ **23.** $2n + 6$ **24. a.** Necesitas saber cuántos kW gasta el refrigerador. **b.** $.11

Preparación para el Capítulo 4 **1.** $8c$ **2.** $d + 2$ **3.** $n - 4$ **4.** $n \div 4$

Repaso general (pág. 141)

1. C **2.** D **3.** B **4.** C **5.** B **6.** D **7.** D **8.** A **9.** D **10.** C

CAPÍTULO 4

4-1 (págs. 145–147)

Por tu cuenta **17. a.** 22 **b.** −43 **19.** −8 **21.** **23.** **25.** > **27.** < **29. a.** 8 **33.** −8 o mayor **35.** −16 o menor

Repaso mixto **1.** 6.868 **2.** 0.48 **3.** 10.9 **4.** 17 **5.** 10

4-2 (págs. 148–149)

Por tu cuenta **9.** 0 **11.** −2 **13.** 2 **15. b.** 0 **21.** −8 **23.** 10 pos. y 2 neg.

Repaso mixto **1.** 50 **2.** 60 **3.** > **4.** > **5.** = **6.** < **7.** 22

4-3 (págs. 150–153)

Por tu cuenta **23.** $2 + (−6)$; −4 **25.** $−2 + (−6)$; −8 **27.** $−12 + 19 = 7$; 7°F **29.** $−16 + 24 = 8$ **31.** 34 **33.** 38 **35. a.** 8 p.m. **37.** 5 **39.** 35 pies

Repaso mixto **1.** 24 **2.** 20 **5.** 13 y 9

Práctica: Resolver problemas (pág. 154)

1. a. $3,880 **3.**

R	Am	Az	V
V	Az	Am	R
Am	R	V	Az
Az	V	R	Am

V	Am	Az	R
Az	R	V	Am
R	Az	Am	V
Am	V	R	Az

5. Ejemplo: los números en paréntesis indican el número de galones en un envase después de cada paso. 8 gal (3) y 5 gal (5); 5 gal (2) y 3 gal (3); 3 gal (0) y 8 gal (6); 5 gal (0) y 3 gal (2); 8 gal (1) y 5 gal (5); 5 gal (4) y 3 gal (3); 3 gal (0) y 8 gal (4)

4-4 (págs. 155–159)

Por tu cuenta **15.** negativa **17.** positiva
19. -12 **21.** 8 **23.** -219 **25.** -136 **27.** 5
29. -9 **31.** 4 **33.** 214°F **35.** unos 130°F
37. unos 130°F **39.** -20 **41.** -160 **43.** -120

Repaso mixto **1.** 4^5 **2.** 1^2 **3.** 9^3 **4.** -3 **5.** 5
6. -9 **7.** 105 mi

4-5 (págs. 160–162)

Por tu cuenta **7.** $200
9.

B	C	D	E
1,000	2,000	3,000	4,000
1,830	3,660	5,490	7,320
11,120	11,120	11,120	11,120
6,000	12,000	18,000	24,000
$-6,950$	$-2,780$	1,390	5,560

a. 1,000($1.83); B1($1.83) **c.** $11,120
d. $6(1,000); $6(B1) **e.** ver tabla **f.** $2,073,880

Repaso mixto **3.** 7 **4.** 9 **5.** 5 **6.** 11, 12

4-6 (págs. 163–166)

Por tu cuenta **29.** 6 min
31. 23 ⁺⁄₋ ✕ 45 ⁺⁄₋ = 1035 **33.** -7 **35.** 2
37. 6,000 **39.** G **41.** F **43. a.** 150 cal; 535 cal
b. ganas 385 cal

Repaso mixto **1.** 2.6 **2.** 29.64 **3.** 79 **4.** 68
5. 24

Vistazo a lo aprendido **1.** $-1,300$ **2.** 83 **3.** 86
4. 103 **5.** -52 **6.** 6 **7.** -180 **8.** 13

4-7 (págs. 167–169)

Por tu cuenta **7.** 2 adultos, 5 niños
9. a. Ludberg, Chester, Topson, Dornville
b. 16.5 mi **11.** Colocando pesas de 9 mg y 2 mg y el alambre en un lado y pesas de 7 mg y 5 mg en el otro lado; hay que ver si se equilibra la balanza.
13. 8 **15.** $29 + 30 + 31$; $21 + 22 + 23 + 24$;
$16 + 17 + 18 + 19 + 20$;
$6 + 7 + 8 + 9 + \cdots + 14$;
$2 + 3 + 4 + 5 + \cdots + 13$ **17.** 28°

Repaso mixto **1.** F **2.** V **3.** 5 **4.** 9 **5.** -480
6. 17 **7.** 27°

4-8 (págs. 170–173)

Por tu cuenta **21.** -12 **23.** 0 **25.** 3 **27.** 10
29. 119 **31.** -9 **33.** 128 **35.** A **37.** Sí; tienen la misma solución. **39.** sumando -15 a ambos lados de la ecuación

Repaso mixto **1.**

2.

n	7	8	9	10	11	12
f	1	2	1	2	1	3

3. -6 **4.** 8 **5.** -8 **6.** -60 **7.** 15

Práctica (pág. 174)

1.

7. $>$ **9.** $=$ **11.** -1 **13.** 3
15. -4 **17.** -4 **19.** -10 **21.** 19 **23.** -9
25. 388 **27.** -24 **29.** 63 **31.** 70 **33.** -27
35. -2 **37.** 1 **39.** -28 **41.** 10 **43.** -5 **45.** 27
47. 17

4-9 (págs. 175–177)

Por tu cuenta **15.** 14 **17.** 2 **19.** 960 **21.** 416
23. -800 **25.** 4,800 **29.** C

Repaso mixto **1.** propiedad distributiva
2. propiedad de identidad **3.** propiedad del cero en la multiplicación **4.** propiedad conmutativa de la suma **5.** -10 **6.** 13 **7.** 12:45 p.m.

4-10 (págs. 178–180)

Por tu cuenta **15.** $\frac{n}{6} = 8$; 48
17. $56 = n - 14$; 70 **19.** $30s = 120$; 4
21. $48 + n = 88$; 40 **23.** $1,000 = 40a$; 25 gal

Repaso mixto   1. recto   **2.** obtuso   **3.** 65   **4.** −7
5. 28

4-11 (págs. 181–183)

Por tu cuenta   7. $3x - 2 = 4$; 2
9. $3(2) + 6 = 12$ **11.** −3   **13.** 121   **15.** −14
17. $(67 - 12) \div 5 =$; 11   **19.** 8   **21.** B

Repaso mixto   1. rectángulo   **2.** equilátero
3. $\frac{n}{8} = 9$; 72   **4.** $n + 15 = 45$; 30   **5.** 10

Vistazo a lo aprendido   1. 11   **2.** 13   **3.** 36   **4.** 1
5. −39   **6.** −21   **7.** 75   **8.** C

En conclusión (págs. 184–185)

1. −9   **2.** ▢ ▢ ▢   **3. a.** 5   **b.** 2   **c.** 17
■ ■ ■   **4.** −6, −3, 0, 1, 7   **5.** <
6. =   **7.** <   **8.** >   **9.** >   **10.** B   **11.** $-4 + (-6)$;
−10   **12.** $5 + (-4)$; 1   **13.** $-6 + 7$; 1   **14.** 3
15. −22   **16.** −5   **17.** 29   **18.** −3   **19.** −30
20. 84   **21.** −25   **22.** 2   **24.** −6   **25.** 4   **26.** 35
27. −2   **28.** $n + 17 = -24$; −41   **29.** $\frac{n}{-9} = -6$;
54   **30.** 16 pequeños, ninguno grande; 9 pequeños,
5 grandes; 2 pequeños, 10 grandes

Preparación para el Capítulo 5   1. 30   **2.** 15
3. 20   **4.** 25

Repaso general (pág. 189)
1. C   **2.** B   **3.** D   **4.** D   **5.** A   **6.** B   **7.** C   **8.** B
9. D   **10.** A

CAPÍTULO 5

5-1 (págs. 193–196)
Por tu cuenta   11. 2 pulg   **13.** 10.5 cm   **15.** pulg
17. mm o cm   **23. a.** más   **b.** 15   **25.** 600 mi^2

Repaso mixto   1. −7   **2.** 6   **3.** 52.5   **4.** 32   **5.** 26

5-2 (págs. 197–200)
Por tu cuenta   17. $A = 25$ pulg^2; $P = 20$ pulg
19. $A = 80$ cm^2; $P = 40$ cm   **21.** $A = 3$ m^2;
$P = 8$ m   **23.** 46 cm   **25.** 14 m^2; 26 m^2; 36 m^2;
44 m^2; 50 m^2; 54 m^2; 56 m^2 **27.** $A = 1.5$ m^2 ó
15,000 cm^2; $P = 7$ m ó 700 cm   **31.** unas 160

Repaso mixto   1. pulg   **2.** m^2 **3.** 56   **4.** −72
5. 17 pulg^2

Práctica: Resolver problemas (pág. 201)
1. 42 fichas   **3.** 15   **5. a.** $9876 \div 45$ **b.** 220
7. −3 y −4

5-3 (págs. 202–205)
Por tu cuenta   15. $A = 150$ pulg^2; $P = 60$ pulg
17. $A = 130$ cm^2; $P = 52$ cm   **19. a.**

b. 1, 16; 2, 8; 4, 4; 8, 2; 16, 1   **c.** longitud, 3.2;
altura, 5   **21.** las áreas son iguales

Repaso mixto   1. 600   **2.** $P = 4.46$ cm;
$A = 1.162$ cm^2 **3.** cuerda   **4.** central   **5.** 83

5-4 (págs. 206–209)
Por tu cuenta   9. $C = 6$ cm; $A = 3$ cm^2
11. $C = 4$ m; $A = 1$ m^2 **13.** $C = 60$ pies;
$A = 300$ pies^2 **15. a.** 98.52 m^2 **b.** 98.47 m^2
17. D   **19.** 6.5 pies   **21.** aproximadamente 2 veces
más grande

Repaso mixto   1. −3   **2.** 10   **3.** $A = 28$ cm^2;
$P = 25.6$ cm   **4.** $A = 84$ pulg^2; $P = 44$ pulg
5. 18 peldaños

5-5 (págs. 210–211)
Por tu cuenta   7. 169   **9.** 4   **11.** 6   **13.** 5   **15.** 14
17. 11 km   **19.** 15 mm   **21.** B   **23.** 52 pies

Repaso mixto   1. Ejemplos: ∠AOF y ∠COD;
∠AOB y ∠DOE   **2.** Ejemplos: ∠BOC y ∠COD;
∠AOF y ∠FOE   **3.** $r \approx 4.5$; $d \approx 8.9$ **4.** $r \approx 7.5$;
$d \approx 15.0$ **5.** $4

Vistazo a lo aprendido   5. $C = 101$ cm; $A =$
804 cm^2 **6.** $C = 16$ pulg; $A = 20$ pulg^2
7. $C = 82$ pies; $A = 531$ pies^2 **8.** 7   **9.** 8   **10.** 20
11. 36   **12.** 225

5-6 (págs. 212–215)

Por tu cuenta   13. 12 pies   **15.** 15 pulg   **17.** 11 m
19. sí   **21.** no   **23.** sí   **25.** 12 pies

Repaso mixto   1. -19 **2.** -5 **3.** 13 mm
4. 9 pulg   **5.** 40 pulg^2

5-7 (págs. 216–219)

Por tu cuenta   17. $x = 11.2$ m   **19.** 1.7 km ó
1,700 m   **21.** 65 m   **23. a.** unos 85 pies   **b.** unos
127 pies   **c.** unos 95 pies   **d.** 150 pies   **25. a.** 10
b. $C \approx 31.4$; $A \approx 78.5$ **27. a.** $\overline{AG}$ **b.** las
longitudes de $\overline{AB}$ y $\overline{BC}$; las longitudes de $\overline{AC}$ y $\overline{GC}$
c. 35 pulg, 37 pulg

Repaso mixto   1. 12 m^2 **2.** 15 cm   **3.** -800
4. 10   **5.** unas 28.26 pulg^2

5-8 (págs. 220–222)

Por tu cuenta   11. 70 m^2 **13.** 880 cm^2 **15.** 48 m^2
17. c. los dos patrones tienen el mismo conjunto de
caras   **19.** 7 pies   **23. a.** los lados y el suelo
b. 3,920 pies^2 **c.** $8,428.00

Repaso mixto   1. 6, 7   **2.** 8, 9   **3.** 54 pulg   **4.** 6

5-9 (págs. 223–227)

Por tu cuenta   17. 24 cm^3 **19.** 500.3 m^3 **21.** 4 m
23. 6 m   **25.** 330 pies^3 **27.** sí; 720 pulg^3 ÷
231 pulg^3 $\approx$ 3.1 gal   **31. a.** 132 pulg^2 **b.** 60 pulg^3

Vistazo a lo aprendido   1. 24.5 cm   **2.** 8.5 pulg
3. $AS = 280$ pies^2; $V = 300$ pies^3
4. $AS \approx 1,406.72$ m^2; $V \approx 4,019.2$ m^3 **5.** C

Repaso mixto   1. -18 **2.** 24   **3.** 6   **4.** 202 pies^2
5. cuánto tarda Pedro en cortar la hierba

5-10 (págs. 228–230)

Por tu cuenta   9. cuatro billetes de $10, cinco
billetes de $5, cuatro billetes de $1   **11.** 16¢
13. 81   **15.** 39 triciclos, 61 bicicletas   **17.** 1,080
19. a. 64 g   **b.** 7 cm   **21.** 12

Repaso mixto   1. 90°   **2.** entre 0° y 90°
3. 64 pulg^3 **4.** 5,301 cm^3 **5.** Elicia

Práctica (pág. 231)

1. $A = 21.16$ cm^2; $P = 18.4$ cm
3. $A = 18.56$ m^2; $P = 18$ m   **5.** $A = 29.25$ m^2;
$P = 27.1$ m   **7.** $C \approx 78.5$ cm; $A \approx 490.6$ cm^2
9. $C \approx 2.4$ mi; $A \approx 0.4$ mi^2 **11.** 23.5   **13.** 1.4
15. 20 pies   **17.** 50 mi   **19.** 48.7 pulg   **21.** sí
23. sí   **25.** 240 pies^3

5-11 (págs. 232–235)

Por tu cuenta   11. a. 52.5 gal a 82.5 gal
b. 598.5 gal a 1,228.5 gal   **c.** 50 min   **13. a.** 4
b. 6   **c.** parte (b); $2.40

Repaso mixto   1. 14, 17, 20   **2.** 23, 33, 45
3. $x + 6 = 112$; 106   **4.** $4x - 2 = 13$; 3.75
5. 5

En conclusión (págs. 236–237)

1. $P = 22$ cm; $A = 28$ cm^2 **2.** $P = 19.6$ cm;
$A = 19.075$ cm^2 **3.** $P = 144$ pulg; $A = 864$ pulg^2
4. $P = 140$ m; $A = 900$ m^2 **5.** $C = 37.7$ cm;
$A = 113.1$ cm^2 **6.** $C = 50.3$ pulg; $A = 201.1$ pulg^2
7. $C = 125.7$ pies; $A = 1,256.6$ pies^2
8. $C = 56.5$ mm; $A = 254.5$ mm^2 **9.** 9 y 10
10. 121   **11.** 49   **12.** 4   **13.** 8   **14.** 12   **15.** 2
16. B   **17.** 9.0 mm   **18.** 1.4 m   **19.** 11.5 m
20. $V = 87.5$ pies^3; $AS = 130$ pies^2
21. $V = 2,814.9$ cm^3 **22.** 2 m • 3 m • 4 m

Preparación para el Capítulo 6   1. 1,000
2. 1,000,000   **3.** 100,000   **4.** no; $3 • 5 + 5 \neq 22$

Repaso general (pág. 241)

1. A   **2.** B   **3.** A   **4.** C   **5.** A   **6.** B   **7.** D   **8.** D
9. A   **10.** C   **11.** B

CAPÍTULO 6

6-1 (págs. 245–248)

Por tu cuenta   15. geométrica; empieza por 1 y
multiplica por 2 repetidamente.   **17.** ninguna de
las dos   **19.** geométrica; empieza por 300 y
multiplica por 0.2 repetidamente.   **21.** 8 de enero,
15 de enero, 22 de enero, 29 de enero   **25. a.** 13,
21, 34   **b.** ninguna de las dos   **27. a.** 2, 3, 5, 8, 13,
21, 34   **b.** ninguna de las dos   **29.** aritmética;
empieza por $4.00 y suma $.50 repetidamente.

Repaso mixto 1. obtuso **2.** agudo **3.** sí **4.** no
5. 625 **6.** 13.824 **7.** 3

6-2 (págs. 249–251)

Por tu cuenta 13. 3.5×10^5 **15.** 1.9×10^8
17. 227,700,000

Repaso mixto 1. media: 13; mediana: 15;
moda: 17 **2.** media: 75.5; mediana: 75; moda: 75
3. 13, 15, 17 **4.** 81, 243, 729 **5.** 2 mi/día

6-3 (págs. 252–254)

Por tu cuenta 13. 15 combinaciones de colores
19. 8

Repaso mixto 1. > **2.** < **3.** 5.7×10^{10}
4. 1.45×10^{13} **5.** 300,000 **6.** 470,000,000
7. 25.2 min

Vistazo a lo aprendido 1. geométrica; 3.2, 6.4,
12.8 **2.** aritmética; 1, 1.2, 1.4 **3.** aritmética; -19,
-27, -35 **4.** ninguna de las dos; 46, 74, 120
5. 6.61×10^3 **6.** 7.38×10^8 **7.** 8.88×10^7
8. a. 1, 6, 15, 20, 15, 6, 1 **b.** fila 10

6-4 (págs. 255–257)

Por tu cuenta 7. $562.43 **9. a.** $1,126.83

Repaso mixto 2.

```
7 | 3  4  5  8
8 | 1  1  5
9 | 2  6  6
    9 | 2 significa 9.2
```

3. 11 **4.** -21 **5.** 11 y 12

6-5 (págs. 258–261)

Por tu cuenta
13. a.

Distancia (mi)	precio $
0	0
0.2	.90
0.4	1.30
0.6	1.70
0.8	2.10
1.0	2.50

b. la de Carmen; los precios están basados en
segmentos de 0.2 mi.

17. a. 1, 4, 9, 16 **b.**

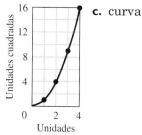

c. curva

Repaso mixto 1. 13 **2.** 22 **3.** $2,552.56

Práctica: Resolver problemas (pág. 262)

1. Poniendo los objetos que pesan 2 lb, 5 lb, 19 lb y
23 lb en una caja y los que pesan 10 lb, 11 lb, 13 lb
y 16 lb en la otra caja. **3.** Sea $b = 0$. Entonces a
puede ser cualquier número. **5.** 10 **7.** 243
9. 350 cal

6-6 (págs. 263–266)

Por tu cuenta
19.

n	f(n)
1	10
2	8
3	6
4	4

21. a.

n	f(n)
1	3
2	4
3	5
4	6
5	7
6	8

b. $f(n) = n + 2$ **23.** $f(n) = n - 3$
25. $f(n) = 3n + 2$ **27.** $f(n) = 0.5n$
29. a. Sumando uno al número de puntos del lado
más corto. **b.** B

Repaso mixto **1.** 4 **2.** −2

3.

Tiempo	Distancia
(h)	(mi)
1	12
2	24
3	36
4	48

4.

Tiempo	Sueldo
(h)	($)
1	4.75
2	9.50
3	14.25
4	19.00
5	23.75

5. 4 cm × 8 cm

Vistazo a lo aprendido **1. a.** 4, 8, 12, 16

b.
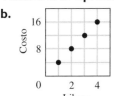
2. $648.96 **3.** $f(n) = -12n$
4. $f(n) = n - 5$
5. $f(n) = 3n - 2$

Práctica (pág. 267)

1. aritmética; 7, 3, −1 **3.** aritmética; 0.6, 0.65, 0.7
5. ninguna de las dos; 25, 35, 47 **7.** 5.7×10^4
9. 1.12×10^5 **11.** 7.2×10 **13.** 149
15. 107,000,000,000 **17.** 8 **19.** $463.71 **21.** 5
23. 1 **25.** $f(n) = -9n$ **27.** $f(n) = 4n + 1$

6-7 (págs. 268–271)

Por tu cuenta **9.** III **11.** II
13.
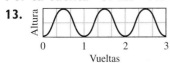
17. a. unos 35 pies

b. unos 2.8 s **c.** unos 32 pies **d.** es la misma altura dos veces, una vez cuando va hacia arriba y otra cuando va hacia abajo; unos 0.4 s y 2.4 s
e. La mano que arroja la pelota está probablemente 5 pies por encima del suelo.

Repaso mixto **1.** 24.68 **2.** 24.0434

3.

n	f(n)
3	3
4	5
5	7
6	9

4.

n	f(n)
3	28
4	49
5	76
6	109

5. 24 pulg²

En conclusión (págs. 272–273)

1. aritmética; 23, 27, 31 **2.** geométrica; 3, 1.5, 0.75 **3.** geométrica; 243, −729, 2,187 **4.** ninguna de las dos; −2, −10, −19 **5.** Empieza por 48 y multiplica por 0.5 repetidamente; empieza por 3 y multiplica por −3 repetidamente. **6.** A
7. 1.524×10^9 **8.** 2.5×10^5
9. 3.83×10^8 **10.** 8.76×10^4 **11.** $1,914.42
13. 249,000,000 **14.** $f(n) = 2n + 2$
15. $f(n) = 0.5n + 3$ **16.** 3, 5, 7, 9
18.
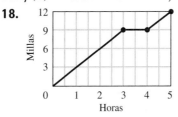

Preparación para el Capítulo 7 **1.** 2 **2.** 2, 3, 9
3. 3, 5, 9 **4.** 2, 3, 9 **5.** 2, 3, 5, 9, 10 **6.** 2, 5, 10

Repaso general (pág. 277)

1. D **2.** D **3.** A **4.** C **5.** B **6.** D **7.** A **8.** B
9. C **10.** B

CAPÍTULO 7

7-1 (págs. 281–283)

Por tu cuenta **7.** $\frac{1}{2}$ pulg **9.** $\frac{3}{8}$ **11.** $2\frac{1}{2}$ **13.** $\frac{5}{6}$
15. b. sí

Repaso mixto **1.** $2n - 4$ **2.** $\frac{1}{2}n + 3$ **3.** > **4.** >

7-2 (págs. 284–287)

Por tu cuenta **21. a.** 1, 3, 9; 1, 3, 5, 15 **b.** 1 y 3
23. D **25.** A **27.** B **29.** D **33.** 5 **35.** 45

Repaso mixto **1.** **2.**

3. 3, 9 **4.** −2, 1 **5.** 4.56×10^6 **6.** 35 **7.** 13 cm

7-3 (págs. 288–291)

Por tu cuenta **21.** 11 **23.** 5 **25.** $\frac{5}{8}$ **27.** $\frac{7}{12}$
29. $\frac{1}{3}$ **31.** $\frac{2}{5}$ **33.** 1 **35.** 1

Repaso mixto **1.** 288 **2.** −721 **3.** $\frac{8}{10}, \frac{12}{15}, \frac{16}{20}$
4. $\frac{2}{3}, \frac{4}{6}, \frac{8}{12}$ **5.** 15 **6.** −4 **7.** 405 cm^2

Vistazo a lo aprendido **1.** $\frac{3}{8}$ **2.** $\frac{5}{12}$ **3.** $\frac{1}{4}$ **4.** $\frac{3}{4}$
5. $\frac{2}{3}$ **6.** $\frac{2}{3}$ **7.** $\frac{9}{10}$ **8.** C

7-4 (págs. 292–295)

Por tu cuenta **27.** $2^2 \cdot 5^2$ **29.** $5 \cdot 13$ **31.** 1,225
33. 3,250 **35.** 38 **37.** $\frac{3}{5}$ **39.** $\frac{7}{9}$ **41. b.** $\frac{3}{8}$
43. Verdadera **45.** $\frac{11}{37}, \frac{3}{37}$

Repaso mixto **1.** $\frac{3}{4}$ **2.** $\frac{3}{8}$ **3.** $\frac{5}{6}$ **4.** $\frac{1}{4}$ **5.** 8
6. −10 **7.** 60 meses

7-5 (págs. 296–298)

Por tu cuenta **11.** 180 apretones de mano
13. José; Jeff, 88 objetos/h, José, 90 objetos/h
15. 30 y 31 **17.** Cualquier número que sea abc,abc
es divisible por 7, 11, 13, 77, 91, 143 y 1,001.

Repaso mixto **1.** 2,744 pulg^3 **2.** 1,176 pulg^2
3. $2^2 \cdot 3^3 \cdot 5$ **4.** $2^4 \cdot 3^2$ **5.** 22 **6.** −4

Práctica (pág. 299)

1. $\frac{2}{5}$ **3.** $\frac{3}{8}$ **5.** **9.**

11. 5, 10, 15, 20, 25 **13.** 18, 36, 54, 72, 90
15. 24, 48, 72, 96, 120 **17.** $\frac{2}{5}, \frac{4}{10}$ **19.** $\frac{2}{3}, \frac{24}{36}$
21. $\frac{2}{7}, \frac{4}{14}$ **23.** primo **25.** primo **27.** compuesto
29. 4, 8 **31.** 4, 8 **33.** por ninguno **35.** 6 **37.** 24
39. 3 **41.** 1 **43.** 5 **45.** 4 **47.** $2^2 \cdot 3^2$
49. $5 \cdot 3^2$ **51.** $2^2 \cdot 3 \cdot 7$ **53.** $\frac{4}{5}$ **55.** $\frac{4}{7}$
57. $\frac{7}{25}$ **59.** $\frac{9}{10}$ **61.** $\frac{3}{4}$ **63.** $\frac{3}{5}$

7-6 (págs. 300–303)

Por tu cuenta **15.** $\frac{21}{8}$ **17.** $\frac{13}{12}$ **19.** $\frac{10}{7}$ **21.** $\frac{17}{5}$
23. $5\frac{2}{3}$ **25.** $10\frac{1}{2}$ **27.** $4\frac{5}{8}$ **29.** 12 **31. a.** $\frac{11}{3}$
b. $3\frac{2}{3}$ **33.** 202 rebanadas **35.** C; $3\frac{1}{8}$ **37.** $2\frac{1}{3}$
39. 6 **41.** no; $\frac{1}{4} \neq \frac{6}{12}$ **43.** $3\frac{45}{60}, 3\frac{3}{4}$

Repaso mixto **1.** no **2.** sí **3.** 56.759 **4.** 5.526
5. 42 edificios

7-7 (págs. 304–306)

Por tu cuenta **7. b.** numerador, progresión
aritmética; denominador, progresión geométrica

Repaso mixto **1.** $1\frac{1}{2}$ **2.** $3\frac{1}{3}$ **3.**
4. 69 m **5.** 24 cm^2

Vistazo a lo aprendido **1.** compuesto
2. compuesto **3.** primo **4.** compuesto **5.** 9 **6.** $\frac{2}{9}$
7. $4\frac{5}{6}$ **8.** $16\frac{2}{5}$ **9.** 3 **10.** $7\frac{1}{2}$ **11.** $\frac{17}{6}$ **12.** $\frac{37}{9}$
13. $\frac{25}{8}$ **14.** $\frac{19}{10}$

Práctica: Resolver problemas (pág. 307)

1. el día 27 **3.** 21 voluntarios **5.** Tamara, 1 min
27 s; Janine, 1 min 42 s; Mavis, 1 min 38 s
7. Necesitas saber cuántos autos lavó BJ, Jayda o
Tony, o el número total de autos que lavaron. **9.** 8
días

En conclusión (págs. 308–309)

1. $\frac{1}{6}$; $\frac{1}{3}$ **3. a.** 1, 2, 4, 8, 16 **b.** 1, 2, 4, 7, 14, 28
c. 1, 3, 19, 57 **5. a.** $\frac{1}{2}$ **b.** $\frac{1}{4}$ **c.** $\frac{3}{4}$ **6.** B
7. a. primo **b.** compuesto **c.** compuesto
8. a. $2^2 \cdot 17$ **b.** $2^3 \cdot 3^2$ **c.** $2 \cdot 5 \cdot 11$ **9. a.** $\frac{37}{8}$
b. $\frac{13}{5}$ **c.** $\frac{52}{9}$ **d.** $\frac{11}{3}$ **e.** $\frac{21}{4}$ **f.** $\frac{11}{6}$ **10. a.** $1\frac{7}{8}$
b. $4\frac{3}{5}$ **c.** 8 **d.** $4\frac{2}{3}$ **e.** $5\frac{1}{3}$ **f.** $6\frac{1}{2}$ **11.** $\frac{11}{64}$, $\frac{13}{128}$,
$\frac{15}{256}$ **12.** 210 cajas

Preparación para el Capítulo 8 **1.** < **2.** > **3.** =
4. > **5.** $\frac{3}{4}$, $\frac{2}{4}$ **6.** $\frac{4}{6}$, $\frac{5}{6}$ **7.** $\frac{3}{8}$, $\frac{2}{8}$ **8.** $\frac{15}{24}$, $\frac{14}{24}$

Repaso general (pág. 313)

1. D **2.** A **3.** D **4.** B **5.** C **6.** C **7.** B **8.** D
9. A **10.** B

CAPÍTULO 8

8-1 (págs. 317–319)

Por tu cuenta **17.** < **19.** > **21.** clavos de $\frac{3}{4}$ pulg
25. B **27.** C **29.** $\frac{2}{3}$ manzana **31.** $\frac{3}{4}$ dólar

Repaso mixto **1.** 12 **2.** −26 **3.** 4 **4.** 3 **5.** unas
4,000 revoluciones

8-2 (págs. 320–322)

Por tu cuenta **11.** $0.8\overline{3}$ **13.** 0.375 **15.** 1.5 **19.** $\frac{1}{8}$
21. $2\frac{1}{2}$ **23. a.** WY **b.** $\frac{1}{4}$ **c.** FL, NY, MD, ME,
OH, KY, CA, OK, AK, WY

Repaso mixto **1.** media, 84.375; mediana, 86.5;
moda, 93 **2.** 30° **3.** > **4.** < **5.** $a = 28$ pies,
$h = 4$ pies

8-3 (págs. 323–325)

Por tu cuenta **19.** no, $4\frac{3}{4}$ tz > 4 tz **21.** 4 **23.** 4
25. 8 **27.** 0 **29.** 21 **31.** 10 **33.** sí **35.** C

Repaso mixto **1.** 13, 16, 19 **2.** −512; 2,048;
−8,192 **3.** $\frac{33}{100}$ **4.** $5\frac{1}{8}$ **5.** Ejemplos: $\frac{1}{4}$, $\frac{2}{8}$
6. Ejemplos: $\frac{4}{18}$, $\frac{6}{27}$ **7.** $3.70

8-4 (págs. 326–329)

Por tu cuenta **23.** $\frac{5}{8}$ **25.** $\frac{2}{3}$ **27. b.** $48\frac{3}{4}$ pulg
29. $2\frac{4}{5}$ **31.** $3\frac{5}{6}$ **33.** $9\frac{1}{6}$ **35.** $\frac{1}{2}$ h **37.** $1\frac{1}{6}$ h
39. a. $3\frac{1}{4}$ h **b.** $4\frac{1}{4}$ h **c.** $6\frac{3}{4}$ h **41.** $6\frac{11}{15}$ **43.** cero
45. b. $2\frac{3}{8}$

Repaso mixto **1.** 30 **2.** −33 **3.** 7 **4.** 4 **5.** 5
6. −9 **7.** 8 estudiantes

8-5 (págs. 330–333)

Por tu cuenta **21.** $\frac{1}{8}$ **23.** $7\frac{1}{3}$ **25.** $6\frac{1}{4}$
29. $1\frac{1}{2}$ pies **31.** $\frac{2}{15}$

Repaso mixto **1.** 0.4, 0.43, 0.438, 0.4381
2. 11.02, 11.1, 11.2, 11.201 **3.** $\frac{1}{4}$ **4.** $5\frac{1}{9}$ **5.** $\frac{7}{2}$
6. $\frac{17}{3}$ **7.** 73
Vistazo a lo aprendido **1.** > **2.** < **3.** > **4.** $0.\overline{45}$
5. $\frac{18}{25}$ **6.** 24 **7.** $\frac{1}{2}$ **8.** 3 **9.** $1\frac{5}{8}$ **10.** $4\frac{7}{15}$
11. $4\frac{1}{14}$ **12.** $1\frac{1}{8}$ **13.** $1\frac{7}{15}$ **14.** $1\frac{4}{5}$

8-6 (págs. 334–337)

Por tu cuenta **15.** 21 **17.** 18 **19.** $7\frac{1}{8}$ **21.** $21\frac{1}{3}$
23. $\frac{4}{5}$ **25.** $\frac{2}{5}$ **31.** $\frac{1}{6}$ **33.** aproximadamente $\frac{6}{25}$

Repaso mixto **1.**

```
3 | 7  9
4 | 7
5 | 0  6  8
  4 | 7 significa 47
```

2.

```
24 | 3  4  8  9
25 | 7
  24 | 3 significa 2.43
```

3. $5\frac{9}{14}$ **4.** $5\frac{1}{4}$ **5.** $\frac{1}{12}$

Práctica: Resolver problemas (pág. 338)

3. Sr. Smith, 34; Sr. Lightfoot, 31 **5.** $16 **7.** $\frac{127}{128}$

8-7 (págs. 339–341)

Por tu cuenta **19.** 16 **21.** 18 **25.** $\frac{1}{4}$ **27.** $3\frac{4}{5}$
29. $3\frac{1}{9}$ **31.** $3\frac{1}{3}$ **33. a.** $\frac{3}{4}$ mi **b.** $\frac{1}{4}$ mi **c.** $\frac{1}{2}$ mi
d. $6\frac{3}{4}$ mi

Repaso mixto 1. recto **2.** obtuso **3.** $13\frac{7}{8}$ **4.** $9\frac{3}{8}$
5. 26; 29

8-8 (págs. 342–344)

Por tu cuenta 9. 1 moneda de 25¢, 1 moneda de 5¢, 3 monedas de 10¢, 5 monedas de 1¢ ó 7 monedas de 5¢, 3 monedas de 10¢ **11.** 132 negras, 108 blancas **13.** $1,064.41 **15.** $\frac{5}{6}$ y $\frac{2}{3}$ **17.** 5 h

Repaso mixto 1. -34 **2.** -3 **3.** 11 **4.** 15 **5.** 8

8-9 (págs. 345–348)

Por tu cuenta 23. 32 **25.** 18,480 **27.** 18
29. unos 21,120,000 pies **31.** Sala, $232\frac{1}{2}$ pies²; Dor. prin., $131\frac{1}{4}$ pies²; Dor., $108\frac{3}{4}$ pies²
35. 0.75 mi

Repaso mixto 1.
```
              ×  ×
      ×  ×  ×  ×  ×
      8  9  10 11 12
```
2.
```
  ×     ×      ×  ×
  ×  ×  ×      ×  ×
  3  4  5  6  7  8
```
3. 421.9 cm³
4. 136.8 cm³ **5.** 105

8-10 (págs. 349–351)

Por tu cuenta 15. $2\frac{2}{9}$ **17.** 112 **19.** 1,024
21. 4,396 **23.** 12 **25.** 800 **27.** 72,000 mi²
29. 14

Repaso mixto 1. -21 **2.** -55 **3.** 4 **4.** 80
5. 186,000 mi/s

Vistazo a lo aprendido 1. $\frac{1}{2}$ **2.** $\frac{3}{4}$ **3.** $\frac{1}{8}$ **4.** $26\frac{11}{14}$
5. 7:05 a.m. **6.** $2\frac{1}{3}$ **7.** 136 **8.** $3\frac{3}{4}$ **9.** $3\frac{1}{2}$
10. $6\frac{1}{2}$ **11.** 21 **12.** $\frac{5}{6}$

Práctica (pág. 352)

1. < **3.** < **5.** > **7.** $0.\overline{27}$ **9.** $\frac{2}{5}$ **11.** $\frac{7}{8}$ **13.** $2\frac{1}{2}$
15. 6 **17.** 48 **19.** $3\frac{3}{5}$ **21.** $4\frac{1}{2}$ **23.** $1\frac{1}{10}$ **25.** $8\frac{7}{12}$
27. $\frac{2}{5}$ **29.** 25 **31.** 22 **33.** $1\frac{1}{8}$ lb

8-11 (págs. 353–355)

Por tu cuenta 11. a. $172.46 **b.** $114.98
15. a. $56.25 **b.** menor; $10.42 **c.** $47.49
d. $257.62

Repaso mixto 1. $\frac{1}{5}$ **2.** 136 **3.** $3\frac{2}{3}$ **4.** 729
5. 15 pies **6.** 12 cm

En conclusión (págs. 356–357)

1. $\frac{1}{4}, \frac{3}{8}, \frac{1}{2}$ **2.** $\frac{1}{6}, \frac{7}{12}, \frac{3}{4}$ **3.** $\frac{1}{3}, \frac{2}{5}, \frac{7}{15}$ **4.** $\frac{8}{20}, \frac{6}{10}, \frac{4}{5}$
5. $2\frac{1}{2}$ **6.** $2\frac{1}{2}$ **7.** 30 **8.** 3 **9.** $\frac{1}{10}$ **10.** $\frac{1}{2}$ **11.** $\frac{6}{25}$
12. $3\frac{3}{4}$ **13.** $2\frac{24}{25}$ **14.** 0.6 **15.** 0.75 **16.** 0.875
17. $0.\overline{3}$ **18.** $0.8\overline{3}$ **20.** $3\frac{1}{12}$ **21.** $7\frac{2}{15}$ **22.** $15\frac{5}{12}$
23. $6\frac{11}{24}$ **24.** $\frac{9}{10}$ **25.** 9 **26.** 6 **27.** $\frac{3}{5}$ **28.** $1\frac{7}{8}$
29. $8\frac{1}{2}$ **30.** $3\frac{3}{5}$ **31.** $36\frac{1}{4}$ **32.** 350 **33.** $66\frac{7}{8}$ pulg
34. $2\frac{1}{2}$ **35.** $3\frac{3}{8}$ **36.** 60 **37.** 28 **38.** 6:00 a.m.
39. $39.76

Preparación para el Capítulo 9 1. $\frac{4}{6}$ **2.** $\frac{3}{4}$ **3.** $\frac{4}{9}$
4. $\frac{3}{5}$

Repaso general (pág. 361)

1. B **2.** A **3.** A **4.** C **5.** B **6.** D **7.** B **8.** C
9. D **10.** C

CAPÍTULO 9

9-1 (págs. 365–368)

Por tu cuenta 13. 1 a 5, 1:5, $\frac{1}{5}$ **15.** 1:4
17. a. 101 y 107 **b.** $\frac{7}{12}$ **19. a.** $\frac{13}{18}$ **b.** $\frac{169}{324}$
21. 25:1 **23.** 7.6

Repaso mixto 1. $-32,000$ **2.** 13 **3.** 4.88
4. 6.13 **5.** $28.50 **6.** 88°F

9-2 (págs. 369–372)

Por tu cuenta 11. $.22/oz, $.25/oz; 1 lb por $3.49
13. $.49/yd, $.65/yd; 1 yd por $.49 **15.** 750 km/h
17. a. el lunes siguiente **b.** 18 mi/gal
19. a. 10.14 m/s; 10.14 m/s; 9.24 m/s; 7.86 m/s
b. no **21.** 4 mi/h

Repaso mixto 1. 9 **2.** 24 **3.** 3 a 8, 3:8, $\frac{3}{8}$ **4.** 2 a 11, 2:11, $\frac{2}{11}$ **5.** 8:1 **6.** $1.45 ó $1.65

9-3 (págs. 373–376)

Por tu cuenta **13. a.** 8 ct **15.** C **17.** 25 **19.** 3
21. 11.25 **23.** 45 varones **25.** Escribe los productos cruzados. Divide los dos lados por 8.
27. 46 lb en Marte, 317 lb en Júpiter

Repaso mixto **1.** 7, 11, 15 **2.** 15, 31, 63 ó 13, 21, 31 **3.** 34 mi/gal **4.** $2.35/lb **5.** $\angle A, \angle E; \angle B, \angle F; \angle C, \angle D$ **6.** 8

Vistazo a lo aprendido **1–4.** Las respuestas variarán. **1.** 1 : 25, 4 : 100 **2.** $\frac{6}{10}, \frac{9}{15}$ **3.** 1 a 3, 2 a 6 **4.** $\frac{2}{3}, \frac{8}{12}$ **5.** A **6.** 152 **7.** 28 **8.** 12.5 **9.** 196 min

9-4 (págs. 377–380)

Por tu cuenta **9.** no **11.** 4 pies **13.** 81
15. $x = 5.6, y = 21.6$ **17.** 99 cm
21. Todos los cuadrados son semejantes.
23. Ejemplo: un pentágono regular y un cuadrado
25. Todos los triángulos rectángulos isósceles son semejantes.

Repaso mixto **1.** < **2.** < **3.** 12 **4.** −7 **5.** 20 **6.** 15.75 **7.** triángulo acutángulo

Práctica: Resolver problemas (pág. 381)

1. 8 **3.** No hay suficiente información. **5.** Aimé es guía, Bob es banquero y Carl es artista.

9-5 (págs. 382–384)

Por tu cuenta **7.** 9.75 km **9.** 18,300 km
11. $\frac{1}{2}$ pulg **13.** $2\frac{1}{4}$ pulg **17. a.** 40 pulg **b.** 3 pulg
Repaso mixto **1.** $x = 40, y = 32$ **2.** 3 **3.** 160
4. 5 **5.** 80 **6.** 3 estudiantes

9-6 (págs. 385–387)

Por tu cuenta **11.** 64% **13.** 28% **17. a.** $33\frac{1}{3}\%$; $66\frac{2}{3}\%$ **b.** $\frac{1}{3}$ **c.** $\frac{1}{3}$ **d.** $\frac{2}{3}$ **19.** 50% **21.** 70%
23. 145% **25.** aproximadamente el 20%
27. aproximadamente el 45%

Repaso mixto **1.** 2.9979×10^8 m/s
2. 4.06×10^{13} km **3.** 14 pies × 16 pies
4. 18 pulg × 22.5 pulg **5.** 42 partidos

9-7 (págs. 388–391)

Por tu cuenta **17. a.** $\frac{6}{100}$ ó $\frac{3}{50}$, 0.06; $\frac{50}{100}$ ó $\frac{1}{2}$, 0.5;

$\frac{20}{100}$ ó $\frac{1}{5}$, 0.2; $\frac{25}{100}$ ó $\frac{1}{4}$, 0.25; $\frac{8}{100}$ ó $\frac{2}{25}$, 0.08 **b.** 4 porciones **19.** $\frac{9}{20}$, 0.45 **21.** $\frac{173}{100}$, 1.73 **23.** 87.5%
25. 51.5%

Repaso mixto **1.** 4 **2.** 2 **5.** 15 **6.** 64 **7.** 35%

Vistazo a lo aprendido **1.** 52.5 mi **2.** $x = 10$, $y = 6$ **3.** 80% **4.** 0.4% **5.** $33\frac{1}{3}\%$ **6.** 56%

9-8 (págs. 392–394)

Por tu cuenta **9.** 36 apretones de manos **11.** 35
13. $x = 2, y = 7$ **15. a.** 1 3 5 7 9 11
b. 21; 45 **c.** 16; 100 **d.** Elevando al cuadrado el número de fila

Repaso mixto **1.** 18 **2.** 6 **3.** 23 cm **4.** 16 m
5. 62% **6.** $\frac{2}{3}$ **7.** 3; 1 × 5, 2 × 4, 3 × 3

9-9 (págs. 395–398)

Por tu cuenta **13.** 10% **15.** 75% **17.** 40%
19. 4.5 **21.** 92%

Repaso mixto **1.** 12 **2.** −3 **3.** 12 pulg^2
4. 691.69 cm^2 **5.** $48

9-10 (págs. 399–401)

Por tu cuenta **9.** $\frac{54}{n} = \frac{75}{100}$; $n = 72$
11. $\frac{48}{144} = \frac{n}{100}$; $n = 33\frac{1}{3}\%$
13. $\frac{12\frac{1}{2}}{100} = \frac{424}{n}$; $n = 3,392$ **15.** 459 estudiantes
17. $40 **19. a.** 75%; **b.** $18

Repaso mixto **1.** 4 **2.** 2 **3.** unos 20 millones
4. 10% **5.** 4 mi

9-11 (págs. 402–404)

Por tu cuenta **9.** 9.7% de aumento **11.** 20%; 300,000, 60,000; 10%

Repaso mixto **1.** 46 **2.** −12 **3.** $3\frac{1}{6}$ **4.** $4\frac{4}{5}$
5. 144 **6.** 12.5% **7.** 40 mi

Vistazo a lo aprendido **1.** 50% **2.** 75% **3.** 20
4. 60%

Práctica (pág. 405)

1. $\frac{2}{5}$ **3.** 1:5 **5.** 4 a 1 **7.** 18 mi/gal **9.** 9 **11.** 12
13. $x = 15$ **15.** 72% **17.** 75% **19.** 73.4%

21. $0.0\overline{3}$; $\frac{3}{100}$ **23.** 0.245; $\frac{49}{200}$ **25.** 3 **27.** 30
29. 160% **31. a.** 15.6% **b.** disminución

9-12 (págs. 406–409)

Por tu cuenta 11.

13. a. 12.5% **b.** 20%

Repaso mixto 1. 23, 30, 37 **2.** $\frac{1}{8}$, $\frac{1}{32}$, $\frac{1}{128}$
3. $33\frac{1}{3}\%$ **4.** $66\frac{2}{3}\%$ **5.** 63

En conclusión (págs. 410–411)

1. 37 a 108; 37:108; $\frac{37}{108}$ **2.** $.28/oz, $.31/oz; la caja
de 10 oz **3.** 12 **4.** 25 **5.** 3 **6.** 136 **7.** 1,533
partidos **8.** $x = 45$ **9.** $x = 45$, $y = 36$
10. 4,000 mi **11.** 0.75 pulg **12.** $\frac{5}{8}$ **13.** 0.018
14. 37.5% **15.** 70% **16.** 47.5 **17.** 252 **18.** 32.5%
de disminución **20.** D

Preparación para el Capítulo 10 1. $\frac{2}{15}$ **2.** $\frac{15}{32}$
3. $\frac{3}{5}$ **4.** $\frac{5}{9}$ **5.** $\frac{3}{28}$ **6.** $\frac{5}{33}$ **7.** 24

Repaso general (pág. 415)

1. B **2.** D **3.** A **4.** D **5.** A **6.** D **7.** C **8.** C
9. A **10.** C

CAPÍTULO 10

10-1 (págs. 419–422)

Por tu cuenta 17. $\frac{1}{10}$, 0.1, 10% **19.** $\frac{10}{10}$, 1, 100%
21. $\frac{1}{8}$; $\frac{3}{8}$; $\frac{1}{2}$ **23. a.** $\frac{1}{3}$ **b.** quitar todas las
anaranjadas y 2 transparentes **25.** $\frac{1}{4}$ ó 25%
27. b. $\frac{1}{4}$

Repaso mixto 1. 144° **2.** 54° **3.** $\frac{1}{6}$ **4.** 0.48
5. $\frac{1}{3}(y + 8)$ **6.** $\frac{x}{3}$ **7.** 280

10-2 (págs. 423–425)

Por tu cuenta 11. azul; roja **13.** $\frac{3}{4}$ **15.** 0
17. a. 1 **b.** imposible **19.** $\frac{1}{87}$ **21.** D

Repaso mixto 1. 13 m **2.** 5^4 **3.** $2^5 \cdot 3^2 \cdot 5^2$
4. 2 **5.** -8 **6.** $\frac{2}{3}$

10-3 (págs. 426–429)

Por tu cuenta 19. 12 **21.**

Auto $\Big\langle$ Auto / Autobús

Autobús $\Big\langle$ Auto / Autobús

Avión $\Big\langle$ Auto / Autobús

Tren $\Big\langle$ Auto / Autobús

23. a. 16 **b.** $\frac{3}{4}$ **25.** 41; 2

Repaso mixto 1. 15 **2.** 40% **3.** $2.1 \cdot 10^7$
4. $5.43 \cdot 10^2$ **5.** $\frac{7}{6}$ **6.** $\frac{7}{8}$ **7.** $\frac{999,999}{1,000,000}$

Práctica: Resolver problemas (pág. 430)

1. 96 **3.** 10 triángulos **5.** 230 saltos/min **7.** 5
9. 4, 9

10-4 (págs. 431–434)

Por tu cuenta 15. $\frac{4}{11}$ **17. a.** $\frac{8}{110}$ or $\frac{4}{55}$ **b.** $\frac{8}{121}$
19. $\frac{1}{36}$ **21.** 0 **23.** no; cada tirada es
independiente

Repaso mixto 1. $\frac{1}{9}$ **2.** $\frac{2}{3}$ **3.** 20.25 pies² **4.** $\frac{2}{5}$
5. $\frac{1}{5}$ **6.** 10

Vistazo a lo aprendido 1. $\frac{4}{5}$; 0.8; 80% **2.** $\frac{2}{5}$; 0.4;
40% **3.** $\frac{3}{5}$; 0.6; 60% **4.** 2:9 **5.** $\frac{25}{121}$ **6.** $\frac{3}{55}$ **7.** 24
combinaciones

10-5 (págs. 435–437)

Por tu cuenta 11. $6,594; $1,500 **15.** 79.1%

Repaso mixto 1. 12 pulg **2.** 70 palabras/min
3. 94.5 km/h **4.** $\frac{1}{5}$ **5.** $\frac{1}{6}$ **6.** 3 sillas, 2 taburetes

10-6 (págs. 438–440)

Por tu cuenta **9.** 0.64; tiro libre **13. a.** $\frac{1}{100}$
b. Ejemplo: $\frac{1}{50}$ **c.** Ejemplo: 1%; 2%; sí

Repaso mixto **1.** 54 cm^2 **2.** $-4\frac{7}{8}$ **3.** $2\frac{5}{8}$ **4.** $\frac{1}{4}$
5. $\frac{1}{2}$

Práctica (pág. 441)

1. $\frac{1}{6}$ **3.** $\frac{1}{3}$ **5.** 0 **7.** $\frac{1}{4}$, 0.25, 25%
9. $\frac{7}{8}$, 0.875, 87.5% **11.** 0 **13.** $\frac{1}{8}$ **15.** $\frac{2}{7}$ **17.** $\frac{2}{5}$
19. $\frac{1}{27}$ **21.** $\frac{1}{28}$

23.

Moneda	Cubo					
	1	**2**	**3**	**4**	**5**	**6**
Ca	1Ca	2Ca	3Ca	4Ca	5Ca	6Ca
Cr	1Cr	2Cr	3Cr	4Cr	5Cr	6Cr

25. $\frac{1}{55}$

10-7 (págs. 442–445)

Por tu cuenta **15. a.** 10 **b.** 6
19. 24 permutaciones; 4 **21.** 160 códigos

Repaso mixto **1.** $\frac{6}{10}$, $\frac{12}{20}$, $\frac{24}{40}$, $\frac{48}{80}$ **2.** $\frac{96}{1000}$; $\frac{12}{125}$
3. $\frac{875}{1000}$; $\frac{7}{8}$ **4.** 12 m × 12 m **5.** 25 **6.** 14

Vistazo a lo aprendido **1.** combinación; 15
2. permutación; 362,880 **3. a.** sacando nombres
de un sombrero **b.** dependiente

10-8 (págs. 446–449)

Por tu cuenta **5.** 496 bagros

Repaso mixto **1.** 0.32 mm **2.** 24 maneras
3. 15,120 matrículas **4.** −50 **5.** 70%

En conclusión (págs. 450–451)

1. $\frac{1}{7}$ **2.** $\frac{2}{7}$ **3.** $\frac{6}{7}$ **4.** 2:5 **5.** 1:6 **6.** 5:2 **7. a.** 12
cenas **b.** 2 · 2 · 3 = 12 **8.** 11,880 **9.** $\frac{1}{5}$ **10.** B
11. 5 **12.** 24 **13.** cuenta las veces que sale cara
en 5 intentos **14.** unos 94 leones

Preparación para el Capítulo 11

1. **2.**

3. **4.**

Repaso general (pág. 455)
1. B **2.** B **3.** C **4.** D **5.** B **6.** C **7.** B **8.** D
9. C **10.** A

CAPÍTULO 11

11-1 (págs. 459–461)
Por tu cuenta **19.** II **21.** I **23. a.**

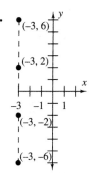

b. están en la misma recta **c.** (−3,0), (−3,4)
27. B

Repaso mixto **1.** −4 **2.** −16 **3.** 45
4. 2 y −5

11-2 (págs. 462–465)
Por tu cuenta **17.** I, II **19.** II **21.** I, III
25. B **27.** C **29.** (−1,2)

31. a.

x	$\frac{1}{2}x$	y	(x, y)
0	$\frac{1}{2}(0)$	0	(0, 0)
2	$\frac{1}{2}(2)$	1	(2, 1)
4	$\frac{1}{2}(4)$	2	(4, 2)

b.

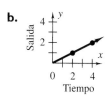

c. no; no se hacen palomitas en cantidades negativas de tiempo

Repaso mixto   1. 23 cm   **2.** 5^3 **3.** IV   **4.** III
5. 8:00 p.m.; 2 días después

11-3 (págs. 466–467)

Por tu cuenta   7. 2   **9.** $-\frac{1}{4}$ **11.** -3 **13.** -1
15. $-\frac{1}{6}$ **17.** $-\frac{1}{3}; \frac{1}{3}$

Repaso mixto   1. 144 m^2 **2.** 72 pies^2

3.

x	x + 9	y	(x, y)
0	0 + 9	9	(0, 9)
1	1 + 9	10	(1, 10)
2	2 + 9	11	(2, 11)

4.

x	$2x^2$	y	(x, y)
0	$2(0)^2$	0	(0, 0)
1	$2(1)^2$	2	(1, 2)
-2	$2(-2)^2$	8	$(-2, 8)$

5. 5 pies 2 pulg

Práctica: Resolver problemas (pág. 468)

1. $34.23   **3.** 13 partidos   **5.** 4 y 24   **7.** 37 días
9. 8 h

11-4 (págs. 469–471)

Por tu cuenta   5. a. Ian   **b.** 3 semanas
7. 8 semanas   **9. a.** 0.315; 0.3

Repaso mixto   1. 9   **2.** 81   **3.** pendiente = 2

4. pendiente $= -\frac{7}{3}$ **5.** 3 h 20 min

11-5 (págs. 472–474)

Por tu cuenta   9. Las coordenadas y son mayores o iguales que cero. No; un valor absoluto nunca puede ser negativo.   **11. I.** a   **II.** d   **III.** f

Repaso mixto   1. 75%   **2.** 25%   **3.** $y = 2.5x$
4. 60 veces (61 veces en un año bisiesto)

Vistazo a lo aprendido   1. B   **2.** D   **3.** G
4. $(4, -1)$ **5.** $(-2, -3)$ **6.** $(2, 3)$ **7.** $(4, 0)$ **8.** C

9. a.

x	x + (−2)	y	(x, y)
0	0 + (−2)	−2	(0, −2)
2	2 + (−2)	0	(2, 0)
−2	−2 + (−2)	−4	(−2, −4)

b.

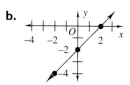

10. a.

x	$-x^2 + 9$	y	(x, y)
0	$-(0)^2 + 9$	9	(0, 9)
3	$-(3)^2 + 9$	0	(3, 0)
−2	$-(-2)^2 + 9$	5	(−2, 5)
−1	$-(-1)^2 + 9$	8	(−1, 8)

b.

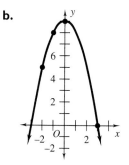

11-6 (págs. 475–477)

Por tu cuenta   5. a.

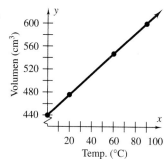

b. unos 600 cm^3 **c.** 445 cm^3

7. a.

Precio por entrada	Entradas vendidas	Ingresos totales
$30.00	400	$12,000
$29.00	420	$12,180
$28.00	440	$12,320
$27.00	460	$12,420
⋮	⋮	⋮
$24.00	520	$12,480

b. 500 entradas **c.**

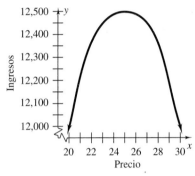

d. Sí; deben hallar el precio con el que conseguir más ingresos.

Repaso mixto 1. $\frac{12}{25}$ **2.** $1\frac{3}{4}$ **3.** $\frac{1}{20}$ **4.** $\frac{7}{8}$ **5.** 13 y 17

11-7 (págs. 478–480)

Por tu cuenta 11. 594 azulejos **13.** 14, 17 **15.** 20 combinaciones

Repaso mixto 1. $1\frac{11}{20}$ **2.** $\frac{1}{15}$ **3.** $\frac{3}{4}$ **4.** $4\frac{3}{5}$ ó 4.6 **5.** $\frac{1}{3}$ **6.** $1\frac{1}{2}$ tz

Práctica (pág. 481)

1. K **3.** D **5.** B **7.** (5,1) **9.** (−3,0) **11.** (4,−2)
13. IV **15.** II **17.** I **19.** −1 **21.** 0
23.   **25.**

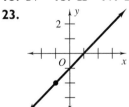 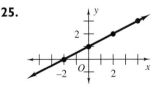

27. 4 h

11-8 (págs. 482–485)

Por tu cuenta 15. $(x, y) \rightarrow (x + 5, y + 4)$
17. $A'(-3, 2)$, $B'(-2, -1)$, $C'(2, -1)$, $D'(1, 2)$
19. coordenada y; coordenada x **21.** A
23. a. $P(-2, 1) \rightarrow P'(2, 4)$; $L(-5, 1) \rightarrow L'(-1, 4)$; $N(-2, -2) \rightarrow N'(2, 1)$ **b.** Los aviones se movieron 4 unidades a la derecha y 3 unidades hacia arriba.

Repaso mixto 1. I **2.** III **3.** II **4.** IV **5.** $2\frac{29}{80}$ **6.** $8\frac{23}{32}$ **7.** $2(48 + a) = 120$; 12 cm

Vistazo a lo aprendido 1. $-\frac{1}{4}$ **2.** 2 **3.** $-\frac{4}{5}$ **4.** B
5. a. $e = p$ **b.** ganancia $= e - 10$ **c.** 48 pizzas

11-9 (págs. 486–488)

Por tu cuenta 9. A, B **11.** No están a la misma distancia del eje de y. **13.** (3,4) **15.** (3,−7)
17.   **19.** ninguno
                            21. reflexión sobre el eje de y
23.

Repaso mixto 1. 2, 6 **2.** 12, 17 **4.** $A'(-4,2)$, $B'(-5,-2)$, $C'(-2,1)$ **5.** $83.94

11-10 (págs. 489–491)

Por tu cuenta 13. sí **15.** no **17.** A, C, D
19. reflexión **21.** rotación

Repaso mixto 1. unos 38.5 pies^2 **2.** unas 63.6 pulg^2 **3.** 96 cm^2 **4.** (5,−1) **5.** (3,4)
6. $2,000

En conclusión (págs. 492–493)

1. a. A **b.** G **2. a.** (0,2) **b.** (−3,−2)
c. (−1,0) **d.** (3,1) **3.** a, c **4. a.** (0,4), (1,5), (2,6)

b.

5. B **6.** $-\frac{1}{2}$ **7.** $\frac{3}{2}$ **8.** $\frac{1}{3}$

9. $-\frac{2}{9}$ **10.** 116 boletos

11. 1 p.m. **13.** $y = x^2 - 4$

14. I, II **15.** mesa; barra con pesas

16.

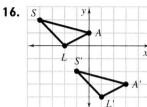

17. traslación

18. reflexión

19. reflexión

20. rotación

Repaso general (pág. 497)

1. D **2.** C **3.** A **4.** C **5.** A **6.** B **7.** D **8.** B **9.** B **10.** D

Práctica adicional 1 (pág. 498)

1.

Temp.	Frec.
1	1
2	1
3	2
4	2
5	1
7	1
10	2
11	3
15	1
16	1
20	1
22	1
28	2
31	2

3. 13; 11; 11; 30

5. A

7. C

9.

4	0 4 8 9
5	1 5 7 7
6	0 0 4
7	1 2 3 7 7 7
8	0 2 6

5 | 1 significa 51

11. 10

Práctica adicional 2 (pág. 499)

1.

3. 90°; rectángulo **5.** c **7.** e **9.** b

11. a, c, d

Práctica adicional 3 (pág. 500)

1. 0.102, 0.099, 0.095, 0.092 **3.** 0.56, 0.55, 0.52, 0.505 **5.** 4 **7.** 1.5 **9.** 2 **11.** 125 **13.** 225 **15.** 7 **17.** 144 **19.** $2.\overline{6}$ **21.** $1.8\overline{6}$ **23.** 6.723 **25.** $3.\overline{3}$ **27.** > **29.** = **31.** $2n - 5$ **33.** 3.9; 15.87; 5.9; 24.334; 6.6; 30.72; 8.6; 65.536

Práctica adicional 4 (pág. 501)

1. 6 **3.** 0 **5.** $x - 3 = 4$; 7 **7.** F **9.** V **11.** −5 **13.** 100 **15.** 0 **17.** 90 **19.** 3 **21.** −14 **23.** 16 **25.** −4 **27.** −18 **29.** 42 **31.** 36

Práctica adicional 5 (pág. 502)

1. 29.16 unidades^2; 21.6 unidades **3.** 6 unidades^2; 12 unidades **5.** 48 unidades^2; 34 unidades **7.** 11.7 pulg **9.** 39.3 pies^3 **11.** 32.9 pulg **13.** 9 gal **15.** 29.2 pies

Práctica adicional 6 (pág. 503)

1. > **3.** > **5.** < **7.** = **9.** = **11.** geométrica; 15, 5, $1.6\overline{6}$ **13.** aritmética; 4.45, 4.75, 5.05 **15.** geométrica; 2.0736, 2.48832, 2.985984 **17. a.** repetición de 8, 4, 2, 6 **b.** 2 **19.** $2,456.52 **21.**

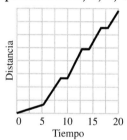

Práctica adicional 7 (pág. 504)

1. $\frac{1}{2}$ **3.** $\frac{1}{3}$ **5.** $\frac{7}{8}, \frac{42}{48}$ **7.** $\frac{2}{3}, \frac{12}{18}$ **9.** $\frac{3}{9}, \frac{4}{12}$ **11.** 1 **13.** 17 **15.** 10 **17.** $\frac{4}{9}$ **19.** $\frac{2}{3}$ **21.** $\frac{9}{16}$ **23.** $\frac{26}{7}$ **25.** $\frac{22}{5}$ **27.** $\frac{12}{5}$ **29.** $11\frac{1}{3}$ **31.** $3\frac{1}{4}$ **33.** $16\frac{2}{3}$ **35.** $2^4 \cdot 3 \cdot 5$ **37.** $2^4 \cdot 3$ **39.** $2 \cdot 3 \cdot 5^2$ **41.** $\frac{1}{2}$ **43.** $\frac{3}{8}$

45. 3, 6, 9, 12, 15

47. 12, 24, 36, 48, 60

49. 17, 34, 51, 68, 85

Práctica adicional 8 (pág. 505)

1. > **3.** = **5.** < **7.** $\frac{73}{200}$ **9.** $\frac{21}{50}$ **11.** $\frac{7}{10}$

13. 9 **15.** 100 **17.** $2\frac{7}{15}$ **19.** $\frac{8}{9}$ **21.** $6\frac{7}{8}$ **23.** $1\frac{1}{2}$

25. $\frac{1}{4}$ **27.** 12,250 **29.** $202\frac{2}{3}$ **31.** D

Práctica adicional 9 (pág. 506)

1. \$.072/oz; \$.066/oz **3.** 750 km/h; 800 km/h **5.** 3

7. 20 **9.** $\frac{3}{8}$ **11.** $\frac{7}{8}$ **13.** 135 **15.** 60% **17.** $1\frac{2}{3}$

19. No; el costo será \$243.17.

Práctica adicional 10 (pág. 507)

1. $\frac{1}{3}$ **3.** $\frac{1}{6}$ **5.** $\frac{3}{16}$ **7.** $\frac{1}{8}$ **9.** $\frac{5}{36}$

11. a.

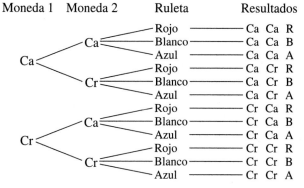

Moneda 1	Moneda 2	Ruleta	Resultados
		Rojo	Ca Ca R
	Ca	Blanco	Ca Ca B
		Azul	Ca Ca A
Ca		Rojo	Ca Cr R
	Cr	Blanco	Ca Cr B
		Azul	Ca Cr A
		Rojo	Cr Ca R
	Ca	Blanco	Cr Ca B
Cr		Azul	Cr Ca A
		Rojo	Cr Cr R
	Cr	Blanco	Cr Cr B
		Azul	Cr Cr A

b. $\frac{1}{12}$; $\frac{1}{4}$ **13.** $\frac{223}{295}$ **15.** 504 **17.** unas 658

Práctica adicional 11 (pág. 508)

1. G **3.** L **5.** $(4,-1)$ **7.** $-\frac{3}{4}$ **9.** -3

11. 5 hacia abajo, 1 a la derecha **13.** A

15.

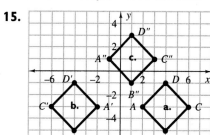

Agradecimientos

Cover Design Martucci Studio and L. Christopher Valente

Front Cover Photo Martucci Studio

Back Cover Photo Ken O'Donoghue

Book Design DECODE, Inc.

Technical Illustration ANCO/Outlook

Illustration

Anco/OUTLOOK: 13, 14, 60, 145, 153, 155, 160, 161, 163, 168, 170, 179, 205 B, 209 B, 212, 214, 215, 217, 218, 222, 232, 235, 253, 258, 259, 260, 261, 262, 268, 270, 281, 306, 341, 342, 344, 345, 348, 352, 379, 402, 424, 427, 428, 431, 433, 434, 459, 462, 475, 477, 482, 491

Eliot Bergman: xv B, 18, 37, 94, 98, 132, 166, 173, 367 C, 368, 376, 391, 406, 409

Arnold Bombay: xi B, 8, 22, 103, 150, 159, 220, 266, 288, 304, 320, 344, 353, 383 B, 401, 403

DECODE, Inc.: vii TR, viii TL, ix TL, x TL, xi TL, xii TL, xiii TL, xiv TL, xv TL, xvi TL, xvii TL, 2 TL, 40 C, 41 BR, 41 CL, 41 TL, 41 TR, 44 T, 86 C, 87 B, 87 TL, 87 TR, 90 TL, 138 CR, 139 BL, 139 BR, 139 TL, 139 TR, 142 TL, 186 B, 187 C, 187 TL, 187 TR, 190 C, 238 BL, 238 BR, 239 B, 239 TL, 239 TR, 242 TL, 274 B, 275 B, 275 T, 278 TL, 310 B, 311 CL, 311 CR, 311 T, 314 TL, 358, 359 C, 359 T, 362 TL, 412 B, 413 BL, 413 BR, 413 T, 416 TL, 452 B, 453 BL, 453 BR, 453 TL, 453 TR, 456 TL, 494 B, 495 CL, 495 CR, 495 T

Jim DeLapine: 7, 55, 111, 130, 388, 435

Tamar Haber-Schaim: 21, 29, 34, 97, 105, 114, 120, 326, 328, 480

Horizon Design/John Sanderson: 146, 337, 371, 382

Joe Lemonnier: 119

Morgan Cain Associates: xv TR, 362–363

Steve Moscowitz: 26, 346

Linda Phinney-Crehan: 16, 322, 355

Matthew Pippin: 469

Precision Graphics: viii TR, x TR, xi TR, xiv TR, xvi TR, xvii TR, 44–45, 91, 143, 190–191, 244, 315, 364, 416–417, 457

Pat Rossi: 260, 431

Schneck-DePippo Graphics: 367 R, 373, 380, 383 T

Schneck-DePippo Graphics and Anco/OUTLOOK: 116, 117

Ned Shaw: 25, 35, 162, 296, 319, 428

Photography

Front Matter: i, ii, iii, Martucci Studio; **iv–v,** Bill DeSimone Photography; **vii TL,** Steve Greenberg Photography; **vii L,** Bob Daemmrich Photography; **viii L,** Ken O'Donoghue; **ix TR,** Mitchell Layton/duomo; **x L,** Chris Bjornberg/Photo Researchers; **xii M,** Kobal Collection; **xii TR,** Rick Maiman/Sygma; **xiii T,** Steve Greenberg Photography; **xiii L,** PH Photo; **xiv L,** Wes Thompson, Berenholz, and Donald Johnson/Stock Market; **xvii L,** John Madere/Stock Market.

Chapter One: 2, 3, Steve Greenberg; **4,** Elena Rooraid/PhotoEdit; **9,** The Dinosaur Society; **12,** NASA/Science Photo Library/Photo Researchers, Inc.; **19,** Faith Barbakoff/AP LaserPhoto; **20,** John M. Burnley/Bruce Coleman, Inc.; **31,** Rhoda Sidney/Monkmeyer Press; **33,** Bob Daemmrich; **36,** D. Strohmeyer/Allsport USA; **38,** Steve Greenberg; **40,** Menke/Monkmeyer Press.

Chapter Two: 44, NASA; **50,** J. Lotter/Tom Stack & Associates; **51,** Ken O'Donoghue; **53 TL, TR,** National Fish and Wildlife Forensics Lab; **53 BR,** E.R. Degginger/Earth Scenes; **56,** Ken O'Donoghue; **59,** Frank Siteman/The Picture Cube; **63,** Galen Rowell; **64 T,** The Bettmann Archive; **64 B,** The Granger Collection; **66,** Photo Researchers, Inc.; **67,** Joyce Photographics/Photo Researchers, Inc.; **68,** Kelvin Aitken/Peter Arnold, Inc.; **71,** © 1993 The Museum of Modern Art, New York; **73,** Orion SVC/TRDNG/FPG International; **80 L,** Comstock; **80 M,** David Jeffrey/The Image Bank; **80 R,** Kal Muller/Woodfin Camp & Associates; **82,** Courtesy, Matt Brookhart; **83,** Ken O'Donoghue; **84,** NASA; **86,** John Eastcott/The Image Works.

Chapter Three: 90, Mitchell Layton/© duomo; **92,** Aneal Vohra/The Picture Cube; **95,** M.P.L. Fogden/Bruce Coleman, Inc.; **99,** M.E. Newman/The Image Bank; **100,** Tim Rock/Animals Animals; **104 all,** Ken O'Donoghue; **107,** Pacific Press Service/Photo Researchers, Inc.; **112,** The Granger Collection; **115,** M.M. Heaton; **116,** Alvis Upitus/The Image Bank; **121,** Hans Wolf/The Image Bank; **122,** Jacques Langevin/Sygma; **125 L, R,** Ken O'Donoghue; **126,** Courtesy Mike's Movies, Boston, MA. Photo by Ken O'Donoghue; **127,** Lee Anderson; **128,** M.M. Heaton; **133,** Mireille Vautier/Woodfin Camp & Associates; **134,** Courtesy, Jill Danek; **135 T,** Courtesy, Prentice Hall; **135 BL,** Dale O'Dell/The Stock Market; **136,** Alan Carey/The Image Works.

Chapter Four: 144, Ken O'Donoghue; **147,** Chris Bjornberg/Photo Researchers, Inc.; **148,** Wide World Photos; **152,** Mark Kelly/Stock Boston; **154,** J. Sohm/The Image Works; **156,** NOAA; **158,** Courtesy, Jason Rodgers; **159,** Mark Gottlieb/FPG International; **164,** The Stock Market; **165,** Garoutte/PDS Bay Island/Tom Stack & Associates; **168,** Bob Daemmrich/The Image Works; **171,** The Granger Collection; **175,** Bettmann; **177,** Michaud/Photo Researchers, Inc.; **180,** Frederik Bodin/Stock Boston; **181,** Erich Lessing/Art Resource; **187,** Bob Daemmrich/The Image Works.

Chapter Five: 192, John Coletti/The Picture Cube; **194,** Steve Greensberg; **195,** David Simson/Stock Boston; **196,** Shaun Egan/Tony Stone Images; **197,** Annie Hunter; **199,** Tate Gallery, London/Art Resource, NY; **202,** Roy Morsch/The Stock Market; **206,** © duomo; **207,** Pete Saloutos/The Stock

Market; **210,** Michael Furman/The Stock Market; **213,** The Granger Collection; **216,** Antman/The Image Works; **219,** Joe Cornish/Tony Stone Images; **224,** Bob Daemmrich Photography; **225,** Abe Frajndlich/Sygma; **226,** Eon Productions; **230,** Comstock; **234,** Russ Lappa; **235 T,** U.S. Department of Justice, Federal Bureau of Investigation; **235 B,** William Whitehurst/The Stock Market; **239,** D & I MacDonald/PhotoEdit.

Chapter Six: 243, Rick Maiman/Sygma; **248,** Peter Aitken/ Photo Researchers, Inc.; **250 T,** David Madison/Bruce Coleman, Inc.; **250 B,** Courtesy, Joshua Gitersonke; **251,** Joe Towers/The Stock Market; **255,** From *The World Book Encyclopedia* © *1993 World Book, Inc.* by permission of the publisher; **256,** Mike Kagan/Monkmeyer Press; **259,** Magnus Rietz/The Image Bank; **264,** Art Matrix from Rainbow; **272,** Rich Maiman/Sygma; **275,** Bob Daemmrich/The Image Works.

Chapter Seven: 278, Steve Greenberg; **280,** Ken O'Donoghue; **282,** courtesy, Amanda Johnson; **283,** Cartoon: Joe Duffy, National Cartoonists Society, Photo by Russ Lappa; **286,** Bob Daemmrich Photography; **289,** Will/Deni McIntyre/Photo Researchers, Inc.; **290,** Christian Steiner/ EMI; **291,** Bob Daemmrich/The Image Works; **298,** Nancy Bates/The Picture Cube; **303,** Courtesy, Western Wood Association; **307,** Bob Daemmrich Photography; **308,** Steve Greenberg; **310,** Bill Aron/PhotoEdit; **331,** J. Boeder/Allstock.

Chapter Eight: 314, Richard Bowditch; **316,** Palmer/ Kane; **318,** Comstock; **324,** Nicholas de Vore III/Bruce Coleman, Inc.; **333,** Llewellyn/The Picture Cube; **343,** Amy C. Etra/PhotoEdit; **347,** Will & Deni McIntyre/Photo Researchers, Inc.; **351 T,** Donald Johnson/The Stock Market; **351 M,** Berenholz/The Stock Market; **351 B,** Wes Thompson/ The Stock Market; **354,** Courtesy, Stacey Lomprey; **355 T,** The Stock Market; **355 B,** Gabe Palmer/The Stock Market; **358,** Frank Siteman/Monkmeyer Press.

Chapter Nine: 365, Bob Daemmrich/Stock Boston; **366,** Jeffrey Markowitz/Sygma; **369,** UPI/Bettmann Newsphotos; **374,** David Doody/Tom Stack & Associates; **378,** Annie Hunter; **386,** The Granger Collection; **393,** Jacques Cochin/ The Image Bank; **396,** David Young-Wolf/PhotoEdit; **398,** Bob Daemmrich/The Image Works; **399,** Ed Degginger/Bruce Coleman, Inc.; **400,** Annie Hunter; **402,** Hans Reinhard/ Bruce Coleman, Inc.; **407 L,** Allan Tannenbaum/Sygma; **407 R,** Bettmann Archive; **409,** Bachmann/The Image Works; **410,** Dean Abramson.

Chapter Ten: 418, Sandy Clark/The Stock Market; **419,** Frank Siteman/Stock Boston; **421,** Rob Tringali, Jr./ Sportschrome; **422,** Arlene Collins/Monkmeyer Press; **425,** Courtesy, The National Weather Service; **432,** Lance V. Mion/ The Picture Cube; **445,** NASA; **446,** Phil A. Dotson/Photo Researchers, Inc.; **447,** Mark W. Bolton/Bruce Coleman, Inc.; **449,** Bob Daemmrich/Stock Boston; **452,** PhotoEdit.

Chapter Eleven: 457, Kenneth W. Fink/Bruce Coleman, Inc.; **458,** Gary Conner/PhotoEdit; **459,** The Granger Collection; **461,** John Madere/The Stock Market; **465,** Annie Hunter; **470,** Courtesy, Daniela Pisciuneri; **471,** Craig Hammell/The Stock Market; **474,** Gabe Palmer/The Stock Market; **476,** Courtesy, Kari Castle; **483,** Jericho Historical Society; **486 TR,** A. & F. Michler/Peter Arnold, Inc.; **486 BL,** John Shaw/Tom Stack & Associates; **486 BM,** Jerome Wexler/ Photo Researchers, Inc.; **486 BR,** Charles Kennard/Stock Boston; **487 T, B,** Roy Morsch/The Stock Market; **489 T,** Foto World/The Image Bank; **489 B,** Rod Planck/Tom Stack & Associates; **492,** Kenneth W. Fink/Bruce Coleman, Inc.; **495,** Bob Daemmrich/The Image Works.

Photo Research: Toni Michaels

Contributing Author: Paul Curtis, Hollis Public Schools, Hollis NH

Editorial, Design, and Electronic Prepress Production, for the Teaching Resources:
The Wheetley Company

Editorial Services for the Teacher's Edition:
Publishers Resource Group, Inc.

Editorial, Design, and Production Services for the Spanish Edition of the Student Textbooks:
The Hampton-Brown Company